Dr. med. Wolfgang Lutz/Leben ohne Brot

Dr. med. Wolfgang Lutz

Leben ohne Brot

Die wissenschaftlichen Grundlagen der kohlenhydratarmen Diät

16. Auflage

INFORMED
Presse und Werbe GmbH, Fachverlag für Medizin
Gräfelfing

Quellennachweis

Abbildungen stellten freundlicherweise zur Verfügung
Amerikanische Botschaft
Das medizinische Prisma
dpa
Geigy, Folia rheumatologica
Dr. Duri Gross
INFORMED Presse- & Werbe GmbH, Fachverlag für Medizin
E. Merck AG, Darmstadt
Münchner Medizinische Wochenschrift
National Film Board
Österreichisches Museum, Wien
Sandoz AG, Basel
Sowjetische Botschaft
Triangel, Zeitschrift für medizinische Wissenschaft
Außerdem sind Bilder des Autors veröffentlicht

ISBN: 978-3-88760-100-9

Inhalt

Einleitung 1

   Mein Selbstversuch 12

Fettsucht 17

Kohlenhydrate und Drüsenstörungen 34

Kohlenhydrate und Diabetes 58

Kohlenhydrate und Hormone 68

Magen – Darm 76

   Gastrin 77

   Bauchspeicheldrüse 78

   Das Geschwür (Ulkus) 80

   Gastritis 81

   Enteritis 83

   Hautjucken 84

   Verstopfung 85

   Durchfall 86

   Crohnsche Krankheit 90

   Colitis ulcerosa 94

   Irritables Kolon 100

   Divertikulose 101

   Eisenmangel 102

   Kalkmangel 105

   Galle und Leber 106

Arteriosklerose 120

Risikofaktoren und metabolisches Syndrom 133

   Der Bluthochdruck 133

   Harnsäure 137

   Gicht 137

   Cholesterin 140

Herz – Kreislauf 153

   Herzschwäche 153

Nervensystem 161

   Alzheimersche Krankheit 161

   Multiple Sklerose 161

   Epilepsie 165

Ernährung und Alter 168

Krebs 173

Evolution als Argument 183

Wie wirkt eine kohlenhydratarme Diät? 200
Für und Wider 212
Praxis der Kohlenhydratbeschränkung 224
Ein halbes Leben ohne Kohlenhydrate 242
   Nützliche Atavismen 244
Schlusswort 258
Leserbriefe 261
Rezeptteil 265
   Kohlenhydrat-Tabellen 267
   Ein 14-Tage-Plan 273
   Kochrezepte 282

Geleitwort zur ersten Auflage

Dr. Wolfgang Lutz hat mit einer revolutionären Idee in die Diskussion um die optimale menschliche Ernährung eingegriffen.

Da erst seit relativ kurzer Zeit, etwa seit der Jungsteinzeit, größere Mengen von Kohlenhydraten in der menschlichen Nahrung enthalten sind, kommt Dr. Lutz zu der Folgerung, dass die Fermentausschüttung des menschlichen Stoffwechsels durch Fleischkost determiniert ist.

Dem überaus anregenden Buch ist weite Verbreitung zu wünschen.

Prof. Dr. Dr. Günther Weitzel,
Physiologisch-chemisches Institut
der Universität Tübingen, 1967

Geleitwort zur vierten Auflage

Die weit verbreitete Meinung, dass die Fette die Hauptschuld an der Entwicklung von Zivilisationskrankheiten tragen, scheint ins Wanken zu geraten. Der Engländer Yudkin kämpft seit Jahren für die These, dass die Kohlenhydrate, allen voran der gewöhnliche raffinierte Zucker, für die Genese von Herzinfarkt und Arteriosklerose entscheidend wichtig sind. Kürzlich erschien in deutscher Sprache ein Buch von Cleave und Campbell, in welchem die beiden Engländer den epidemiologischen Nachweis führen, dass nicht nur die Arteriosklerose, sondern auch andere verbreitete Krankheiten, z.B. das Ulcus pepticum, ihre Ursache in dem enorm angestiegenen Zuckerverbrauch haben könnten. Der Trend geht bemerkenswerterweise dahin, nicht mehr die Fette und auch nicht allein die Überernährung, sondern den speziellen Faktor Kohlenhydrat in den Brennpunkt zu rücken: Man spricht von „Kohlenhydrat-Krankheit".

In dieser Diskussion stellt das vorliegende Buch einen Markstein dar. Kohlenhydrate können nach Lutz krank machen. Sein Lehrgebäude baut der österreichische Internist auf der Entwicklungsgeschichte des Menschen auf. In allen Phasen seiner Entwicklung ist der Mensch bis vor wenigen tausend Jahren Jäger gewesen und hat sich fast ausschließlich von Fleisch, also Eiweiß und tierischem Fett, ernährt. Kohlenhydrate verzehrte er nur in geringen Mengen. Der Mensch war ein Fleischfresser, und sein ganzer Stoffwechsel war seit Jahrmillionen nicht auf Kohlenhydrate, sondern überwiegend auf Eiweiß und Fett eingestellt. Durch die neolithische Revolution wurde mit dem seit etwa 5000 Jahren zunehmenden Anbau von Getreide und Kohlenhydratverzehr der Stoffwechsel in bis dahin völlig ungewohnte und unphysiologische Bahnen gelenkt.

Lutz sieht hierin die Grundlage einer ganzen Reihe von Zivilisationskrankheiten. In seinen therapeutischen Erfolgen mit kohlenhydratarmer Diät findet er die Bestätigung seiner Thesen. Der Einwand, diese Ernährungsweise sei zu arm an Vitaminen, ist nicht stichhaltig; im klinischen Experiment lässt sich das leicht nachweisen. Ich selbst habe langjährige Versuche mit kohlenhydratarmer Kost durchgeführt.

Gesundheitliche Schäden konnten bei den Probanden nicht gefunden werden.

Die neue Auflage dieses Buches sollte dem Arzt zu denken geben. Vor allem ist zu hoffen, dass damit dem heute so verbreiteten Kohlenhydrat-Abusus ein Hemmschuh angelegt wird.

Es erscheint auch aussichtsreich, heraufziehende oder schon bestehende Krankheiten abzubremsen, unter Umständen sogar zu heilen, wenn man konsequent eine kohlenhydratarme Diät durchführt. Dass dieser Hoffnungsstrahl am Horizont des Panoramas der Zivilisationskrankheiten sichtbar geworden ist, danken wir dem Verfasser dieses Buches, der sein Ideengebäude konsequent errichtet hat.

Prof. Dr. med. Gustav W. Parade,
Bad Neustadt/Saale, 1973

Geleitwort zur fünften Auflage

Im Jahre 1967 ist die erste Auflage dieses Buches erschienen. Es war eine mutige Tat, rigorose Einschränkung der Nahrungskohlenhydrate auf 60 bis 70 g am Tag zu empfehlen in einer Zeit, da die Lehre galt, das Fett sei schuld an Atherosklerose und Herzinfarkt und vielen anderen Krankheiten, und da eine von der Bundesregierung getragene Organisation feststellte – ohne ihre Feststellung freilich plausibel zu begründen – ein Büroangestellter „braucht" 350 g Kohlenhydrate am Tag. Lutz hat in viele Wespennester gestochen. Eigene und fremde Erfahrungen der letztvergangenen Jahre haben die Fruchtbarkeit seiner Konzeption erwiesen. Wenn „Leben ohne Brot" schon fast ein Schlagwort ist und die Schrift heute in 5. Auflage erscheinen kann, dann sind das überzeugende Beweise der Resonanz, die die Gedanken von Lutz in der Öffentlichkeit gefunden haben.

Das Buch geht nicht allein, aber doch vor allem den Arzt an. Am Anfang standen die Selbstbeobachtung und die klinische Erfahrung. Sie sind die Grundlagen des Leben-ohne-Brot-Programms. An ihnen kann auch der nicht vorübergehen, der den pathogenetischen Auffassungen und Hypothesen von Lutz nicht überall folgen möchte. Klinische Beobachtungen lassen sich nicht wegdiskutieren, und klinische Beobachtungen sollte man nicht ignorieren, wenn sie nicht in das eigene Konzept passen. Über den Wert eines diätetischen Verfahrens entscheidet nicht die Möglichkeit biochemischer und physiologischer Erklärungen, sondern einzig und allein die klinische Erfahrung und der diätetische Erfolg. Das Buch von Lutz ruft uns Ärzte auf, Erfahrungen mit dem „Leben ohne Brot" zu sammeln, Erfahrungen in der Prophylaxe und in der Therapie von Fettleibigkeit und Diabetes, von Ulkus und Kolitis, von Hepatitis, von Atherosklerose und Herzinfarkt, Erfahrungen aber auch mit der Umstellung von gesunden Menschen auf eine Kostform, mit der die Menschheit zwei Millionen Jahre lang gelebt hat.

Prof. Hans Glatzel, Groß Grönau/Lübeck,
Facharzt für innere Krankheiten,
ehem. Leiter der klinisch-physiologischen Abteilung des Max-Planck-Instituts für Ernährungsphysiologie in Dortmund,
1975

VIII

Geleitwort zur neunten Auflage

Es ist zweifellos als eine besondere Leistung zu werten, wenn ein praktizierender Arzt, habilitierter Doktor und Internist, ohne staatliche Unterstützung eine neue Therapie entwickelt, die ohne das Messer des Chirurgen und ohne pharmazeutische Chemie außerordentlich erfolgreich ist. Es sollte für jeden Arzt selbstverständlich sein, dass er bei seinen Patienten zunächst Möglichkeiten, die ihm beispielsweise Reizklima, ein körperliches Training oder eine Ernährungsumstellung bieten, ausnutzt, bevor er die pharmazeutische Industrie oder den Chirurgen bemüht.

Wolfgang Lutz hat wohl anfangs rein intuitiv gefühlt, dass der weit überhöhte Verzehr an schnell umsetzbaren Kohlenhydraten – Rohrzucker und Stärke – nicht mit der extremen Bewegungsarmut des modernen Menschen zusammenpasst, ohne zunächst den theoretischen Hintergrund zu kennen. Dabei ist die Glukose für den höheren Organismus außerordentlich wichtig, wie ein effektives Regulations- und Glukoneogenesesystem beweist, das für einen lebensnotwendigen Blutzuckerspiegel sorgt. Aber das Überangebot kann bei minimalem körperlichen Training zu einer extremen Umstimmung des äußerst fein einregulierten endokrinen Systems führen, was sekundär zu Fehlregulationen Anlass gibt. Ganze Gewebebereiche können dadurch extrem funktionsuntüchtig werden. Kleinste Belastungen führen dann in diesen Bereichen zu pathologischen Prozessen.

Lutz hat die „Regulationskrankheiten", die auf kohlenhydratarme Ernährung ansprechen, sehr schön ausgefiltert und zusammengestellt. Er hat weiterhin erstmals versucht, das damit im Zusammenhang stehende endokrine Geschehen darzustellen. Das Gesamtbild stimmt mit den von uns aufgrund experimenteller Ergebnisse postulierten Grundlagen der Stoffwechselregulation überein. Wir haben daher in Zusammenarbeit mit Prof. Peter Sallmann die von Lutz, Andresen und Buddecke publizierten Versuche am Huhn nachgearbeitet und sind zu denselben Ergebnissen gekommen: Beim Huhn ist die Spontan-Arteriosklerose eindeutig schwächer ausgeprägt, wenn Kohlenhydrat isokalorisch durch Fett oder Protein ersetzt wird. Dabei ist die Fettqualität von untergeordneter Bedeutung.

In weiteren Versuchen konnten wir zeigen, dass die Tumorarten, die bei der Behandlung von Versuchstieren mit Karzinogenen zu beobachten sind, durch isokalorischen Austausch von Kohlenhydrat gegen Fett hochsignifikant abnehmen, was als allgemeine Erhöhung der Belastbarkeit aller Körperzellen, aber auch als Intensivierung der Abwehrmechanismen (bessere Eliminierung entstehender Tumorzellen) interpretiert werden kann.

Diese Ergebnisse weisen darauf hin, dass neben dem Rauchverbot kohlenhydratarme Ernährung als beste Prophylaxe gegen Arteriosklerose, Herzinfarkt und Krebs anzusehen ist, weil ein ausreichendes körperliches Training im Bereich der großen Städte und bedingt durch die moderne Lebensweise immer schwerer zu verifizieren ist. Entsprechendes gilt für Erkrankungen der Magen- und Darmschleimhaut, um nur einige Beispiele zu nennen.

Man muss nicht mit allen Passagen und auch mit dem Titel „Leben ohne Brot" so unbedingt einverstanden sein, um diesem nun schon in der 9. Auflage erscheinenden Buch eine weite Verbreitung zu wünschen. Jeder Arzt sollte es gelesen haben und die so einfache Möglichkeit der Kohlenhydratrestriktion in sein therapeutisches Repertoire aufnehmen. Das Buch ist aber auch so geschrieben, dass der medizinische Laie wertvolle Anregungen für sein eigenes Ernährungsverhalten und insbesondere für die Ernährung seiner Kinder bekommt. Kohlenhydratarme Ernährung führt eher als mehrmaliges Zähneputzen pro Tag zu einem gesunden Gebiss! Mit diesem letzten Beispiel möchte ich dem „Leben mit wenig Brot" alles Gute wünschen.

Prof. Jürgen Schole, Hannover, 1984

Geleitwort zur 14ten Auflage

Dr. Lutz hat in den vergangenen 40 Jahren eine große Zahl von wissenschaftlichen Arbeiten über die Entwicklung des Menschen vom Jäger und Sammler zum Ackerbauern sowie über die Zusammenhänge zwischen unseren Krankheiten und der Ausbreitung des Ackerbaus und damit des Verzehrs von Kohlenhydraten veröffentlicht. Während vieler Jahre als klinischer Arzt konnte er beobachten, wie sich die Beschwerden seiner Patienten unter kohlenhydratarmer Diät besserten. Er hat auch, gemeinsam mit Universitäten, Versuche an Tieren zur Unterstützung seiner Auffassungen durchgeführt. Aus all diesen Erfahrungen stammen die Ideen, die sich im „Leben ohne Brot" finden.

In dieser 14ten Auflage stellt Dr. Lutz dar, wieviele unserer Zivilisationskrankheiten auf übermäßigen Genuss von Kohlenhydraten zurückgehen. Er und sein Mitarbeiter Prof. Dr. Dr. Jürgen Schole aus Hannover (ihr gemeinsames Buch „Regulationskrankheiten", Ferdinand Enke Verlag, Stuttgart 1988) betrachten das Übermaß an Kohlenhydraten aus dem Ackerbau als auslösenden Schritt für eine Reihe von Ereignissen, durch die natürliche Zusammenhänge auf der Ebene der Zellen, der Gewebe, der Organe und schließlich des gesamten Organismus zerstört werden. Sie glauben, dass vor allem eine Verminderung des Wachstumshormons die Reparaturfähigkeit der Arterien erniedrigt und dass die Abnahme der Aktivität des Wachstumshormons direkt mit dem Kohlenhydratkonsum zusammenhängt. In der Tat hat die amerikanische „Food and Drug Administration" jetzt die Therapie mit Wachstumshormon bei Erwachsenen freigegeben. Auf einem Seminar im National Institute of Health in Bethesda, Maryland, im Oktober 1997 hat ein bekannter Endokrinologe bestätigt, dass Mangel an Wachstumshormon mit Insulinresistenz und Hyperinsulinämie gekoppelt ist (genau das behaupten Lutz und Schole seit Jahren). Befragt, warum man dann nicht Mangel an Wachstumshormon mit Einsparung von Insulin (i.e. von Kohlenhydraten) behandelt, meinte er, eine solche Methode sei nicht bekannt. Wie Dr. Lutz' Arbeiten zeigen, ist Beschränkung der Kohlenhydrate das einzige, was zur Senkung der Insulinspiegel nötig ist. Mangel an Wachstumshormon wird jetzt immer häufiger auch bei Kleinkindern beobachtet; wenn sie viel Fruchtsäfte trinken, bleiben sie im Wachstum zurück (Dennison et al.: Pediatrics, Vol. 99, S. 15, 1997). Auch dies weist auf die Rolle der Kohlenhydrate für den Mangel an Wachstumshormon hin.

Wie Dr. Lutz in seinen Forschungsberichten beschreibt, müssen zur Normalisierung des Insulinspiegels bei hyperinsulinämischen Patienten die Kohlenhydrate pro Tag auf etwa 75 g beschränkt werden; dies entspricht 1569 kJ (375 Kalorien). Bei 8400 kJ (2000 Kalorien) pro Tag entsprechen 75 g Kohlenhydrate ungefähr 19 % der pro Tag zugeführten Kalorien, für 10500 kJ pro Tag (2500 Kalorien) wären es 15 %. Eine kohlenhydratarme Diät besteht daher aus 15 bis 20 % der Kalorien aus Kohlenhydraten. Dr. Lutz hat durch direkte Experimente gezeigt, dass sich durch eine Diät mit 20 % Kohlenhydraten bei den meisten Patienten mit vorwiegend sitzender Lebensweise der Insulinspiegel normalisieren lässt. Ich war zunächst skeptisch gegenüber den Vorstellungen von Dr. Lutz, wie ein guter Wissenschaftler sein sollte. Nach Einsicht in die englische Ausgabe seines Buches beschloss ich jedoch, mich näher damit zu befassen. Meine Erfahrungen an mir selbst und meine Beobachtungen an anderen, die ich für die Ideen von Dr. Lutz gewinnen konnte, sind eindrucksvoll. Jeder verliert an Gewicht, selbst eher Magere wie ich (mein Gewichtsverlust betraf vorwiegend den Bauch); mein Fett reduzierte sich von 15 auf 11 % meines Körpergewichts. Meine körperliche Kraft und meine Ausdauer erhöhten sich merklich, und ich kann es jetzt sportlich mit Leuten aufnehmen, die 15 Jahre jünger sind als ich (obwohl ich zugeben muss, dass ich Tennis immer noch eher verliere als gewinne!). Nach einem Jahr Diät war auch eine deutliche Zunahme meiner Muskelmasse zu bemerken. Ich bin weniger müde vor dem Essen und frischer nachher. Meine Fingernägel wachsen jetzt schneller, und Wunden heilen rascher als vorher.

Bekannte, die sich an dem Diätprogramm beteiligten, berichten ebenfalls über mehr Energie und über Verschwinden von Bauchschmerzen und Müdigkeit nach dem Essen. Ich kann Ihnen nicht sagen, wie oft ich in unserem Labor Kohlenhydratesser, meist jünger als ich, bei einem Schläfchen während eines Nachmittag-Seminars ertappt habe. Wenn Kohlenhydrate, wie immer wieder behauptet, soviel Energie bereitstellen, wieso sind diese Leute so schläfrig? Eine Dame, die an dem Diätprogramm teilnahm, berichtete, ihr Zahnarzt habe sich gewundert, wie schnell ihre Zahnfleischwunde nach einer größeren Operation abgeheilt war.

Diese Beobachtungen sind keine wissenschaftlichen Beweise; ich bringe sie nur, um zu zeigen, dass es ein wesentlicher Punkt bei jeder Gesundheitstheorie ist, ob die Patienten davon profitieren, ob eine Diät wirkt oder nicht. Lassen Sie sich einen Versuch mit der Lutz-Diät von niemandem ausreden: Wenn Sie einmal den Unterschied gegenüber vorher merken, wird Sie keine heute noch so anerkannte Ernährungstheorie davon überzeugen können, dass Sie auf dem falschen Wege sind.

Dr. Wolfgang Lutz steht zu seinen Ansichten trotz der (vorläufig noch) gegenläufigen medizinischen Vorstellungen; sein Anliegen ist die Gesundheit seiner Patienten und Freunde. Ohne den Einsatz solcher Menschen würde der Fortschritt unserer Zivilisation wesentlich langsamer voranschreiten. Ich danke Dr. Lutz für seine Ausdauer und die frühe Erkenntnis der

Zusammenhänge zwischen Kohlenhydraten und unseren Erkrankungen; er ist zweifellos einer der Pioniere dieser Lehre.

Christian B. Allan, Staff Fellow
National Institutes of Health
Bethesda, Maryland, USA, Januar 1998

Vorwort des Autors

Die Idee, dass die Kohlenhydrate unsere Zivilisationskrankheiten verursachen könnten, kam mir 1957 als Resultat eigener Überlegungen und lange, bevor ich von V. Stefansson hörte. Dieser hatte kausale Zusammenhänge zwischen der Umstellung der menschlichen Ernährung im Neolithikum und unseren Zivilisationskrankheiten vielleicht schon 1921, sicher aber 1946 angenommen. Klinische Beobachtungen über den Einfluss einer kohlenhydratarmen Diät auf Krankheitssymptome gibt es – abgesehen vom Diabetes (Bernhard Knick), den kohlenhydratempfindlichen Hyperlipidämien (Ahrens) und den hypoglykämischen Zuständen (Gyland) – bis jetzt allerdings nur an Fettleibigen, zu deren Behandlung diese Ernährungsweise seit Banting in den angelsächsischen Ländern angewendet wird. Dabei erwähnte man gelegentlich günstige Nebenwirkungen, etwa auf den Blutdruck (Pennington) oder auf das Allgemeinbefinden (Robert Atkins).

Auf ursächliche Zusammenhänge zwischen „neolithischer Revolution" bzw. den Kohlenhydraten, die damals als Nahrungsmittel entdeckt wurden, und unseren Zivilisationskrankheiten wurde durch John Yudkin (Lancet 1, S.1355, 1963) verwiesen, dessen Arbeiten über Arteriosklerose und Zuckerkonsum schon länger bekannt

waren (seit 1936). Damals, 1963, waren bereits meine Arbeiten über Arteriosklerose und Kohlenhydrate, Kohlenhydrate und multiple Sklerose (mit K. Eckel) sowie über Kohlenhydrate und adipöse Jugendliche mit Hinweisen auf die pathogenetische Rolle der Kohlenhydrate bei unseren Zivilisationskrankheiten erschienen.

Ich habe mir überlegt, ob und wo ich die Resultate meiner Versuche und Erfahrungen an mir selbst und – mittlerweile – vielen tausend Patienten mit den daraus resultierenden Ideen über den Einfluss der Kohlenhydrate auf unsere Gesundheit veröffentlichen sollte. Obwohl sie an entscheidenden Punkten auf festem Boden gegründet sind, waren doch hypothetische Ergänzungen notwendig. Meine Vorstellungen widersprechen in einigen Punkten den heute (noch) geltenden Ansichten, besonders bezüglich der Rolle der Fette bei unseren Zivilisationsschäden. Wenn aber ein gedankliches Gebäude fast fertig ist, so dass man den Abschluss zu erkennen glaubt, erscheint es zulässig, es zur Diskussion zu stellen und damit andere an der endgültigen Formgebung zu beteiligen.

Ich hatte das „Leben ohne Brot", wie der Titel schon vermuten lässt, zunächst für ein breites, gebildetes Publikum geschrieben. Als dann in Gestalt des Selecta-Verlages ein Interessent für einen ärztlichen

Leserkreis auf den Plan trat, wurde es auf die wissenschaftlichen Bedürfnisse des Ärztestandes zugerichtet. Von den inzwischen erschienenen mehr als 80000 Exemplaren wurde aber der Großteil von Laien gelesen, so dass es schließlich an der Zeit schien, den Text unter Verzicht auf entbehrliche Gelehrsamkeit so zu verändern, dass er nicht nur den Medizinern, sondern auch den Laien verständlich ist.

Obwohl es eigentlich eine Binsenweisheit ist, dass auch der Mensch einige Zeit hungern, das heißt ohne Kohlenhydrate und nur von Fleisch und Fett (seinem eigenen nämlich) leben kann, konnte die Ernährungswissenschaft von der Möglichkeit eines „Lebens ohne Brot" erst durch den Nachweis überzeugt werden, dass das Hirn, von dem man bisher glaubte, es könne nur von Zucker leben, auch die Abbauprodukte der Fette, nämlich die Ketokörper, verwertet. Diese Erkenntnis könnte einen Wendepunkt weg von den Kohlenhydraten und hin zu den Fetten bringen, wie die nächste Zukunft hoffentlich erweisen wird.

Jetzt habe ich unerwartet auch Unterstützung von Seiten der Veterinärbiologen in der Gestalt von Prof. Dr. Dr. Jürgen Schole und Prof. Dr. Hans Peter Sallmann erhalten, zwei Professoren für physiologische Chemie an der tierärztlichen Hochschule in Hannover. Sie haben nicht nur über Arteriosklerose experimentiert und dabei das Ergebnis unserer gleichgerichteten Versuche am Huhn bestätigt (dass es nämlich, kohlenhydratarm ernährt, weniger Arteriosklerose hat), sondern sie kamen gleich mit einem ganzen Bündel experimenteller Daten und mit einer Theorie, welche sich zur Erklärung meiner Beobachtungen als außerordentlich fruchtbar

erwiesen hat. Der Einfluss dieser „Zwei-Komponenten-Theorie" war so tief greifend, dass das Buch „Leben ohne Brot" ab der 6. Auflage in weiten Teilen grundsätzlich neu gestaltet werden musste.

Was dem Laien wohl am meisten einleuchten und ihn am meisten von der Richtigkeit einer Idee überzeugen wird, ist der Versuch an sich selbst. Hier kann ich ein fast sicheres Versprechen geben: Es wird kaum jemand sein, der es einige Zeit mit einem „Leben ohne Brot" versucht hat und der dann nicht festgestellt haben wird, dass sich irgendetwas an ihm zum Guten gewendet hat. Der Arzt hat es natürlich noch viel leichter; er braucht diese Ernährungsweise nur in das Repertoire seiner therapeutischen Maßnahmen aufzunehmen und wird dann, wie ich, plötzlich feststellen, dass er wesentlich mehr dankbare Patienten hat als früher.

Er wird aber auch mit Schwierigkeiten zu kämpfen haben. Immer wieder werde ich darauf hinweisen, dass die Wirkung einer kohlenhydratarmen Diät auf einen bestimmten Menschen durch zwei gegenläufige Prozesse bedingt ist, nämlich durch die Besserung der Organ- bzw. Gewebsqualität und durch die Anhebung von Kräften, die vom Immunsystem ausgehen und gegen unsere eigenen Organe gerichtet sind („Autoaggression"). Da solche Immunkrankheiten in uns schlummern können, ohne dass wir davon wissen, ist es dringend zu empfehlen, eine kohlenhydratarme Diät dann, wenn Beschwerden bestehen oder auftreten oder wenn bereits ein höheres Alter erreicht wurde, unter ärztlicher Aufsicht durchzuführen.

Da ein „Leben ohne Brot" auch sonst eine Reihe medizinischer Maßnahmen beinhaltet, wende ich mich hier an meine

Kollegen, insbesondere an die jüngere Generation meines Berufsstandes, an diejenigen, die, wie die Jugend aller Zeiten, sich von einer neuen Idee faszinieren lassen und bereit sind, dafür das Bisherige über Bord zu werfen. Ich hoffe, nein, ich weiß, dass man sich früher oder später auch an den Kliniken und Forschungsstätten vorurteilsfrei mit Fragen der menschlichen Ernährung befassen wird. Und dabei wird sich die Richtigkeit dessen bestätigen müssen, was ich in meiner Praxis seit 40 Jahren und an sicher über 10 000 Patienten sah und was ich in diesem Buch darstelle: dass nämlich trotz aller Schwierigkeiten, die mit einer Ernährungsumstellung bei kranken Erwachsenen vorhanden sein können, oft nur eine kohlenhydratarme Diät in der Lage ist zu helfen, und dass sie darüber hinaus die Grundlage der Prophylaxe unserer Zivilisationskrankheiten ist.

Ich appelliere hier an die Kliniker, weil es notwendig ist, Thesen wie diese durch exakte Messungen an Patienten und an Versuchstieren zu untermauern, statt – wie die Schwärmer – immer nur von Bio-, Roh-, Voll-, Aufbau-, Basen- und sonstiger Kost zu reden und es anderen zu überlassen nachzuweisen, dass damit eine Veränderung physiologischer Messgrößen bzw. eine Besserung von Krankheiten und eine Verlängerung des Lebens zu erzielen ist – oder nicht. Auf einigen Gebieten habe ich selbst derartige Messungen durchgeführt; ich lege sie hier vor.

Wer es je als so genannter Außenseiter versucht hat, in die geheiligten Gehege einer etablierten wissenschaftlichen Theorie einzudringen und dort seine Stimme zu erheben, der wird wissen, wie schwer dies für mich war. Dass es mir schließlich gelungen ist, mich bemerkbar zu machen, verdanke

ich in erster Linie Frau Dr. med. Erdmuthe Idris, die das Manuskript von „Leben ohne Brot" eines unbekannten Autors für wert befunden hat, in SELECTA der deutschen medizinischen Öffentlichkeit unterbreitet zu werden. Ich muss mich ferner bei Herrn Dr. med. Ildar Idris und den Mitarbeitern seines Verlages bedanken für die Mühe, die sie sich mit diesem Buch gemacht haben.

Was die wissenschaftliche Seite betrifft, so bin ich besonders den Professoren Dr. Günther Weitzel und Dr. Eckhard Buddecke von den Physiologisch-chemischen Instituten der Universitäten Tübingen und Münster zu Dank verpflichtet. Herr Prof. Weitzel hat die Idee eines ihm ganz unbekannten Mediziners, als der ich ihm seinerzeit entgegentrat, dass nämlich Huhn und Mensch in gleicher Weise von ihren urtümlichen Ernährungsgewohnheiten durch die Kohlenhydrate des menschlichen Ackerbaus abgebracht wurden und dass darin die Ursache für die bei beiden Arten vorkommende und einander ähnelnde Arteriosklerose liegen könnte, bereitwillig aufgenommen und mir seine Erfahrungen und die Möglichkeiten seines Institutes zur Verfügung gestellt.

Herr Prof. Buddecke hat diese Arbeiten mit mir fortgesetzt und vollendet. Frau Andresen, Göttingen, verdanke ich die Sektion der Versuchstiere und den Hinweis auf die Inaktivität der Ovarien bei älteren kohlenhydratarm ernährten Tieren gegenüber den normal gefütterten, Herrn Dozenten Dr. Walter Bauer vom Institut für Mathematik der Universität Salzburg für Regressionsanalyse unserer Daten über das Verhalten des Cholesterinspiegels im Blut unter kohlenhydratarmer Ernährung. Der Laevosan-Gesellschaft Linz, der Ludwig-Boltzmann-Gesellschaft Wien und der

Salzburger Landesregierung bin ich für die finanzielle Unterstützung meiner Arbeiten sehr zu Dank verpflichtet.

Ich möchte nicht unerwähnt lassen, dass sowohl die deutsche Ausgabe von „Leben ohne Brot" als auch die im Oktober 1987 erschienene Ausgabe in englischer Sprache unter dem Titel „Dismantling a Myth – The Role of Fat and Carbohydrates in Our Diet", Verlag Charles C. Thomas, Springfield, Illinois/USA ohne die Hilfe von Frau Dr. Erdmuthe Idris und ihrer Tochter, Mrs. Beatrice Idris-Duncan, nicht möglich gewesen wären.

Diese Auflage von „Leben ohne Brot" erscheint nach Abschluss der großen „Crohn-Studie V" der Sektion Morbus Crohn der Deutschen Gesellschaft für Gastroenterologie, die im Vorwort zur 12. Auflage schon angekündigt war. Es haben sich daran neben dem Koordinator Prof. Hartmut Lorenz-Meier aus Friedrichshafen und dem Statistiker Prof. Peter Bauer, Köln, jetzt Wien, mehrere gastroenterologische Zentren Deutschlands mit ihren Erfahrungen und Patienten beteiligt. In dieser „Crohn-Studie V", die „randomisiert und prospektiv" nach neuesten wissenschaftlichen Standards entworfen und durchgeführt wurde, besitze ich jetzt an Hand einer „unheilbaren" Krankheit erstmals einen hieb- und stichfesten Beweis für die Richtigkeit meiner Vorstellungen von einer gesunderhaltenden menschlichen Ernährung; einen Beweis, den bisher alle anderen Ernährungsapostel einschließlich der sog.

Schulmedizin schuldig geblieben sind. Denn die prospektiven randomisierten „Feldstudien" über Ernährung und Herzinfarkt haben nicht bewiesen, dass sich die Herzinfarktrate durch Diät eindeutig erniedrigen lässt. Über die Medikamente dazu sind die Akten noch nicht geschlossen.

Nun gibt es auch neue Vorstellungen darüber, wie der Mensch sich allmählich an die Ernährungsumstellung im Neolithikum (an die erhöhte Zufuhr von Kohlenhydraten durch den Ackerbau) angepasst bzw. noch nicht völlig angepasst hat und wie er dafür durch Krankheit zu büßen hat. Diese meine „Adaptationstheorie" erklärt die unterschiedliche Häufigkeit der so genannten westlichen Krankheiten, von Herzinfarkt, Krebs, Multipler Sklerose, Diabetes etc. Dort, wo die Kohlenhydrate erst spät hingekommen sind, wo die Zeit für Adaptation an sie zu kurz war, etwa in Schottland, in Nordirland und in Skandinavien, grassieren Herzinfarkt, Krebs, Diabetes Typ I und Multiple Sklerose. Diese offensichtlichen Zusammenhänge zwischen „westlichen" Zivilisationskrankheiten und Ausbreitung des Ackerbaus beseitigen meiner Ansicht nach alle Vorwände, heute noch an der Fett-Theorie als Schema für „ungeeignete" menschliche Ernährung festzuhalten, und zwingen uns, stattdessen die Kohlenhydrate anzuschuldigen.

Salzburg/Hallwang, im Frühjahr 1998
 Dr. Wolfgang Lutz

XV

Einleitung

„Eine neue wissenschaftliche Wahrheit pflegt sich nicht in der Weise durchzusetzen, dass ihre Gegner überzeugt werden und sich als bekehrt erklären, sondern vielmehr dadurch, dass die Gegner allmählich aussterben und dass die heranwachsende Generation von vornherein mit der Wahrheit vertraut gemacht ist." Max Planck: Wissenschaftliche Autobiographie, Leipzig, 1928

„Was ich erreicht habe, zeigt, dass jeder mit relativ wenig Spezialkenntnissen, ohne viel Geld und ohne Zusammenarbeit mit Universitäten oder anderen Gesellschaften Erfolg haben kann, wenn er nur an einer neuen Sache arbeitet, ohne sich von konventionellen Ideen beeinflussen zu lassen." Shuji Nakamura, Erfinder der „Blue Laser Diode"

Die Mystiker

Wir sind im Augenblick in einer heillosen Verwirrung darüber befangen, wie wir uns ernähren sollen. Es gibt kaum zehn Menschen unter 100, die dasselbe Rezept für richtig halten. Da sind einmal die Vegetarier, die glauben, dass nur Nahrungsmittel pflanzlicher Herkunft gesund seien und die daher alles Tierische ablehnen. Viele von ihnen essen nur Gemüse und Obst, andere wieder alle Nahrungsmittel pflanzlicher Herkunft, auch wenn sie sehr viel Stärke enthalten, wie Brot, Kartoffeln, Reis und Hülsenfrüchte. Manche Vegetarier halten Milch und Molkereiprodukte für

---

Achtung

Wenn Sie als Mann über 40 und als Frau über 60 Jahre, übergewichtig oder Diabetiker sind, wenn Sie einen stark erhöhten Blutdruck oder Herzbeschwerden haben, beginnen Sie mit kohlenhydratarmer Diät erst, wenn Sie dieses Buch zu Ende oder wenigstens das Kapitel „Für und Wider" (ab S. 212) gelesen haben.

---

unschädlich, während sie aus unerfindlichen Gründen dem Fleisch und dem Fett krankmachende Wirkungen zuschreiben (siehe aber S. 212 ff.). Dann gibt es da die Rohköstler, die der Meinung sind, dass auch pflanzliche Nahrungsmittel nur in rohem unerhitztem Zustand zuträglich sind, die Anhänger von Waerland beispielsweise.

Die zunehmende Verwendung von Kunstdünger und von Insektiziden hat begreiflicherweise die Befürchtung erweckt, dass diese Substanzen zu Schäden an der menschlichen Gesundheit führen müssten. Die Anhänger dieser These sind der Meinung, man könne nur von „biologisch gezogenen" Nahrungsmitteln, ohne Verwendung von Kunstdünger und Insektiziden, in der Tierzucht ohne Verwendung von Antibiotika und Hormonen, ein gesundes menschliches Geschlecht erhalten.

Allen diesen Richtungen ist, vom gelernten Mediziner aus betrachtet, eines gemeinsam: Der Brustton der Überzeugung, in dem die Dogmen vorgetragen werden und ihre Einhaltung gefordert wird, steht in umgekehrtem Verhältnis zu der Qualität und Quantität angebotener Beweise. Es gilt z.b. als ausgemacht, dass Insektizide, die heute selbst in Hochseefischen nachgewiesen werden können (ohne die aber die Menschheit nicht ernährt werden könnte), für uns schädlich seien, obwohl bisher keine einzige menschliche Krankheit darauf eindeutig zurückgeführt werden konnte. Es gilt auch als ausgemacht, dass Kohlenmonoxid (z.b. in Autoabgasen) krank macht, dass Röstprodukte in unserer Nahrung schaden, aber es fehlen bislang hieb- und stichfeste Beweise dafür (vor allem für die Autoabgase, deren Beseitigung uns so viel kostet).

Wohlgemerkt: Ich rede hier nicht einer weiteren Sorglosigkeit gegenüber Umweltschadstoffen das Wort. Ich bin dafür, dass man Medikamente und Chemikalien nicht oder doch nicht ohne Grund einnimmt, dass man misstrauisch ist gegen Medikamente, Insektizide, Cyclamate, Antidiabetika und Autoabgase, dass man das Rauchen möglichst einschränken soll, aber man soll nicht immer wieder irgendetwas für unsere Krankheiten verantwortlich machen, ohne sich um Beweise zu bemühen. Da wir nämlich nie allen Schadstoffen in unserer Umwelt werden aus dem Wege gehen können, müssen wir für eine vernünftige Planung wissen, wie schädlich das eine oder das andere ist.

Ich habe meine Ansicht, dass es in erster Linie die Kohlenhydrate sind, die uns krank machen, an mir selbst, an meiner Familie und an vielen Tausenden von Patienten meiner Praxis zu erhärten versucht und mich dabei um den wissenschaftlichen Nachweis bemüht, dass objektiv messbare Größen, z. B. die Blutspiegel von Cholesterin, Harnsäure, Hämoglobin, Calcium, Ei-

sen sich ändern, dass die Enzymreaktionen bei Leberkrankheiten und die EKGs bei Herzkranken sich bessern; und ich glaube, man sollte dies ausnahmslos auch von anderen Ernährungsaposteln verlangen. Wer behauptet, Rohkost sei gesund, der sollte dafür antreten und nachweisen, dass man damit diese oder jene Krankheit bessern und dass man damit länger leben kann. Und wer sagt, Zucker sei schlechter als Brot, Weißbrot sei schlechter als Vollkornbrot (was vielleicht z.T. sogar richtig ist, jedenfalls aber nicht für Magenkranke), der soll es nachweisen. Aber niemand beweist, und jeder behauptet.

Die Fett-Theorie

Aber da sind die Vertreter der Fett-Theorie, die heute noch glauben, dass die tierischen Fette uns krank machen. Diese Vorstellung resultiert aus der Beobachtung, dass während der beiden Weltkriege und in den Nachkriegszeiten, als die Nahrungsmittel und damit die tierischen Fette knapp wurden, gewisse Krankheiten verschwanden oder doch seltener auftraten, vor allem die gefürchteten Zivilisationskrankheiten im engeren Sinne, Krebs, Fettsucht, Diabetes und Arteriosklerose mit den Herzinfarkten und Schlaganfällen. Ich glaube, dass diese Vorstellung falsch ist, dass wir in den letzten 30 Jahren in die Irre geführt wurden und dass wir uns von dieser Idee möglichst rasch im Interesse unserer eigenen Gesundheit lösen müssen. Ich werde im Kapitel über Arteriosklerose und auch sonst mehrfach im Laufe dieses Buches auf dieses Problem eingehen und Argumente für meine Ansicht vorbringen. Es gibt deren viele.

2

Nichts Neues unter der Sonne

Aber gibt es eine Alternative dazu? Gibt es ein Dogma, eine Lehre, die mit einiger Wahrscheinlichkeit für sich beanspruchen könnte, besser zu sein als das, was die Fett-Theorie behauptet, besser als die Vorstellungen der Vegetarier, der Rohköstler, der Kunstdünger-Gegner und Anti-Insektizidler, als die der Anti-Antibiotiker?

Es gibt sie. Es gibt diese Lehre sogar schon lange. Wahrscheinlich schon so lange, wie der Mensch begonnen hat, Getreide anzubauen und als Nahrungsmittel zu verwenden. Denn damals, als die Kohlenhydratler und die Fleischler nebeneinander gelebt haben, wird es aufgefallen sein, dass die einen mehr und die anderen weniger krank waren, die einen kränker und die anderen gesünder (wenn auch die Einführung der Kohlenhydrate in Form des Getreides ganz langsam über viele Generationen erfolgt sein mag, so dass sich Differenzen in der Gesundheit dem Beobachter nicht immer aufgedrängt haben müssen).

Herodot

Man hat es tatsächlich beobachtet. Herodot (III, 22) erzählt aus dem 5. Jahrhundert v. Chr. von der Unterredung einer persischen Gesandtschaft mit dem äthiopischen König, der sich nach dem Perserkönig Kambyses erkundigte:

„Als er (der Äthiopier) aber an den Wein kam und seine Zubereitung erfuhr, da freute er sich über den schönen Trunk und fragte, was der König esse und wie lang wohl höchstens ein persischer Mann lebe. Sie sagten, er esse Brot, und erzählten ihm von der Art des Weizens, und 80 Jahre wä-re das höchste Lebensziel, das einer erreiche. Darauf sagte der König, er wundere sich gar nicht darüber, dass sie nur wenige Jahre lebten, wenn sie Kot (damit meinte er das Brot) äßen. Und selbst so lange würden sie nicht leben können, wenn dieser Trunk sie nicht stärkte (damit meinte er den Wein); denn das hätten die Perser besser als sie.

Als nun die Fisch-Esser (Perser) den König wiederum fragten über die Art und Dauer des Lebens, sagte er, die meisten von ihnen kämen auf 120 Jahre, einige brächten es auch noch höher. Ihre Speise sei gekochtes Fleisch und Milch ihr Getränk."

Mit der Zunahme der Erdbevölkerung zu Beginn der historischen Zeit war aber der Verzehr von Getreide, das Leben mit Brot, sozusagen unvermeidbar geworden. Alle Errungenschaften der Menschheit, Handwerk, Kunst, Industrie, Wissenschaft, Religion und Politik haben eine gewisse Dichte der Besiedelung und ein gewisses Maß an Urbanisierung zur Voraussetzung. Denn anders kann eine vernünftige Arbeitsteilung und die Spezialisierung in Berufsgruppen nicht erfolgen.

Damals, vor Einführung moderner rationeller Methoden der Viehzucht, war es aber nicht möglich, eine größere Zahl von Menschen auf einer begrenzten Fläche anders zu ernähren als durch Getreide und sonstige Kohlenhydrate. Getreide, Obst und Gemüse wurden damit die Nahrungsbasis der Menschheit.

Wegen des niedrigen Standes naturwissenschaftlicher Erkenntnisse betrachtete man Zivilisationskrankheiten als notwendiges, von Gott gesandtes Übel und nicht als Folge einer fehlerhaften Ernährung oder anderer mit Zivilisation verbundener Schäden. Die wahren Zusammenhänge kamen (und kommen) erst langsam ans Licht.

Savarin

Als Zeitgenosse der großen französischen Revolution lebte von 1755 bis 1826 Anthelme Brillat Savarin, zuletzt als Richter beim französischen Oberstgericht in Paris, heute weltweit bekannt als König der Feinschmecker. In seinem Buch „Physiologie du goût" schrieb er ein ganzes Kapitel über die Fettleibigkeit, aus dem man erkennen kann, dass er – obwohl nur Jurist (mit viel Interesse allerdings an Medizin, Physiologie und Chemie) – damals schon genau über die Zusammenhänge zwischen Kohlenhydraten und Fettleibigkeit Bescheid wusste. Ich zitiere aus der deutschen Ausgabe[1] Savarins Ansicht von den Ursachen der Fettleibigkeit:

„Die erste ist die natürliche Veranlagung des Menschen. Fast alle Menschen kommen mit gewissen Anlagen zur Welt, die sich schon im Gesicht ausdrücken. Unter hundert Menschen, die an Schwindsucht sterben, haben 90 dunkles Haar, ein langes Gesicht und eine spitze Nase. Unter hundert fettleibigen Menschen haben 90 ein rundes Gesicht, kleine Augen und eine stumpfe Nase.

Es gibt also tatsächlich Leute, die gewissermaßen zur Fettleibigkeit prädestiniert sind und deren Verdauung eine größere Menge von Fett verarbeitet.

Diese physiologische Tatsache, von der ich fest überzeugt bin, beeinflusst bei gewissen Gelegenheiten meine Betrachtungsweise auf lästige Art. Trifft man auf einer Gesellschaft ein kleines, lebhaftes rosiges Mädchen mit schelmischem Näs-chen, rundlichen Formen, kleinen fleischigen Händen und kurzen dicken Beinen, dann sind alle entzückt und finden es reizend. Ich dagegen betrachte es aufgrund meiner Erfahrungen mit Augen, die schon zehn Jahre vorausgeeilt sind; ich sehe die von der Fettleibigkeit bei diesem so frischen Menschenkind angerichteten Verwüstungen und seufze in Gedanken über Dinge, die noch gar nicht bestehen.

Dieses verfrühte Mitleid ist ein unangenehmes Gefühl und liefert unter tausenden anderen den Beweis dafür, dass der Mensch viel unglücklicher wäre, wenn er die Zukunft voraussehen könnte.

Die zweite und hauptsächlichste Ursache der Fettleibigkeit sind Mehl und Stärke, auf denen die tägliche Nahrung des Menschen beruht. Wie wir schon gesagt haben, werden alle Tiere fett, die von mehlhaltigen Stoffen leben, ob sie wollen oder nicht, und auch der Mensch unterliegt diesem allgemein gültigen Gesetz."

Savarins Anweisungen „über die vorbeugende oder heilende Behandlung der Fettleibigkeit" zeigen, dass er erhebliche praktische Erfahrungen gesammelt und die Schwierigkeiten erfasst haben muss, die einem Erfolg hier entgegenstehen:

„Jede Entfettungskur muss mit folgenden drei Dingen beginnen, die jedoch reine Theorie sind: Enthaltsamkeit beim Essen, Mäßigkeit im Schlaf und Bewegung zu Fuß und zu Pferde.

Dies sind die wichtigsten der von der Wissenschaft genannten Heilmittel. Ich halte aber wenig davon, weil ich die Menschen und die Dinge kenne und weil jede nicht haargenau befolgte Vorschrift kein positives Ergebnis zeitigen kann.

Erstens gehört viel Willenskraft dazu, hungrig vom Tisch aufzustehen. So lange dieses Bedürfnis anhält, zieht ein Bissen den anderen mit unwiderstehlicher Gewalt an, und im Allgemeinen ißt man, bis der Hunger gestillt ist, trotz der Ärzte und sogar nach ihrem Beispiel.

Zweitens würde es den Dicken das Herz brechen, wenn sie früh aufstehen müssten. Sie würden darauf antworten, dass es ihre Gesundheit nicht zulasse, denn wenn sie früh aufstünden, seien sie für den ganzen Tag für nichts mehr zu gebrauchen, und die Frauen würden sich beklagen, sie bekämen Ringe unter den Augen. Alle sind zwar damit einverstanden, spät ins Bett zu gehen, aber morgens möchten sie bis in die Puppen schlafen, und daher entfällt auch dieses Heilmittel.

Drittens: Reiten ist eine teure Arznei, die sich weder für jeden Geldbeutel noch für jeden Stand eignet. Schlagen Sie einer hübschen dicken Dame vor zu reiten, dann wird sie mit Freuden zustimmen, aber nur unter drei Bedingungen: Erstens muss sie ein zugleich schönes, feuriges und sanftes Pferd haben, zweitens ein neues Reitkostüm nach der letzten Mode und drittens einen netten, hübschen Reitlehrer zu ihrer Begleitung. Dass all das zusammentrifft, ist ziemlich selten, also reitet man nicht.

Gegen das Spazieren gehen lassen sich eine ganze Menge anderer Einwände vorbringen. Man wird todmüde, schwitzt, bekommt Seitenstechen, der Staub macht einen schmutzig, und die Steine durchbohren die zierlichen Schuhe. Kurz, es hat keinen Zweck, weiter darauf zu dringen.

Wenn dann bei all diesen Versuchen eine ganz leichte Migräne auftritt oder ein Pickel von der Größe eines Stecknadelkopfes sich auf der Haut bildet, dann ist die Kur schuld daran; man gibt sie auf, und der Arzt wird wütend.

Da es nun einmal feststeht, dass jeder, der sein Gewicht zu verringern wünscht, mäßig essen, wenig schlafen und sich so viel als möglich bewegen soll, muss man eben einen anderen Weg suchen, um dieses Ziel zu erreichen. Nun, es gibt eine unfehlbare Methode, um es zu verhindern, dass die Korpulenz ins Maßlose ausartet, oder um sie wieder zu verringern, wenn sie schon an diesem Punkt angelangt ist.

Diese auf den sichersten Grundlagen der Physik und der Chemie beruhende Methode besteht in einer Diät, die auf den zu erreichenden Zweck abgestimmt ist. Sie muss sich nach der allgemeinsten und entscheidendsten Ursache der Fettleibigkeit richten, und da es als erwiesen gelten kann, dass bei Mensch und Tier die Fettleibigkeit nur auf Mehl und Stärke zurückgeht, lässt sich daraus die logische Schlussfolgerung ableiten, dass die mehr oder weniger starke Enthaltsamkeit von mehligen oder stärkehaltigen Substanzen zur Verringerung des Körperumfanges führt."

Banting

Im Jahre 1862 riet ein englischer Ohrenarzt, Dr. Harvey, einem sehr fetten Londoner Sargtischler namens William Banting, den er zunächst wegen Schwerhörigkeit behandelte, keine Kohlenhydrate mehr zu essen. Der Erfolg war außergewöhnlich:

Bantings Gewicht sank innerhalb eines Jahres um etwa 50 Pfund. Er, der vordem die Treppe seiner Wohnung im ersten Stock nur mehr im Rückwärtsgang erklimmen konnte, war über seine veränderte Figur so glücklich, dass er 1864 ein Büchlein[2] veröffentlichte, in dem er allen fettleibigen Patienten diese Ernährungsform nachdrücklich empfahl. In dieser Schrift, die er auf eigene Kosten drucken ließ, schrieb er (nach R. Mackarness[3]):

„Zur Illustration meiner Gesichtspunkte will ich annehmen, dass bestimmte Nahrungsbestandteile, so vorteilhaft sie in der Jugend sein mögen, im späteren Leben gefährlich sind wie Bohnen für Pferde, deren gewöhnliches Futter Hafer und Heu ist. Sie mögen gelegentlich und unter besonderen Umständen brauchbar sein, ständig verabreicht sind sie aber schädlich. Ich halte mich daher an diese Analogie und nenne solche Nahrungsmittel auch für Menschen ‚Bohnen‘. Das, wovon mir geraten wurde, mich so weit wie möglich zu enthalten, ist Brot, Butter (damals glaubte man, dass Butter Kohlenhydrate enthalte! der Verfasser), Zucker, Bier und Kartoffeln, die bis dahin meine Hauptnahrungsmittel waren und welche ich auf alle Fälle viele Jahre lang ohne Beschränkung gegessen hatte. Sie enthalten, wie mein hervorragender Arzt mir erklärte, Stärke und Zucker, die fett machen, weshalb sie alle zusammen vermieden werden sollten."

Und weiter schrieb Banting: „Ich kann verlässlich sagen, dass man die Quantität der Nahrung ruhig seinem natürlichen Appetit überlassen mag und dass es nur die Qualität ist, die für die Behandlung der Fettleibigkeit Bedeutung hat."

Wie war Dr. Harvey zu diesen revolutionären Vorstellungen gekommen, die doch dem damaligen (und heute noch gültigen) kalorischen Denken eines Justus von Liebig völlig widersprechen? Er hatte 1856 in einigen Pariser Vorlesungen von Claude Bernard gehört, dass die Leber nicht nur die Galle, sondern auch eine der Stärke und dem Zucker verwandte Substanz er-

zeuge, Glukose genannt. Harvey entwickelte darauf eine ingeniöse Idee. Er brachte Bernards Erkenntnisse in Beziehung zu der ihm bekannten Tatsache, dass Zucker und Stärke zur Fettmast von Tieren benützt werden, ferner dass rein tierische Nahrung außerordentlich wirksam die Harnzuckerausscheidung von Diabetikern unterdrückt.

Er meinte, wenn exzessive Fettleibigkeit ursprünglich dem Diabetes verwandt sei und wenn rein tierische Nahrung beim Diabetes heilsam ist, dann könnte sie auch übermäßige Fettbildung hintanhalten. Wir werden später im Kapitel über Diabetes noch hören, wie prophetisch diese Vorstellung war.

Ich möchte hier Dr. Mackarness[3] noch kurz etwas zu Worte kommen lassen:

„Die weitere Geschichte Harveys und seines Patienten ist interessant. Sie zeigt, wie ökonomische Einflüsse und der in uns allen steckende Drang, in der Herde zu laufen, wissenschaftliche Entdeckungen durch Kompromisse verwischen und wie es sie allen praktischen Wertes berauben kann, wenn man versucht, sie mit orthodoxen Vorstellungen in Übereinstimmung zu bringen."

Banting veröffentlichte seine „Letters on Corpulence" privat, weil er, wie es sich später bewahrheitete, befürchtete, dass der Herausgeber von „Lancet", dem er seine Schrift erst anbieten wollte, alles zurückweisen würde, was „von einer unmaßgeblichen Person ohne spezielle Beziehungen" komme. Dieselben Einwände hielten ihn auch davon ab, sie an das Cornhill-Magazin zu senden, das kurz vorher einen Artikel „Was ist die Ursache der Fettleibigkeit?" gebracht hatte, der nach Bantings Ansicht völlig unbefriedigend war.

6

Bantings Schrift erregte unmittelbare Aufmerksamkeit und wurde viel gelesen (seine Behandlung der Fettsucht war auffallend erfolgreich); dann aber wurde sie Gegenstand bitterer Kontroversen. Niemand konnte leugnen, dass diese Ernährung wirkte, aber, da sie erstmals von einem Laienpublizisten beschrieben war, fühlte sich die Medizin, die eben erst die soziale Stufenleiter erklomm und noch sehr viel auf äußerliche Würde hielt, veranlasst, Bantings Thesen anzugreifen. Man bezeichnete sie als skurril und unwissenschaftlich; Harvey wurde belächelt und getadelt; seine Praxis begann zu leiden.

Der unbestreitbare Erfolg von Bantings Diät wurde später durch den Deutschen Dr. Niemayer (deutsche Ärzte waren damals sehr in Mode) auf der Basis der Liebigschen Vorstellungen dadurch zu erklären versucht, dass Atmungsnahrungsmittel wie Fett und Kohlenhydrate, nicht aber Eiweiß in Fett verwandelt würden. So wurden aus Bantings tierischen Nahrungsmitteln schließlich mageres Fleisch und eine unterkalorische Diät mit beschränktem Kohlenhydrat- und Fettgehalt, an die wir ja heute noch glauben. Während die Rationalisierung seiner Diät so voranschritt, fühlte Harvey die kühle Luft der Isolierung um sich wehen, so dass er neun Jahre nach Bantings Veröffentlichung widerrief: „Hätte Mr. Banting nicht an Taubheit gelitten, wäre seine Schrift wahrscheinlich nicht erschienen."– Soweit Mackarness; die Zeit war noch nicht reif.

Stefansson

Erst Jahrzehnte später kam die Sache wieder ins Rollen. V. Stefansson, ein Arzt und Anthropologe isländischer Herkunft, von Natur aus ein großartiger Abenteurer, hatte fünfzehn Jahre hindurch auf primitive Art die Siedlungsgebiete der kanadischen Eskimos bereist. Zu Fuß, zu Pferd, mit Hundeschlitten und im Kanu zog er von einer Eskimosiedlung zur anderen. Er schlief, lebte, kleidete sich und aß wie sie. Als Arzt konnte ihm daher nicht entgehen, dass sie, die – abgesehen von einigen wenigen Beeren, die sie im Tran konservierten, und etwas Moos aus den Mägen ihrer Jagdbeute – nur tierische Nahrung zu sich nahmen, keine der gefürchteten Krankheiten der zivilisierten Menschheit hatten. Es gab bei ihnen keinen hohen Blutdruck, keine Herzinfarkte und Schlaganfälle, keinen Krebs und – was Stefansson besonders auffiel – keine Fettleibigen, obwohl sie sich keinerlei Beschränkungen im Essen auferlegten. Der Eskimo aß so lange, bis er satt war, und er aß so viel an Kalorien, dass ein zivilisierter Weißer davon fett werden kann. Die Eskimos kannten keine Frauenleiden, es gab keine Schwierigkeiten bei der Geburt, in der Schwangerschaft oder beim Stillen der Säuglinge, und vor allem: Der Eskimo befand sich in einem auffallenden seelischen Gleichgewicht ohne Ärger und Zwistigkeiten, wie sie bei uns an der Tagesordnung sind, wozu aber natürlich die starke Abgeschiedenheit und Vereinsamung dieser Menschen ihren Teil beigetragen haben mochten.

Als Stefansson schließlich in die USA zurückkehrte, veröffentlichte er seine Erfahrungen aus dem kanadischen Norden in mehreren Büchern, „The Friendly Arctic Diet", „Not by Bread Alone", „The Fat of the Land"[4]. In seinem letzten Buch „Cancer, Disease of Civilization"[5], das kurz vor seinem Tode erschien, hatte er dokumentarisches Material darüber zusammengetragen, dass die Eskimos, bevor sie mit der Zivilisation des Amerikaners in Berührung kamen, wie andere primitive Völker keinen Krebs kannten.

Die Pfarrer der Missionsstationen, die die Weißen im Norden des amerikanischen Kontinents bei ihren Walfangstationen errichteten, führten sehr genaue Aufzeichnungen über die Todesursachen der Eingeborenen, und Stefansson konnte viele von ihnen oder doch wenigstens noch ihre Wit-

Abb. 1: Vilhjalmur Stefansson, geb. 1879 in Manitoba; seine Eltern waren aus Island dorthin eingewandert. Die Universität North-Dakota schloß ihn wegen mangelhaften Fleißes aus, an der Universität von Iowa schaffte er jedoch dann den Stoff von vier Jahren in einem einzigen. Später studierte er Anthropologie in Harvard. Stefansson verbrachte zwischen 1904 und 1918 zehn Winter und sieben Sommer bei den kanadischen Eskimos und bewies durch seine Fahrten, dass die Arktis keine Wüste, sondern ein reiches Land ist, voll von natürlichen Nahrungsmitteln aus tierischen Quellen, die uns gesund erhalten.

wen anschreiben. Aus diesem Material scheint sich tatsächlich zu ergeben, dass der „natürlich", das heißt nur mit Fleisch ernährte Eskimo nicht an Krebs erkrankte.

Die Eskimos

Als sich die Zivilisation nach der Jahrhundertwende auch auf die Eingeborenen ausdehnte und sie Kohlenhydrate zu verzehren begannen, hielten dort unsere Zivilisationskrankheiten Einzug. Es gibt bei den Eskimos jetzt wie bei den Weißen Fettsucht, Zahnkaries, Gebär- und Stillschwierigkeiten, Frauenleiden, hohen Blutdruck, Arteriosklerose, Herzinfarkte, Schlaganfälle und Krebs; es ist aber unverkennbar, dass diese Krankheiten mit einer gewissen Latenz auftreten, Diabetes z.B. erst nach einigen Generationen, worauf später noch näher eingegangen werden soll.

Dass die Eskimos und auch die Urmenschen durchschnittlich nicht älter als 30 bis 40 Jahre wurden, kommt daher, dass isolierte Primitive, die mit der Zivilisation erstmals in Kontakt kommen, unseren Infektionskrankheiten scharenweise zum Opfer fallen, weil sie überhaupt nicht immun sind. Man erinnert sich an die berüchtigte Masernepidemie auf den Färöer-Inseln, wo diese Kinderkrankheit als tödliche Seuche umging und fast alle Einwohner hinwegraffte. Ähnlich erging es den Eskimos nicht nur mit Masern und anderen Viruskrankheiten, sondern vor allem mit Tuberkulose, gegen die keinerlei Abwehrkräfte vorlagen. In den Jahrzehnten nach dem ersten Kontakt mit Europäern bzw. Nordamerikanern wurden einzelne Eskimo-Populationen buchstäblich ausgerottet. Auch verfügte der Eskimo nicht über alle jene Errungenschaften der Medizin, die das Leben des Kulturmenschen heute behüten und verlängern. Unfälle wurden nicht oder nur schlecht versorgt und führten oft zum Tode. Stefansson hat aber nachgewiesen, dass in der Vor-Zivilisationsära viele Eskimos ein Alter von über 100 Jahren erreichten[5]), was bei uns trotz aller Hygiene und Arzneien doch nur selten vorkommt.

Schließlich beachtet man bei Berichten über Eskimos Ernährungsfaktoren überhaupt nicht genügend. Man spricht „vom Eskimo" und unterscheidet nicht zwischen dem natürlich lebenden vor der Jahrhundertwende und dem jetzigen, der entweder ein zivilisierter Amerikaner und Kanadier oder ein ärmlicher und kranker geworden ist.

Stefansson war nicht nur Abenteurer und Arzt, sondern auch Anthropologe, und diese seltene Kombination ermöglichte ihm, die Zusammenhänge zu sehen. Er erkannte als erster, dass es nicht die rassische Herkunft des Eskimos ist, die ihn vor unseren Zivilisationskrankheiten bewahrt, sondern seine urtümliche Ernährung. Er wusste, dass der Mensch in seinen Entwicklungsstufen bis zum Ende der Eiszeit wie der Eskimo nur von animalischer Nahrung gelebt hatte.

Hic Rhodos . . .

Wissenschaftliche Kreise reagierten auf Stefanssons Buch ungläubig und ablehnend. Es war die Zeit der Stoffwechseluntersuchungen und der Vitamine – und es erschien ausgeschlossen, dass jemand jahrelang ohne frisches Obst und Gemüse leben könne. Unverblümt warf man ihm Phanta-

sterei und unkritische Berichterstattung vor. Er trat daraufhin zusammen mit seinem ehemaligen Reisegefährten Anderson einen kontrollierten Selbstversuch an, der am Bellevue-Hospital in New York unter der Leitung des bekannten Stoffwechsel-Fachmannes Dubois ablief. Anderson war viele Jahre lang mit Stefansson im hohen Norden unterwegs gewesen und hatte sich wie dieser dabei besonders wohl gefühlt im Gegensatz zu den darauf folgenden Jahren, wo er als Farmer in Florida lebte, sich „normal" ernährte und ständig kränkelte.

Die beiden begaben sich also in das Hospital und begannen unter Aufsicht ausschließlich frisches Fleisch zu essen. Es gab weder Gemüse noch Obst, Ei, Milch oder Molkereiprodukte. Dem Beginn des Versuchs wohnten einige europäische Physiologen bei, die sich damals zufällig in New York aufhielten. Sie schoben ihre Rückreise nach Europa für einige Wochen auf, um zu erleben, dass die Versuchspersonen sehr bald an Skorbut und anderen Mangelerscheinungen erkranken würden.

Die Sache zog sich aber hin, es folgte Monat auf Monat nur bei Fleisch, ohne dass sich irgendwelche Erkrankungen zeigten. Stefansson verließ zwischendurch wohl die Klausur, um verschiedene Reisen zu unternehmen, während derer er sich aber streng an die Diät hielt, während Anderson ein ganzes Jahr lang im Bellevue-Hospital auf der Stoffwechselstation aushielt. Zumindest er hätte erkranken müssen. Stattdessen fühlte er sich außerordentlich wohl, er verlor Übergewicht und verschiedene Beschwerden, die sich in Florida bei der Normalkost eingestellt hatten. Dubois musste nach Beendigung des Versuchsjahres feststellen, „das Bemerkenswerteste an den Versuchen sei gewesen, dass sich nichts Bemerkenswertes ereignet habe".

Die wissenschaftliche Welt nahm es zwar zur Kenntnis; die einzige Konsequenz, die man zog, war aber der Versuch, eine kohlenhydratarme Ernährung zu Abmagerungszwecken zu verwenden.

Fett zum Abmagern

Es erschienen jetzt wissenschaftliche Arbeiten, in denen über den Nutzen von Fett zu Abmagerungszwecken berichtet wurde [6-10]. Nun war zwar die rein kalorische Auffassung vom Einfluss verschiedener Nahrungsbestandteile auf das Körpergewicht durchbrochen, aber nur Stefansson selbst scheint die Bedeutung einer kohlenhydratarmen Nahrung verstanden zu haben, wenn er dies auch nicht aussprach.

Seine Frau schrieb mir nämlich später, dass er von dem Augenblick an, da Präsident Eisenhower seinen Herzinfarkt erlitten hatte, wieder auf seine „friendly arctic diet" zurückkam und dabei bis zu seinem Tode verblieb. Offensichtlich hatte er also bereits die Idee, dass diese Art von Ernährung nicht nur bei Fettsucht, sondern auch bei anderen Zivilisationskrankheiten zweckmäßig sei.

Wie ich dazu kam

Ich selbst kam zu Vorstellungen, welche sich mit denen Stefanssons weitgehend deckten, ohne ihn gekannt oder von seinen Arbeiten gewusst zu haben. Ich habe von der Hochschule die Überzeugung mitgenommen, dass irgendein Zivilisationsfaktor für die ungeheure Bresthaftigkeit der zivilisierten Menschheit verantwortlich sein muss.

Im Jahre 1957 besuchte ich auf einer Urlaubsreise die prähistorischen Höhlen in Südfrankreich (Les Eyzies, Lascaux, Trois-Frères etc.) mit ihren wundervollen naturalistischen Malereien. Den Mediziner in mir beeindruckten vor allem die Vorstellungen der Paläoanthropologen[11], dass diese Höhlenzeichnungen von Jagdwild magischen Zwecken gedient haben. Die Eiszeitjäger, die diese beispiellosen Tierbilder schufen, verwendeten sie als Wanddekoration bei ihren kultischen Zusammenkünften. In diesen beschworen sie die Geister der abgebildeten Jagdtiere. Ihr Gedeihen und ihre Fruchtbarkeit waren für sie lebenswichtig (daher die vielen trächtigen Tiere); ja, berücksichtigt man die klimatischen Verhältnisse in den Eiszeiten, als die Bilder entstanden, so ergibt sich, dass die Nahrung dieser unserer Vorfahren nur aus Jagdbeute bestanden haben konnte.

Die Eiszeiten dauerten jeweils 50 000 bis 100 000 Jahre, und in dieser Zeit musste sich ein Menschentyp herauskristallisiert haben, an Umwelt und Nahrung extrem angepasst war. Als dieser Jäger dann ins Neolithikum schritt und ziemlich rasch Ackerbauer, Dorf- und Städtebewohner wurde, mit einer Veranlagung, die auf den Genuss von Eiweiß und Fett und nicht von Kohlenhydraten ausgerichtet war, kamen Zivilisationsschäden und Zivilisationskrankheiten unvermeidbar wie Störungen in einem Dieselmotor, den man mit Benzin betreiben wollte.

Dies alles aber dämmerte erst in mir auf, als ich nach Rückkehr von den prähistorischen Höhlen den Artikel eines amerikanischen Chirurgen (Thorpe)[12] las. Er hatte seine enorme Fettleibigkeit durch konsequenten Verzicht auf Kohlenhydrate und durch reichlichen Genuss von Fett erfolgreich behandelt.

Wenn man übermäßige Fettsucht, so dachte ich, durch eine Diät, welche genau derjenigen der Eiszeitjäger in den Höhlen von Südfrankreich und Nordspanien entspricht, beseitigen kann, dann müssten auch andere Zivilisationskrankheiten durch Abkehr von der urtümlichen Ernährungsweise bedingt sein. Es kann ja nicht eine Diät für Fettleibige, eine andere für Arteriosklerotiker und Patienten mit hohem Blutdruck, eine dritte gegen Krebs und eine vierte gegen Magen-Darm-Krankheiten geben. Eine Ernährung entspricht entweder den Voraussetzungen, unter denen der Mensch sich entwickelt hat, für die also sein Stoffwechsel eingerichtet ist, dann muss sie gegen alle ernährungsbedingten Krankheiten wirksam sein, oder sie ist falsch. Seither suchte ich nach Beweisen dafür, dass wir ohne Kohlenhydrate gesünder wären.

Literatur

1) Savarin, A. B.: Physiologie du goût. Deutsche Ausgabe: Bruckmann Querschnitte, Verlag-Nr. 1152, F. Bruckmann KG, München 1962.
2) Banting, W.: Letters on Corpulence. Harrison, London, 1864.
3) Mackarness, R.: Eat fat and grow slim. Doubleday & Co., Garden City, New York, 1959.
4) Stefansson, V.: The Fat of the Land. The McMillan Co., New York, 1957.
5) Stefansson, V.: Cancer, Disease of Civilization. Hill & Wang, New York, 1960.
6) Pennington, A. W.: New Engl. J. Med., 248 (1953) 959.
7) Pennington, A. W.: M. Times, 80 (1952) 389.
8) Pennington, A. W.: Am. J. Digest. Dis., 21 (1954) 69.
9) Pennington, A. W.: Am. J. Digest. Dis., 21 (1954) 65.
10) Pennington, A. W.: Delaware M. J., 23 (1951) 79.
11) Kühn, H.: Das Erwachen der Menschheit. Fischer-Bücherei, Frankfurt/Main-Hamburg, 1954.
12) Thorpe, G. L.: J. Amer. Med. Ass., 165 (1957) 1361.

Mein Selbstversuch

Ich begann meine Versuche, wie es sich gehört, an mir selbst. Es gilt zwar wissenschaftlich als verpönt, seine Eigenbeobachtungen überzubewerten, es ist aber ebenso klar, dass einen Forscher und Zweifler das am meisten überzeugen kann, was er an sich selbst feststellt. Kein noch so objektiver und noch so eingehender Bericht über wissenschaftliche Beobachtungen an anderen Individuen kann dies ersetzen.

Meine Beobachtungen an mir selbst waren für mich so aufregend, dass ich kaum die Worte finden kann, sie zu beschreiben[1].

Meine Hüftarthrose

Ich litt, als ich im März 1958, im Alter von 45 Jahren, begann, keine Kohlenhydrate mehr zu essen, schon einige Jahre lang an einer schweren Arthrose beider Hüftgelenke. Ich hinkte beim Gehen deutlich (wie ich jetzt noch an Filmaufnahmen aus dieser Zeit feststellen kann), hatte meine Schuh-Absätze mit weichen Gummiauflagen ausgerüstet und benützte gelegentlich Stock oder Regenschirm, um mich aufzustützen. Röntgenaufnahmen aus dieser Zeit zeigten eine starke Verformung der Gelenkflächen auf beiden Seiten (Abb. 2).

Nach einigen Jahren zunehmender Schmerzen fuhr ich mit einer Röntgenaufnahme nach Wien zu einem Kollegen, der sich besonders mit dieser Materie befasst hatte. Ich zeigte ihm das Bild, von dem er annahm, es stamme von einem meiner Patienten, und er meinte: „Na, da werden Sie nicht mehr viel erreichen können".

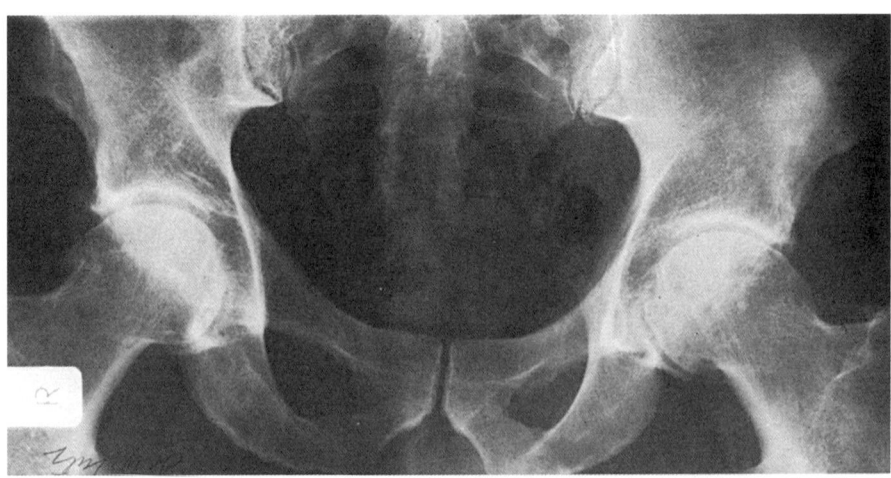

Abb. 2: Hüftarthrose des Verfassers im Jahre 1958

Immer müde

Schließlich kam dann noch eine Gelenkentzündung an meinem rechten Zeigefinger dazu, so dass ich nicht einmal mehr einen Lichtschalter betätigen oder Austastungen des Mastdarms bei meinen Patienten vornehmen konnte. Das Schlimmste war aber, dass mir meine berufliche Tätigkeit immer schwerer fiel, obwohl ich – wie gesagt – erst 45 Jahre alt war. Ich konnte einen intensiven Ordinationsbetrieb mit raschem Wechsel von Patienten höchstens zwei Stunden lang durchhalten, ohne dass ich von einem heftigen Gefühl der Müdigkeit und der Erschöpfung überfallen wurde. Ich musste mich hinlegen und ein Glas Wein trinken, bevor ich überhaupt in der Lage war, etwas zu essen. Für meine berufliche Tätigkeit musste ich immer mehr alle meine Kräfte zusammennehmen, so dass mir nichts mehr übrig blieb für Freizeit und Erholung, für Segeln, Skifahren und anderen Sport, den ich vorher immerhin noch gelegentlich betrieben hatte. Erst nach einigen Ferientagen war ich in der Lage, über etwas anderes nachzudenken als über berufliche Probleme und die Schwierigkeit, mit meiner Praxis fertig zu werden.

Haare

Es waren dann natürlich noch verschiedene andere Dinge, z.B. ein progredienter Haarausfall. Meine Ehestandswinkel waren damals schon weit gediehen.

Als ich zu dem Entschluss gekommen war, es einmal mit einer Diät à la Eskimo zu versuchen, machte ich ganz kurzen Prozess. Eines Tages, unmittelbar vor einer Mittelmeerreise, begann ich alle Kohlenhydrate von meinem Speisezettel zu streichen. Bevor ich erzähle, auf welche Ernährung ich damals überging, möchte ich ausdrücklich sagen, dass ich es ein zweites Mal nicht mehr so radikal machen würde.

So fing ich an

Mein Speisezettel in den ersten Jahren der kohlenhydratarmen Ernährung bestand aus Folgendem:

Frühstück
1/8 l Sahne, ein rohes Ei, Bohnenkaffee ohne Zucker.
Mittags
Suppe ohne Mehl, evtl. mit Ei oder Mark, 200 bis 300 g Fleisch, eher fett, Gemüse französisch (mit Butter ohne Mehl), zum Nachtisch Quarkcreme usw. mit wenig Zucker, Eier-Omelette mit Konfitüre oder Kompott (ebenfalls, wenn überhaupt, nur schwach gezuckert) bzw. Käse mit Butter; schwarzer Kaffee mit Sahne.
Abendessen
200 bis 300 g Fleisch mit Gemüse oder eine kalte Platte ohne Brot, eine Flasche Bier.

An dieser Stelle muss ich wohl einmal kurz sagen, was Kohlenhydrate sind. Es handelt sich um Zucker und Stärke, Depotformen pflanzlicher Energie, die sich daher vorwiegend in pflanzlichen Nahrungsmitteln finden. Diese sind hier der Reihe nach entsprechend ihrem Kohlenhydratgehalt aufgeführt: Zucker, Mehl, Grieß, Reis, Teigwaren, Brot, Hülsenfrüchte, Kartoffeln, Nüsse und Obst.

Eine genaue Tabelle mit detaillierten Angaben findet sich am Schlusse des Buches.

Alkohol

Mit Alkohol habe ich es nie übermäßig streng gehalten. Äthylalkohol ist zwar ein ergiebiger Energielieferant (7 Kalorien pro Gramm); man darf ihn also nicht einfach vernachlässigen, aber er ähnelt in seinem Abbau über Azetaldehyd zu Essigsäure den Fettsäuren. Wer sich mit Kohlenhydraten zurückhält, kann beim Alkohol wohl etwas sündigen. Wie später zu erörtern sein wird, kann man chronische Alkoholiker ganz gut führen, wenn man ihnen die Kohlenhydrate beschränkt, anstatt ihnen den Alkohol völlig zu entziehen, was häufig nicht durchgestanden wird. Mehr als ein Liter Bier oder ein halber Liter Wein täglich soll es aber schließlich nicht sein. Auch bei Übergewichtigen, die auf Kohlenhydratbeschränkung allein nicht oder nur ungenügend ansprechen, ist eine Alkoholbeschränkung notwendig.

Die Berechnung ergibt, dass ich in den ersten Jahren, als ich mich sehr streng hielt, ohne Einrechnung des Alkohols, eine Kohlenhydratmenge von 20 bis 30 g pro Tag nicht überschritt. Später, nach den Erfahrungen in meiner Praxis, habe ich die Bandagen etwas gelockert, doch wird darüber in einem späteren Kapitel noch zu sprechen sein.

Es ging aufwärts

Die Umstellung auf die extreme Fleisch-Fett-Diät ging ohne Schwierigkeiten vonstatten, wenn ich auch etwas früher zu Bette gehen musste. Dafür war ich am Morgen frischer. In etwa acht Monaten besserten sich meine Hüftschmerzen, so dass ich nicht mehr hinkte. Nur Infekte oder sehr starke Verdrehung der Hüftgelenke spüre ich noch. Infekte, weil sie – wie später noch ausführlich zu besprechen – die Immunreaktionen anheizen und damit diejenige Komponente verstärken, die bei allen Gelenkerkrankungen, auch bei den nichtentzündlichen, so genannten degenerativen, mitspielt. Natürlich hat sich auf den Röntgenaufnahmen meiner Hüftgelenke nicht viel geändert. Der Erfahrene wird es aber schon beachtlich finden, dass ich nach 25 Jahren noch immer nicht operiert war.

Eine Besserung merkte ich ganz deutlich auch an meiner Haut. Während ich früher schon bei leichten Beanspruchungen, bei Schuhdruck, bei manuellen Arbeiten mit Schaufel oder anderem Gartengerät Blasen bekam, tritt dies heute überhaupt nicht mehr auf. Ich kann stundenlang arbeiten und meine Haut schlecht behandeln, wie ich nur will; ich bekomme davon höchstens eine leichte Rötung dort, wo früher eine Blase entstanden wäre. Deshalb sind wohl auch meine Hühneraugen verschwunden. Denn weder an der Konstruktion meiner Füße noch am Schuhwerk, das ich trage, hat sich Wesentliches geändert. Was sich geändert hat, ist die Widerstandsfähigkeit der Haut.

Bei diesem Prozess gehen natürlich auch die Anhangsgebilde der Haut nicht leer aus. Offensichtlich kam mein Haarausfall, der mir schon Sorgen bereitet hatte, bald zum Stillstand. Ursprünglich hatte ich zwar gehofft, die inzwischen kahlen Stellen würden sich wieder „bewalden", dafür haben sich aber wenigstens die „Waldgrenzen" gehalten.

Kein Zahnarzt mehr

Auf Besserung der Gewebsqualität unter kohlenhydratarmer Ernährung beruht es wohl auch, dass die Zahnkaries zum Stillstand kommt. Früher musste ich jedes halbe Jahr zum Zahnarzt, um das eine oder andere Loch reparieren zu lassen; heute kann ich aus 15jähriger Erfahrung sagen, dass mein Gebiss offensichtlich den Zahnarzt nicht mehr nötig hat, wenigstens, was die Reparatur von kariösen Stellen betrifft. Der Zahn wird allerdings härter und vielleicht auch spröder, worauf es wohl zurückgeht, dass ich mir zweimal einen Höker eines stark plombierten Zahnes abgebissen habe, aber dieser harte Schmelz und das harte Dentin sind offenbar nicht mehr fäulnisempfindlich.

Man wird ruhiger

Eine wesentliche Änderung ging auf seelischem Gebiet vor sich. Alles geht mir jetzt schneller von der Hand, und ich bin viel entschlußfreudiger, so dass meine Diktat- und Durchleuchtungszeiten sich verkürzten und mir wieder mehr Zeit für meine alten Hobbys verblieb, die ich nacheinander hatte aufgeben müssen, weil ich nicht mehr genug Kraft für meine ärztliche Tätigkeit aufbrachte. Es gibt jetzt auch kein Herzklopfen mehr bei Aufregungen. Ich bin in jeder Hinsicht ausgeglichener; depressive Verstimmungen sind seltener.

Man legt zu

Vor meiner Diät-Umstellung wog ich 65 kg bei 177 cm. Ich war schon als Junge ziemlich schwächlich, hatte eine schlecht entwickelte Muskulatur (daher auch eine schlechte Haltung); ich war immer der letzte im Sport und im Turnen. Das hat sich mit der Diät-Umstellung grundlegend geändert. Ich nahm im ersten Jahr zwar noch um 1 kg ab, konnte aber bald sehen, wie meine Finger- und Handgelenke dicker wurden, nicht, weil das Fett zunahm, sondern weil die Haut und das Bindegewebe ansetzten; dann stieg mein Gewicht langsam bis auf 80 kg an, um sich schließlich bei jetzt 74 kg zu stabilisieren. Ich bin damit wohl gut genährt, aber nicht fett. Die Gewichtszunahme geht offensichtlich auch auf das Konto von Muskulatur, Bindegewebe und Knochen.

Weniger Infekte

Dass meine Muskeln kräftiger wurden, spüre ich beim Sport. Ich kann jetzt viel länger durchhalten als meinem Alter entspräche (bin heute 84), und ich kann es mit viel jüngeren Konkurrenten aufnehmen. Auch meine Infektanfälligkeit ist zurückgegangen.

Ich mache natürlich, wie fast alle Menschen, jährlich einige „Erkältungskrankheiten" durch, aber ich leide nicht mehr so sehr darunter wie vorher, wo ich oft an einer „Grippe" wochenlang krank war und mich elend fühlte. Ich kann dasselbe an meinen kohlenhydratarm ernährten Patienten beobachten. Anscheinend profitieren auch diejenigen Körpergewebe, die sich mit der Infektabwehr befassen, die so genannten immunkompetenten Zellen, davon, dass unter kohlenhydratarmer Ernährung die Substanz zunimmt (nur das übermäßige Fett nimmt ab). Wir werden später lernen, dass dadurch Störungen auftreten können, welche auf so genannter Autoaggression beruhen. Man versteht darunter Krankheiten, die dadurch bedingt sind, dass das Immunsystem proliferiert und dass die Körperabwehr sich gegen eigene Gewebe richtet.

Dass diese Vorstellungen vielleicht nicht ganz unrichtig sind, zeigen Beobachtungen an den Massai. Diese, ein hochgewachsener Negerstamm in Kenia, leben nur von tierischen Nahrungsmitteln, von Milch, Blut und Fleisch ihrer Buckelrinder. Sie sind besonders wenig anfällig gegen Infekte aller Art. Neuerdings hat man gefunden, dass dort die IgA-Fraktion der Immunglobuline im Serum besonders stark ausgebildet ist[2]. Diese Fraktion führt Immunkörper, von denen man weiß, dass sie die Oberfläche der Schleimhäute, vor allem im Rachen und in den Luftröhrenästen, schützend überziehen. Weil sich die Massai von Kindheit an kohlenhydratarm ernähren, ist dieser Schutz vielleicht besonders ausgeprägt; man könnte sich aber doch vorstellen, dass auch derjenige, der die Kohlenhydrate erst später beschränkt, davon profitiert. Dass die Massai auch einen sehr niedrigen Cholesterin- und Blutfettspiegel haben, selbst im letzten Drittel der Schwangerschaft, wo diese Werte bei unseren Frauen stark anzusteigen pflegen, und dass man Gallensteine dort nicht findet, sei nebenbei bemerkt.

Literatur

1) Lutz, W.: „Vier Jahre ohne Kohlenhydrate", Medizin und Ernährung 2 (1962) 55.
2) Biss, K.: New Engl. J. Med., 254 (1971) 694.

Fettsucht

Wir haben schon gehört, dass es meist die Fettsucht ist, welche mit kohlenhydratarmer Diät behandelt wird. Das ist nicht verwunderlich, denn es handelt sich um eine Krankheit, welche die äußere Figur des Menschen sehr stark verändert. Laufend haben in Amerika und England Ärzte eine kohlenhydratarme Diät zu Abmagerungszwecken empfohlen[1,2,3]. Der Titel des Bestsellers von Herman Taller „Calories don't count" („Kalorien zählen nicht"[4]) sagt, dass man nicht immer hungern muss, um sein Übergewicht loszuwerden, sondern dass es oft auch ohne Kalorienbeschränkung geht, wenn man nur die Kohlenhydrate reduziert. Der bekannteste Bestseller dieser Art: „Dr. Atkins' Diet Revolution" („Die revolutionäre Diät des Dr. Atkins"[5]) hat einen solchen Sturm der Begeisterung erregt, dass man ein Jahr lang von einer Buchhandlung zur anderen laufen musste, um überhaupt ein Exemplar zu bekommen. Insgesamt wurden, ohne Berücksichtigung der späteren Volksausgaben, über eine Million Exemplare abgesetzt.

Eine kohlenhydratarme Diät wurde auch unter dem Titel „Astronauten-Diät" bei der amerikanischen Luftwaffe eingeführt, um zu verhindern, dass die Piloten zu schwer werden. Ich glaube aber, dass noch andere Gründe dafür sprechen, Piloten und Raumfahrer kohlenhydratarm zu ernähren. Man vermeidet damit nämlich Blähungen, Bauchschmerzen und vor allem die Entwicklung von Darmgasen, die bei Abfall des Luftdrucks (beim Höhenflug oder in einer Raumkapsel, wo ja meist auch eine Atmosphäre erniedrigten Luftdrucks aufrechterhalten wird) lästig fallen. Aus Reportagen, die anlässlich der Apollo-Mondflüge ausgestrahlt wurden, habe ich aber entnommen, dass man dabei die Kohlenhydratbeschränkung anscheinend nicht so ernst genommen hat, wie es hätte sein sollen. Brot scheint man nur deshalb verboten zu haben, weil kleine Krümel, die bei der Schwerelosigkeit im Raumschiff umherschweben, zu Hustenanfällen führen können.

Der Alkohol

Viel beachtet in den angelsächsischen Ländern wurde das Buch „Drinking Man's Diet" („Trinker-Diät"[6]), das von zwei anscheinend ziemlich sachkundigen Autoren veröffentlicht wurde, die sich hinter dem Pseudonym Jameson & Williams verbargen. Es wird darin berichtet, wie man sich anstatt des Alkohols die Kohlenhydrate abgewöhnen und damit mehr trinken könne als sonst, ohne die üblen Folgen befürchten zu müssen – von der möglichen Trunkenheit abgesehen.

So ganz möchte ich mich, wie bereits ausgeführt, diesen Vorstellungen nicht anschließen, denn Alkohol ist nicht einfach Kohlenhydrat. Sein Abbau über Azetaldehyd weist eher Ähnlichkeiten zu den Fettsäuren auf, und er hat sicherlich eine toxische Wirkung auf Leber- und Gehirnzellen. Angesichts seines hohen Brennwertes von 7 Kalorien pro Gramm (man denke an einen Spirituskocher) besitzt er auch eine bedeutsame kalorische Komponente dergestalt, dass, wer nennenswerte Alkoholmengen trinkt, auf eine äquivalente Menge anderer Kalorienträger verzichten kann. Dies führt dazu, dass chronische Alkoholiker nicht mehr essen wollen. Man weiß ja seit langem, dass Münchner Bierfahrer allein von sechs bis sieben Litern Bier täglich leben können (ein Liter Bier hat 500 Kalorien). Solche Menschen können dann zwar auf Kohlenhydrate verzichten, sie essen aber auch kein Fleisch und kein Fett mehr, so dass sie schließlich an der Einseitigkeit dieser Ernährung (und den alkoholischen Organschäden) zugrunde gehen. Dass eine kohlenhydratarme Diät andererseits einen direkten Einfluss auf den Zustand einer kranken Leber ausüben kann, soll in einem späteren Kapitel gezeigt werden.

Die „Punkt-Diät"

Über die Banting-, Stefansson-Pennington-, Air-force- und Drinking-Man's-Diät kam die kohlenhydratarme Ernährung schließlich nach Europa. Hier hat eine österreichische Autorin, Erna Carise, alles Wesentliche in einem kleinen Taschenbuch zusammengefasst, das den Titel „Punkt-Diät"[7] erhielt, weil die Kohlenhydrate der einzelnen Nahrungsmittel in Form von Punkten angegeben waren: 1 g Kohlenhydrat = 1 Punkt. Eine Semmel hat ungefähr 25 g Kohlenhydrate und daher 25 Punkte. Eine Kartoffel mit 60 g hat 12 g Kohlenhydrate und nach Erna Carise daher 12 Punkte.

Dies kleine Heft hat einen Siegeszug durch die deutschsprachigen Lande angetreten; etwa 400000 Exemplare wurden abgesetzt. Geht man davon aus, dass ein Heft nur gekauft wurde, wenn ein bereits benütztes Erfolg brachte, dann waren es wenigstens 200000 Leute, welche erfolgreich „gepunktet" haben, d.h. welche mit dieser kohlenhydratarmen Diät (erlaubt waren 60 Punkte = 5 BE, siehe später) subjektive und objektive Erfolge erreicht haben. Subjektiv bedeutet, sie haben sich wohler gefühlt, und das ist etwas, was ich auch aus langjähriger Erfahrung an mir selbst und an meinen vielen Patienten bestätigen kann.

Ich war bei einem deutschen Ernährungsfachmann, der anhand der Lektüre von „Leben ohne Brot" kohlenhydratarm gelebt und mir berichtet hat, er habe acht Kilogramm abgenommen und sich nie so wohl gefühlt und so viel arbeiten können wie jetzt.

Normal-Benzin und Super

Wer kohlenhydratarm lebt, merkt plötzlich, wie das komplizierte Getriebe seines Organismus funktionieren kann, wenn der richtige Brennstoff zugeführt wird. Es ist sozusagen wie bei einem Autofahrer, der mit seinem Sportwagen aus einem unterentwickelten Land zurückkommt, wo er nur Normalbenzin bekam, und der jetzt zu Hause wieder Superbenzin tanken kann. Man kann nicht näher beschreiben, was sich da alles ändert. Sicherlich, der Bauch wird leerer, das Völlegefühl nach dem Essen verschwindet, es gibt keine Blähungen mehr, keine Darmgase, zumindest keine übel riechenden. Aber da ist noch vieles andere mehr: Man schläft besser, man ist körperlich und geistig leistungsfähiger, man hat eine besser geregelte Verdauung, und die Potenz wird besser, wenn auch manchmal erst nach einer mehrmonatigen negativen Phase. Die bekannte Verstimmung nach einem Verkehr („omne animal post coitum triste") bleibt aus. Im Laufe dieses Buches soll gezeigt werden, welche körperlichen Funktionen nachweisbar unter „Superbenzin" besser ablaufen als mit normalem Treibstoff.

Mehr Energie

Anscheinend steht dem Organismus überhaupt mehr Energie zur Verfügung. Man hat gefunden, dass Versuchspersonen im Stande sind, 400 bis 600 g Fett, d.h. etwa 5000 Kalorien, zusätzlich zu verwerten, ohne dass die Fettausnutzung im Darm wesentlich leidet. Dabei hat man eine erhebliche Thermogenese feststellen können[8], d.h. man hat gefunden, dass solche Personen viel mehr Wärme erzeugen und abgeben als vorher. Die in Form von Fett vermehrt zugeführte Energie kann also zur Heizung verwendet werden. Unwillkürlich denkt man dabei an die Eskimos, die extrem niedrige Außentemperaturen wohl nur deshalb so gut vertragen, weil ihre fettreiche Nahrung ihnen die Heizung des Körpers erleichtert. Aber auch hier in der gemäßigten Zone scheint dies zu wirken; ich habe nämlich an mir und meinen Patienten immer wieder feststellen können, dass sich kalte Hände und Füße unter einer kohlenhydratarmen, fettreichen Diät verlieren, weil der Körper anscheinend einerseits sparsamer wirtschaftet und andererseits mehr Energie zur Verfügung hat als unter kohlenhydratreicher Ernährung. Immer wieder ist man erstaunt darüber, wie wenig ein kohlenhydratarm ernährter Mensch isst und welche Aktivität er dabei entfaltet. Dieselbe Bilanz ergab sich auch bei unseren Versuchen an Hühnern. Je weniger Kohlenhydrate und je mehr Fett sie bekamen, umso weniger Kalorien brauchten sie (Seite 26).

Hilfe für Magere

Noch etwas spricht dafür, dass die kohlenhydratarme Diät der menschlichen Natur mehr angemessen ist als die übliche Ernährung. Da ist zunächst einmal die Tatsache, dass auch bei starker Abnahme das Gewicht beim idealen Soll zum Stehen kommt; genauer gesagt: Wer leicht abnimmt, wird zunächst zu mager, später holt er bis zum Normgewicht auf. Oft kommen Patientinnen und sagen mir, sie seien schon recht froh darüber, dass der Bauch weg sei, jetzt aber sei auch die Oberweite dran, und ihre Umgebung mache sich Sorgen, weil sie so schlecht aussähen.

Ich kann solche Patienten beruhigen. Ich weiß aus langjähriger Erfahrung, dass das Gewicht, wenn es anfänglich zu weit abfällt, nach ein bis zwei Jahren wieder ansteigt, so dass man schließlich sogar um seine Linie wieder kämpfen muss. Denn unsere heutige Idealfigur entspricht keineswegs derjenigen des fleischessenden Urmenschen, sondern dem Kohlenhydratesser mit einem flachen Bauch und eher etwas breiten Hüften. Die Eiszeitfigur hat wenig Fett am Steiß und an den Hüften, dafür etwas mehr Speck darüber und am Bauch. Die kohlenhydratarme Diät räumt sozusagen den Kohlenhydratspeck weg und baut einen neuen Speck auf.

Dieser Neu-Aufbau von Substanz, nicht nur von Fett, bewirkt nun, dass dünne Personen dicker werden: eine ganz neue Erkenntnis und noch dazu eine ganz wichtige, denn es gibt bisher kein wirksames Mittel dafür. Wer es hier schon versucht hat, wird mir Recht geben.

Beschränkt man jedoch die Kohlenhydrate, dann geht zwar das Gewicht noch um ein bis zwei Kilogramm zurück, beginnt aber nach einigen Monaten anzusteigen, bis nach zwei bis drei Jahren eine Idealfigur erreicht ist. Ich brauche nicht zu sagen, wie schwer es ist und wie viel Überzeugungskraft man braucht, etwa einer jungen Frau über diese negative Phase, in der sie weiter kostbares Gewicht verliert, hinwegzuhelfen. Aber es ist mir schließlich einige Male gelungen. Ein Leserbrief und die zugehörigen Fotos eines Studenten aus Augsburg (Abb. 3) seien hier wiedergegeben:

Leben ohne Brot
(SELECTA-Verlag 1967 und 1970)

Ich besitze seit zwei Jahren das Buch „Leben ohne Brot" von Dr. Wolfgang Lutz, Salzburg. Mit großem Interesse habe ich es gelesen und mich mit Erfolg danach gerichtet.

Ich bin 28 Jahre, Student, ledig. Durch falsche Ernährung – über längere Dauer bisweilen fast vegetarisch: Gemüse, Salate, wenig Fleisch und Fett – sank mein Gewicht auf 40 kg bei 177 cm Größe. Folgen waren Abfall der körperlichen Leistungsfähigkeit, schlechter Zustand der Zähne und Augenschwäche. Nur der Tatsache, dass ich seit Jahren regelmäßig Laufsport treibe (auch noch mit 40 kg) und viel Bewegung hatte, schreibe ich das Ausbleiben weiterer Folgen zu.

Nachdem aber schließlich bei einem längeren Spaziergang Schwächezustände in den Beinen auftraten, stellte ich mich auf andere Kost um. Ich hatte schon vorher die Kohlenhydrate ziemlich eingeschränkt und ernährte mich nun in Anlehnung an „Leben ohne Brot" von fettem Fleisch, Wurst und gekochter Leber (die ich für wertvoller als Muskelfleisch halte), zwei bis drei

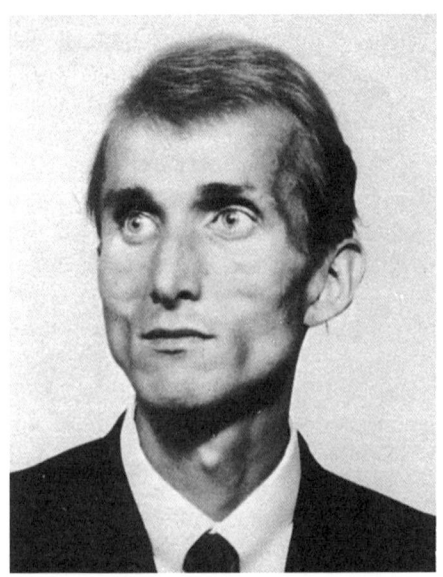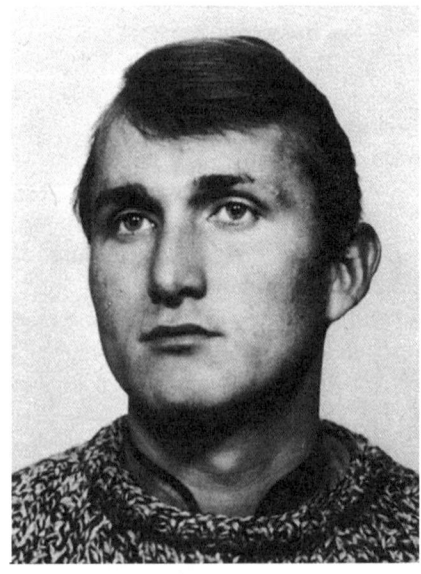

Abb. 3: Aufnahmen vor und nach dem Umstellen auf kohlenhydratarme Kost

20

Eidottern gelegentlich, gedünstetem kohlenhydratarmem Gemüse, etwa einem Viertelliter Sahne und 150 bis 200 g Butter täglich, Käse, Milch, kaum rohem Obst, kaum Quark. Ich nahm in drei Monaten 20 kg zu.

Mit nunmehr 60 kg fühle ich mich kräftig, treibe nach wie vor Laufsport. Die Umstellung auf diese Kost mit sehr hohem Fettgehalt vertrug ich ausgezeichnet und ohne Beschwerden. Ich bin mit Lutz überzeugt, dass stärkehaltige Nahrung in größeren Mengen dem Menschen nicht zuträglich ist, und möchte ihm meinen persönlichen Dank für sein Buch aussprechen.

G. Z., Augsburg

Schließlich möchte ich noch erwähnen, dass solche (zu) mageren Patienten meist eine sehr flache Blutzuckerreaktion auf Glukose haben, d.h. sie haben zu viel Insulin, genau wie die fettsüchtigen Jugendlichen, worüber wir sogleich sprechen werden. Sie müssten also eigentlich auch zu fett sein. Es wird sicherlich einmal klar werden, wie sich diese beiden Typen mit abnormer Gewichtsregulation unterscheiden.

Weshalb die Punktdiät einschlief

Wenn die Begeisterung über die Punkt-Diät letzten Endes erlahmte, dann waren es nicht die Einwände der Wissenschaftler. Denn erstens hat das Volk solche sowieso nie ernst genommen, sonst könnte der Zigarettenkonsum nicht ständig weiter ansteigen, obwohl seit Jahren immer wieder darauf hingewiesen wird, dass das fortgesetzte Rauchen eindeutige Schäden am Gefäßapparat verursacht und schließlich zu Lungenkrebs führen kann. So lange man nichts spürt, schlägt man solche Warnungen gerne in den Wind.

Und man hat schließlich beim „Punkten" nichts Nachteiliges gespürt. Im Gegenteil. So hat man es auch nicht ernst genommen, als man wegen der vermehrten Fettzufuhr Kreislaufstörungen, Arteriosklerose und anderes vorhersagte. Die Punkt-Diät ist außer Kurs gekommen, weil manche Punktler einen objektiven Erfolg vermissten, weil sie nicht oder nicht weiter abgenommen haben, und vermutlich auch, weil eben die täglichen Verlockungen der Kohlenhydrate stärker waren als das Figurbewusstsein. Man sagte sich, man halte sich lieber mit den Kalorien zurück, „man frisst die Hälfte" und braucht dann nicht dauernd auf Dinge zu verzichten, die einem, wie das Brot, die Süßigkeiten und dergleichen mehr, zur lieben Gewohnheit geworden sind. Dann aß man wieder zwei Hälften.

Auch das Fehlen wissenschaftlich-ärztlichen Beistandes hat zum Auslaufen dieser Welle geführt. Hätte man rechtzeitig die Wirkung einer solchen Ernährung auf den Organismus in ihrer ganzen Breite erfasst, hätte man da den Menschen sagen können, dass es ja nicht nur die äußere Figur ist, sondern dass sie damit überhaupt gesünder und glücklicher seien und dass sie länger leben würden. Dann wären viele bei der Stange geblieben, auch ohne Abmagerungserfolg. Es wird der Tag kommen, wo wir werden zugeben müssen, dass hier die wissenschaftliche Medizin versagt hat.

Männliche und weibliche Typen

In 25 Jahren mit kohlenhydratarmer Diät habe ich allerdings gesehen, dass nur ein Teil der übergewichtigen Erwachsenen

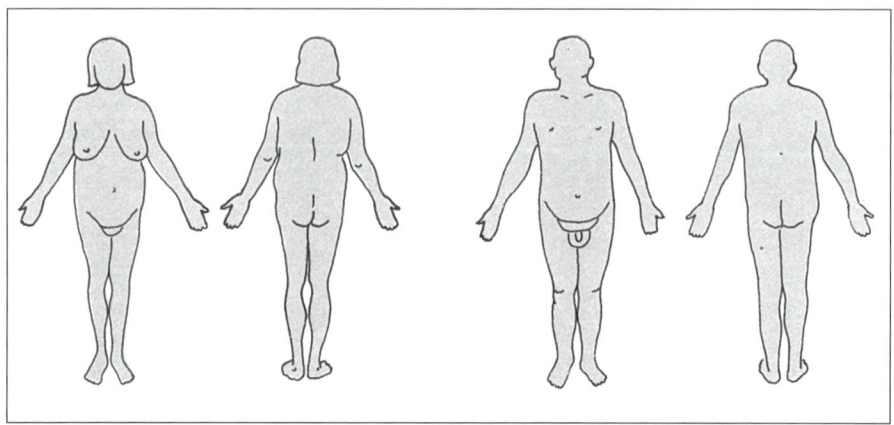

Abb. 4: Männlicher Fettsuchttypus bei Frau und Mann: Fett in der vorderen Achselfalte, Bauchspeck (nach Vague)

in absehbarer Zeit seine Idealfigur erreicht. Es sind meistens Männer mit Bauch und schlanken Extremitäten. Es gibt bei beiden Geschlechtern männliche und weibliche Formen der Fettsucht[9]. Die männliche Form hat das Fett oben, einen großen abstehenden Bauch bei relativ schlanken Hüften und mageren Extremitäten (Abb. 4); die weibliche Form hat das Fett unten mit breiten Hüften, dicken Beinen und einer Fettschürze am Bauch, d.h. einer großen Speckfalte, die den Nabel verbirgt und nach unten hängt (Abb. 5). Je „weiblicher" ein Individuum ist, umso schwieriger wird es, einen Abmagerungserfolg zu erzielen, und bei Frauen ist leider umso weniger zu erwarten, je mehr sie sich bereits dem Klimakterium nähern. Immer gilt die Regel, dass die Fettsucht umso schwieriger diätetisch zu bekämpfen ist, je mehr das Fett nicht nur am Rumpf (am Bauch und an den Hüften), sondern auch an den Extremitäten bis zu den Fingern und Zehen lokalisiert ist. Manche Frauen nehmen mit dieser Diät sogar zu, zwar nur wenig und meist nur anfangs. Neuerdings glaubt man

gefunden zu haben, dass der männliche Typ bei Frauen eher oder ausschließlich dazu neigt, später in einen Diabetes überzugehen. Eine Bestätigung dieser amerikanischen Arbeiten steht noch aus.

Ich glaube, es ist unaufrichtig, immer wieder davon zu reden, dass mit einer kohlenhydratarmen oder kohlenhydrat"freien" Diät jeder Mensch sein Idealgewicht erreichen könne. Wer dies behauptet, legt selbst die Axt an die Wurzel seiner Glaubwürdigkeit. Wir müssen auch zugeben, dass wir noch nicht wissen, warum der eine Fettsüchtige auf Kohlenhydratbeschränkung anspricht und der andere nicht, und dass wir daher auch keine Prognosen stellen können. Man muss es versuchen.

Man sollte es aber immer versuchen, bevor man auf eine Hunger-Diät übergeht. Noch genauer gesagt: Man soll immer nur kohlenhydratarm hungern lassen. Jede Kalorienbeschränkung soll in erster Linie auf Kosten der Kohlenhydrate erfolgen. Es gibt ganz gewichtige Gründe dafür, die wir am Ende des nächsten Kapitels besprechen wollen.

22

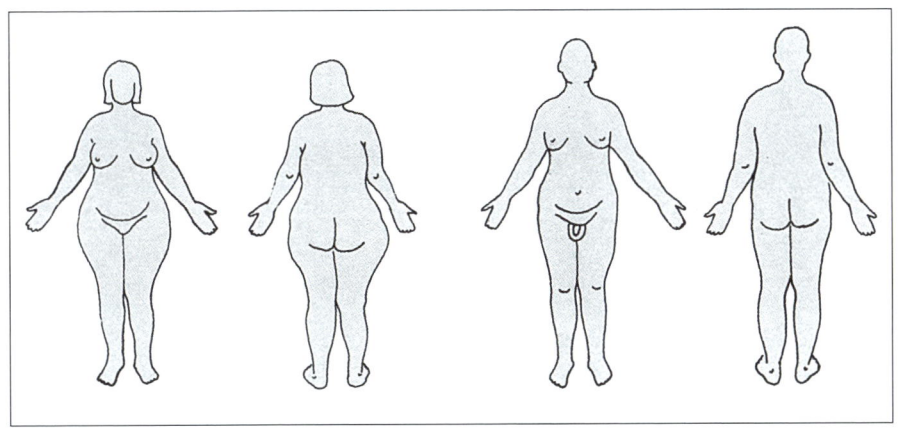

Abb. 5: Weiblicher Fettsuchttypus bei Frau und Mann: Hüftspeck, X-Beine und fette Brust (nach Vague)

Dicke Kinder

Dass eine kohlenhydratarme Diät prinzipiell entfettend wirkt und dass die Kohlenhydrate damit die wirkliche Ursache der menschlichen Übergewichtigkeit darstellen, zeigt sich ganz klar an jugendlichen Fettsüchtigen. Man war ursprünglich (und ist ja heute noch in breiten Bevölkerungskreisen) der Meinung, die zarten Kinder dürfe man nicht kohlenhydratarm ernähren, sie brauchten die vielen guten Sachen, beispielsweise den Zucker und auch das Obst, um sich normal zu entwickeln.

Aber schon Dr. Mackarness schreibt in seinem Buch „Eat fat and grow slim" („Nimm ab durch Fett")[1], dass man auch Kinder und Jugendliche, wenn sie übergewichtig sind, erfolgreich durch Kohlenhydratbeschränkung behandeln kann. Ich habe von Anfang an daran geglaubt, dass Kinder genauso einzuschätzen sind wie Erwachsene, denn meine Maxime war es doch, dass alle Menschen von Natur aus Fleisch- und Fettesser sind, auch die Kinder, denn der Ur-Mensch konnte, abgesehen von der Muttermilch, seinen Kindern nur das geben, was er selbst hatte. Ich habe daher von Anfang an auch jugendliche Fettsüchtige in mein Programm aufgenommen.

Das Überraschende daran war, dass es im Gegensatz zu Erwachsenen bei den Kindern immer gut geht. Von meinen weit über 100 „Dickerln" hat kein einziger versagt, bzw. die Versager waren immer dadurch bedingt, dass die Diät nicht eingehalten oder zu früh aufgegeben wurde. Von ganz extremen Fällen abgesehen, dauert es höchstens ein Jahr, bis eine normale schlanke Figur erreicht wird. Man darf sich dabei nicht zu sehr nach der Waage richten.

Wohl nehmen die fetten Kinder anfangs in der Regel einige Kilo ab; dies kommt aber sehr rasch zum Stillstand, weil meist ein Wachstumsschub die Gewichtsabnahme wieder auffängt. Die Kinder verwandeln sozusagen ihr Fett in Länge, also sowohl in Muskulatur als auch in Haut und Knochen.

Erbliche Anlage

Wenn die Eltern mit ihren dicken Kindern zum Arzt kommen, dann sind sie meist richtig verzweifelt. In der Regel kommt der Anstoß von den Lehrern, die eher Vergleichsmöglichkeiten haben und objektiver sind. Man glaubte, die Kinder äßen zu viel. Es heißt, „ein Fresser wird nicht geboren, sondern erzogen"; an dem Sprichwort ist aber sicherlich nicht viel Wahres. Ein Fresser wird zunächst einmal geboren. Wir alle wissen doch, dass es Familien gibt, in denen die Leute zu Übergewicht (und zu Diabetes, wie später ausgeführt werden soll) neigen, und umgekehrt, dass es Menschen gibt, die so viel essen können, wie sie wollen, und mager sind wie Heringe.

Der Dicke ein sparsamer Typ?

Eine immer wieder zitierte Theorie[10] meint, die Dicken gehörten zu einem sparsamen Typ, der sich Fett als Energiedepot für magere Zeiten zurücklegt und daher in der menschlichen Evolution, wo Hungerperioden nicht selten waren, Vorteile hatte. Solche Menschen mit Fettreserven hätten knappe Jahre leichter überlebt als die mageren Typen.

Sieht man aber, wie die Kinder dieser fetten Art schlank werden, wenn sie nur das zu essen bekommen, was die Urmenschen hatten, nämlich Fleisch und Fett, dann wirkt diese Theorie nicht mehr so einleuchtend. Denn unter dieser Ernährung hat der Urmensch gar kein Fett ansetzen und für magere Zeiten aufsparen können. Trotzdem glaube ich, dass die Neigung, Energie zu sparen oder auszugeben,

bei verschiedenen Menschen nicht gleichmäßig verankert ist.

Abmagern, aber wie?

Wir wollen uns nun dem komplizierten Problem des übergewichtigen Erwachsenen zuwenden und dabei alles das übergehen, was sowieso schon sattsam bekannt ist, nämlich dass Übergewicht einen Risikofaktor für Herzinfarkt und Schlaganfall darstellt (für mäßiges Übergewicht neuerdings wieder bestritten) und dass die Lebensaussichten Fettsüchtiger auch aus anderen Gründen, z.B. wegen der Neigung zu hohem Blutdruck und zu Diabetes, beeinträchtigt sind.

Stattdessen wollen wir erörtern, warum die Kohlenhydratbeschränkung beim Erwachsenen nicht so sicher wie beim Jugendlichen wirkt, woher die Versager kommen und was man dagegen tun kann.

Der Unterschied zwischen dem fettsüchtigen Jugendlichen und dem fettsüchtigen Erwachsenen liegt in den Sexualhormonen, die, beginnend mit der Pubertät, im Organismus wirken. Das Problem wird in einem späteren Kapitel ausführlich erörtert werden; es wird gezeigt werden, wie der Ausgleich des Insulins, das beim Kohlenhydratesser reichlich vorhanden ist, von der Pubertät ab nicht mehr wie vorher einfach durch Einschränkung in der Produktion des Wachstumshormons möglich ist, sondern die Erzeugung von mehr Cortison aus der Nebennierenrinde verlangt[11]. Dieses Cortison macht u.a. aus Eiweiß Zucker, der in der Leber in Fett verwandelt wird, wobei gleichzeitig vermehrt Harnsäure und Cholesterin erzeugt werden[12, 13]. Der Körper des Kohlenhydratessers kämpft jetzt (nach der Pubertät) nicht nur gegen den Zucker aus der Nahrung, sondern auch noch gegen den Zucker, der in seinem Stoffwechsel aus Eiweiß entsteht. Die Pubertät öffnet damit den Weg zu allen Zivilisationskrankheiten, zu Gicht, zu Diabetes, und sie verhindert den beim Jugendlichen noch problemlosen Abbau der Fettsucht. Mit dem Älterwerden wird es immer schwieriger, überflüssige Pfunde loszuwerden.

Hungern gilt seit je als probates Mittel zur Abmagerung. Es gibt nichts, was beim Hungernden einen Erfolg verhindern könnte. Hungern ist auch eine durchaus natürliche Maßnahme, denn einige Zeit ohne Nahrung auskommen zu müssen, war allen unseren Vorfahren gelegentlich beschieden.

Die heilende Wirkung von Fastenkuren beruht zunächst darauf, dass wir gezwungen sind, ganz ohne Kohlenhydrate zu leben. Wir verbrauchen im Hunger nur Fleisch und Fett, wenn auch unser eigenes. Die Insulinsekretion wird noch mehr zurückgeschraubt, als es schon bei kohlenhydratfreier, kalorisch ausreichender Ernährung der Fall ist, weil ja auch Fleisch und Fett zur Verdauung noch etwas Insulin benötigen[21]. Eine Hungerkur wird so das auf hohen Touren laufende Inselorgan des Kohlenhydratessers besonders intensiv beruhigen. Es scheint so, als ob damit aber auch noch ein weiterer Antikohlenhydrateffekt verbunden wäre, denn es hat sich gezeigt, dass eine echte Heilung diabetischer Stoffwechselstörungen möglich ist[19]:

Mit Abnahme des Übergewichts und Rückführung der Nahrungszufuhr auf normale Werte wird der Insulinbedarf reduziert, so dass eine vorher ungenügende Insulinsekretion des Patienten nun für seine Stoffwechselbedürfnisse ausreicht[22]. Näheres darüber werden wir im folgenden Kapitel, das sich mit dem Diabetes befasst, hören.

Hungern kann also offenbar mehr als eine kohlenhydratarme Diät[23–27]. Bei dieser gibt es für den verdorbenen Stoffwechsel noch einen Ausweg zur Schonung der Fettreserven: Das Leben von Zucker aus dem Eiweiß und vielleicht auch aus dem Fett der Nahrung. Im Hunger müssen die Depots auf alle Fälle aufgelöst werden. Wenn der Hungernde überleben will, muss er sein Fett opfern, um auf diese Weise sein Eiweiß zu schonen.

„Suchtgift" Kohlenhydrat

Ich glaube, wir haben beim fettsüchtigen Erwachsenen, der auf Kohlenhydratbeschränkung nicht mehr anspricht, ein Beispiel dafür vor uns, dass beim Ernährungsschaden (speziell durch Kohlenhydrate) mit der Beseitigung der Ursache die Folgen nicht immer prompt verschwinden. Fettsucht kommt von den Kohlenhydraten, aber der Organismus versucht die primären Folgen der Kohlenhydrate durch Veränderungen im hormonalen Gefüge abzufangen. Diese erlangen schließlich Selbständigkeit und bleiben bestehen, auch wenn später die Kohlenhydrate angemessen reduziert werden.

Die Dinge liegen ähnlich wie bei den Suchtgiften. Nach Einführung des Giftes, sagen wir, des Nikotins, ergreift der Körper Gegenmaßnahmen; sie bleiben auch bei dem Versuch, das Gift abzusetzen, erhalten und zwingen den Süchtigen, das Gift weiter zuzuführen. Darin liegt das Wesen der Entziehungserscheinungen. Die Gegenmaßnahmen des Körpers haben echten Krankheitswert erreicht.

Nach Fasten: kohlenhydratarm

Ich glaube, man sollte andererseits über den Erfolgen des Heilfastens nicht die Kohlenhydrate als primäre Ursache der Fettsucht übersehen und in den Fehler verfallen, in der Kalorienbeschränkung das alleinige Heilmittel für Übergewicht und Diabetes zu erblicken. Fasten ist auch seiner Natur nach immer nur eine vorübergehende Maßnahme.

Es ist sicher falsch, solche Patienten nach Beendigung der Fastenkur wieder alles essen zu lassen oder alles mit quantitativer Beschränkung. Die Misserfolge damit sind bekannt. Nach einigen Monaten hat man das, was man vorher in einigen Wochen heruntergehungert hat, wieder aufgeholt. Auch eine kalorienarme Normalkost enthält noch reichlich Kohlenhydrate, die das Inselorgan viel mehr als vergleichbare Mengen von Proteinen und Fetten reizen, bis schließlich auch die willensstärksten Hungerer sich ergeben.

Weil wir das Problem „Kohlenhydratbeschränkung oder Kalorienbeschränkung" auf allen Sektoren der Ernährungslehre immer wieder antreffen und weil es sehr stark in der Öffentlichkeit diskutiert wird, möchte ich hierauf noch etwas genauer eingehen.

Kohlenhydrate und Kalorien

Dass es im Grunde nur die Kohlenhydrate sind, die uns fett machen, haben nicht zuletzt unsere später noch zu beschreibenden Hühnerversuche gezeigt[28]. Bei diesen Tieren kann man sich nämlich kaum vorstellen, sie fräßen mehr, wenn sie sich aufregen oder ärgern („Kummerspeck"). Sie waren in drei Hauptgruppen geteilt, die völlig gleich behandelt wurden, abgesehen von der Zusammensetzung des Futters, welches in der einen Gruppe 18,7%, in der zweiten (mittleren) 42,3% und in einer dritten 73,7% der Gesamtkalorien in Form von Kohlenhydraten enthielt (siehe Seite 130). Es war den Tieren freigestellt, so viel zu fressen wie sie wollten. Die nachträgliche Ermittlung ergab, dass die frei gewählte Kalorienzufuhr vom Kohlenhydratgehalt der Nahrung weitgehend abhing. Die kohlenhydratarm ernährten Tiere (18,7% Kohlenhydrat) fraßen 273 Kalorien pro Tier und Tag, die der mittleren Gruppe (mit 42,3% an Kohlenhydraten) 318 und die Tiere mit 73,7% Kohlenhydraten 520 Kalorien. Je mehr Kohlenhydrate die Tiere also erhielten, umso mehr Kalorien verzehrten sie, umso unökonomischer war ihr Stoffwechsel, und umso fetter waren sie auch am Lebensende. Dabei waren sie nicht schwerer, sie hatten nur mehr Fett auf Kosten von Muskulatur und anderen Körperbausteinen.

Hier offenbart sich ein Dualismus Kohlenhydrate/Kalorien, den ich als größtes medizinisches Rätsel unserer Zeit empfinde. Immer wieder beobachtet man, dass dieselben Krankheiten, von denen ich behaupte, sie seien durch Kohlenhydrate bedingt, trotz kohlenhydratreicher Nahrung in Ländern nicht vorkommen, wo die Bevölkerung hungert oder sich doch nur sehr knapp ernähren kann.

Ich erinnere an die Abnahme der Erkrankungsziffern für Diabetes, Herzinfarkt und Schlaganfälle, natürlich auch an das seltenere Auftreten von Fettsucht während der beiden Weltkriege, sowie an das seltenere Vorkommen dieser Erkrankungen überhaupt in Gegenden, wo der Überfluss der westlichen Zivilisation fehlt, in Indien oder etwa bei den Hunsa. Löst man solche Populationen aus ihrem natürlichen Verband, wie dies so schön von Cleave und Campbell[29] für Inder beschrieben wurde, die nach Natal zu Plantagenarbeiten umgesiedelt wurden, oder für Bantus, die in die Städte kamen und dort begannen, mehr oder weniger im Überfluss zu leben, dann verzehren diese Umsiedler nicht nur mehr Fett und Raffinadezucker, die man für den Ausbruch der Zivilisationskrankheiten verantwortlich gemacht hat, sondern vor allem lockert sich bei ihnen die natürliche Bremse des Hungers; es verschiebt sich die Relation zwischen Muskeltätigkeit und Kalorienaufnahme.

Unsere Beobachtungen an Hühnern zeigen, dass es primär die Kohlenhydrate sind, die den Stoffwechsel korrumpieren, dass erst sekundär mit den Kohlenhydraten der Appetit und die Kalorienzufuhr ansteigen.

Verständlicherweise gibt es dann im Prinzip auch zwei Möglichkeiten der Vorbeugung bzw. der Behandlung, nämlich die Beschränkung der Kohlenhydrate oder die Beschränkung der Kalorien. Nur fasst man mit der Beschränkung der Kohlenhydrate das Übel an der Wurzel, während man mit der Reduktion der Kalorien das Unkraut sozusagen nur oben abreißt; außerdem bedeutet Kalorienbeschränkung ständiges Entbehren und ständigen Hunger, während man sich erfahrungsgemäß leicht daran gewöhnen kann, auf Kohlenhydrate zugunsten anderer Nahrungsmittel zu verzichten.

Kummerspeck

Sicherlich spielen hier auch psychische Momente eine Rolle. Bei manchen Menschen ist der Appetit (besser die „Freß-Sucht") so eingelaufen, dass auch von der hochkalorischen kohlenhydratarmen Nahrung viel mehr gegessen wird als nötig ist, um dem Körper die erforderlichen Kalorien zuzuführen; vielleicht weil die Regulationszentren im Gehirn (man isst mit dem Auge, wie es heißt) noch auf die vielen Kalorien aus der Kohlenhydratzeit eingestellt sind. Wie ich schon erwähnte, ist mein eigenes Gewicht zunächst über mein Soll von 76 kg hinaufgeschnellt, weil ich die kalorischen Beziehungen ignorierte, und ich kann ähnliches von manchen Patienten berichten, die ich auf eine kohlenhydratarme Ernährung umgestellt habe. Wahrscheinlich würde aber das Gewicht nicht so stark ansteigen, wenn man sich von Jugend an kohlenhydratarm ernährt hätte. Die Erfahrungen an den Eskimos, die gut genährt, aber nicht fett sind, sprechen jedenfalls in diesem Sinne.

Zahl und Größe der Fettzellen

Einige weitere Schwierigkeiten stehen einem Gewichtsverlust beim Erwachsenen entgegen. Wir wissen aus mehreren Untersuchungen[30-32], dass es nach der Zahl der Fettzellen vielleicht zwei Arten von Fettsucht gibt: die hypertrophische und die hyperplastische. Bei der hypertrophischen Form ist die Zahl der Fettzellen normal, nur ihre Größe und ihr Füllungszustand haben zugenommen; bei der hyperplastischen Form hat sich auch die Zahl der Fettzellen vermehrt, und – wie ich glaube –

es sind Fettzellen auch dort entstanden, wo sie nicht hingehören, z.B. an den Hüften, in der Knöchelgegend und an den Fingern, wo sie instinktiv auch als unschön empfunden werden. Natürlich wird es leichter sein, Fettzellen, die sich übermäßig angestopft haben, zu entleeren, als Fettzellen überhaupt zum Verschwinden zu bringen. Was man erwarten kann, ist äußerstenfalls, dass sich bereits vorhandene Fettzellen entleeren und dass keine neuen aufgebaut werden. Doch dies allein ist schon der Mühe wert.

Punkten oder hungern?

Nach dem bisher Gesagten können die Abmagerungseffekte einer kohlenhydratarmen Diät ohne Kalorienbeschränkung und einer kalorienarmen Diät ohne Kohlenhydratbeschränkung nicht gleich sein. Im ersteren Falle wird man schlanker, aber nicht mager; der Gewichtsverlust geht auf Kosten des Fettgewebes, während Muskulatur und übrige Organe eher profitieren; im anderen Fall kann man zwar jede gewünschte Linie erreichen, aber das Endstadium ist die Hungerfigur des Hollywood-Ideals vor der Kurvenzeit bzw. eines Mannequins, das wohl als schicker Kleiderständer, aber nicht für Sport und andere Leistungen brauchbar ist. Verständlich, dass der kohlenhydratarm Ernährte mit seinen besser versorgten Organen auch gesünder ist als der Kleiderständer, der seine Eiweißreserven verloren hat.

Man soll zunächst auf eine kohlenhydratarme Diät übergehen und dann die Kohlenhydrate, wenn es nötig ist, weiter abbauen oder ganz streichen. Man wird sehen, ob damit allein nicht schon ein ausreichender Erfolg zu erzielen ist. Dabei soll man die Flinte nicht zu früh ins Korn werfen. Manche Patienten nehmen zunächst nicht ab, sie behalten später aber einen Gewichtsverlust bei, der etwa anlässlich einer schwereren Erkrankung eingetreten ist. Andere nehmen nicht ab, es bessert sich aber doch ihre Figur, indem das Fett an den Waden, Knöcheln und Hüften verschwindet und der Bauchumfang abnimmt. Die Waage bleibt stehen, weil für das verlorene Fett anderswo Substanz angesetzt wird, etwa Eiweiß im Muskel, in der Haut, in den inneren Organen, Kalk im Zahn und im Knochen. Auch in diesen Fällen entleeren sich die Fettzellen; das Fett, das vorher prall unter der gespannten Haut lag, wird locker und weich.

Kohlenhydratfrei?

Nachdem in den USA anfangs eine Zulage von Fett auf Kosten von Eiweiß („three fat, one lean") propagiert worden war, wird neuerdings (Atkins und andere) ein totaler Verzicht auf Kohlenhydrate verlangt, wenigstens zu Beginn einer Abmagerungskur, wobei großes Gewicht auf das Erscheinen von Azeton im Harn gelegt wird. Bei einer Überprüfung an vielen Fällen in meiner Praxis hat sich weder die Brauchbarkeit des Azetonnachweises noch die Notwendigkeit der totalen Kohlenhydratbeschränkung erweisen lassen.

Wer mit 6 Einheiten nicht abnimmt, behält seinen Speck fast immer, auch wenn er gänzlich kohlenhydratfrei lebt. Radikalkuren sind außerdem, besonders für ältere Leute, nicht ungefährlich; man hat Dr. Atkins einige Todesfälle an Herzinfarkt vorgehalten.

Fasten

Ist ein Erfolg auch auf diese Weise nicht zu erzielen, so ist eine Hungerkur angezeigt. In einer Klinik oder in einer Fastenanstalt wird dies leichter möglich sein als zu Hause, denn neben dampfenden Schüsseln mit Knödeln, am Kaffeekränzchen von Freundinnen und am Biertisch, auch inmitten beruflicher Sorgen und Aufgaben geht es schlecht. Eine gewisse Überwachung ist ebenfalls nötig, weil es, wenn auch selten, vorkommen kann, dass eine Hungerkur einmal abgebrochen werden muss.

Wer vorher schon kohlenhydratarm gelebt hat, wird nach einer Hungerkur ganz leicht wieder auf diese Ernährung übergehen. Die Kohlenhydratbeschränkung muss nämlich nach dem Hungern unbedingt beibehalten werden, wenn der Erfolg nicht bald wieder in Frage gestellt sein soll. Das Inselorgan lauert sozusagen auf die kleinsten Kohlenhydratmengen und beginnt sofort wieder mit dem Aufbau von Fett, wenn die Kohlenhydrate hierzu geliefert werden. Und manchmal wird nach dem Hungern sogar eine gewisse Kalorienbeschränkung erhalten bleiben müssen.

Appetitzügler

Es gibt eine Reihe unnatürlicher (unphysiologischer) Maßnahmen zur Abmagerung. Da sind zunächst die Appetitzügler, die Unruhe erzeugen, so dass man sich nicht gemütlich zu Tisch setzen und viel essen kann. Auch vor einer aufregenden Aufgabe verliert sich der Hunger. Einige dieser Substanzen sollen direkt das Appetitzentrum beeinflussen, eine mehr hypothetische Gegend an der Basis des Gehirns, in der die Nahrungsaufnahme angeblich kontrolliert wird. Eines dieser Medikamente musste vor einigen Jahren aus dem Handel gezogen werden, weil Todesfälle durch Erkrankungen von Lungengefäßen vorkamen. Also Vorsicht!

Schilddrüsenhormon

Patienten mit Überfunktion der Schilddrüse sind meist mager. Das Schilddrüsenhormon heizt die Verbrennung im Organismus an, daher auch den Fettabbau. Ein Erfolg ist hier nur mit den Nachteilen einer künstlichen Schilddrüsenüberfunktion zu erkaufen, die ihrerseits wieder in das Gleichgewicht der Zwei-Komponenten-Theorie (s. S. 39) eingreift. Keinesfalls soll man es ohne ärztliche Überwachung versuchen.

Abführmittel

Damit kann man den Darm daran hindern, die zugeführte Nahrung vollständig zu verwerten. Es gibt Patienten, welche sich damit ganz gut im Gleichgewicht halten oder sogar eine Gewichtsabnahme erzielen können. Nur muss man sich darüber im Klaren sein, dass diese Methode unnatürlich ist, dass Abführmittel den Darm über Gebühr reizen und dass sie sicher, über lange Zeit angewendet, gesundheitsschädlich sind. Näheres darüber wird später im Kapitel über Dickdarmerkrankungen gesagt.

Wenn schon Abführmittel zur Gewichtsabnahme, dann nur unter gleichzeitiger Kohlenhydratbeschränkung!

Gene und neue Medikamente

Es vergeht kaum ein Jahr ohne Ankündigung neuer Drogen gegen Fettsucht oder neuer Gene, die für die Fettsucht verantwortlich sein sollen. Dass die Neigung zu Fettsucht vererbt wird, ist offensichtlich; es sind dieselben Gene, die für Hyperinsulinismus (siehe Kohlenhydrate und Drüsenstörungen, S. 34ff) programmieren. Eines Tages wird es vielleicht möglich sein, gewünschte Veränderungen an unserem Erbgut anzustellen; da die Kohlenhydrate aber überall angreifen, da sie z.B. sicher auch die Neigung zum Krebs vermitteln und das Immunsystem schädigen, wird es einfacher, wirksamer und vernünftiger sein, sie zu vermeiden, als sich auf unsicheres Gelände zu begeben.

Das gilt auch für Medikamente. Man hat vor kurzem eine hormonartige Substanz, Leptin, entdeckt, die aus dem Fettgewebe stammt und deren Mangel Gewichtszunahme auslöst. Es wird noch viele derartige Substanzen geben. Sie werden aber der pharmazeutischen Industrie mehr helfen als den Fettsüchtigen, weil sie das Übel nicht an der Wurzel angreifen, nicht an den Kohlenhydraten und am Insulin, und weil sich die Natur nicht betrügen lässt.

Operationen

Als ich seinerzeit davon hörte, dass amerikanische Chirurgen zur Behandlung von Übergewichtigkeit den Dünndarm verkürzen, war ich entsetzt. Ich konnte mir nicht vorstellen, dass es zweckmäßig sei, eine Erkrankung dadurch zu behandeln, dass man eine andere erzeugt, sozusagen den Teufel mit Beelzebub austreibt, denn durch die Operationen bei Fettleibigkeit werden die natürlichen Verhältnisse im Verdauungstrakt weitgehend verändert. Das kommt schließlich der Erzeugung einer Krankheit gleich.

Ich habe mich aber inzwischen eines Besseren belehren lassen. Vor einigen Jahren lief mir ein Patient über den Weg, bei dem ich mich vergeblich bemüht hatte, mit kohlenhydratarmer Ernährung eine Gewichtsabnahme zu erzielen. Er hatte über 160 kg gewogen, so dass er in einem normalen Sessel nicht mehr Platz fand. Mit einem intestinalen Bypass sank das Gewicht in einigen Jahren bis auf 90 kg.

Ich habe inzwischen selbst einige Fälle operieren lassen. Alle diese Patienten waren mit dem Ergebnis zufrieden, und keiner wäre bereit gewesen, wieder zu der Zeit vor der Operation zurückzukehren. Man könnte nämlich durch eine zweite Operation die ursprünglichen Verhältnisse wiederherstellen. Aber dann würde natürlich binnen kurzem auch das ursprüngliche Gewicht wieder da sein.

Es gibt zwei Arten von solchen Operationen. Bei der einen wird der Magen verkleinert und der Magenausgang verengt, so dass der Patient größere Mengen von Nahrung nicht mehr zu sich nehmen kann. Bei der anderen, mir natürlicher erscheinenden Operation werden die oberen 20 cm des Dünndarms mit den unteren 20 cm (vor der Einmündung in den Dickdarm) verbunden. Das Stück dazwischen wird ausgeschaltet; es bleibt aber erhalten. Die Drüsensäfte, die es nach wie vor produziert, fließen in die erhaltenen unteren 20 cm und gehen damit nicht verloren.

Durch diese Operation wird die funktionierende Schleimhautfläche des Dünndarms sehr stark verkleinert mit dem Ergebnis, dass die Nahrung nicht mehr vollständig verdaut werden kann, ähnlich wie bei der Anwendung starker Abführmittel. Es kommt meistens zu Durchfällen, weil sich im Dickdarm Bakterien über die unverdauten Nahrungsreste hermachen. Diese Verwertungsstörung betrifft nicht nur Kohlenhydrate, Eiweißkörper und Fette, sondern auch Vitamine, Spurenelemente und anderes, etwa Cholesterin.

Beim Cholesterin ist das ja meist erwünscht, wenn auch ein allzu niedriger Cholesterinspiegel wieder gefährlich sein kann, weil er Blutarmut und andere Störungen verursacht.

Der Mangel an Vitamin K löst manchmal Blutungen aus (man kann Vitamin K aber zuführen); es können Leberschäden auftreten; sogar Nierensteine wurden beobachtet. Nach einigen für die Patienten recht schwierigen Monaten pflegt sich die Situation aber zu bessern, weil sich die Schleimhaut in dem stehen gebliebenen Teil des Dünndarms dicker wird (hypertrophiert, wie der Fachausdruck heißt) und weil aus diesem Grund eine gewisse Anpassung an die geänderten Verhältnisse erfolgt. Schließlich hören auch die Durchfälle wieder auf.

Das Gewicht nimmt vom Moment der Operation an ständig ab. Die Patienten stehen vor dem Spiegel und sehen zu, wie sich langsam, aber sicher die Figur ihrer Jugend wieder einstellt. Manchmal schießt die Gewichtsabnahme über das gewünschte Ziel hinaus, nur selten ist sie unbefriedigend; es hängt von der Länge des belassenen Dünndarmabschnittes ab, die schwer von vornherein abzuschätzen ist. Man legt daher die Operation lieber etwas zu radikal an.

Sind solche Eingriffe erlaubt?

Vor einiger Zeit trafen sich Internisten und Chirurgen zur Debatte über diese Operation. Die Internisten kamen mit heftigen Vorwürfen, weil die Operation unnatürliche Verhältnisse im Magen-Darm-Trakt erzeuge und weil sich aus ethischen Gründen ein so schwerer Eingriff aus kosmetischer Indikation nicht rechtfertigen lasse. Sind es wirklich nur kosmetische Gründe?

Das Übergewicht ist nur die Spitze des Eisberges, dessen Hauptteil in Form von Störungen im Stoffwechsel und auf dem Gebiete der inneren Sekretion anschließend erörtert werden soll. Tatsächlich verschwinden nach der Operation ziemlich regelmäßig erhöhte Werte für Cholesterin, für Harnsäure, und es bessert sich eine diabetische Stoffwechselstörung, sofern sie nicht völlig verschwindet. Sicherlich ist dies hauptsächlich auf die Resorptionsstörung im Darm zurückzuführen, auf die gewaltsam erzeugte Kalorienbeschränkung, denn man kann dies auch mit Hunger herbeiführen.

Es könnte aber doch sein, dass auch die Ausschaltung größerer Dünndarmteile vom Nahrungsfluß eine Rolle spielt. Im Darm liegen Sensoren, welche über gewisse Hormone nicht nur den Bewegungsablauf im Darm, sondern auch die Produktion von Verdauungssäften regulieren. Ich glaube daher nicht, dass man bei Übergewichtigkeit, wenn sie ein nennenswertes Maß erreicht hat, von einem rein kosmetischen Problem sprechen kann. Wir operieren doch auch ein Magen- oder Zwölffingerdarmgeschwür oder einen Kropf, ohne dass uns Lebensgefahr dazu zwingt.

Wann operieren?

Es heißt, man dürfe einen intestinalen Bypass nur bei älteren Menschen erwägen, bei denen alle möglichen Kuren bisher ergebnislos verlaufen sind. Sicher wird man bei einem jungen Menschen nicht gleich zum Messer greifen, sondern erst einmal versuchen, mit Kohlenhydrat- und Kalorienbeschränkung einen Erfolg zu erzielen. Aber ich sehe nicht ein, warum man damit, vor allem bei einer Frau, warten muss, bis die Figur endgültig zerstört ist. Sie hat ein Recht, eitel zu sein, wieder normale Kleider zu tragen, ihrem Mann oder wem immer zu gefallen. Wenn dieser Wunsch diätetisch allein nicht erfüllbar ist und operativ mit einem vernünftigen Risiko erfüllt werden kann, dann soll man operieren. Wir Ärzte haben schließlich noch andere Aufgaben als nur die Behandlung von Todkranken.

Ich hatte vor kurzem eine solche Patientin. Sie war 28 Jahre alt, 167 cm groß und wog nach der Geburt eines Kindes 84 kg. Verschiedene Diätkuren und eine solche mit Null-Diät hatten höchstens vorübergehenden Erfolg. In der Ehe begann es zu kriseln. Wir haben sie operiert. Es ging ihr nach der Operation sehr schlecht. Sie hatte Blutungen, die man mit Vitamin K-Substitution nicht gänzlich ausschalten konnte; es entwickelten sich Nieren- und Gallensteine; ein Leberschaden trat auf. Die Verdauungsstörung war so tief greifend, dass das Gewicht bis 41,5 kg abfiel, so dass sogar die Haare ausgingen. Wir hatten Angst um das Leben der Patientin und überlegten uns, ob wir die Operation nicht rückgängig machen sollten. Schließlich und endlich ging aber alles gut. Sie hat jetzt normalen Stuhlgang; der Leberschaden ist abge-heilt; die Haare sind wieder gewachsen; sie wiegt 52 kg und führt ein normales Leben. Ich verwende sie als „Lockvogel" für übergewichtige Patientinnen, denen ich das Risiko der Operation ebenso vorführen möchte wie den Erfolg.

Literatur

1) Mackarness, R.: Eat fat and grow slim. Doubleday & Co., Garden City, New York, 1959.
2) Fredericks, C.: Low Carbohydrate Diet. Award Books, New York, 1965.
3) Yudkin, J.: This slimming business. McGibbon & Kee, London, 1958.
4) Taller, H.: Calories don't count. Simon & Schuster, New York, 1961.
5) Atkins, R.: Dr. Atkins' Diet Revolution. David McMay, New York, 1972.
6) Jameson, G., E. Williams (Deckname): The Drinking Man's Diet. Cameron & Co., San Francisco, 1965.
7) Carise, E.: Punkt-Diät. Editions Indigo Etablissements, Vaduz, 5. Aufl. 1968.
8) Irsigler, K.: Wien. Klin. Wschr. 81(1969) 845.
9) Vague, J.: Presse Med. 65 (1947) 339.
10) Neel, J. V.: Am. J. Human Genet. 14 (1962) 353.
11) Lutz, W.: Leben ohne Brot. 2. Aufl. Selecta-Verlag, Planegg 1970.
12) Schole. J., W. Lutz: Regulationskrankheiten. F. Enke, Stuttgart 1988.
13) Schole, J.: Theorie der Stoffwechselregulation unter besonderer Berücksichtigung der Regulation des Wachstums. Paul Parey, Berlin und Hamburg, 1966.
14) Lyon, D.M., D.M. Dunlop, C.P. Stewart: Biochem. J. London, 26 (1932) 1107.
15) Wertheimer, E., B. Shapiro: Physiology. Baltimore, 28 (1948) 451.
16) Haagensen, N. R.: Reports of the Steno Memorial Hospital and Nordisk Insulinlaboratorium, 5 (1953) 30, 41.
17) Ditschuneit, H.: Dtsch. Med. Wschr. 65 (1966) 2.

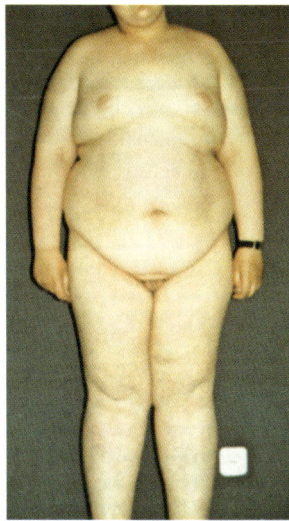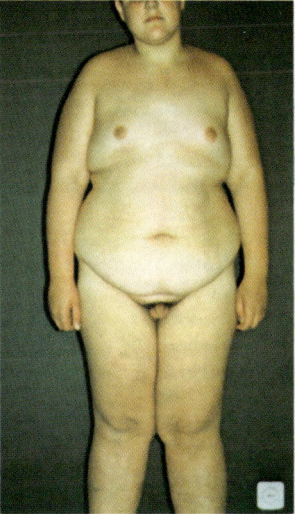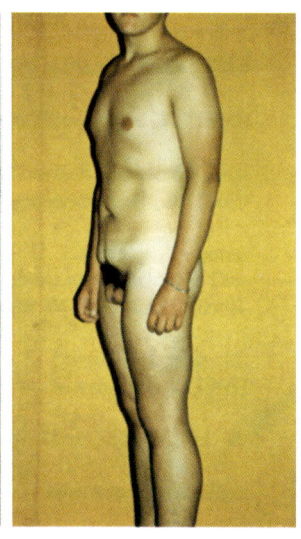

Dreizehnjähriger Junge mit einem Ausgangsgewicht von 122 kg (a). Schon nach drei Monaten ist eine deutliche Abnahme des Körpervolumens festzustellen (b). Nach zweieinhalb Jahren weitgehend normale Verhältnisse. Man betrachte vor allem das Genitale. Vor Beginn der Diätbehandlung (a) weitgehender Entwicklungsrückstand, kleiner Penis, kleine Hoden, keine Schambehaarung. Schon nach drei Monaten (b) sprießen die Schamhaare, und das Genitale ist deutlich gewachsen.

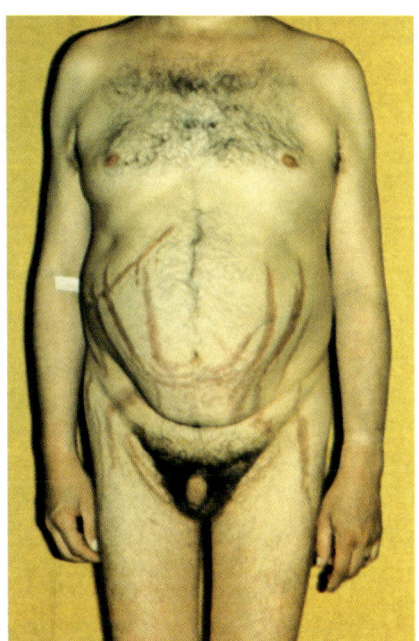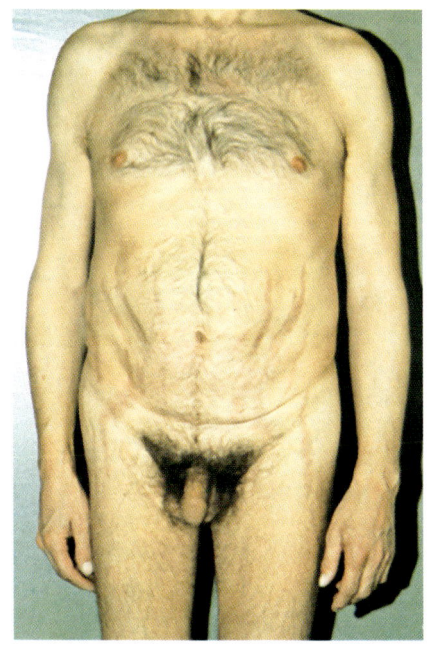

Morbus Cushing. Links vor der Diät, rechts nach neun kohlenhydratarmen Jahren. Man beachte das Abblassen der Striae.

18) Melani, F., I. Lawecki, K. M. Bartelt, E. F. Pfeiffer: Diabetologia 3 (1967) 422.
19) Pfeiffer, E. F., et al.: Vortrag Symposion Dtsch. Ges. Endocrin. Berlin, 28. Februar bis 3. März 1972.
20) Laube, H., S. Raptis, E. F. Pfeiffer: Dtsch. Med. Wschr. 98 (1973)1256.
21) Faulhaber, J. D., H. H. Ditschuneit, H. Ditschuneit, E.F. Pfeiffer: Diabetologia, 6 (1970) 73 (Abstr.).
22) Karam, J.M., G.M. Grodsky, P.H. Forsham: Am. J. Clin. Nutr. 21(1968) 1455.
23) Farrent, P.C., R.W.J. Neville, G.A. Steward: Diabetologia 5 (1969) 198.
24) Schröder, K. E., S. Raptis, D. Geuscher, E. F. Pfeiffer: Therapie-Woche 18 (1968) 215.
25) Schlick, W., H. Kalucek, H. Lageder, K. Irsigler: Med. und Ernährung 13 (1972) 215.
26) Irsigler, K., W. Waldhäusl: Wien. Klin. Wschr. 81(1969) 534.
27) Irsigler, K.: Wien. Klin. Wschr. 81 (1969) 845.
28) Lutz, W., G. Andresen, E. Buddecke: Zeitschrift für Ernährungswissensch. 9 (1969) 222.
29) Cleave, T. L., G. D. Campbell: Diabetes, Coronary Thrombosis and Saccharine Disease. John Wright & Sons Ltd. Bristol, 1966.
30) Faulhaber, J. D., E. Petruzzi, H. Eble, H. Ditschuneit: Horm. Metab. Res. 1 (1969) 80.
31) Hirsch, S. P., P. W. Han: J. Lipid. Res. 10 (1969) 77.
32) Björntorp, P., L. S. Sjöström: Metabolism 20 (1971) 703.

Kohlenhydrate und Drüsenstörungen

Fettsucht und Pubertät

Wenn ein Kind von Jugend auf, vom Zeitpunkt des Abstillens an, kein Kohlenhydrat bekäme oder doch nur einige wenige Einheiten, dann würde sich daraus nie eine fette Figur entwickeln. Fettsucht gibt es nur beim unzulässigen Kohlenhydratgenuss, was ganz eindeutig daraus hervorgeht, dass bis zur Pubertät jedes übergewichtige Kind durch Kohlenhydratbeschränkung wieder abgemagert werden kann. Es geht zwar oft auch noch nach erreichter Geschlechtsreife, manchmal noch später, manchmal sogar noch in höherem Alter, aber die Pubertät spielt eine entscheidende Rolle. Sie ist quasi die „Fettscheide", die darüber entscheidet, mit welcher Wahrscheinlichkeit eine Kohlenhydratbeschränkung noch zur Wiederherstellung einer normalen Figur führen kann. Wir halten fest:

1. Die Zeit der Geschlechtsreife entscheidet über die Aussichten der Behandlung.

Was hat die Pubertät mit dem Körperfett zu tun? Unter den Kinderärzten wird immer noch darüber disputiert, ob bei einem fettsüchtigen Buben die äußeren Geschlechtsteile nur deshalb als klein gelten, weil sie sich hinter dem Speck der Oberschenkel und des Bauches verstecken, oder ob sie tatsächlich kleiner sind. Man hat gesagt, beim einfachen jugendlichen Fettsüchtigen sind Hoden und Penis normal, beim (sehr seltenen) so genannten „Typus Fröhlich", der auf eine Geschwulst oder Zystenbildung im Gehirn zurückgeht, sind diese Teile unterentwickelt. Ich kann aber aus vielfältiger Erfahrung sagen, dass die Entwicklung des Hodens und des Penis beim fettsüchtigen Kind sehr oft nachhinkt, und zwar umso mehr, je stärker die Fettsucht ausgeprägt ist. Umgekehrt holt das Genitale sein Wachstum sichtlich nach, wenn man die Kohlenhydrate beschränkt und die Fettsucht damit innerhalb weniger Monate beseitigt. Bitte vergleichen Sie die Bilder des dicken Buben auf der Farbtafel 1 (oben), nach Seite 32, und beachten Sie, wie innerhalb weniger Monate nicht nur die Schambehaarung zugenommen hat, sondern auch das Genitale gewachsen ist.

2. Der zweite Punkt, den wir uns also vormerken wollen, wäre: Die Geschlechtsreife ist beim dicken Kind verzögert; sie holt nach Kohlenhydratbeschränkung auf.

Bei den fetten Kindern ist seit langem ein Phänomen bekannt, das man sonst nur von schwangeren Frauen her kennt - das Auftreten so genannter Striae. Striae (lateinisch) heißt Streifen; gemeint sind bläulich-rote Streifen an der Haut des Bauches, an der Brust bis gegen die Achselhöhlen zu (über dem Brustmuskel) und am Gesäß (siehe Farbtafel nach S. 32). Während der Schwangerschaft treten diese Veränderungen dort besonders häufig auf, wo der Bauch durch die Frucht ausgedehnt wird.

Diese Striae der Schwangeren verschwinden meistens einige Monate nach der Entbindung, die Striae des jugendlichen Fettsüchtigen können, da hier die ursächliche Störung nicht zeitlich begrenzt ist wie bei der Schwangerschaft, ohne Diät oft jahrelang fortbestehen. In beiden Fällen bleiben schließlich silbrigglänzende Streifen in der Haut zurück. Sehr viele Frauen, die geboren haben, und manche Männer haben solche Streifen als Hinweis auf eine Stoffwechselstörung, wie wir sie jetzt näher beschreiben wollen.

Die Striae sind für den gelernten Mediziner eine ganz typische Erscheinung. Sie entsprechen nämlich genau dem, was man bei der so genannten Cushingschen Krankheit zu sehen gewohnt ist. Diese entsteht durch übermäßige Tätigkeit der Nebennierenrinde mit vermehrter Ausscheidung von Cortisol. Cortisol ist unser Zuckerhormon (daher Glukocorticoid genannt). Es macht aus Eiweiß Zucker, wenn der Körper Zucker braucht und ihn nicht in der Nahrung findet. Wir haben inzwischen gelernt, künstliches Cortisol herzustellen, und nennen es nach der ersten derartigen Substanz Cortison. Auch mit Cortison kann man bei entsprechender Dosis eine Cushingsche Krankheit erzeugen. Man spricht vom „Tabletten-Cushing".

Wer die Handschrift des Cortisols kennt, der zweifelt nicht einen Augenblick daran, dass auch die Striae der Schwangeren und die Striae des fetten Jugendlichen durch eine Überfunktion der Nebennierenrinde, durch ein Zuviel an Cortisol, ausgelöst sind[1, 2, 3]. Tatsächlich konnten wir bei unseren Fällen nachweisen, dass Patienten mit Striae vermehrt Abbauprodukte körpereigenen Cortisols im Harn ausscheiden (1,51 mg sog. HCS gegenüber 1,25 mg der Norm[4].)

Wir halten fest:

3. Die Striae fettsüchtiger Jugendlicher sind durch eine Überfunktion der Nebennierenrinde bedingt.

Es lässt sich nun zeigen, dass diese Striae zeitlich ganz streng an die beginnende Geschlechtsreife gekoppelt sind; Kinder können noch so fett sein, solange sie nicht in die Pubertät kommen, haben sie keine Striae. Erst mit dem Knospen der Brust beim Mädchen (der so genannten Thelarche), mit dem erkennbaren Wachstum von Hoden und Penis beim Buben, mit dem Auftreten der Schamhaare können Striae kommen. Sie müssen nicht. Auch übergewichtige Kinder können ihre Pubertätsentwicklung ohne Striae durchlaufen; es ist aber selten. Die Tabelle 1 zeigt die Zusammenhänge, wie sie an den ersten 30 Fällen meiner Praxis festzustellen waren.

Wir merken uns daher vor:

4. Das Cushing-Syndrom des jugendlichen Fettsüchtigen ist zeitlich an die Pubertätsentwicklung gebunden.

Was hat das alles nun mit den Kohlenhydraten zu tun, abgesehen davon, dass – wie wir schon hörten – eine kohlenhydratarme Diät die Fettsucht Jugendlicher und das Auftreten von Striae verhindert? Welcherart ist die Unordnung, die die Kohlenhydrate in unserem Stoffwechsel verursachen?

Zuckertests

Man nennt sie auch Glukosetoleranztests, weil man damit die Toleranz des Körpers gegen Traubenzucker (Glukose) austesten und feststellen kann, wie er auf Zucker reagiert. Zu diesem Zwecke spritzt man Zucker in die Blutbahn und sieht nach, wie schnell er aus dem Blut verschwindet. Die Abb. 6 zeigt, was dann passiert. Trägt man die Messergebnisse auf gewöhnlichem Millimeterpapier auf, dann

	weiblich								männlich						
a.	M.	Str.	FH	a.	M.	Str.	FH	a.	M.	Str.	FH	a.	Pub.	Str.	FH
6	–	–	50	14	–	–	80	9	–	–	–	13	–	−315	(60)
10	–	–	80	15	–	–	100	10	–	–	–	13	–	–	80
10	–	+	60	15	–	–	–	10	–	–	–	13	–	–	22
11	–	–	60	15	+	+	–	10	–	–	–	13	–	±	80
11	–	–	60	15	+	+	–	10	–	–	60	16	+	–	130
11	–	–	540	15	+	+	140	10	–	–	65	16	+	–	–
12	–	–	60	15	+	+	145	11	–	–	–	17	+	+	350
12	–	–	–	16	+	+	–	1	–	–	–	17	+(?)	–	115
12	–	–	60	16	+	+	430	11	–	±	80	17	+	+	–
12	+	+	90	16	+	+	–	11	–	+	–	19	+	+	–
12	+	+	310	16	+	+	–	12	–	–	–	22	+	+	435
13	+	+	125	17	+	+	–	12	–	–	85	23	+	+	390
13	+	+	295	18	+	+	1560	12	–	±	60	23	+	+	–
14	+	+	80	17	+	+	350	12	+	+	–	25	+	+	–

Tab. 1: Zusammenhang zwischen Pubertät, Auftreten von Striae und Ausscheidung von Follikelhormon bei 56 jugendlichen Fettsüchtigen aus der Praxis des Verfassers. a = Lebensalter, Str = Striae, FH = I.E. Follikelhormon im 24-Stunden-Harn, M = Menses bei Mädchen, Pub = andere Erscheinungen eingetretener Pubertät bei Knaben. Es ist zu erkennen, dass bei beiden Geschlechtern das Auftreten von Striae bzw. von erhöhten Werten für Follikelhormon im Harn mit der Pubertätsentwicklung gekoppelt ist. FH-Werte von H. Iselstöger, Wien.

ergibt sich eine Kurve. Der Zucker fällt zunächst sehr schnell und dann immer langsamer ab, bis die Norm erreicht ist. Diese Norm liegt, je nach der verwendeten Methode zur Blutzuckerbestimmung, zwischen 70 und 90 mg%. Nimmt man für die Ordinate einen logarithmischen Maßstab, dann erscheint der Blutzuckerabfall mehr oder weniger geradlinig. Für unsere Abbildung ist ein solcher Maßstab angewendet worden. Was wir daraus zunächst ersehen wollen, ist, dass beim übergewichtigen Jugendlichen der Blutzucker schneller abfällt als beim normalen. Es muss also etwas da sein, was den Zucker aus dem Blut schneller wegräumt.

Dasselbe sieht man, wenn man den Zucker, was ja einfacher ist, in Form einer Zuckerlösung trinken lässt. Gibt man auf diese Art 50 g Traubenzucker, dann steigt der Blutzucker normalerweise in den ersten 45 Minuten auf 160 bis 180 mg% an, worauf er bis zum Ende der zweiten Stunde wieder zur Norm abfällt (Abb. 7). Bei dicken Kindern bleibt der Anstieg entweder völlig aus, oder er ist doch stark abgeschwächt[5, 7, 8]. Der Gipfel liegt dann bei 110 bis 130 mg%, und oft liegt der Zwei-Stunden-Wert sogar noch höher. Auch hieraus muss man schließen, dass irgendetwas am Werke ist, welches den Zucker, der ja aus dem Darm ins Blut übergeht, wegräumt und anschließend den Blutzucker wieder erhöht. Die Abb. 8 zeigt, wie sich die Verhältnisse unter kohlenhydratarmer Diät normalisieren.

Insulin

Was ist dieses „Etwas", das beim Kohlenhydratesser stört? Der Körper hat ein

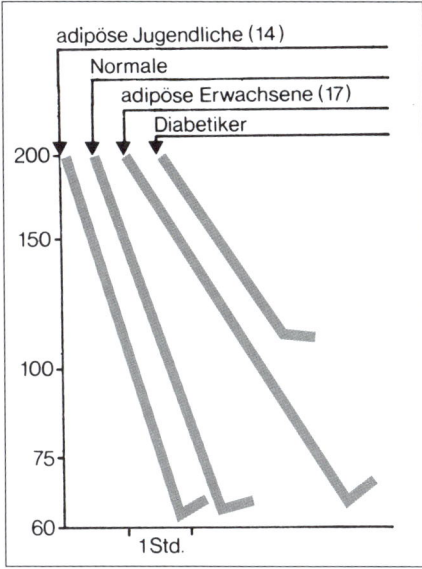

Abb. 6: Blutzuckerspiegel nach intravenöser Glukose-Verabreichung, nach eigenen Versuchen

Hormon, das Insulin, benannt nach den Inselzellen der Bauchspeicheldrüse, weil es dort (von den so genannten Beta-Zellen) erzeugt wird. Es gibt noch Alpha-Zellen und andere. Alle zusammen nennt man auch „Non-Beta-Zellen", weil sie in gewisser Hinsicht Antagonisten der Beta-Zellen zu sein scheinen.

Über Insulin sind sehr viele Arbeiten erschienen, und immer noch weiß man manches nicht über dieses geheimnisvolle Hormon, das, von Banting und Best 1921 entdeckt und jetzt in großem Maßstab aus der Bauchspeicheldrüse von Tieren gewonnen, beim Diabetiker angewendet wird. Die chemische Struktur des Insulin-Moleküls wurde inzwischen aufgeklärt. Ja, es wird heute Insulin schon künstlich erzeugt und beim Menschen angewendet. Dies hat natürlich ganz große Bedeutung für unsere Zuckerkranken, weil gewisse Schwierigkei-

ten bei der Anwendung von tierischem Insulin darauf zurückgehen, dass es trotz aller Reinigung immer noch Eiweißreste enthält, welche Abwehrreaktionen hervorrufen können, und weil das tierische Insulin dem menschlichen doch nicht völlig entspricht.

Insulin ist nur eines der Zuckerhormone in unserem Körper. Sein Gegenspieler, das zweite Zuckerhormon, das Glukagon, entsteht in den Alpha-Zellen der Bauchspeicheldrüse. Einen dritten Gegenspieler haben wir schon kennen gelernt, das Zuckerhormon der Nebennierenrinde, das Cortisol. Ein viertes wird im Vorder-

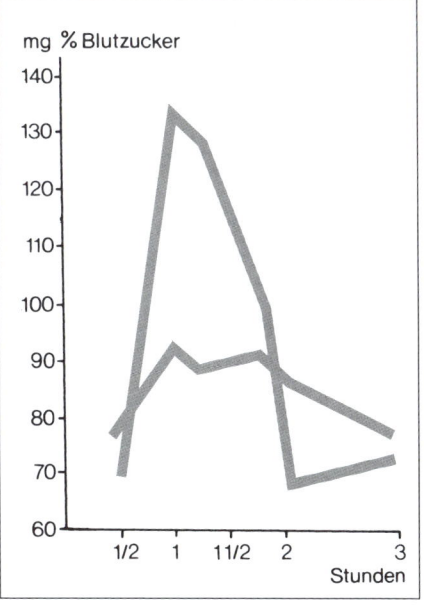

Abb. 7: Die hohe Kurve zeigt die normale Reaktion des Blutzuckers auf eine einmalige orale Gabe von 50 g Dextrose. Bei übergewichtigen Jugendlichen findet man dagegen fast immer einen viel flacheren Verlauf als Ausdruck dafür, dass auf denselben Reiz mehr Insulin gebildet wird. Dieser Hyperinsulinismus ist die eigentliche Ursache der „Kohlenhydratkrankheit".

37

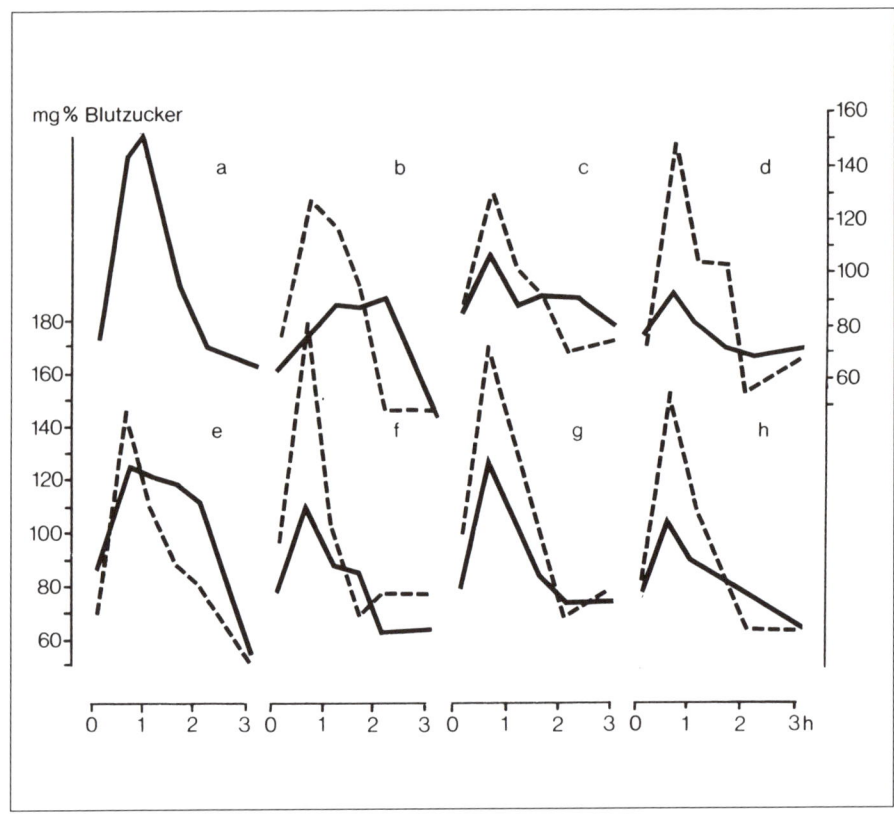

Abb. 8: Sie zeigt die Tendenz zur Normalisierung pathologischer Glukosetoleranztests bei übergewichtigen Jugendlichen unter kohlenhydratarmer Diät (gestrichelt). A = Normalkurve zum Vergleich. Man beachte den Anstieg zum Gipfel und die Erniedrigung der „Schulter", d.h. der Erhöhung des Anderthalb- bzw. Zwei-Stunden-Wertes, wie sie für den Zustand vor der Behandlung typisch ist.

lappen der Hypophyse, der Hirnanhangs-drüse (Abb. 9) erzeugt. Es heißt Wachstumshormon oder somatotropes Hormon, englisch daher STH. Wir werden auf die Hypophyse und auf dieses Wachstumshormon noch zu sprechen kommen.

Eine gewisse Menge Insulin kreist ständig im Blut; sie ist zum Leben unbedingt notwendig. Fehlt sie, dann kommt es zum sog. diabetischen Koma. Ein Tier ohne Bauchspeicheldrüse kann nur ganz wenige Tage überleben, auch wenn es keine Nah-

rung zu sich nimmt, und Diabetiker ohne Insulin sind früher alle sehr bald gestorben.

Die in das Blut von den Inselzellen abgegebene Insulinmenge (vom Vorgang der Insulinabgabe hat man neuerdings recht genaue Vorstellungen[9,10]) steigt rapide mit Einsetzen der Nahrungszufuhr an. Alle Nahrungsmittel verursachen eine Zunahme der Insulinsekretion, Kohlenhydrate aber in einem ungleich stärkeren Maße als Eiweißkörper und Fette. Das hat seinen besonderen Grund.

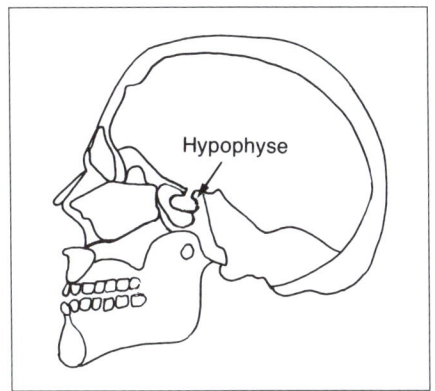

Abb. 9: Sagittalschnitt durch die Schädelmitte.
Die Sella turcica beherbergt die Hypophyse.

Kohlenhydrate können nämlich im Organismus nur recht unvollständig gespeichert werden. Ein Teil des aus dem Darm kommenden Zuckers wird in Leber und Muskel zu einer Art Stärke (dem so genannten Glykogen) aufgebaut und dient dort als Notfall-Reserve. Sollte der Blutzucker einmal zu stark absinken, dann wird dieser Notvorrat herangezogen, aufgespalten und in das Blut in Form von Zucker abgegeben. Das Werkzeug dazu ist das schon erwähnte, aus den Alpha-Zellen der Inseln kommende Glukagon.

Zu viel Insulin

Ein Teil des Kohlenhydrats aus der Nahrung wird direkt in Muskeln und anderen Organen, vor allem im Gehirn verwertet. In einem späteren Kapitel wird darauf noch ausführlich eingegangen werden. Was an Kohlenhydraten darüber hinaus mit der Nahrung zugeführt wird, muss sofort in Fett verwandelt werden. Es hat keine andere Bleibe. Die Verwandlung von Zucker in Fett erfolgt aber unter dem Einfluss des Insulins. Viel Insulin heißt daher viel Fett aus Zucker, wenig Insulin heißt wenig Fett aus Zucker. Jugendliche Diabetiker, die im Gegensatz zu den Altersdiabetikern zu wenig Insulin haben, sind immer mager. Altersdiabetiker sind meist fett, weil sie zu viel Insulin haben (wenigstens anfangs), obwohl dieses Insulin im Stoffwechsel zu wenig wirksam ist. Wir kommen darauf noch zu sprechen.

Auch jugendliche Fettsüchtige haben zu viel Insulin, was inzwischen durch direkte Insulinbestimmungen nachgewiesen wurde (siehe später); sie räumen den Zucker aus dem Blut zu rasch weg und verwandeln ihn in Fett. Weil dabei ihr Blutzucker zu stark sinkt, haben sie bald wieder Hunger, und weil sie aus dem Zucker zu viel Fett aufbauen, sind sie zu dick. Irgendwo erinnert das Ganze an die griechische Sagenfigur des Midas: Er hatte sich gewünscht, dass alles, was er berühre, zu Gold werde – und er ist schließlich daran verhungert.

Wir merken uns also vor:

5. Jugendliche Fettsüchtige haben zu viel Insulin.

Die Zwei-Komponenten-Theorie

Ich habe lange darüber nachgedacht, wie diese fünf Punkte die hormonalen Störungen erklären könnten, welche in der Pubertät und in der Schwangerschaft auftreten und welche so innig mit dem Genuss von Kohlenhydraten und der erhöhten Insulinproduktion zusammenhängen.

Die Lösung dieses Problems kam von den Veterinärmedizinern. Dr. Dr. Jürgen Schole, Professor für physiologische Chemie an der Tierärztlichen Hochschule in

39

Hannover, der unsere später zu beschreibenden Hühnerversuche zur Frage der Arteriosklerose nachgeprüft und bestätigt hat, befasste sich mit seinen Mitarbeitern Sallmann und Harisch auch sonst intensiv mit der Wirkung von Kohlenhydraten auf den Warmblüterorganismus und entwickelte die so genannte Zwei-Komponenten-Theorie[11], die für unsere Fragestellung wie gerufen kam.

Sie geht von der bekannten Tatsache aus, dass im Organismus als Gesamtheit wie auch in jeder einzelnen Zelle ein Gleichgewicht zwischen Kräften, die Material zur Energiegewinnung abbauen, und solchen, die aus Energie und Substrat Material aufbauen, bestehen muss. Bekommen letztere das Übergewicht (Typus Fettleibiger), dann wächst die Zelle zu viel; sie hat aber zu wenig Energie (daher sind die Dicken meist auch müde). Im umgekehrten Falle verliert der Organismus Substanz und verzehrt sich sozusagen vor lauter Aktivität (Typus Basedow). Man nennt die ersteren Kräfte anabole, aufbauende, und die letzteren katabole, abbauende. Zu den anabolen Kräften gehören das Wachstumshormon, welches in der Hirnanhangsdrüse (Hypophyse) gebildet wird; es gehören dazu die Sexualhormone aus der Keimdrüse und das Insulin. Zu letzteren, den katabolen Kräften, gehören die beiden Schilddrüsenhormone T3 und T4 sowie das Cortisol aus der Nebennierenrinde.

Die „Blutdrüsen"

Hier ist ein kurzer Überblick über die hormonale Regulation im Organismus nötig. Man weiß noch nicht allzu lange, dass alle Macht im Staate vom Gehirn ausgeht.

Es bildet im so genannten Hypothalamus die Releasing-Hormone, einfache, aus nur wenigen Aminosäuren bestehende Boten (Polypeptide), die über venöse Blutgefäße (den so genannten Portalkreislauf) in die Hypophyse gelangen und dort entweder gespeichert und wieder abgegeben (Hinterlappen) werden oder die Bildung blutgängiger Eiweißhormone anregen (Vorderlappen). Diese gelangen dann zu den Drüsen für innere Sekretion, von denen wir bisher die Schilddrüse, die Keimdrüsen und die Nebennierenrinde kennen. Für andere, z.B. das Inselorgan, die Nebenschilddrüsen (siehe später), ist eine Abhängigkeit von der Hypophyse bzw. vom Gehirn bisher noch nicht nachgewiesen.

Die Eiweißhormone des Hypophysenvorderlappens heißen adrenocorticotropes Hormon (ACTH) für die Nebennierenrinde, thyreotropes Hormon (TSH) für die Schilddrüse und follikelstimulierendes Hormon (FSH) bzw. luteinisierendes Hormon (LH) für die Keimdrüsen. Beide letzteren zusammen nennt man Gonadotropine; sie haben auch beim Manne unterschiedliche Aufgaben.

Endokrines Gleichgewicht

Sowohl die einzelne Zelle als auch der gesamte Organismus versuchen also, im Gleichgewicht zwischen aufbauenden und abbauenden, zwischen anabolen und katabolen Kräften zu bleiben. Dieses Gleichgewicht ist auf Grund unserer Vergangenheit, unserer Vorgeschichte als Jäger und Sammler, auf ein gewisses Maximalmaß an Kohlenhydraten in der Nahrung und damit auf ein Maximum an Insulin eingestellt. Wie wir gesehen haben, gehört Insulin als fettaufbauendes Hormon zu den anabolen Substanzen. Wird die Menge an Kohlenhydraten, mit denen unser Organismus aus der Jäger- und Sammler-Zeit rechnet, überschritten, dann bekommt die anabole Seite Übergewicht, das der Organismus ausgleichen muss. Dieser Ausgleich kann dadurch erfolgen, dass die übrigen anabolen Hormone (das Wachstumshormon STH und die Sexualhormone) zurückgenommen werden, so dass die anabole Seite der katabolen wieder angeglichen wird (Schole und Sallmann[11, 12]).

Weniger Wachstumshormon wirkt sich vor allem auf das Immunsystem (die Infektabwehr), auf Muskulatur, Knorpel und Knochen und auf die Arterien ungünstig aus. Wahrscheinlich sind die X-Beine des fetten Jugendlichen (siehe Farbtafel nach Seite 32 oben) darauf zurückzuführen, dass das Knochenwachstum bei einem Mangel an Wachstumshormon leidet. Sie verschwinden wieder nach mehreren Monaten einer kohlenhydratarmen Ernährung. Schole und Sallmann[12] und wir[13] konnten zeigen, dass ein Zuviel an Kohlenhydraten – wenigstens beim Huhn – die Neigung zur Arteriosklerose erhöht.

Nach einer Mitteilung aus den USA[24], neigen klein gebliebene Kinder später zu Fettsucht; eine Erklärung dafür konnte nicht gegeben werden. Wir wissen es aber: Kinder, die später fett werden, haben schon immer zu viel Insulin; dieses verdrängt das Wachstumshormon; die Kinder bleiben klein[11,12].

Wachstumshormon ist aber nicht der einzige endokrine Faktor, der bei überhöhter Insulinproduktion in zu geringem Umfang gebildet wird. Vielmehr ist die Entwicklung der gesamten hypophysären Aktivität verlangsamt, so dass auch die Produktion der von der Hypophyse gebildeten Gonadotropine verspätet einsetzt. Fette Jugendliche, die zu viel Insulin haben, kommen daher spät in die Pubertät. Sie haben gegenüber Gleichaltrigen weniger Scham- und Achselhaare, einen kleineren Penis und kleinere Hoden, wie wir das ja schon besprochen haben. Bei Mädchen ist das Auftreten der Menses und die Entwicklung der Brust verzögert, vielleicht auch diejenige der Gebärmutter behindert. Weil der wichtigste Impuls für die Wachstumshormonsynthese fehlt, bleibt die ganze Hirnanhangsdrüse im Zustand der Inaktivität, bzw. sie aktiviert sich nur langsam.

Schließlich und endlich will die Natur aber ihr Recht haben. Sie will, dass der Jugendliche geschlechtsreif wird, was sie durch Reifung der Keimdrüsen erreicht. Die Keimdrüsenhormone sind aber vorwiegend anabol; sie belasten daher nach der Zwei-Komponenten-Theorie die anabole Seite des Stoffwechsels zusätzlich. Jetzt gelingt der Ausgleich allein durch Adaptation der anabolen Seite nicht mehr. Die katabole Seite muss mit ins Spiel gebracht werden, d.h. es müssen die Spiegel der dort wirksamen Hormone, nämlich der Nebennierenrinde (Cortisol) und der Schilddrüse (T3, T4) angehoben werden, damit der Hormonhaushalt im Gleichgewicht bleibt.

Man sieht dies sowohl beim Jugendlichen in der Pubertät als auch bei der Schwangeren, bei der eine Sexualhormon-Schwemme zum Schutz der wachsenden Frucht einsetzt, an einer Vergrößerung der Schilddrüse. Sie muss wachsen, um dem erhöhten Bedarf der katabolen Seite zum hormonalen Ausgleich zu entsprechen.

Das Spiel unserer Hormondrüsen, welche den Stoffwechsel regulieren, funktioniert eben nur unter den Bedingungen des Ur-Menschen wirklich optimal, das heißt dann, wenn ein gewisses Maß an Kohlenhydraten in der Nahrung nicht überschritten wird.

Die männliche Glatze

Warum bekommen nur Männer und selten Frauen Glatzen? Wie alle Gewebe wird auch der Haarboden vom Wachstumshormon beeinflusst. Männer haben in ihrem Keimdrüsenhormon einen sehr stark anabol wirkenden Faktor, der zusammen mit Insulin (aus Kohlenhydraten) die Produktion des Wachstumshormons unterdrückt und der daher den Haarboden schädigt.

Frauen haben zwar auch Keimdrüsenhormone, aber sie haben deren zwei, die sich gegenseitig in ihrer Wirkung mehr oder weniger aufheben: Den anabolen Östrogenen steht das katabol wirksame Gestagen oder Progesteron gegenüber. Hierin dürfte auch die Ursache für die Längerlebigkeit des weiblichen Geschlechtes liegen. Sie vertragen die Kohlenhydrate besser, weil sie trotz Insulin mehr Wachstumshormon behalten und weniger Cortisol bilden, und deshalb behalten sie normalerweise auch ihre Haare länger.

Die Kehrseite der Medaille

Wir haben das Problem jetzt vom Gesichtspunkt des Gleichgewichtes zwischen anabolen und katabolen Kräften in der Zelle bzw. im Organismus betrachtet; man kann es aber noch von einer anderen Seite her sehen, etwa wie man Licht als teilchen-

artig oder als Wellenvorgang betrachten kann. Dazu sind aber einige Vorbemerkungen nötig.

Ein Amerikaner namens Cahill junior[14] (s. auch [15]) hat im Zweiten Weltkrieg Studenten, die sich nicht zum Militär einberufen lassen wollten, einer Hungerkur unterzogen und festgestellt, dass im Hunger Azeton in der Atemluft und im Harn auftreten kann, was an sich ja schon bekannt war.

Das Auftreten der so genannten Ketokörper (Azeton etc.) erklärt sich damit, dass das Gehirn, das normalerweise von Zucker lebt, im Hunger auf die Verwertung von Ketokörpern umgestellt werden muss. Hierzu unterbricht der Körper den Abbau der Fettsäuren auf der Stufe der Ketokörper, die er anspruchsvolleren Organen, beispielsweise dem Gehirn und gewissen Blutzellen, aber auch dem Herzmuskel, anbietet.

Diese Umstellung benötigt zwar einige Wochen, aber schließlich und endlich kann auch im Hunger und im Kohlenhydrathunger, also immer dann, wenn keine Kohlenhydrate in der Nahrung vorhanden sind, das Gehirn am Leben und bei Leistung erhalten werden. In der Zwischenzeit, d.h. bis die Sache mit den Ketokörpern funktioniert, muss der Organismus Kohlenhydrate über die so genannte Glukoneogenese aus Eiweiß auf recht kostspielige Art erzeugen:

1 g Traubenzucker kostet auf diese Art nämlich 1,8 g Eiweiß, was den Abbau von 9,0 g Muskulatur oder Bindegewebe voraussetzt. Es ist verständlich, dass unsere Natur versucht, den Stoffwechsel im Hunger möglichst rasch von der Glukoneogenese auf die Verbrennung von Fett und damit das Gehirn auf Ketokörper umzustellen.

Das Eiweißopfer

Young und Scrimshaw[16], zwei weitere Amerikaner, haben die Cahillschen Versuche fortgeführt und festgestellt, dass die Glukoneogenese zur Erzeugung von Zucker aus Eiweiß schon unter normalen Umständen vorkommt, und zwar nachts. Bei normal ernährten Personen, die um 22 Uhr zum letzten Mal gegessen haben, lassen sich im Blut schon um 1 Uhr nachts gewisse Aminosäuren (Alanin) nachweisen, die anzeigen, dass der Abbau von Eiweißkörpern zur Zuckerbildung eingesetzt hat. Dies ist für das Verständnis der Wirkungen der Kohlenhydrate und des Effektes einer kohlenhydratarmen Ernährung so wichtig, dass wir uns die Sache genauer überlegen müssen.

Der Normalverbraucher isst mindestens dreimal am Tage, etwa früh, mittags und abends, und verzehrt dabei regelmäßig Kohlenhydrate, die zu ihrer Verdauung wohl etwa drei bis vier Stunden benötigen. Man kann daher damit rechnen, dass vom Beginn des Frühstücks an bis gegen Mitternacht aus dem Darm ausreichend Kohlenhydrate für zuckerabhängige Verbraucher zur Verfügung stehen, vor allem für das Gehirn, das mit 150 bis 200 g Zucker etwa 30 % der gesamten Stoffwechselenergie verbraucht.

Während der Nacht, wo nichts verdaut wird und das Gehirn daher seinen Zucker nicht aus dem Darm beziehen kann, muss Zucker aus Eiweiß erzeugt werden. Die kurze Nachtperiode genügt nämlich nicht zur Umstellung des Stoffwechsels auf ein Leben von Fett und des Gehirns auf ein Leben von Ketokörpern. Es gäbe zwar während der Nachtperiode auch Kohlenhydrate aus Glykogen (tierischer Stärke), die sich in Leber und Muskulatur findet; diese Reserven werden vom Organismus aber ungern aufgelöst, und die Versuche von Young und Scrimshaw zeigen ja, dass schon einige Stunden nach Einnahme der Abendmahlzeit Zucker aus Eiweiß erzeugt wird, dass dieser Vorgang bis zum Frühstück andauert und dabei an Intensität immer mehr zunimmt. Schon diese etwa sechsstündige Pause muss also durch Kohlenhydrate aus Eiweiß überbrückt werden.

Das Ausmaß dieses täglichen Eiweißopfers ist ganz beträchtlich. Rechnen wir einmal damit, dass allein das Gehirn pro Stunde etwa 9 g Zucker verbraucht und die Eiweißverzuckerung drei Stunden nach Ende der Abendmahlzeit einsetzt, dann bleiben etwa sechs nächtliche Stunden für Zucker aus Eiweiß oder 6 mal 9 = 54 g Zucker, was 97,2 g Eiweiß oder einer Muskel- bzw. Bindegewebsmasse von 549 g entspricht. Gerechterweise muss man zwar, wie erwähnt, berücksichtigen, dass vielleicht (genaue Zahlen sind leider nicht bekannt) ein Teil dieser Zuckermenge auch aus Glykogen stammt, es ist aber doch sicher, dass die Eiweißverzuckerung Nacht für Nacht eine erhebliche Rolle spielt.

Gewebsschäden durch Kohlenhydrate

Es ist klar, dass das tägliche Eiweißopfer nicht ohne Folgen für die Gewebsqualität bleiben kann. Dort, wo der viele Zucker herkommt, der Nacht für Nacht für das Gehirn gebraucht wird, müssen gewisse Veränderungen auftreten. Wenn zu viel Eiweiß verzuckert wird, dann wird die Haut schwach; es entstehen die Striae besonders dann, wenn der Körper darunter wächst, also wenn das Fett zunimmt oder sich eine Leibesfrucht entwickelt. Die Haut ist sowieso schon benachteiligt dadurch, dass sie immer wieder Eiweiß zur Zuckerproduktion hergeben muss, und sie leidet darunter ganz besonders, wenn sie nun auch noch wachsen soll, weil das Wachstum zusätzliches Eiweiß erfordert.

Hier spielt der Gegensatz zwischen dem Cortison der Nebennierenrinde und dem Wachstumshormon eine wesentliche Rolle. Cortison verzuckert Eiweiß; Wachstumshormon versucht dies zu verhindern. Welche Rollen bei den Kohlenhydrat-bedingten Gewebsschäden dem „Eiweißopfer" und der hormonalen Imbalance zukommen bzw. ob und wie die beiden zusammenhängen, wird weiteren Forschungen vorbehalten bleiben.

Dass man die Gewebsschäden so deutlich an der Haut ablesen kann, sagt aber nicht, dass dort nichts abläuft. Wir werden vielmehr annehmen müssen, dass alle Gewebe, auch das Bindegewebe, die Muskulatur und der Knochen Eiweiß abgeben müssen, womit wir uns eine Reihe von Schäden erklären können, die beim kohlenhydratessenden Jugendlichen, auch wenn er nicht übergewichtig ist, häufig sind. Ich denke hier an Rachitis (Vitamin-D-Mangel allein ist es sicher nicht), an Knochenerweichungen, wie sie zu den bekannten Verbiegungen der Wirbelsäule (Skoliose) führen, an Veränderungen der Knochenstruktur beim jugendlichen Rundrücken (Scheuermannsche Erkrankung), an die Zahnkaries (der Zahn ist Knochen), an die verschiedensten Erscheinungen von Bänder- und Muskelschwäche, von Platt- und Spreizfüßen und dergleichen mehr.

Wir können uns damit aber auch analoge Zustände beim Erwachsenen erklären.

Hierher gehören bevorzugt die Alterskrankheiten; nicht, weil sie an das Alter an sich gebunden wären, sondern weil das Alter schon durch Abbau und Einschmelzungsvorgänge gekennzeichnet ist, so dass zusätzlicher Eiweißabbau besonders gefährlich wird.

Ich denke an den Muskelschwund im Alter, die Knochenerweichung, die Parodontose, aber auch an die altersbedingten Gehirnschäden, ferner an das Emphysem und gewisse Störungen am Herzmuskel. Nicht zuletzt denke ich an die Arteriosklerose, denn auch aus den Gefäßwänden wird sicher Eiweiß zur Gluconeogenese herangezogen. Darüber später mehr. Ausdrücklich möchte ich hier sagen, dass ich nicht glaube, die genannten Schäden seien alle nur durch die Kohlenhydrate bedingt, aber die Kohlenhydrate konditionieren sozusagen zur weiteren Schädigung, wobei man neuerdings auch an Immunreaktionen denkt, d.h. an Vorgänge, bei denen körpereigene Abwehrstoffe gegen betroffene Organe zur Wirkung kommen.

Migräne

Die Migräne ist eine Erkrankung der Fortpflanzungsperiode, das heißt der Zeit, in der die Geschlechtsorgane aktiv sind. Kinder bis zur Pubertät, Frauen nach dem Klimakterium und auch ältere Männer haben selten Migräne. Sie bekommen die Anfälle wieder, wenn man ihnen Sexualhormone verabreicht.

Es gibt viele Theorien über die Ursache der Migräne und viele Beobachtungen, welche gewisse Blutzellen (Blutplättchen und Mastzellen) sowie hormonartige Substanzen (Kinine) für den Migräne-Anfall verantwortlich machen. Es gibt aber keine Mittel, die den Anfall so prompt beenden wie die Cortison-Präparate, und diese wirken auch ausgesprochen prophylaktisch. Wenn jemand z. B. auf Alkohol regelmäßig Migräne bekommt, dann genügen bei einem Fest zwei Cortison-Tabletten à 5 mg, um den Anfall mit Sicherheit zu verhindern.

Beim zivilisierten Menschen ist wegen des vermehrten Kohlenhydratgenusses die Nebennierenrinde ständig mit der Aufgabe befasst, nach der Zwei-Komponenten-Theorie die katabole Seite anzuheben, um eine ausreichende Funktion der anabolen Seite zu gewährleisten; dabei ist sie gleichzeitig mangels Sport, Hunger und sonstigem Stress unbeweglich bzw. ungeübt und kann deshalb kurzfristige Belastungen (Witterungseinflüsse, Alkohol usw.) weniger gut ausbalancieren. Das ist die Ursache für den vaskulären Kopfschmerz bzw. die Migräne.

Im Migräneanfall ist Erbrechen häufig. Ist vielleicht auch für das Schwangerschaftserbrechen eine Störung im katabol-anabolen Gleichgewicht verantwortlich?

In der Schwangerschaft ist der weibliche Organismus von zunächst anabolen Sexualhormonen (Östrogenen) überschwemmt. Die Nebennierenrinde ist (beim Kohlenhydrat-Esser) gezwungen, zum Ausgleich katabole Hormone in vermehrter Menge zu erzeugen (daher die Striae). Etwa vom dritten Monat an übernimmt die Plazenta den Schutz des werdenden Lebens durch immer stärker ansteigende Produktion von (katabolem) Gelbkörperhormon (Gestagen). Die übermäßige Corticoid-Produktion wird überflüssig; das Erbrechen hört auf. Es wird daher als Folge einer ungenügenden Hormonproduktion im Bereich der Nebennierenrinde beim Kohlenhydratesser aufgefasst werden dürfen. Für die Richtigkeit dieser Vorstellung sprechen Beobachtungen, welche seit Jahren vorliegen und davon berichten, dass man mit Nebennierenrinden-Hormonen (Corticoiden bzw. mit einer ACTH-Zufuhr) das Schwangerschaftserbrechen erfolgreich behandeln kann[17-21].

Das endokrine Szenario nach der Pubertät

Sex und Übergewicht

Nachdem die Hürde der Pubertät für die „Blutdrüsen" genommen wurde, sollte man glauben, die Probleme wären ein für allemal gemeistert: mitnichten. Eine Schwangerschaft, die den Organismus mit einer neuen Hormonlast überschwemmt, löst beim Kohlenhydratesser eine ähnliche Situation wie in der Pubertät aus: Das viele Sexualhormon, das zur Erhaltung der Schwangerschaft nötig ist, belastet die anabole Seite, fordert Ausgleich von der Nebennierenrinde in Form erhöhter Sekretion von Cortison, worauf zurückzuführen ist, dass, besonders bei übergewichtigen Schwangeren mit „Hyperinsulinismus", die Striae auftreten, die wir schon von jugendlichen Fettsüchtigen her kennen. Dabei muss der Cortisonspiegel absolut gar nicht erhöht sein. Entscheidend ist das hormonale Gleichgewicht, d.h. ein Mangel an anaboler Aktivität (an Wachstums- und Sexualhormon) kann schon die Erscheinungen einer Nebennierenrinden-Überfunktion (Striae) auslösen (Schole[11,12]).

Solche Frauen verlieren in jeder Schwangerschaft an Figur, nehmen unnötig zu und haben ein erhöhtes Risiko bezüglich diverser Probleme, die sich gegen Ende der Schwangerschaft oder bei der Entbindung einstellen können. Außerdem haben sie meist überschwere Babys, die selbst wieder ein erhöhtes Risiko im Laufe ihres Lebens tragen; z.b. hat man jüngst im Rahmen der „Nurses-Diet-Study"[22] festgestellt, dass Teilnehmerinnen, die als Säuglinge übergewichtig waren, auch ein erhöhtes Brustkrebsrisiko tragen. Frauen sollten wissen, dass sie nur mit kohlenhydratarmer Diät die Sicherheit haben, eine Schwangerschaft ohne Schäden für ihre Figur zu überdauern.

Dem Mangel an Sexualhormon, wie er sich in der Pubertät beim jugendlichen Fettsüchtigen mit Hyperinsulinismus offenbart, steht im späteren Leben eine Neigung zum Plus, wenigstens an weiblichem Hormon (Östrogen), gegenüber. Meine Untersuchungen mit H. Iselstöger, Wien, haben schon 1960 wahrscheinlich gemacht[7], dass erwachsene Kohlenhydratesser beiderlei Geschlechts erhöhte Werte an weiblichem Hormon haben, die unter Kohlenhydratbeschränkung absinken (Abb. 10). Diese Untersuchungen wurden am Östrus von Mäusen durchgeführt, da damals direkte Hormonbestimmungen mittels RIA noch nicht möglich waren. Die männlichen Hormonwerte, gemessen am Wert für die sog. Ketosteroide, zeigen nichts derartiges. Die „Brüste" älterer fetter Männer, die man so oft an Badestränden beobachten kann, könnten also eine hormonelle Grundlage haben.

In Verdacht gerät hier die Nebennierenrinde, die schon in der Pubertät zum Ausgleich des Insulins herangezogen wird und wohl auch nachher hierzu dienen muss. Man weiß, dass sie Sexualsteroide erzeugen kann, und zwar in genau denselben Zell-

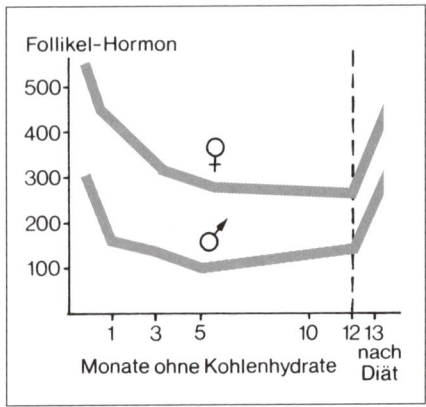

Abb. 10: Die Ausscheidung von weiblichem Hormon im Harn fällt unter kohlenhydratarmer Diät ab und steigt nachher wieder an; die Hypophyse hat, wenn die anabolen Hormone vorwiegend aus der Bauchspeicheldrüse stammen, mehr freie Kapazitäten für Gonadotropine (nach 7).

gruppen (der Zona fasciculata und reticularis), in denen auch Cortisol entsteht. Man kann sich daher leicht vorstellen, dass die Produktion von Cortisol sozusagen zur Erzeugung von männlichem Hormon ausufert (ob das mit der Zusammenlegung der Produktionsstellen schon von der Natur vorgesehen ist?), wobei wir längst wissen, dass dieses männliche Hormon in der Leber sehr rasch in weibliches verwandelt wird[23]. Möglicherweise ist also das von uns beim Kohlenhydratesser im Übermaß nachgewiesene weibliche Hormon als Ausuferung der Cortisol-Erzeugung in der Nebennierenrinde anzusehen, die bei ihm zum Ausgleich des erhöhten Insulinspiegels angehoben werden muss.

Adenome

Solange keine gegenteiligen Befunde vorliegen, erkläre ich mir daher das endokrine Szenario beim erwachsenen Kohlenhydratesser wie folgt: Eine innersekretorische Drüse („Blutdrüse") reagiert auf ständige Mehrbelastung zunächst vernünftig, indem sie sich dem Mehrbedarf anpasst, ihre Zellen vergrößert oder vermehrt und damit wächst. Wie wir aber schon beim Hyperinsulinismus gesehen haben, besteht bei entsprechender erblicher Veranlagung die Tendenz, überschießend zu reagieren, was mit der Zeit in einer gutartigen Geschwulst, einem Adenom, endet.

Solche Adenome gibt es in allen endokrinen Drüsen, in der Hypophyse als basophiles Adenom (basophil, weil die Zellen sich mit basischen Farbstoffen anfärben) beim Morbus Cushing, als eosinophiles Adenom beim Riesenwuchs bzw. bei Akromegalie (der Körper reagiert auf zu viel Wachstumshormon vor Abschluss des Längenwachstums mit Länge, nachher mit Wachstum der Körperenden der Akren); in der Schilddrüse mit Kropfknoten. Adenome finden sich in den Nebenschilddrüsen zusammen mit einer Störung des Calciumstoffwechsels (Nierensteine); in der Nebennierenrinde können sie zu viel Cortisol erzeugen und damit das Cushing-Syndrom auslösen, im Nebennierenmark ein Übermaß an Adrenalin erzeugen („Phäochromozytom"). In der Bauchspeicheldrüse gibt es Adenome (die Insulome und Vipome). Die Gebärmutter und die Prostata verhalten sich eigentümlicherweise wie endokrine Drüsen, man denke an die Myome und die Prostatahypertrophie. Ich möchte für das geschilderte Verhaltensmuster den Namen Adenomisierung vorschlagen.

Die Schilddrüse bietet ein sehr instruktives Beispiel dafür. Jod ist in manchen Gegenden der Erde Mangelware, besonders dort, wo die Entfernung zum Meer groß ist. Um das für den Stoffwechsel nötige jodhaltige Schilddrüsenhormon in ausrei-

chender Menge bereitzustellen, muss es sehr genau rezyklisiert werden: Je weniger Jod in der Nahrung und im Wasser, desto mehr muss die Schilddrüse arbeiten, um es aus verbrauchtem Hormon zurückzugewinnen. Sie wächst unter dieser Anstrengung, bis schließlich Adenome (Kropfknoten) entstehen. Diese wiederum entfernen sich mit der Zeit aus der endokrinen Regulation, machen sich selbständig, erzeugen schließlich mehr Hormon als nötig. Der Organismus weiß sich zunächst zu helfen, indem die noch normalen Schilddrüsenzellen in ihrer Funktion zurückgenommen werden; schließlich hilft auch das nicht mehr, es kommt zur Schilddrüsen-Überfunktion.

Als Nebenbefund bei Tierversuchen zur Frage Arteriosklerose und Kohlenhydrate[13] konnten wir erheben, dass kohlenhydratreich (wie üblich) gefütterte Hühner bei Schlachtung nach drei Jahren noch hochaktive Eierstöcke mit reichlich präformierten Eiern hatten, während kohlenhydratarm gefütterte Tiere rückgebildete Organe zeigten. Die Unterschiede im Futter schlugen sich auch auf das Eilegeverhalten nieder: Tiere, die wenig Kohlenhydrate zu fressen bekamen, hatten nur zweimal jährlich ein Nest mit kleineren Eiern, während die kohlenhydratreich ernährten fast täglich ein großes Ei legten. Unsere Bäuerinnen wissen auch, dass sie ihren freilaufenden Hühnern Körner zufüttern müssen, wenn sie besser legen sollen. Die Hühner selbst bezahlen die erhöhte Legetätigkeit mit Gesundheit; sie haben weniger Fleisch, mehr Fett und schlechteres Gefieder; mein Züchter holte sich mit meinen kohlenhydratarm gefütterten Tieren Medaillen.

Was wir hier beim Huhn sahen, widerspricht unseren theoretischen Überlegungen, nach denen (beim Menschen) die kohlenhydratabhängig erhöhten Werte für Sexualhormone aus der Nebennierenrinde stammen sollen. Denn hohe Spiegel für Sexualhormone, auch wenn sie nicht aus den Keimdrüsen kommen, müssen nach allem, was wir über die Steuerung endokriner Drüsen wissen, die Keimdrüsen inaktivieren. Die mit Kohlenhydraten gefütterten Hühner zeigen aber das Gegenteil; ihre hochaktiven Eierstöcke können nur auf erhöhter Stimulation durch die entsprechenden Hypophysenhormone (die sog. Gonadotropine) beruhen.

Man kann es sich leicht machen und sagen, beim Huhn liegen die Dinge eben anders. Es ist aber unwahrscheinlich, dass die Natur dasselbe bei uns Menschen auf andere Weise instrumentiert als beim Vogel, nämlich den hormonellen Ausgleich für Insulin bei erhöhter Kohlenhydratzufuhr. Es ist viel wahrscheinlicher, dass dieser Ausgleich (und zwar derselbe für Huhn und Mensch) schon vor der Trennung der Vögel von den Reptilien in grauer Vorzeit „erfunden" wurde. Dass etwas vom Huhn noch bei uns wirksam ist, geht auch aus den klimakterischen Beschwerden der Frauen hervor. Dort will sich ein Eierstock zeitgerecht zur Ruhe setzen; die Hypophyse will das nicht zulassen und erhöht ihr Kommando zur Mehrleistung, bis es sich in Kreislauferscheinungen (Wallungen) bemerkbar macht. Wie das läuft, ist unbekannt. Der Mensch reagiert auch hier wie das Huhn, das auf die Befehle des Gehirns bzw. der Hypophyse mit Wachstum und erhöhter Leistung des Eierstocks antwortet.

Wir haben somit auf der einen Seite vermehrt Sexualhormon aus der Nebennierenrinde, das sich nach Umwandlung in der Leber vor allem als weibliches Hormon bemerkbar macht, auf der anderen Seite

vermehrte Stimulation der Keimdrüsen von der Hypophyse aus, siehe Hühner und klimakterische Beschwerden.

Sekretionsneurose der Hypophyse

Des Rätsels Lösung könnte in der Annahme liegen, dass im Hypophysenvorderlappen, wo die Steuerungshormone für die Nebennierenrinde (ACTH), die Keimdrüsen (Gonadotropine) und die Schilddrüse sowie das Wachstumshormon (STH) gebildet werden, genau dasselbe passiert wie in der Nebennierenrinde, d.h. ein übermäßiger Reiz „ausufert" und von einem Ressort auf die anderen überspringt. Die Schilddrüse war ja von Anfang an dabei, indem sie ab der Pubertät ihren Teil zum katabolen Ausgleich für Insulin und Sexualhormone beizutragen hatte. Es käme sozusagen beim erwachsenen Kohlenhydratesser zu einer Sekretions-"Neurose" des Hypophysenvorderlappens, von dem evtl. das Wachstumshormon ausgenommen ist oder durch das später zu beschreibende Somatostatin beim Kohlenhydratesser unterdrückt wird.

Dieses Szenario ist ebenso unwirklich für eine Natur, die sonst alles vernünftig im Griff hat, wie es die Bedingungen sind, nämlich die (gegenüber dem Eiszeitjäger, von dem unsere Natur abstammt) hohe Kohlenhydratzufuhr. Vor allem die hohe Rate an Sexualhormonen ist kontraproduktiv, weil ja die hormonale Steuerung gegen Insulin ab der Pubertät auf einen Ausgleich gegen das Hinzutreten der Sexualhormone ausgerichtet war und durch Neu-Hinzutreten von solchen praktisch verunmöglicht wird.

Die Grundlage für die „Sekretions-Neurose" der Hypophyse bilden Prohormone, lange Ketten so genannter Polypeptide, aus denen auf Befehl des Gehirns (des Hypothalamus, der über den anabol-katabolen Ausgleich wacht) die verschiedenen Hypophysenvorderlappen-Hormone herausgeschnitten werden. Möglicherweise liegt dort oben im Hypothalamus bereits die Entscheidung über das „Ausufern" bzw. die „Sekretionsneurose".

Um dieser „Unwirklichkeit" des hormonalen Szenarios beim erwachsenen Kohlenhydratesser zu entfliehen, wäre es das einfachste, die Nebennierenrinde aus dem Spiel zu lassen. Wir könnten dann aber nicht erklären, wieso es zu den Striae der Schwangeren kommt, die doch auf einer erhöhten Cortisol-Produktion der Nebennierenrinde beruhen „müssen" (sofern es ein solches muss überhaupt geben kann), und woher das viele Östrogen bei übergewichtigen Männern kommt, das wir schließlich eindeutig nachgewiesen haben. Wir hätten auch keine Erklärung dafür, wie es zur „Sekretionsneurose" des Hypophysenvorderlappens und damit zur Hypersexualität des Kohlenhydratessers kommt. Wir können daher vorläufig nur die Vielfalt hormonaler Störungen beim Kohlenhydratesser zur Kenntnis nehmen und darauf warten, dass sich eines Tages Endokrinologen finden, die dem Problem ihr Interesse zuwenden.

Homosexualität durch Kohlenhydrate?

Die geschlechtliche Differenzierung ist zunächst rein genetisch bedingt (Frauen besitzen zwei X-Chromosomen, der Mann ein X- und ein Y-Chromosom). Aber die Gene veranlassen schon in frühester Schwangerschaft, wenigstens beim männlichen Fötus, die Sekretion von männlichem Hormon, welches seinerseits die Ausbildung des Geschlechtstraktes aus den Resten der Urniere auslöst. Schon hier könnte eine fehlerhafte Ernährung über abnorme Spiegel an Sexualhormonen eine Fehlentwicklung einleiten. Andererseits könnte eine abnorme Neigung zum selben Geschlecht dadurch hervorgerufen werden, dass das ungeborene Kind in einer kritischen Phase der Gehirnentwicklung einem unnatürlich hohen Hormonspiegel der Mutter ausgesetzt ist.

Dies scheint, wenigstens für weibliches Hormon, unter dem Einfluss der Kohlenhydrate zuzutreffen. Es wurden bei Homosexuellen von der Norm abweichende Zahlen gewisser für die sexuelle Appetenz entscheidender Zellen im Gehirn gefunden, und man weiß, dass Hormone von der Mutter über die Plazenta in den fetalen Kreislauf gelangen können. In diesem Zusammenhang wäre es interessant, näheres über die Epidemiologie (das Vorliegen in verschiedenen Populationen auf der Welt) der Homosexualität zu erfahren, weil eine Abhängigkeit von der Ausbreitung des Akkerbaues im Sinne meiner Adaptationstheorie diese Vorstellungen stützen würde. Waren es im Altertum vorwiegend die Mittelmeerländer, so scheinen im Augenblick eher die westlichen Populationen betroffen zu sein.

Auch wenn wir die endokrine Situation beim Kohlenhydratesser noch nicht genügend kennen, müssen wir davon ausgehen, dass sowohl aus der Nebennierenrinde als auch aus der Hypophyse sexuelle Stimulationen ausgehen, die unter kohlenhydratarmer Diät wegfallen. Der Mann verliert dieses Hormon, und er verliert das weibliche Hormon, das wir in unseren Untersuchungen nachgewiesen haben. Dafür erholt sich die Erzeugung seines „echten"

Hormons aus seinen Keimdrüsen, die vorher durch „fremde" Hormone unterdrückt waren. Es kommt jetzt, oft nach einer monatelangen Depression der Sexualität, zu einer echten Erholung.

Potenzstörungen sind passager!

Ein an Diätfragen sehr interessierter Universitätsprofessor erzählte mir eines Tages, er hätte es mit „meiner" Diät versucht. Er hätte sich zwar ungewöhnlich wohl gefühlt und sehr viel mehr arbeiten können, nur mit seiner Potenz wäre es so stark abwärts gegangen, dass er die Diät wieder aufgegeben habe. Ich hätte ihm prophezeien können, dass es sich nur um eine vorübergehende Phase handelt. Bei mir selbst dauerte es einige Monate; dann war alles besser als vorher. Ich dachte zunächst, es wäre das Gehirn (von dem die Sexualität letztlich ihren Ausgang nimmt), das unter Zuckermangel in der ersten Zeit nach dem Diätwechsel leiden könnte; die oben beschriebenen hormonalen Umstellungen bieten aber doch eine plausiblere Erklärung: Wir verlieren mit der Diätumstellung ein Übermaß an Hormonen und damit vielleicht sogar übertriebenen sexuellen Antrieb (denken Sie an den gierigen, fetten, glatzigen Sexbold!). Wir verlieren aber gleichzeitig vielleicht gegengeschlechtliche Hormone und können mit der Zeit eine normale sexuelle Situation erwarten. Genau das habe ich selbst ungemein deutlich empfunden.

Bei der Frau liegen die Dinge etwas anders. Seit langem ist bekannt, dass sie bezüglich ihrer Sexualität nicht so stark, wenn überhaupt, von den Keimdrüsen abhängt; deren operative Entfernung eunuchoidisiert sie nicht so absolut wie dies beim Mann der Fall ist. Es hängt dies vielleicht damit zusammen, dass sie sich, bei reichlichem Kohlenhydratgenuss, auf weibliches Hormon aus der Nebennierenrinde verlassen kann. Wird davon nach Diätumstellung weniger produziert, kommt es zu denselben Erscheinungen wie beim Mann; auch bei der Frau wird aber, wenn sie sich noch nicht im Klimakterium befindet, mit einer Erholung der Keimdrüsen zu rechnen sein. Nach dem Klimakterium wird man dafür erwarten können, dass es nicht zu den oft unerträglichen Wechselbeschwerden kommt, so dass man auf deren nicht ganz problemlose Behandlung mit Hormonpräparaten verzichten kann.

Wachstumshormon

Das hormonelle Szenario beim erwachsenen Kohlenhydratesser ist aber nicht nur durch ein Plus, sondern auch ein Minus gekennzeichnet. Dieses betrifft das Wachstumshormon. Es stammt ausschließlich aus der Hypophyse; seine Erzeugung dort untersteht nicht nur einem einfachen Regelkreis des Feedback (sinkt der Spiegel, wird mehr produziert), sondern noch einem Hormon Somatostatin, das unter anderem im Magen-Darm-Trakt parallel zum Kohlenhydratverzehr entsteht und die Erzeugung von Wachstumshormon in der Hypophyse bremst, wenn zu viel Kohlenhydrate zugeführt werden. Vielleicht will der Organismus damit verhindern, dass ein hoher Verzehr über ein Mehr an Insulin das hormonale Gefüge in Unordnung bringt. Jedenfalls wird das Wachstumshormon von zwei Seiten her eingeengt: einerseits vom Insulin und der insulinabhängigen Produktion von Sexualsteroiden der Nebennierenrinde, die beide die anabole Seite belasten, andererseits durch Somatostatin. Kein Wunder, dass es beim Kohlenhydratesser unterrepräsentiert ist.

Die Folgen für unsere Gesundheit liegen auf der Hand, denn das Wachstumshormon ist auch nach dem Abschluss des Längenwachstums von eminenter Bedeutung; es garantiert die Regeneration unserer Gewebe und damit deren Qualität. Mangel an Wachstumshormon dürfte die Hauptursache für mangelhafte Immunreaktionen, degenerative Erkrankungen und vorzeitiges Altern sein. Ein lebenslanges Defizit an Wachstumshormon kann demnach alle unsere Krankheiten befriedigend erklären.

Ich habe immer wieder gesehen, dass nach Übergang auf eine kohlenhydratarme Diät Hühneraugen und verdickte Hornhaut an der Fußsohle relativ schnell verschwinden; man kann es dem Patienten vorhersagen und ihn dadurch von der Wirksamkeit der kohlenhydratarmen Diät überzeugen. Die Haut erhält jetzt die Fähigkeit zurück, mit dem Druck des Schuhwerks und der Belastung der Fußsohle fertig zu werden. Es ist klar, dass dies auch für andere Gewebe, besonders für die Qualität der Arterienwand und deren Resistenz gegen Walkung und Abrieb gelten wird.

Diät und Sport

Da der Spiegel an Wachstumshormon von der Jugend zum Alter hin kontinuierlich absinkt, wird gerade der ältere Mensch von einer kohlenhydratarmen Diät, die das Wachstumshormon begünstigt, profitieren. Sportliche Leistungen sind vom Wachstumshormon abhängig. Ich war Zeit meines Lebens eher schwächlich, ein schlechter Turner und Sportler und ein schlechter Skifahrer, obwohl ich es an Übung darin nie fehlen ließ. Ich erinnere mich noch sehr lebhaft an eine Skitour, die ich etwa fünf Monate nach meiner Umstellung auf kohlenhydratarme Diät unternahm. Ich konnte es gar nicht glauben, wie sich meine Leistungsfähigkeit verbessert hatte; ich konnte eine Abfahrt, bei der ich vorher einige Male hatte rasten müssen, ohne Schwierigkeit in einem durchfahren. Ich habe seither unzählige Male versucht, Sportler für „meine" Diät zu gewinnen, weil ich davon überzeugt bin, dass damit absolute Höchstleistungen erzielbar seien, aber alle Bemühungen scheiterten daran, dass diese Zielgruppe unter der Patronanz ihrer Trainer steht, dass diese Trainer zu wissen glauben, dass reichlich Kohlenhydrate die Leistung steigern, und wissen, dass eine radikale Diätumstellung die Leistung für eine gewisse Zeit verschlechtert. Dazu kommt, dass Fette für dieselbe Energieproduktion etwas mehr Sauerstoff erfordern als Kohlenhydrate.

Auf der anderen Seite der Argumentation stehen meine Erfahrungen an mir, die Berichte vieler Patienten über erhöhte Leistungsfähigkeit unter der Diät, die Vorstellung, dass der Eiszeitjäger nicht immer nur faul vor seiner Höhle sitzen konnte, sondern oft genug um sein Leben laufen und kämpfen musste. Schließlich ist der Sauerstoffverbrauch nicht der einzige Parameter, den man für Höchstleistung berücksichtigen muss; nach relativ kurzer Zeit ist beim Sportler die Kohlenhydratreserve ohnehin verbraucht, so dass er weitere Energie aus der Verbrennung von Fett gewinnen muss. Man müsste es einmal versuchen – unter Berücksichtigung von etwa sechs Monaten der Umstellung – ich zweifle nicht am positiven Ergebnis.

Wenn die Patienten vorher reichlich Kohlenhydrate gegessen und daher einen hohen Insulinspiegel haben, kann man nach Diätumstellung Schwellungen am Zahnfleisch mit Blutungsneigung beobachten, die auf erhöhtes (medizinisch: luxurierendes) Wachstum zurückgehen, meist fälschlich auf Vitamin-C-Mangel bezogen. Denn Vitamin-C-Zufuhr ist wirkungslos; das Phänomen verschwindet in einigen Monaten von selbst. Ich führe dies auf Entlastung der anabolen Seite mit überschießender Reaktion des vorher gebremsten Wachstumshormons zurück, wie ja auch die X-Beine des übergewichtigen pubertierenden Jugendlichen mit der Zeit verschwinden.

Wir haben hier ein sehr schönes Beispiel dafür vor uns, wie unsere Natur auf äußere Einflüsse zu reagieren versteht: Beim Kohlenhydratesser verdrängt das viele Insulin das Wachstumshormon, weil es sich wie der junge Kuckuck auf der anabolen Seite ausbreitet. Irgendwie versteht es aber der Organismus, einen gewissen Spiegel an Wachstumshormon aufrechtzuerhalten, weil dieses nicht nur beim wachsenden Menschen, sondern in allen Altersperioden unbedingt nötig ist. Beim Übergang auf eine kohlenhydratarme Diät fällt die Blockade durch Insulin weg, der Spiegel an Wachstumshormon steigt jetzt über die Norm an. Man sieht es am Zahnfleisch. Sicher holen dabei auch andere Gewebe Wachstumsdefizite nach, man kann es aber nicht so einfach erkennen. Verschiedene Schwierigkeiten beim Übergang auf eine kohlenhydratarme Diät könnten aber so erklärt werden.

Jugendliche Schönheit

Das Interesse der Menschen gilt seit eh und je dem schönen Äußeren. Nicht nur Frauen, auch Männer sind im Prinzip eitel

und würden viel dafür geben, wenn sie ihrem Schönheitsideal entsprechen könnten. Sie wissen auch, dass es zum Teil die Fettsucht ist, die ihnen dies verwehrt, und nicht umsonst spielt der Wunsch, abzuspecken, die größte, oft die einzige, Rolle bei allen Schönheitsdiäten. In Wirklichkeit ist es aber nicht nur die Fettsucht, die uns hässlich macht, sondern es ist die schlechte Gewebsqualität, die mindestens dieselbe Bedeutung hat, die die Haut dünner macht, in Falten legt und auch das übrige Bindegewebe schwächt, so dass es dem Zug der Schwerkraft nachgibt (Hängebrust). Ich habe ziemlich lange nach einer Abbildung weiblicher Brüste aus einer Population suchen müssen, die von Natur aus kohlenhydratarm lebt; eine solche fand ich schließlich in den Himba, einem Negerstamm in der Kalahari(-Wüste), der noch ziemlich urtümlich, hauptsächlich von Fleisch und Milch seiner Ziegen, und von sehr wenig Mais lebt (Abb. 11). Dasselbe müsste man eigentlich bei den Frauen der Massai in Kenia feststellen können, sofern sie heute noch an ihrer ursprünglichen Ernährung festhalten.

Es geht also nicht nur darum, das Fettwerden von vornherein zu verhindern, sondern gleichzeitig die Gewebsqualität so zu verbessern, dass die von der Natur vorgesehenen Formen nicht verdorben werden. Das Ideal ist daher eine von der Kindheit an durchgeführte kohlenhydratarme Diät, die alle die Fußangeln vermeidet, die im Laufe des Lebens zum Verderb der Figur führen: zu Fettsucht (Hyperinsulinismus) und zur Absenkung des Wachstumshormonspiegels mit seiner deletären Wirkung auf die Gewebsqualität.

Nachträgliche Korrekturen sind immer noch besser als keine, sie erfordern jedoch

Abb. 11:
Gruppe von
zum Teil
schon älteren
Himbafrauen

meist die kosmetische (schönheitschirurgische) Entfernung überschüssiger Haut (Falten), die die Beseitigung des Übergewichts zurückgelassen hat oder die (ohne Fettsucht) auf den Mangel an Bindegewebe und elastischen Fasern einer Haut zurückgehen, die zu wenig Wachstumshormon (anabole Faktoren!) zur Verfügung hatte.

Das heute übliche Vorgehen ist zwar bis zu einem gewissen Grade wirksam, aber nicht ideal. Gleich, ob die Beseitigung der Fettsucht durch Hungern (Kalorienbeschränkung) oder durch chirurgische Eingriffe am Verdauungstrakt (Verkleinerung des Magens oder Dünndarm-Bypass) erzielt wurde – die anschließenden Schönheitsoperationen beseitigen den Überhang an (zu dünner, ausgedehnter) Haut, ändern aber nichts an deren schlechter Qualität, so dass binnen kurzem die Falten wieder da sind und damit die Notwendigkeit zu weiteren Operationen.

Das richtige Vorgehen ist das folgende: Zuerst eine kohlenhydratarme Diät installieren, womit die Ursache an der Wurzel erfasst wird. Das Fett hört auf zu wachsen; die Fettzellen entleeren sich. Meist wird allein damit das Gewicht etwas reduziert; es hängt davon ab, ob die Fettsucht mehr durch Wachstum und Appetit der einzelnen Fettzelle oder durch Vermehrung der Zahl der Fettzellen bedingt war. Im ersteren Fall gibt es die Sensationserfolge von Dr. Atkins, wo die Patienten nach einigen Monaten durch ihre abgespreizten Hosen bis zu den Zehen durchblicken können. Im zweiten Fall bleibt der Erfolg in Grenzen oder überhaupt aus, weil die vielen Fettzellen als solche erhalten bleiben, unter mehr Wachstumshormon eher weiter wachsen und damit das Gewicht noch zunimmt. Das war bei mir der Fall; ich habe in den ersten Monaten einer (allerdings extrem) kohlenhydratarmen Diät von 65 auf 80 Kilo zugenommen; ich hatte offensichtlich schon zu viel Fettzellen, die sich dann mit Fett füllten und mir einige Zeit Probleme brachten.

Letzten Endes reagiert aber auch eine solche „hyperplastische" Form der Fettsucht, weil sich nicht benützte Organe (Fettzellen ohne Insulin-Stimulierung) zurückbilden. Man muss nur Geduld haben. Ich wiege heute 74 kg bei 175 cm.

Insulin-Resistenz

Es gibt also Ausnahmen von der Regel, dass fette Erwachsene unter kohlenhydratarmer Diät schwerer abnehmen als Jugendliche vor der Pubertät. Diesen Ausnahmen verdankt Dr. Robert Atkins den Erfolg seines Buches „Die Diätrevolution". Als es erschien, hatte ich in meiner Praxis schon fünf Jahre Erfahrung mit kohlenhydratarmer Diät gesammelt und wusste, dass Erwachsene, die ohne zu hungern, allein mit Diät, abnehmen, die Ausnahme sind. Meist verlieren sie anfangs zwei bis drei Kilogramm, und dann geht nichts mehr. Langfristig ist allerdings meist doch noch ein Erfolg zu erzielen, weil sich die Fettzellen unter Diät nicht nur entleeren (daher der Anfangserfolg), sondern auch an Zahl abnehmen, was Zeit erfordert.

Die Ursache dafür, dass es mit zeitlicher Entfernung von der Pubertät immer schwieriger wird, einen übergewichtigen Erwachsenen allein mit Diät abzumagern, ist neben dem Auftreten der anabolen Sexualhormone in der heute so viel diskutierten Insulinresistenz zu suchen. Offenbar existiert im Organismus ein genauer Plan für zulässige „Größen", für Werte, die ein Hormon, etwa Insulin, erreichen darf. Ich kann mir nicht denken, dass solche Resistenzen auf Insulin beschränkt sind. Wahrscheinlich gelten sie für alle Hormone, denn diese haben recht ähnliche Methoden, sich bemerkbar zu machen, indem sie sich an einen Rezeptor an der Zellmembran anhängen, der sie in die Zelle einschleust oder der eine Meldung an das Zellinnere weitergibt. Die Insulinresistenz hindert jedenfalls Insulin daran, Zucker in die Zelle einzuschleusen, wenn sie diesen nicht mehr brauchen kann. Das gilt vor allem für die Muskelzelle bezüglich der Verwertung von Traubenzucker (Glukose), weniger für das Fettgewebe, das damit dem Ansturm der Kohlenhydrate mehr oder weniger hilflos ausgesetzt ist und Fett aus Zucker eher aufbaut als abgibt. Es sieht tatsächlich so aus, als ob die Insulinresistenz die Hauptursache für die Schwierigkeiten darstellt, die einem Abmagerungserfolg beim Erwachsenen entgegenstehen. Wer weiß im übrigen, wieweit die in diesem Kapitel geschilderten Hormonwerte bereits durch Resistenzen beschränkt oder modifiziert wurden? Die Insulinresistenz ist eine wissenschaftlich allseits anerkannte Tatsache, von der wir im nächsten Kapitel ausführlich hören werden.

Die Cushingsche Krankheit

Wir müssen uns jetzt mit den Veränderungen der katabolen Seite beschäftigen, die nach der Zwei-Komponenten-Theorie[11] durch die erhöhte Insulinproduktion des Kohlenhydratessers entstehen. Zunächst einmal muss, wenn auf der anabolen Seite neben dem Insulin, dem Wachstumshormon und den Sexualhormonen nicht mehr genügend Platz ist, die katabole Seite nachgezogen werden. Es geschieht dies in erster Linie durch erhöhte Cortisolproduktion. Wir haben gesehen, dass sich damit das Auftreten der Striae beim fettsüchtigen Jugendlichen und bei der Schwangeren erklärt. Ist auch die beim Erwachsenen und ohne Schwangerschaft auftretende Cushingsche Krankheit kohlenhydratbedingt?

Man wird zu dieser Ansicht förmlich gedrängt durch die Ähnlichkeit der Striae des Cushings mit denen des übergewichtigen Jugendlichen und der Schwangeren.

Die Cushingsche Erkrankung ist durch eine eigene Art der Fettsucht, durch Abbau an Körpersubstanz vor allem am Knochen (Osteoporose) und durch Striae charakterisiert (siehe Farbtafel 1, nach Seite 32, unten). In der Fettsucht sieht man die Handschrift des Insulins, in der Osteoporose und in den Striae die des Cortisols. Dieses stammt aus der Nebennierenrinde, die sehr oft schwerer und zellreicher ist als gewohnt, manchmal sogar in Form einer gutartigen Geschwulst, eines Adenoms. Die Nebennierenrinde ist aber hier nicht selbständig, sondern sie arbeitet auf Geheiß des Hypophysenvorderlappens bzw. des Gehirns, wie fast alle sog. endokrinen (Blut-)Drüsen.

Wir haben schon einmal über die Hierarchie des Endokriniums gesprochen. Das Gehirn sendet Boten (Releasing-Hormone) zum Hypophysenvorderlappen; diese veranlassen in bestimmten Zellen die Bildung von Eiweißhormonen, hier des sog. adrenocorticotropen Hormons (ACTH). Dieses seinerseits regt die Nebenniere zur Bildung von Cortisol an. Adenome gibt es bei der Cushingschen Erkrankung daher nicht nur in der Nebennierenrinde, sondern auch in der Hypophyse. Weil sich die mit der Erzeugung von ACTH befassten Zellen mit bestimmten basischen Farbstoffen anfärben lassen, nennt man sie basophile Zellen und die zugehörigen Adenome basophile Adenome.

Die Kausalkette bei der Cushingschen Erkrankung lautet daher: zu viel Kohlenhydrate – zu viel Insulin – Nachziehen der katabolen Seite durch vermehrt vom Gehirn ausgehende Steuerungshormone für ACTH und in der Folge davon vermehrte Bildung von Cortisol in der Nebennierenrinde, unter Umständen Adenome dort sowie in der Hypophyse.

Der Patient der Farbtafel nach Seite 32 (unten) kam im Jahre 1968 mit einer stark erhöhten Ausscheidung von Stoffwechselprodukten (Metaboliten) des Cortisols und mit ausgeprägten blauen Striae zu mir. Es hat dann fast zehn Jahre gedauert, bis diese abgeblasst waren, aber schon viel früher hat sich dieser Patient unter kohlenhydratarmer Ernährung wesentlich wohler gefühlt als vorher, so dass er auch jedes Ansinnen einer Operation weit von sich gewiesen hat.

Ich habe ihm nämlich mehrmals vorgeschlagen, doch wenigstens eine Nebenniere entfernen zu lassen, weil ich ja nicht wissen konnte, wie sich das Problem allein mit kohlenhydratarmer Diät schließlich lösen würde. Aber selbst als eine Niere wegen eines großen Nierensteines freigelegt werden musste, hat er an seiner Nebenniere nichts machen lassen.

Die Methoden des Hormonnachweises bei solchen Cushing-Patienten haben sich inzwischen durch die radioaktiven Tests („RIA") verändert, so dass man die früheren aufgegeben hat. Es war mir daher nicht möglich, hier nachzuweisen, dass die ursprünglich stark erhöhten Werte für Hormonmetaboliten nicht nur zurückgegangen sind, sondern sich völlig normalisiert haben. Jetzt liegen jedenfalls die Cortisolspiegel im Normalbereich.

Schilddrüsenüberfunktion, Kropf

Ich habe immer das Gefühl gehabt, die vielen Kröpfe in unseren Alpengegenden seien nicht einfach das Resultat von Jodmangel, sondern hätten auch noch eine tiefere Ursache. Darin hat mich bestärkt, dass es in Küstennähe, wo ausreichend Jod vorkommt, wohl keine Kröpfe, aber umso mehr Fälle von Schilddrüsenüberfunktion gibt. Die gemeinsame Ursache muss also etwas sein, das die Schilddrüse zu vermehrter Erzeugung ihrer Hormone anregt. Ist genug Jod vorhanden, dann kann sie diesem Reiz entsprechen, unter Umständen mehr als nötig Schilddrüsenhormon erzeugen und damit eine Schilddrüsenüberfunktion hervorrufen.

Besteht aber Jodmangel, wie z.B. in Gebirgsgegenden, dann ist sie nicht in der Lage, dem Befehl des Gehirns und der Hypophyse zu folgen, so sehr sie sich auch bemüht. Bei diesem Bemühen wächst sie immer mehr und mehr bis zum Kropf. Schließlich entstehen in diesem tastbare Knoten, die Adenome. Dabei kommt es vor, dass Nachbarorgane verdrängt werden, so dass man den Kropf schließlich operativ beseitigen muss. Die Operation ist aber begreiflicherweise, so sehr sie in Einzelfällen nötig ist, kein Verfahren, das an der Wurzel angreift.

Die Wurzel liegt, wenn man einmal von Immunkrankheiten der Schilddrüse und vom Kretinismus absieht, darin, dass (nach der Zwei-Komponenten-Theorie[11]) die Kohlenhydrate mit ihrem Mehr an Insulin auch ein Mehr an Schilddrüsenhormon bedingen, genauso wie wir es soeben bei der Cushingschen Erkrankung für Cortisol beschrieben haben: Insulin belastet die anabole Seite, und sofern dies nicht durch Einschränkung von STH und Keimdrüsenhormonen ausgeglichen werden kann, muss die katabole Seite nachgezogen werden, damit das hormonelle Gleichgewicht gewahrt bleibt. Dieses Nachziehen erfolgt über die hormonale Hierarchie, über die Releasing-Hormone des Gehirns und das entsprechende Hypophysenhormon, hier

das so genannte thyreotrope Hormon (TSH), welches die Schilddrüse zu vermehrter Tätigkeit und auch zu vermehrtem Wachstum anregt.

Die logische Prophylaxe bzw. die Therapie aller dieser Schilddrüsenerkrankungen besteht daher in einer kohlenhydratarmen Diät, bei der es von vornherein zu keiner Überfunktion und zu keinem Kropf kommen würde. Ich bin auch ganz überzeugt davon, dass die gebirgigen Gegenden ihre Reputation als Kropfregionen bei kohlenhydratarmer Ernährung verlieren würden. Die Schilddrüse würde dann mit dem wenigen Jod, das sie dort vorfindet, zurechtkommen; wenigstens würde mit der Jodprophylaxe keine Überfunktion erzeugt werden können, wie das jetzt manchmal der Fall ist.

Bei den Nebenschilddrüsen hat man zwar bisher eine Abhängigkeit von der Hypophyse und damit vom Gehirn nicht mit Sicherheit nachweisen können, es ist aber auffällig, dass erhöhte Blutkalkspiegel, die im Allgemeinen auf Mehrtätigkeit der Epithelkörperchen zurückgehen, sich unter kohlenhydratarmer Diät normalisieren. Abb. 12 zeigt einige diesbezügliche Fälle aus meiner Praxis. Ich würde daher glauben, dass auch die Epithelkörperchen über das Gehirn und die Hypophyse, jedenfalls aber in Abhängigkeit von den Kohlenhydraten, in ihrer Tätigkeit gesteuert werden.

Diese Epithelkörperchen bzw. die dort manchmal vorhandenen Adenome spielen, wie man weiß, eine Rolle für die Entstehung von Konkrementen im Harntrakt. Bei Steinträgern findet man häufig solche Adenome. Man muss sie entfernen, um den Prozess zum Stillstand zu bringen. Die Nebenschilddrüsen (bzw. deren Adenome) mobilisieren Calcium aus dem Knochen

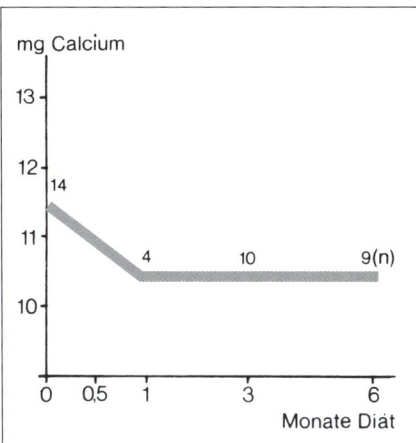

mg Calcium

Abb 12: Erhöhte Blutkalk-Spiegel normalisieren sich nach vier Wochen kohlenhydratarmer Diät; 14 Patienten aus meiner Praxis; n = Zahl der zum jeweiligen Zeitpunkt untersuchten Fälle.

und bringen es über das Blut in der Niere zur Ausscheidung. Dabei kann es zu Verkalkungen der Niere und zu deutlicher Entkalkung des Knochens kommen. Wie allen anderen Patienten pflege ich auch solchen Steinträgern eine kohlenhydratarme Diät zu empfehlen. Ich habe den Eindruck gewonnen, dass man damit nicht nur die Calciumspiegel normalisieren kann, sondern dass sich auch nicht mehr so leicht Konkremente entwickeln.

Literatur

1) Karl, H. J.: Verh. Dtsch. Ges. Inn. Med. 68 (1962) 296.
2) Simkin, R., R. Arce: New Engl. J. Med. 266 (1962)1031.
3) Prunty, F.T.G.: Chemistry and Treatment of Adrenocortical Disease. Thomas, Springfield 1964.
4) Lutz. W.: Leben ohne Brot, 2. Aufl. Selecta-Verlag. Planegg 1970.
5) Julesz, M.: Orvosi Hetilap (1963) 10.
6) Lutz, W.: Wien. Med. Wschr. (1964) 456.

7) Lutz, W., H. Iselstöger: Münch. Med. Wschr. 102 (1960)1963.
8) Barta u. Mitarb.: Gyermekgyogyaszat (1961) 131.
9) Howell, S. L., P. E. Lacy: Horm. Met. Res. (Suppl. ad Vol. 1) 45 (1969).
10) Pfeiffer, E. F., in: Handbuch des Diabetes mellitus II 123, Hrsg. H. F. Pfeiffer, J. F. Lehmanns Verlag, München 1971.
11) Schole, J.: Theorie der Stoffwechselregulation unter besonderer Berücksichtigung der Regulation des Wachstums. Paul Parey, Berlin und Hamburg, 1966.
12) Sallmann, H.P., G. Harisch, J. Schole: Über den Einfluss kohlenhydratarmer Diäten auf die Arteriosklerose des Huhnes im Langzeitversuch. Zbl. Vet. Med. A 23 (1976) 635-644.
13) Lutz, W., G. Andresen, F. Buddecke: Z. f. Ernährungswissensch. 9 (1969) 222.
14) Cahill, G. F. jun., E. B. Marliss, T. T. Aoki in: Adipose Tissue, Regulation and Metabolic Function. Hrsg. B. Jeaneraud and D. Hepp, Georg Thieme-Verlag Stuttgart, 1970, S.181.
15) Gottstein, U., W. Müller, W. Berghoff, H. Gärtner, K. Held: Klin. Wschr. 49 (1971) 406.
16) Young, V. R., N. S. Scrimshaw: Scientific Am. 225, 4 (1971)14.
17) Kemp, W. N.: The treatment of early vomiting of pregnancy with suprarenal cortex: Case reports. Endocrinology 16 (1932) 434.
18) Järvinen, P. A., V. J. Uuspää: The response of the adrenal cortex to ACTH in hyperemesis gravidarum. Acta endocrin., Kbh. 17 (1954) 211.
19) Alamanni, V.: L' ACTH nel trattamento dell'iperemesi gravidica. Riv. Ostet. Ginec. prat. 38 (1956) 14.
20) Keller, M., H. Erb, R. Tschumi: Blutchemismus. Hormonhaushalt und ACTH-Therapie bei Hyperemesis gravidarum. Gynaecologia 147 (1959) 438-44.
21) Schole, J.: Persönliche Mitteilung 1986.
22) Willet et al: Lancet 341 (1933) 581
23) Meikle, A.W., et al: Endocrinol. Metab. Clin. North Am. 1991
24) Popkin, B., et al: J. of Nutr. 126 (1996) 3009

Kohlenhydrate und Diabetes

Jede Erörterung der diabetischen Stoffwechselstörung muss davon ausgehen, dass es zwei ganz verschiedenartige Formen gibt, die lediglich gemeinsam haben, dass sie sich auf den Zuckerstoffwechsel auswirken.

Die eine ist der jugendliche, auch der magere Diabetes genannt. Er tritt in der Regel in relativ jugendlichem Alter auf, ist nicht mit Fettleibigkeit kombiniert, und es besteht Insulinmangel. Der jugendliche Diabetes ist, wie man heute zu wissen glaubt, durch eine Virusinfektion des Inselorgans bedingt – mit oder ohne nachfolgende Autoaggression. Das Virus zerstört die Betazellen entweder allein, oder es schädigt die Zellen so, dass der Organismus diese als Fremdkörper empfindet und folglich durch sein Immunsystem abtöten lässt.

Dazu passt auch, dass der jugendliche Diabetes in der Regel plötzlich auftritt. Es sind Fälle bekannt, wo aus anderen medizinischen Gründen bei einem Kind jeden Tag ein Harnbefund erhoben werden musste. Praktisch über Nacht wurde bei diesem Kind in der Harnprobe dann eine ausgeprägte Zuckerausscheidung beobachtet.

Die zweite, viel häufigere Form des Diabetes ist der so genannte Alters- oder Erwachsenendiabetes. Es handelt sich hier um eine Krankheit, die – wie der Name schon sagt – erst im späteren Erwachsenenalter aufzutreten pflegt. Der Altersdiabetes ist fast immer mit Übergewicht der Betroffenen verbunden.

Der magere oder Typ-I-Diabetes (IDDM)

Er ist im Allgemeinen auf Kinder und Jugendliche beschränkt, kann aber manchmal auch beim Erwachsenen beobachtet werden. Die Magerkeit deutet darauf hin, dass zu wenig vom Insulin, dem Hormon des Fettgewebes. vorhanden ist. Man konnte feststellen, dass dabei die das Insulin produzierenden so genannten Betazellen in den Inseln der Bauchspeicheldrüse verschwinden und sich stattdessen Lymphozyten und andere Entzündungszellen anhäufen. Offenbar sind die Betazellen also durch einen entzündlichen Vorgang zugrunde gegangen. Dieser kann plötzlich ablaufen, kann aber auch das Resultat eines langen Kampfes darstellen. Man hat dabei beobachtet, dass eine rechtzeitige Insulintherapie den Prozess verlangsamen kann. Das spricht dafür, dass eine Überbeanspruchung der Betazellen in Bezug auf deren Insulinproduktion eine ursächliche Rolle spielt.

Was beansprucht die Insulinproduktion der Betazellen? Diese Frage darf man heute, wo die tierischen Fette bei gesundheitlichen Fragen der Watschenmann und die Kohlenhydrate das Liebkind sind, gar nicht stellen. Als enfant terrible darf ich aber. Es ist das Liebkind unserer blinden modernen Medizin, es sind die Kohlenhydrate, die zu ihrer Verdauung Insulin benötigen und daher das Inselorgan belasten. Dann genügt eine gewisse erbliche Veranlagung zum Diabetes (längst nachgewiesen), und es genügt ein beliebiger Infekt, der das Immunsystem aufruft, um die Katastrophe auszulösen. Das aktivierte Immunsystem stürzt sich auf alles, was ihm von seinen Helfern angeboten wird, eben auch auf die überlasteten Betazellen, und vernichtet es. Dazu ist es da, aber es sollten sich im gesunden Körper eben keine ständig überlasteten Zellen und Organe befinden.

Warum erkrankt nur ein kleiner Teil der Bevölkerung am mageren Diabetes? Wegen der dazu nötigen erblichen Belastung. Und diese resultiert aus an Kohlenhydrate nicht adaptierten Erbanlagen, die wir aus der Zeit vor Beginn des Ackerbaues noch umso mehr in uns haben, je weniger lang unsere Vorfahren Kohlenhydrate als Nahrungsmittel verwendeten, je weniger Zeit unser Erbgut hatte, sich an diese „neueren" Nahrungsmittel des Neolithikums anzupassen. Diese „Adaptationstheorie" werde ich noch näher erläutern (S. 125). Dort, wo die Kohlenhydrate, wo der Ackerbau zuletzt hinkamen, nach Nord- und Westeuropa, treten nicht nur die meisten Herzinfarkte und am häufigsten Krebs und Multiple Sklerose auf, sondern auch am häufigsten der magere Diabetes. Die Landkarten über die Verbreitung dieser Zivilisationskrankheiten gleichen sich wie ein Ei dem anderen.

Abgesehen von diesen neueren Erkenntnissen, die sicher einmal zu therapeutischen Konsequenzen führen werden, besteht die Behandlung des jugendlichen Diabetes in einem möglichst genauen und vollwertigen Ersatz des eigenen Insulins durch Fremdinsulin.

Ein jugendlicher Diabetiker muss also auf alle Fälle spritzen. Das durch Injektion beigebrachte Insulin muss aber nicht nur jenes ersetzen, das im so genannten Intermediärstoffwechsel benötigt wird, sondern auch das, welches zur Verdauung und zum Einbau der Kohlenhydrate nötig ist.

Daraus ergibt sich ganz klar, dass der Insulinmangel-Diabetiker umso weniger und umso seltener wird spritzen müssen, je weniger Kohlenhydrate er isst.

Wer glaubt, dass dies medizinisches Allgemeingut geworden sei, irrt sich. Ich habe noch nie einen jugendlichen Diabetiker getroffen, der von seinen Ärzten oder seinem Krankenhaus auf eine kohlenhydratarme Diät eingestellt worden wäre! In der Regel kommen die Patienten mit Diätanweisungen auf 12 bis 15 Broteinheiten, und sie halten sich nicht einmal an das. Sie leiden unter heftigen Blutzuckerschwankungen, vor allem unter den dabei häufigen „Hypos" (Unterzuckerungen), die darauf zurückgehen, dass auch die beste Einstellung mit dem besten Verzögerungsinsulin die feine Insulindosierung von Seiten der eigenen Bauchspeicheldrüse nicht ersetzen kann.

Ich reduziere bei solchen Patienten die Kohlenhydratmenge schrittweise auf 6 BE mit dem Erfolg, dass die nötige Insulindosis ohne Blutzuckerschwankungen verabreicht werden kann. Allein das ist schon ein wesentlicher Fortschritt. Ob man dann mit weniger Insulin auskommt, muss man schließlich durch längere Beobachtung der Patienten und so genannte Blutzucker-Tagesprofile austesten.

Der Typ-2- oder Alters-Diabetes (NIDDM)

Die häufigste Form des Diabetes ist die Erwachsenenform. Sie hat mit dem Diabetes des Jugendlichen nichts anderes gemeinsam, als dass in beiden Fällen Zucker im Harn ausgeschieden wird und der Blutzucker erhöht ist; lediglich im Alter kann auch beim Erwachsenen-Diabetes ein echter Insulinmangel auftreten und sich damit die Notwendigkeit der Insulintherapie ergeben.

Der Erwachsenendiabetes beginnt ganz schleichend in der Jugend[1-7], wenn die Wurzeln nicht vielleicht schon bis zu den Eltern oder Großeltern zurückreichen. Die Grönländer, die erst seit einigen Generationen Kohlenhydrate kennen (seit regelmäßiger Schiffsverkehr zum Kontinent besteht), haben auch heute noch keinen Diabetes - gleich, ob sie von den Dänen oder von den Eskimos abstammen. Rassische Gründe dürften hier also nicht vorliegen. Man muss stattdessen annehmen, dass es einiger Generationen bedarf, bis die Kohlenhydrate die diabetische Stoffwechselstörung herbeiführen, so dass man fast darauf warten kann, dass der Diabetes auch in Grönland mit der Zeit Einzug halten wird.

Auf welchem Wege sich die diabetische Stoffwechselstörung im Laufe von Generationen aufschaukelt, ist vorläufig noch nicht völlig durchsichtig. Eine Beobachtung scheint mir außerordentlich wichtig zu sein. Dieselbe Zuckermenge führt, über den Magen verabreicht, zu einer wesentlich schnelleren und höheren Insulinausschüttung und damit zu einem schwächeren Blutzuckeranstieg als bei intravenöser Verabreichung[5]. Irgendetwas im Magen-Darm-Trakt muss also sozusagen das Inselorgan davon in Kenntnis setzen, dass Zucker im Anmarsch ist. Wahrscheinlich sind dies die so genannten insulinotropen Polypeptidhormone, über die auch im nächsten Kapitel gesprochen werden soll. Sie stimulieren das Inselorgan zu erhöhter Leistung.

Wenn das lebenslang geschieht bei Menschen, die (nach den Begriffen des Urmenschen) zu viel Kohlenhydrate essen und außerdem erblich zu Diabetes tendieren, dann wird die Kette von Reaktionen in Gang gesetzt, die in einem früheren Kapitel als der Weg zum Adenom bereits näher beschrieben wurde. Die Inselzellen werden stärker belastet; sie vermehren sich. Auf dem Wege zum Adenom, zur gutartigen Geschwulst, verlieren sie ihre Bindung zu den übergeordneten Regulationen, bis sie schließlich sozusagen Insulin erzeugen, ohne dass dies unbedingt nötig wäre.

Eher zu viel Insulin

Es gibt Patienten mit so genannten Hypoglykämien („Hypos"), bei denen zwei bis drei Stunden nach einer Mahlzeit oder auch nachts der Blutzucker so stark sinkt, dass das Gehirn zu wenig Nahrung erhält (es lebt, wie wir wissen, normalerweise von Zucker). Dabei kommt es zu Störungen, die manchmal das Ausmaß eines epileptischen Anfalles erreichen. Man kann sehr leicht testen, ob ein Patient an einer solchen Hypoglykämie leidet, indem man nach einer Zuckergabe einige Stunden lang den Blutzucker verfolgt. Eine solche Testung wurde bei der Patientin durchgeführt, von der die Abbildung 13 stammt. Man sieht, dass der Blutzucker drei bis vier Stunden nach der Zuckergabe weit unter das Ausgangsniveau abfällt als Ausdruck dafür, dass zu viel Insulin gebildet wurde, ohne dass der Körper Gegenmaßnahmen einleitete.

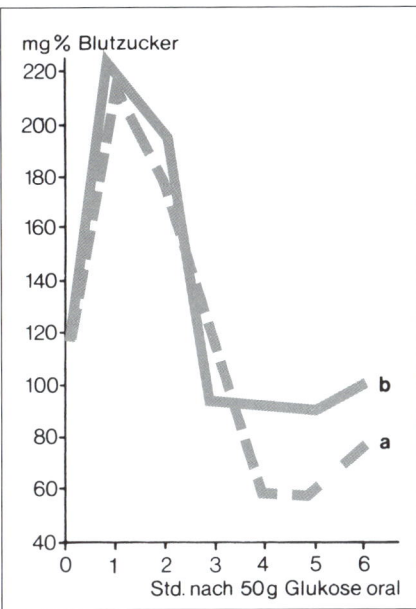

```
mg% Blutzucker
220
200
180
160
140
120
100                                    b
80                                     a
60
40
   0   1   2   3   4   5   6
      Std. nach 50 g Glukose oral
```

Abb. 13: Ein Fall für viele: Nach drei Monaten kohlenhydratarmer Diät (b) tritt auf Zuckerbelastung (50 g Traubenzucker in Tee) keine hypoglykämische Phase (Unterzuckerung) mehr auf. Patientin: Alb. J. 66a.

Solche Patienten werden gewöhnlich kohlenhydratreich ernährt, und sie erhalten im Anfall zusätzlich Kohlenhydrate, die den niedrigen Blutzucker möglichst rasch anheben sollen. Damit kann man zwar den Anfall, nicht aber die ursächliche Störung beseitigen. Verordnet man jedoch eine kohlenhydratarme Diät, dann verschwinden die Beschwerden rasch, und schon nach einigen Monaten kann man durch eine neuerliche Austestung, wie dies auch bei unserer Patientin geschah, feststellen, dass die Zuckerbelastungskurve normal geworden ist: Nach Zuckergabe tritt keine Unterzuckerung mehr ein.

Mit anderen Worten: Die dauernde Belastung mit Kohlenhydraten führt zu einer Störung im Zuckerstoffwechsel, die durch ein Übermaß an Insulin bedingt und durch ein zu starkes Absinken des Blutzuckers charakterisiert ist. Nur langdauernde Beschränkung der Kohlenhydrate bringt Heilung oft auch dann, wenn für die Überfunktion des Inselorganes schon ein Adenom („Insulom") verantwortlich ist.

Zucker-„Wehren"

Unterzuckerungen sind in diesem Stadium des Altersdiabetes allerdings die Ausnahme. Der Organismus verfügt über drei „Feuerwehren", die dagegen eingesetzt werden können, nämlich:

1. Die Glukoneogenese, die Bildung von Zucker aus Eiweiß über ACTH und Cortisol, die uns ja schon bekannt ist.

2. Die Bildung von Zucker aus Glykogen, einer Art tierischer Stärke, die sich in Muskeln und Leber findet. Die Alphazellen, die das für diese Reaktion nötige Glukagon produzieren, sind die Nachbarn der Betazellen im Inselorgan der Bauchspeicheldrüse.

3. Die Ausschüttung des Nebennierenmarkhormons Adrenalin, das ebenfalls aus Glykogen Zucker mobilisiert.

Wir haben in diesem Stadium des Erwachsenendiabetes einen Menschen vor uns, der auf normale Reize zu viel Insulin produziert[12], der daher aus Zucker zu viel Fett macht, den dann fehlenden Zucker aus Eiweiß nachschafft (und wieder in Fett verwandelt), durch übermäßigen Appetit gesegnet ist und nicht nur zu viel Kohlenhydrate, sondern auch von allem anderen zu viel verzehrt. Dieses Zuviel an Nahrungsmitteln, das im Stoffwechsel als Zucker und Fett aufscheint, schwimmt gegen das einzige Depotorgan, das der Organismus besitzt, das Fettgewebe.

Insulin-Resistenz

Die Insulin-Resistenz spielt schon bei der Fettsucht des Erwachsenen eine entscheidende Rolle.

Wenn die Zelle nichts mehr aufnehmen kann, wenn immer mehr und mehr Insulinmoleküle Eintritt begehren, dann werden also die Pförtner zurückgezogen und die Tore geschlossen. Man kann das durch Zählung der Rezeptoren an der Zellmembran feststellen. Je höher der Insulinspiegel, desto stärker werden die Rezeptoren reduziert; d.h. umso mehr Tore werden geschlossen[5]. Natürlich steigt der Insulinspiegel vor den Toren und mit ihm der Zuckerspiegel dann an. Damit ist der Diabetes perfekt: Der Blutzucker ist erhöht, unter Umständen so stark erhöht, dass der Zucker in der Niere überfließt und im Harn in Erscheinung tritt.

Kohlenhydrate beschränken!

Warum ich da so sicher bin? Weil wir beim Cholesterin ganz ähnliche Verhältnisse haben[10, 11] und sicherlich auch bei der Harnsäure einmal etwas Ähnliches finden werden. Es handelt sich offensichtlich um ein Naturgesetz von allgemeiner Gültigkeit, das immer dann in Erscheinung tritt, wenn der Mensch zu viel Nahrung zu sich nimmt. Die primäre Ursache dieser Überernährung ("Hyperalimentation") sind immer die Kohlenhydrate.

Kein Tier, welches das frisst, was es von Natur aus fressen soll, wird fett; kein Tier entwickelt Diabetes oder Fettstoffwechselstörungen, so lange es in freier Wildbahn immer das qualitativ ihm zustehende Futter aufnimmt.

Nur domestizierte Tiere wie Hunde, Rinder, Schweine (und Menschen!) leben unter Umständen von unpassender Nahrung und entfernen sich damit so weit von ihrer natürlichen Ernährungsbasis, dass Appetit und Stoffwechsel durch die Kohlenhydrate korrumpiert werden und menschliche bzw. denen des Menschen ähnelnde Zivilisationskrankheiten auftreten können. Auch Hühner, Gänse und Enten werden nur dick (man denke an die fette Gänseleberpastete), wenn man sie mit Kohlenhydraten mästet. Jeder Tierzüchter wird hier uneingeschränkt zustimmen.

Dass die Überernährung eine wesentliche Rolle in der Pathogenese des Erwachsenendiabetes spielt, ergibt sich zwingend aus Beobachtungen in der Praxis. Man weiß seit einigen Jahrzehnten, dass ein Diabetes vom Erwachsenentyp nur dann gebessert werden kann, wenn es gelingt, das übermäßige Gewicht zu reduzieren. Da nützen weder Tabletten noch Insulin; sie machen die Sache nur schlechter.

Oft genügt schon eine Beschränkung der Kohlenhydrate auf 6 BE mit der zugehörigen Gewichtsabnahme, um zu diesem Erfolg zu gelangen (Abb. 14). Die meisten Fälle sprechen darauf allein allerdings nicht mehr an; sie müssen richtig abgespeckt werden. Sie vertragen alle diesbezüglichen Maßnahmen auch ausgezeichnet einschließlich der so genannten Nulldiät. Aber wie viele Diabetiker sind bereit, bei solchen Maßnahmen mitzumachen? Und wenn, dann sitzen sie nach der Entlassung aus dem Krankenhaus oder aus der Kur bald wieder mit um den Hals gebundener

Serviette zu Tisch und streben dem ursprünglichen Gewicht zu.

„Sekundär-Versager"

Sie bekommen dann Tabletten, die so genannten oralen Antidiabetika, die den Blutzuckerspiegel senken und die Harnzuckerausscheidung verringern (vielleicht, weil sie nicht nur den Insulinausstoß aus dem Inselorgan erhöhen, sondern auch noch den Rezeptorenmechanismus an den Zellen beeinflussen).

Aber die oralen Antidiabetika wirken in den meisten Fällen nur eine gewisse Zeit lang und nur auf den Blutzucker bzw. auf die Harnzuckerausscheidung. Dann kommt es zu den so genannten Sekundärversagern, und es muss auf Insulinbehandlung übergegangen werden.

Manche Diabetiker kann man selbst mit heroischen Insulindosen nicht mehr einstellen. Ich habe es nicht nur einmal erlebt, dass ein solcher Patient, der mit 60 bis 100 Einheiten Insulin nicht mehr auskam, einen Schlaganfall erlitt, in einigen Wochen 20 kg verlor und dann ohne Insulin und ohne Tabletten fast normale Blutzuckerwerte hatte.

Daneben gibt es natürlich Fälle von Erwachsenendiabetes, bei denen das Inselorgan auf Grund jahrzehntelanger Überlastung schließlich zusammenbricht, so dass ein echter Insulinmangel-Diabetes resultiert. Diese Patienten müssen dann wie jugendliche Diabetiker behandelt werden und Insulin erhalten. Das sind diejenigen Patienten, die wie die jugendlichen Diabetiker schließlich an den Folgen der so genannten Mikroangiopathie zugrunde gehen.

Makro- und Mikroangiopathie

Hier müssen wir nochmals zurück zur Zwei-Komponenten-Theorie. Beim Insulinmangel-Diabetes, gleich, ob es sich um einen jugendlichen handelt oder um das Endstadium eines Erwachsenendiabetes, ist die anabole Seite unterbedient. Das Insulinmanko wird durch das Wachstumshormon ausgefüllt. Es führt zum übermäßigen Wachstum der Gefäßinnenhaut, der so genannten Intima, und damit in der Folge zum Verschluss der kleinen Kapillaren besonders am Nervensystem, an der Netzhaut und in der Niere: zur diabetischen Neuropathie, Retinopathie und Nephropathie.

Im Gegensatz hierzu hat der Erwachsenen- oder Altersdiabetes vor diesem Endstadium zu viel Insulin. Die anabole Seite ist daher überbedient, der Wachstumshormonspiegel reduziert, die Intima vernachlässigt, gefährdet: Es entsteht die gewöhnliche Arteriosklerose[10-14] (siehe auch später Seite 111ff).

Sind Tabletten und Insulin schädlich?

Nimmt man an, dass Arteriosklerose durch Nahrungsfette entsteht, dann ist es logisch, alle Menschen, besonders aber alle Diabetiker, fettarm zu ernähren. Und da man nicht gleichzeitig Fette und Kohlenhydrate beschränken kann, muss man die Kohlenhydrate freigeben oder doch die Kohlenhydratrestriktion lockern, wenn man die Fette beschränken will. Die Fett-Theorie kam mit dem militärischen Sieg der Amerikaner Ende des Zweiten Weltkrieges über uns.

Ich zweifle nicht daran, dass man die Verschlechterung bemerkt hätte, die mit der Umstellung auf fettarme, kohlenhydratreichere Diät verbunden ist, wenn nicht gerade damals auch die oralen Antidiabetika auf den Markt gekommen wären. Sie senken den Blutzucker und beseitigen die diabetischen Symptome. Ist es aber gut, auf diese Art der verzweifelten Reaktion der Körperzellen, vor allem der Fettzellen, gegen die anflutenden Nahrungsmittel in den Arm zu fallen? Sind Diabetiker mit Tabletten gesünder, und leben sie länger als solche ohne Tabletten?

Sicher sind die Tabletten eher schädlich, wenn sie dazu führen, dass die Patienten keine Diät mehr halten, und das geschieht tatsächlich meistens, weil die Besserung der Laborwerte eine Besserung des Leidens vortäuscht. Man hat aber noch anderes feststellen müssen.

Aus einer Zusammenarbeit von zwölf amerikanischen Universitäten entstand die so genannte UGDP-(University-Group-Diabetes-Program-)Studie[15] über das Schicksal von mehr als 1000 Diabetikern, die entweder mit Diät allein, mit Diät und Insulin oder mit Diät und Tabletten behandelt wurden. Dabei muss man allerdings gleich sagen, dass es sich um eine fettarme, kohlenhydratreiche Diät mit 20 BE (!), d.h. eigentlich um keine Diät gehandelt hat. In der Tablettengruppe schien anfangs eine Häufung von Gefäßkrankheiten und deren Folgeerscheinungen (Arteriosklerose, Herzinfarkte und Schlaganfälle) aufzutreten, so dass die Ärzte sich verpflichtet fühlten, den Versuch mit Tabletten überhaupt abzubrechen.

Die Proponenten der UGDP-Studie sind natürlich in das Kreuzfeuer der Kritik geraten und haben sich einiges sagen lassen

müssen (an Versuchen mit ambulanten Patienten lässt sich immer etwas aussetzen). Statt aufzugeben, haben sie aber ihre Arbeit fortgesetzt und Untersuchungen über die Berechtigung der Insulintherapie beim Erwachsenen- Diabetes angeschlossen. Dabei kam genau das heraus, was nach unseren Überlegungen herauskommen musste, dass nämlich auch das Insulin beim Altersdiabetes mit den soeben genannten Ausnahmen, wo echter Insulinmangel herrscht, nichts bringt. Ich möchte sogar weitergehen und sagen, dass es schädlich ist.

Überlegen wir uns noch einmal, dass wir das Zuviel an Insulin an der Wiege des Altersdiabetes vermutet haben. Wenn ich mit den Tabletten das Inselorgan zur Abgabe von noch mehr Insulin anrege bzw. wenn ich Insulin aus der Spritze zuführe, dann kann doch die Krankheit dadurch nicht besser, sondern nur schlechter werden – schon deshalb, weil ich damit die Körperzellen ihrer Möglichkeiten beraube, sich gegen die anflutenden Nahrungsstoffe zur Wehr zu setzen. Natürlich wird (nach der Zwei-Komponenten-Theorie) das viele Insulin auch das Wachstumshormon weiter verdrängen, und die Gefährdung für Arteriosklerose wird zunehmen. Es gibt tatsächlich sehr viele Arbeiten, welche den Nachweis erbringen, dass die Arteriosklerose vom Insulinspiegel im Blut abhängt.

Wie wichtig ist die Einstellung?

Manche stehen auf dem Standpunkt, dass die Lebenserwartung eines Diabetikers umso besser ist, je genauer sein Blutzuckerspiegel der Norm angepasst, je mehr also eine Blutzuckersteigerung verhindert wird.

Das gilt sicherlich für jede Form von Insulin-bedürftigem Diabetes, also für die jugendliche (magere) Form oder die Spätform eines Altersdiabetes, wo zu wenig Insulin produziert wird. Zu wenig Insulin bedeutet nämlich nach der Zwei-Komponenten-Theorie zu viel Wachstumshormon und damit zu viel Wachstum an den Basalmembranen der Blutkapillaren, also diabetische Gefäßkrankheit (Angiopathie).

Dies gilt aber sicherlich nicht für die Anfangsformen des Erwachsenendiabetes, wo eher noch zu viel Insulin vorliegt und nur der Eintritt von Insulin und damit von Traubenzucker in die Zelle behindert ist. Hier lässt sich der Blutzuckerspiegel mit vernünftigem Aufwand oft weder durch Tabletten noch durch Insulin normalisieren, und wenn, dann nur unter Hinnahme der Konsequenzen, nämlich einer weiteren Verschlechterung der Situation und einer Zunahme des Arteriosklerose-Risikos. Was man hier braucht, ist Abbau der Insulinresistenz und nicht noch mehr Insulin, gleich, ob durch Spritze oder durch Tabletten. Beides erhöht nur das Arteriosklerose-Risiko.

Genau das hat die UGDP-Studie erbracht. Die Praxis ist also von der Theorie weit entfernt. Nicht eine ungenügende Einstellung, d.h. ein erhöhter Blutzucker oder eine Harnzuckerausscheidung ist beim Erwachsenen-Diabetes schädlich und führt letztlich zur Erkrankung des Gefäßsystems, sondern die Versuche, den Blutzucker durch Tabletten oder Insulin zu normalisieren.

Vernünftige Ärzte haben längst erkannt, dass der Erwachsenen-Diabetes eben nur durch Einschränkung der Kohlenhydrat-und Kalorienzufuhr zu kurieren ist, wobei die Gewichtsreduktion vielleicht nur eine sekundäre Rolle spielt. Das Entscheidende ist wahrscheinlich, dass die Nahrungszufuhr an die Zelle eingeschränkt wird.

Aus eigener Erfahrung

Ich habe in meiner Praxis das Experiment, das nach Aufkommen der Fett-Theorie an allen Diabetikern ungewollt ablief, nämlich die Umstellung auf eine kohlenhydratreiche, fettarme Diät, umgekehrt, indem ich die Kohlenhydrate wieder auf 6 BE reduzierte, dafür Fett zulegte und, wenn möglich, die Tabletten absetzte.

Die Abbildungen 14 und 15 zeigen das Resultat dieses Versuches an 15 Patienten, wobei mit weniger Kohlenhydrat und mehr Fett in sechs Monaten der Nüchternblutzucker signifikant absank und außerdem insgesamt 12 Tabletten (im Durchschnitt pro Patient also 0,8 Tabletten) eingespart werden konnten. In der Regel handelt es sich um Glibenclamid (Euglucon) 5 mg, Tolbutamid (Artosin, Rastinon) 1,0 g oder um Biguanid (Silubin retard) 100 mg. Zwischen den einzelnen oralen Antidiabetika wurde der Übersichtlichkeit halber nicht unterschieden. Ich habe dabei auch beobachtet, dass die diabetische Netzhauterkrankung und die so genannten trophischen Geschwüre an den Beinen prompt auf Kohlenhydratbeschränkung ansprechen. Vor allem die so häufigen Netzhautblutungen verschwinden in kurzer Zeit.

Diese Beobachtungen über die günstige Wirkung einer kohlenhydratarmen Diät stehen in krassem Gegensatz zu einer Äußerung der American Diabetic Association (ADA), die glaubt, dass eine Kohlen-

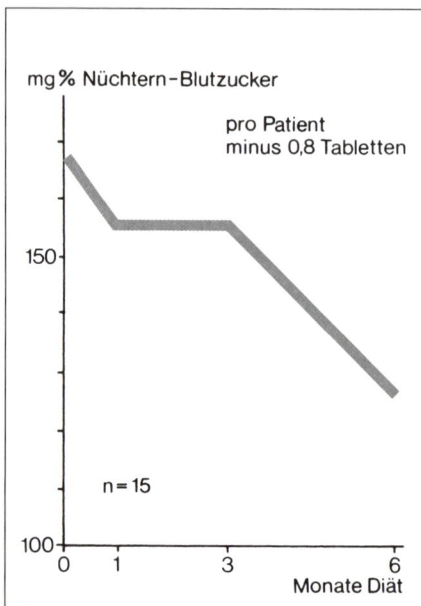

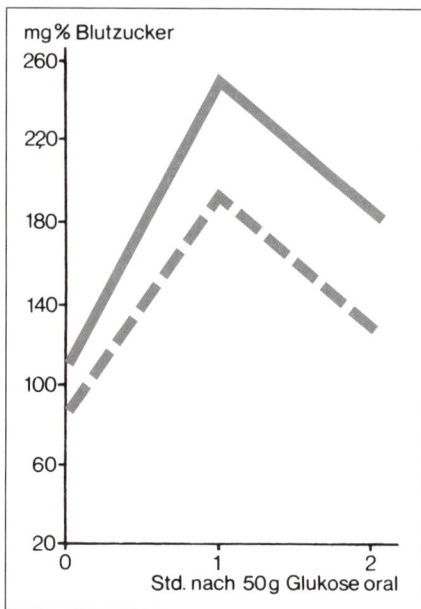

Abb. 14: Verhalten des Nüchternblutzuckers bei 15 Patienten mit leichtem Diabetes unter kohlenhydratarmer Diät von 6 BE. Der durchschnittliche GLukosewert sinkt in sechs Monaten von 165 auf 127 mg%, obwohl gleichzeitig insgesamt 12 Tabletten (= 0,8 Tabl. pro Patient) eingespart werden konnten.

Abb. 15: Verlauf des Blutzuckers nach 50 g Traubenzucker in Tee bei leichten (latenten) Diabetikern vor und nach (durchschnittlich) 13 Monaten kohlenhydratarmer Diät von 6 BE. Die Besserung der Stoffwechsellage ist an den niedrigeren Blutzuckerwerten (gestrichelte Kurve) deutlich zu erkennen.

hydratbeschränkung dem Diabetiker keine Vorteile bringe[16], und daher empfiehlt, die Kohlenhydrate freizugeben. Wie schon erwähnt, enthält in den USA, im Heimatland der Fett-Theorie, eine kohlenhydrat- „beschränkte" Diabetiker-Diät 20 BE Kohlenhydrat. Sie kann also keineswegs als kohlenhydratarm in unserem Sinne bezeichnet werden. Die Freigabe dieser „Beschränkung" kann praktisch keine Verschlechterung mehr bringen. Anders wäre es, wenn man von 6 BE ausgehen würde. Auch beim latenten Diabetes, dessen Diagnose eine Zuckerbelastung erfordert, ist der günstige Effekt einer Kohlenhydratbe-

schränkung zu erkennen. In Abbildung 14 sind die Tests an acht Patienten vor und nach mehrmonatiger Kohlenhydratbeschränkung aufgeführt. Es waren keine oralen Antidiabetika, und es war natürlich auch kein Insulin verabreicht worden. Man sieht ganz deutlich, dass die Blutzuckerkurven sich in einigen Monaten wesentlich bessern oder sogar normalisieren.

Dabei ist zu berücksichtigen, dass unmittelbar nach Übergang auf kohlenhydratarme Diät die Tests schlechter ausfallen können, was man vom Hungern her weiß und daher als Hungerdiabetes bezeichnet hat. Dies ist der Ausdruck dafür, dass die dauernde Belastung durch Kohlenhydrate der Nahrung das Inselorgan trainiert und zu maximaler Insulinproduktion antreibt, allerdings auch erschöpft.

Fallen die Kohlenhydrate weg, dann fällt auch der Antrieb fort, und die wahre (nämlich diabetische) Situation kommt zum Vorschein. Erst viel später, nach Wochen und Monaten, wirkt sich die Kohlenhydratbeschränkung dann im Sinne einer Besserung der Toleranz aus.

Literatur

1) Pfeiffer, E.F., Ziegler, R.: Triangel, 7 (1965) 8.
2) Grodsky, G.M., Karam, J.K., Parlatos, F.Ch., Forsham, P.H.: Metabolism, 12 (1963) 278.
3) Camerini-Davalos, R.A, Caulfield, J.B., Rees, S.B.: Diabetes, 12 (1965) 508.
4) Ditschuneit, A., Kolb, H., Wahl, Ch., Marcos, R., Rott, H.H., Pfeiffer, E.F.: 10. Symp. Dtsch. Ges. Endokrin., Wien 1963, Springer, Berlin, 1964, 260.
5) Pfeiffer, E.F.: 5. Kongr. Internat. Diab. Fed., (1964), Toronto.
6) Camerini-Davalos, R.A., Caulfield, J.B., Rees, S.B., Lozano-Castaneda, O., Naldjian, S., Marble, A.: Diabetes, 12 (1963) 508.
7) Karam, J.H., Grodsky, G.N., Forsham, P.H.: Diabetes, 12 (1963), 197.
8) Siehe bei Pfeiffer, E.F., in: Handbuch des Diabetes mellitus, Bd. II, S. 123. Hersg. E.F. Pfeiffer, Lehmann, München 1971.
9) Roth, J.: Peptide Hormons Binding to Receptors, a Review of Direct Studies in vitro. Metabolism, 22 (1973) 1059.
10) Epstein, F.H.: Circulation, 36 (1967) 609.
11) Wahlberg, F., Thomasson, B.: Glucose Tolerance in Ischaemic Cardiovascular Disease. In: Carbohydrate Metabolism and its Disorders. Hersg. Dickens, F., Randle, P.J., Whelan, W.J. Academic Press, New York (1968) 185.
12) Raskin, P., Pietri, O.A., Unger, R., Shannon Jr., W.A.: The Effect of Diabetic Control on the Width of Skeletal-muscle Capillary Basement Membrane in Patients with Type I Diabetes mellitus. N.Engl. J.Med., 309 (1983) 1546-50.
13) Siperstein, M.D., Unger, R.H., Madison, L. L.: Studies of Muscle Capillary Basement Membranes in Normal Subjects, Diabetic, and Prediabetic Patients. J. Clin. Invest., 47 (1968) 1973-99.
14) Camerini-Davalos, R.A., Velasco, C., Glasser, M., Bloodworth Jr., J.M.B.: Drug Induced Reversal of Early Diabetic Microangiopathy. N. Engl. J. Med., 309 (1983) 1551-6.
15) The University Group Diabetes Program: Diabetes 1970, 19. Suppl. 2, 747.
16) Brunzell, J.D., Lerner, R.L., Hazzard, W.R., Porte, D., Biermann, E.L.: New Engl. J. Med., 285 (1971) 1402.

Kohlenhydrate und Hormone

Wie wir inzwischen wissen, führen zu viele Kohlenhydrate in der Nahrung über längere Zeit zu Hyperinsulinismus und Hypoglykämien. Das Gehirn reagiert darauf mit einer Gegenregulation, indem es ACTH-Releasing-Hormon ausschüttet, um die Produktion von Cortisol in der Nebennierenrinde und von Zucker in der Leber zu stimulieren. Eine Nebenwirkung hiervon ist die Bildung von adrenalen Geschlechtshormonen, hauptsächlich von Östrogen, das für das Anschwellen der Brüste und Hüften, für sexuelle Störungen bei beiden Geschlechtern und für die Produktion von Aldosteron verantwortlich ist, das an der Entstehung des arteriellen Hochdrucks beteiligt ist.

Die ständige gegenregulative Überproduktion von „katabolen" Hormonen (Cortisol und die Schilddrüsenhormone T-3 und T-4) veranlasst nach der Zwei-Komponenten-Theorie des verstorbenen Prof. Jürgen Schole die Hypophyse zu einer weiteren Gegenregulation auf höherer Ebene, die hauptsächlich die Gonadotropin-Ausschüttung anregt, um vermehrt anabole Geschlechtshormone in den Gonaden zu produzieren, da bei Kohlenhydratessern die Ausschüttung von Wachstumshormon durch Somatostatin behindert ist.

Dies ist die Ursache menopausaler Symptome und wahrscheinlich auch der erhöhten Krebsanfälligkeit im Klimakterium. Dieser Mechanismus ist auf einer unteren Ebene die Ursache der „Striae" von fettsüchtigen Jugendlichen und schwangeren Frauen. Klimakterische Symptome beruhen darauf, dass die Ovarien nicht mehr auf die gonadotropen hypophysealen Anweisungen ansprechen, um den weiblichen Körper vor einer späten Schwangerschaft zu schützen. Das männliche Äquivalent des weiblichen Klimakteriums beruht auf der Ansprechbarkeit der männlichen Gonaden auf den gonadotropen Stimulus, was zu Hypertestosteronismus führt (frühe Glatzenbildung und Hypersexualität alter Männer).

Tierexperimente haben gezeigt, dass man diese regulative hypophyseale Aktivität verhindern kann, indem man Kohlenhydrate in der Nahrung auf Mengen reduziert, wie sie in der Zeit vor der Erfindung des Ackerbaus gegeben waren. Die Reaktion des Organismus auf einen hohen Kohlenhydrat-Anteil in der heutigen Kost besteht zum großen Teil darin, dass sich endokrine Zellen wie Adenomzellen verhalten; diese sind in allen endokrinen Organen vorhanden und produzieren mehr Hormon als nötig, wenn eine erhöhte Nachfrage besteht, was bei hoher Kohlenhydratzufuhr der Fall ist. Auf diese Eigenart des endokrinen Systems trifft der Ausdruck „Adenomisierung" zu. Sie scheint hauptsächlich für die falsche Reaktion des hormonellen Systems auf Kohlenhydrate verantwortlich zu sein.

Kohlenhydrate stimulieren Ovarien

Weitzel und Buddecke[1] haben gezeigt, dass alternde Hühner, abhängig von der

Kohlenhydrat-Menge im Futter, ähnliche arteriosklerotische Veränderungen aufweisen wie der Mensch[1,2]. Ich hatte damals dem Bauern, der meine Hühner versorgte, die Eier als eine Art Vorauszahlung angeboten. Nach Beendigung meiner Versuche bemerkte er etwas boshaft, dass meine Hühner (bei kohlenhydratarmem Futter) weniger und kleinere Eier legten. Ich erinnere mich auch an die Antwort einer Bäuerin auf meine Frage, warum sie ihren Hennen soviel Getreide zufüttere, obwohl die Tiere auf dem Feld genug Nahrung fänden: „Sie würden sonst keine Eier legen".

Ich schloss daraus, dass die Kohlenhydrate im Getreide stimulierend auf die Eierstöcke wirken. Diese Schlussfolgerung wird untermauert durch die Tatsache, dass unsere Rhode-Island-Hühner, deren Eier braun sind, bei kohlenhydratarmem Futter hellere Eier legen. Das passt zu der Beobachtung, dass Patienten mit Morbus Addison eine dunklere Hautfarbe bekommen, was durch vermehrtes melanotropes Hormon aufgrund einer stärker gestressten Hypophyse erklärt wird.

Bei meinen Untersuchungen an fettsüchtigen Kindern[6] habe ich Veränderungen bei oralen Glukose-Toleranz-Tests (oGTT) beobachtet, was die Beobachtungen bei unseren Hennen erklärt. Bei diesen Tests zeigten fette Kinder generell niedrigere Glukosewerte als normalgewichtige Kinder, was auf Hyperinsulinismus hindeutet (vergleiche Abb. 8 auf S. 38). Der Blutzucker kehrte verzögert auf seinen Grundwert zurück, was als „Gegenregulation" bekannt ist[3]. Man nimmt an, dass diese Reaktion vom Gehirn ausgeht, das sich hauptsächlich von Glukose ernährt und verhindern will, dass der Blutzucker auf Werte abfällt, die die Funktionstüchtigkeit dieses wichtigen Organs nicht mehr gewährleisten. Es ist bekannt, dass bei Hypoglykämien Zucker auch aus Glykogen gewonnen werden kann, das in der Leber und in Muskeln gespeichert ist. Das Gehirn kann im äußersten Notfall auch den Abbau von Fettsäuren auf der Stufe der Ketonkörper anhalten und sich von diesen ernähren[5]. Es ist ein Missverständnis, dass Kohlenhydrate dazu nötig sind, Ketonkörper als letzten Schritt im Fettsäurenverbrauch zu verbrennen; dies ist nur Notnahrung für das Gehirn, wenn kein Zucker vorhanden ist.

Man nimmt generell an, dass der normale gegenregulative Schutzmechanismus des Gehirns gegen Hypoglykämie darin besteht, dass das Gehirn ACTH-Releasing-Hormon (ACTH-RH) produziert[4], um die Hypophyse zur Produktion von ACTH anzuregen, was wiederum die Nebennierenrinde zur vermehrten Produktion von Cortisol anregt, um die Leber zu befähigen, mehr Zucker aus Proteinen herzustellen und damit eine Hypoglykämie zu verhindern. Diese Aktivität der Leber macht offensichtlich einen großen Teil ihrer Leistung aus. Sie kann in extremen Fällen zu Schwellung und Verhärtung dieses Organs führen – Symptome, die häufig missverstanden werden, die aber verschwinden, wenn man den Zuckerstoffwechsel korrigiert.

Eine Nebenwirkung dieser Gegenregulation[3] ist die Produktion von Geschlechtshormonen in den Zellen, die für die Produktion von Cortisol verantwortlich sind, hervorgerufen durch das gleiche Hormon, ACTH, das anscheinend auch die Produktion von Aldosteron in der Nebennierenrinde stimuliert. Dies dürfte mindestens teilweise für die Neigung der Kohlenhydratesser zum arteriellen Hochdruck verantwortlich sein. Es scheint, dass die Gegenregulation bei Hypoglykämien nicht von den schon aufgeführten hormonellen Nebenwirkungen getrennt werden kann, so dass die kombinierte Wirkung wahrscheinlich von Natur aus geplant war. Das Gleiche könnte gelten für die gemeinsame Produktion von Zucker für die Gegenregulation und Geschlechtshormonen in den Nebennieren.

Östrogene aus der Nebenniere

Die adrenalen Geschlechtshormone werden primär als Androgene (Androstendion) ausgeschüttet und sekundär in der Leber und im Fettgewebe in Östrogene umgewandelt, was bei beiden Geschlechtern hormonelle Störungen verursacht. Unter einer kohlenhydratarmen Diät für fettsüchtige Erwachsene habe ich bei Männern ein Abschwellen der Brüste beobachtet, was den Verdacht hervorruft, dass bei diesen Patienten neben der Zunahme an Fettgewebe ein hormoneller Stimulus aktiv ist. Deshalb habe ich zusammen mit dem verstorbenen Wiener Endokrinologen H. Iselstöger weibliche Hormone im Urin von Patienten beider Geschlechter bestimmt. Sie lagen viel höher bei Patienten mit hohem Kohlenhydrat-Verzehr als bei einer kohlenhydratarmen Kost[7] (Abb. 10 auf S. 46) – die hormonelle Wirkung der Gegenregulation.

Dies beeinflusst anscheinend auch das männliche Sexualverhalten, was von Patienten, die schon längere Zeit Diät hielten, oft sehr positiv eingeschätzt wurde. Natürlich gilt dies auch für Frauen, denn die weiblichen adrenalen Hormone kommen zusätzlich zu den Hormonen, die von den weiblichen Gonaden produziert werden, was zu Symptomen in den weiblichen Geschlechtsorganen (Brustschmerzen, Menstruationsanomalien) führt. Ich habe mich immer gefragt, was in der medizinischen Literatur damit gemeint ist, dass Frauen ihre Eierstöcke für Libido und sexuelle Befriedigung nicht brauchen, im Unterschied zu Männern nach einer Kastration: Frauen können die weiblichen Hormone der Gegenregulation verwenden. Dies ist einer der Gründe, weshalb Eierstöcke von Chirurgen oft als überflüssige Organe betrachtet werden! Ich bin davon überzeugt, dass Impotenz der Männer und deren Äquivalent bei Frauen durch den Einfluss der adrenalen Geschlechtshormone verursacht werden - und damit durch Kohlenhydrate.

Aber wie reagiert die Hypophyse auf die Gegenregulation? Man würde erwarten, dass ihre gonadotrope Aktivität angesichts der adrenalen Geschlechtshormone reduziert ist, da ihre gonadotrope Aktivität der gonadalen Aktivität der untergeordneten Organe (Eierstöcke und Hoden) angepasst sein sollte. Nach dieser Annahme würden wir erwarten, dass die klimakterischen Symptome aufgrund der Hypophysen-Hyperaktivität (wie später erklärt) durch Kohlenhydrate gemildert werden. Dies ist aber nicht der Fall.

Zwei-Komponenten-Theorie

Nach einer Theorie des verstorbenen Prof. Jürgen Schole von der tiermedizinischen Abteilung der Universität Hannover gibt es eine Regulation im Gehirn, die den Energiestoffwechsel bestimmt. Nach lebenslangen Tierexperimenten propagierte Schole seine „Zwei-Komponenten-Theorie"[8]. Diese Hypothese besagt, dass das limbische System im Gehirn einerseits den Verbrauch von Energie und andererseits den Aufbau von Substanz reguliert. Dieses Gleichgewicht verbindet die beiden Seiten, da unbegrenzter Energieverbrauch den Organismus bis auf null abbrennen würde und daher eine gewisse Menge an Substanz erhalten bleiben muss. Schole nannte die Kräfte, die Energie verausgaben, katabol (diese sind Cortisol und die Schilddrüsenhormone T-3 und T-4), und jene, die Substanz konservieren oder aufbauen, anabol (Geschlechtshormone und Wachstumshormon).

Da Insulin eine sehr stark anabol wirkende Substanz ist, verstand ich sofort, wieso fettsüchtige Kinder und übergewichtige schwangere Frauen oft „Striae" haben (blau-rote Streifen in der Haut hauptsächlich über Organen, die sich im Wachstum befinden), sehr ähnlich denen, die man in Fällen adrenaler Hyperfunktion wie beim Cushing-Syndrom beobachtet. Ich habe noch nie eine plausible pathogenetische Erklärung für diese Striae gehört, aber es ist klar verständlich, dass in Zeiten erhöhter Östrogen-Aktivität (Pubertät und Schwangerschaft), wenn die anabole Seite des Hormon-Gleichgewichts durch das hoch-anabole Hormon Östrogen überwiegt, jegliches zusätzliche Insulin (Kohlenhydrate) zu einem noch größeren Ungleichgewicht führt, so dass das Gehirn die katabole Seite mit mehr Cortisol (Striae) und mehr Schilddrüsen-Hormonen zur Hilfe holen muss (daher oft eine Schilddrüsen-Vergrößerung während Pubertät und Schwangerschaft).

Weibliches Klimakterium

Aber wie erklärt sich der Einfluss der Hypophyse auf menopausale Probleme und mit ihm der Einfluss von Kohlenhydraten auf das Eierlegen der Hühner? Der Kohlenhydratesser leidet an einem konstanten Übergewicht der katabolen Seite der Gegenregulation, so dass das Gehirn die anabole Seite stärken muss. Angesichts der lange bekannten Tatsache, dass Kohlenhydrate die Wirkung des Wachstumshormons durch das Antihormon Somatostatin verringern, das proportional zur konsumierten Kohlenhydrat-Menge ausgeschüttet wird[8], hat das Gehirn nur die Geschlechtshormone zur Verfügung. Es regt deshalb die Gonaden durch das Gonadotropin der Hypophyse an, mehr anabole Geschlechtshormone zu produzieren. Deshalb haben wir bei Hennen, die mit Kohlenhydraten gefüttert wurden, post mortem sehr aktive Eierstöcke beobachtet! Frauen fühlen den hypophysealen Stimulus als Hitzewallungen und Schweißausbrüche, während die Hennen vermehrt Eier legen. Wir können die Hennen nicht fragen, ob sie unter menopausalen Symptomen leiden, aber wir können sicher sein, dass sie dies tun.

Wir können dies auch bei Männern erwarten, die, so wie Frauen nach einem kohlenhydratreichen Leben, einen Überschuss an katabolen Hormonen haben, gegen den ihr Gehirn anabole Hormone (Testosteron) mobilisiert. Wir können dies nicht post mortem an ihren Gonaden verifizieren, sondern müssen es an Testosteron-induzierten Wirkungen ablesen: erhöhtes Sexualverlangen und verfrühte Glatzenbildung, beides bekanntlich Symptome von Hypertestosteronismus (unterstützt durch einen niedrigen Spiegel an Wachtumshormon bei Kohlenhydratessern). Aber trotz dieser ähnlichen Veränderungen der unterliegenden Hormone haben Männer keine menopausalen Symptome, solange sie nicht kastriert sind.

Der Grund für diesen Unterschied ist, dass die weiblichen Gonaden offensichtlich gegen eine Schwangerschaft im späteren Leben geschützt sind. Es wäre eine zu große Belastung für eine ältere Frau, ein Kind auszutragen und genug Substanz bereitzustellen, um dieses Baby in den ersten Lebensjahren zu ernähren. Dies könnte die Lebenserwartung der Frauen verringern, die immer noch gebraucht werden, um die Familie oder Lebensgemeinschaft zusammenzuhalten, wenn die Männer abwesend sind, um zu jagen oder Krieg zu führen. Die Natur bietet also einen Schutzmechanismus für die Eierstöcke am Ende der reproduktiven Lebensphase der Frauen. Die Gonaden der Männer bleiben dagegen intakt, um jüngere Frauen schwängern zu können; sie erhalten somit der Gemeinschaft wertvolle Gene der älteren Männer. Die Natur hat diesen Mechanismus entwickelt, bevor Menschen das „ius primae noctis" eingeführt haben.

Die Natur schätzt also ab, ab wann eine Frau davon entlastet werden muss, ein lebensfähiges Kind hervorzubringen, und verhindert ab dann, dass ihre Gonaden weiterhin auf die Stimulation der Hypophyse ansprechbar bleiben. Dies wird natürlich auch von der Ernährung beeinflusst. Eine Frau, die viele Kohlenhydrate isst, wird ihre Menopause (Unansprechbarkeit der Gonaden auf die Hypophyse) früher erreichen als eine Frau, die wenig Kohlenhydrate isst.

Kein Brustkrebs im Iglu

Vilhjalmur Stefansson, ein isländischer Anthropologe und Mediziner, hat über 15 Jahre die Inuit im kanadischen Norden besucht. Er hat nie bei einer Eskimo-Frau (die ihre Brüste im Iglu unbedeckt lässt) einen Brustkrebs gesehen[13]. Stefansson besuchte nacheinander mehrere Eskimo-Stämme und teilte ihre Lebensweise – natürlich auch ihre Kost, die keine Kohlenhydrate enthielt. Er nahm an, dass dies der Urnahrung der Menschen entsprach und daher verantwortlich war für ihre Gesundheit. In seinem Buch „Cancer, Disease of Civilisation" berichtete er, dass Krebs bei den Inuit, soweit sie ihre urtümliche Fleischkost verzehrten und nicht die von den Missionsstationen verteilten Kohlenhydrate, so gut wie unbekannt war. Ihre Stammesgenossen, die auf den Missionsstationen mit amerikanischer Kost versorgt wurden, wiesen dagegen mit der Zeit die bei uns bekannten Zivilisationskrankheiten auf – inklusive Krebs. Wahrscheinlich war Stefansson somit der Erste, der den Zusammenhang zwischen Ackerbau und Krankheit erkannte.

Aus Stefanssons Beobachtungen schließe ich folgendes: Eskimo-Frauen, die sich ohne Kohlenhydrate ernähren, erkranken nicht an Karzinomen der Geschlechtsorgane, weil bei ihnen die gonadotropen Aktivitäten nicht stimuliert werden. Deshalb bleiben sie auch von den Beschwerden der Menopause verschont. Frauen unter kohlenhydratarmer Kost erleben das Ende ihrer fruchtbaren Zeit nur durch das Ausbleiben der Menstruation. Sie entwickeln auch keine Osteoporose, weil ihre Gewebsqualität nicht durch katabole Stoffwechseltendenzen beeinträchtigt wird

– ebenso wenig wie ihr Wachstumshormonspiegel.

Man muss stets im Auge behalten: Der Wachstumshormonspiegel im Blut ist nicht nur zuständig für die eigentliche Wachstumsperiode, sondern auch lebenslang für die Gewebequalität. Er ist am höchsten nach der Geburt, fällt während der Pubertät etwas ab, bleibt aber dann bis ins Alter auf einem gewissen Pegel erhalten. Beim Kohlenhydratesser sinkt er aus Regulationsgründen zwangsläufig ab, was mit negativen Einflüssen auf die Qualität sämtlicher Gewebe verbunden ist.

Wir müssen also zwei verschiedene Wirkweisen der Kohlenhydrate auf das hormonelle System betrachten. Die eine kommt von der Gegenregulation der Nebennierenrinde. Sie produziert weibliche Hormone bei beiden Geschlechtern. Die andere stimuliert die Gonaden und produziert männliche Hormone bei Männern und weibliche Hormone bei Frauen. Je nach Geschlecht und Wirkung von Kohlenhydraten auf eine individuelle Person ist ein Gemisch an Hormonen zu erwarten. Bei Frauen ist das Resultat mehr weibliche Hormone, da diese von beiden Seiten kommen – von den hypophyseal unterstützten Gonaden und von der Nebennierenrinde (Gegenregulation). Das bedeutet, dass die Verweiblichung bei Frauen sehr verstärkt ist (möglicherweise Grund für das erhöhte Krebsrisiko weiblicher Geschlechtsorgane zu Zeiten erhöhter gonadotroper Aktivität am Ende der reproduktiven Lebensjahre der Frau).

Bei kohlenhydratessenden Männern könnten die gegenregulativen weiblichen Hormone der Nebennierenrinde durch eine vermehrte Ausschüttung von Gonadotropin kompensiert werden, um Scholes Gleichgewicht mit mehr Testosteron wiederherzustellen. Daher tendieren Männer zur Glatzenbildung, wenn das Wachstumshormon mit dem Alter abnimmt, und zu Krebs der männlichen Geschlechtsorgane, besonders dann, wenn diese zum Teil aus dem weiblichen fetalen Müller-Gang entstanden sind und deshalb auf weibliche Hormone ansprechen (Prostata).

Menopausale Symptome entstehen, wenn die Hypophyse aggressiv nach mehr Gonaden-Aktivität verlangt und die Gonaden nicht darauf ansprechen können (wollen). Dies betrifft nur die Eierstöcke, die natürlicherweise ab einem bestimmten Alter vor dem gonadotropen Stimulus geschützt sind, wie bereits oben erklärt wurde.

Dies beantwortet die lange und bitter umstrittene Frage, ob es überhaupt ein männliches Klimakterium gibt: Die hormonelle Situation ist die gleiche. Bei Frauen führt sie zum Klimakterium, charakterisiert durch geschützte Gonaden, die auf gonadotrope Stimulation nicht mehr ansprechen. Die männlichen Gonaden sind nicht geschützt – daher keine menopausalen Symptome.

Über lange Jahre war es medizinische Schulmeinung, dass das Klimakterium durch einen Mangel an Geschlechtshormonen verursacht wird, eine Meinung, die durch die Wirksamkeit der weiblichen Hormonersatz-Therapie bestätigt wird. Da die Hormongaben menopausale Symptome verhindern, hat man angenommen, dass sie auch Osteoporose verhindern. Später stellte sich heraus, dass die Hormonersatz-Therapie für den Anstieg von Brust- und Gebärmutterkrebs verantwortlich sein könnte. Wir sind also offensichtlich in der Behandlung klimakterischer Beschwerden auf der falschen Fährte.

Seit ich erfahren habe, dass mein Hühnerhalter mit meinen kohlenhydratarm ernährten Hennen Auszeichnungen für schönes Gefieder und gute Körperkomposition erhalten hatte, bin ich mir ziemlich sicher, dass dies das Gegenstück zu gesunden Knochen unserer Frauen ist: dass Frauen bei einer kohlenhydratarmen Diät am Ende ihrer Fortpflanzungsjahre nicht nur frei von menopausalen Symptomen wären, sondern auch eine bessere Körperbeschaffenheit und keine Osteoporose hätten. Sie würden reibungslos von ihrer Rolle als Mütter in die von Großmüttern gleiten, ohne dabei an Schönheit zu verlieren und ohne eine klimakterische Phase mit so vielen Problemen und Gefahren durchzumachen. Ich habe versucht, mit Ärzten an der feuchten Westküste von Grönland in Verbindung zu treten, wo die Menschen immer noch ohne Kohlenhydrate leben, um zu erfahren, ob die Frauen dort überhaupt ein Klimakterium erleben, aber ich habe leider keine brauchbaren Informationen erhalten.

Wir sind jetzt wieder da, wo wir mit unseren Hennen und unseren fettsüchtigen Kindern mit ihren abnormen Glukosetoleranztests angefangen haben. Wir können das System, das unser Körper entwickelt hat, um sich den verschiedenen Anforderungen unserer Umwelt anzupassen, nicht verändern. Für Geflügel und Menschen war die Zeit, sich seit dem Beginn des Ackerbaus an eine veränderte Kost anzupassen, jedenfalls zu kurz. Wir sehen die unvollständige Anpassung an Kohlenhydrate an der Reaktion der Betazellen von fettsüchtigen Kindern, die genetisch weniger fähig sind, mit einer kohlenhydratreichen Nahrung fertig zu werden. Ich frage mich, warum diese Betazellen mehr Insulin produzieren, als nötig ist, den Zucker aus der Nahrung zu resorbieren und weiter zu verstoffwechseln. Dies führt zu einer Tendenz zur Hypoglykämie, die am Anfang der so genannten Insulinresistenz steht[14,15,16], welche man als die Ursache unserer Zivilisationskrankheiten, zumindest des Diabetes, ansieht. Alle endokrinen Zellen tendieren dazu, mehr zu produzieren, als nötig ist. Dies führt schließlich zu einem Adenom, dem Endstadium der Überproduktion. Diese Eigenschaft ist offensichtlich früh in der Entwicklung eines Adenoms vorhanden; sie befreit endokrine Zellen von der Gehorsamkeit gegenüber übergeordneten Organen.

Der beste Weg wäre, den Hyperinsulinismus auszuschalten und damit die Adenomisierung der Gegenregulation. Aber bevor dies möglich ist, müssen wir mit unserer Ernährung zurückgehen auf die Zeiten vor der Erfindung des Ackerbaus. Das würde das endokrine System normalisieren und unsere Gesundheit insgesamt verbessern.

Die Insulinresistenz, Vorläuferin eines Diabetes, ist meiner Ansicht nach ein Ergebnis der Adenomisierung. Diese beginnt damit, dass die Betazellen mehr Insulin produzieren, als zur Regulierung des Blutzuckerspiegels nötig ist. Daraus entsteht die Hypoglykämie, welche die Gegenregulation durch Hypophyse und Nebennierenrinde hervorruft. Beide Hormondrüsen verfallen der Adenomisierung.

Daraufhin produziert die Leber mehr Zucker aus Protein, was wiederum den Insulinausstoß erhöht. Damit wächst die Neigung zur Hypoglykämie – vor allem während der Nahrungspause in der Nacht. Ein Diabetes Typ 2 hat sich entwickelt, wenn die Gegenregulation sogar dann einsetzt, wenn der Nüchtern-Blutzucker erhöht ist. Die verzehrten Kohlenhydrate erhöhen die Aktivitäten der Betazellen und setzen die gesamte Gegenregulation in Gang.

Ich habe zeigen können, dass konsequenter Verzicht auf Kohlenhydrate günstig auf die Insulinresistenz einwirkt, aber wir können nicht erwarten, dass die Hyperaktivität der endokrinen Zellen sofort zum Stillstand kommt. Nur die Osteoporose bessert sich rasch, weil sie vermutlich stärker auf das Somatostatin anspricht als auf die Gegenregulation.

Je mehr ich über Gegenregulation und Insulinresistenz nachgedacht habe, umso stärker ist mir die Bedeutung des Zeitfaktors klar geworden, der das Auf und Ab der endokrinen Anpassungen beeinflusst. Er wirkt sich auch auf die Reaktionen auf eventuell schon stattgehabte Veränderungen der Umweltbedingungen aus. Nachdem die Amerikaner begonnen hatten, per Schiff Nahrungsmittel mit hohem Kohlenhydratgehalt zu den Eskimos, die zuvor nur von Jagd und Fischfang gelebt hatten, zu importieren, vergingen zwei Generationen von Kohlenhydratessern, bevor sich bei ihren Nachkommen Diabetes zu entwickeln begann. Futter, das wenig Kohlenhydrate enthielt, schützte ältere Hennen viel weniger vor der Entwicklung einer Arteriosklerose als Tiere, die vom Kükenstadium an kohlenhydratarm ernährt wurden. Der negative Einfluss der Kohlenhydrate auf junge Menschen kann später kaum rückgängig gemacht werden. Unser endokrines System ist unfähig, sich radikal zu verändern.

Literatur

1) Weitzel, G., E. Buddecke: Klin. Wochenschrift 34 (1956), 1171
2) Lutz, W, G. Andresen, E. Buddecke: Untersuchungen über den Einfluss kohlenhydratarmer Diäten auf die Arteriosklerose des Huhnes im Langzeitversuch: Zentralblatt Vet. Med. A. 23 (1976), 635
3) Orth, D. N., W. Kovaks, C. R. Debold: The Adrenal Cortex; Williams Textbook Endocrinology, 8th edition; J. D. Wilson, D. W. Foster, eds., W B. Saunders C.
4) Orth, D. N.: Corticotropin Releasing Hormone in Humans. Endocr. Rev. 13, (1992), 164
5) Laube, H., K. E. Köhler, H. Ditschuneit, E. E. Pfeiffer: Dtsch. Med. Wschr. 97, (1972), 830
6) Lutz, W: Das endocrine Syndrom des adipösen Jugendlichen: Wien. Med. Wschr. 1964
7) Lutz, W., H. Iselstöger: Münch. Med. Wschr. 102 (1960), 1963
8) Schole, J., W. Lutz: Regulationskrankheiten. Ferdinand Enke Verlag., Stuttgart 1988
9) Sagild, U., J. Littauer, C. S. Jespersen, S. Andersen: Acta Med. Scandinav. 179 (1066), 29. ke
10) Lutz, W.: Leben ohne Brot. 1.-14. Auflage, Informed GmbH, D-82166 Gräfelfing
11) Allan, C., W. Lutz: Life without Bread, McGraw-Hill, New York 2000
12) Lutz, W.: The Colonisation of Europe and our Civilatory Diseases; Medical Hypothesen. 45 (1995), 115-120
13) Stefansson, V : Cancer, Disease of Civilisation; Hill & Wang, New York, 1960
14) Reaven, G.: Insulin Resistence and Human Disease: A Short History. J. Basic Clinical Physiol., Pharmacol. 9 (1998), 387-406
15) Reaven, G.: Syndrome X: TenYears after. Drugs 1999; 58. Suppl. 1: 19-20; Discussion 75-82
16) Worin, N.: Syndrom X oder ein Mammut auf dem Teller. Hallwang, Bern und München 2000

Magen – Darm

Sieht man in den Kohlenhydraten unnatürliche und schädliche Nahrungsbestandteile, dann erscheint es einem durchaus verständlich, dass der Magen-Darm-Trakt in besonderem Maße betroffen ist. Steht er doch in vorderster Front. Der Vorschlag einer kohlenhydratarmen Ernährung zur generellen Behandlung dieser Gruppe von Krankheiten, wie er hier erfolgen wird, ist daher nahe liegend, wenn er auch allem Bisherigen widerspricht. Zwar wurde empfohlen, Industriezucker und Weißmehl bei der einen[1, 2], gliadinhaltige Getreidearten bei einer anderen Gruppe von gastrointestinalen Krankheiten[3–6] zu meiden; in den Kohlenhydraten an sich erblickt man aber anscheinend bis heute keine unerwünschten Energieträger.

Zu viel Säure

Das erste Symptom, das nach Kohlenhydratentzug oft verschwindet, ist das lästige Sodbrennen. Mag es noch so heftig sein und mögen auch besondere lokale Begünstigungen durch Rückfluss von Magensaft in die Speiseröhre vorliegen, wie etwa bei einem Zwerchfellbruch („Hiatushernie") – man wird mit großer Wahrscheinlichkeit Erfolg haben. Und wenn die Patienten dann später wieder kommen und sagen, diese Diät würde ihnen nicht mehr helfen, sie hätten wieder Sodbrennen und saures Aufstoßen, dann gehe man mit ihnen ihren Speisezettel durch, und man wird die Sünden an Kohlenhydraten finden, die sich inzwischen eingeschlichen haben; oder man suche nach einem gastrointestinalen Infekt und behandle ihn.

Die Kohlenhydrate stören offensichtlich irgendwie die normale Säureregulation, d.h. sie bringen Unordnung in eine von der Natur gewollte Einrichtung, die Magensäfte nur dann produzieren lässt, wenn noch etwas zu verdauen ist. Nur der kranke Magen erzeugt auch im leeren Zustand Verdauungssäfte, und wir erblicken in dieser „Nüchternsekretion" die Voraussetzung für seine Selbstverdauung bei einem Magengeschwür, wenigstens, wenn es am Magenausgang, am Zwölffingerdarm oder bei einem bereits operierten Magen am künstlichen Ausgang auftritt. Dass überschüssige Magensäure die Ursache oder doch eine Voraussetzung der Geschwürsbildung darstellt, ergibt sich allein daraus, dass das typische Geschwür nur im Magen und seiner unmittelbaren Nachbarschaft angetroffen wird, wo ein Kontakt mit Magensaft möglich ist.

Wenn eine Magenoperation bei einem Geschwürskranken kunstgerecht durchgeführt, d.h. wenn der Magen so weit verkleinert wurde, dass keine Säure mehr erzeugt werden kann, dann herrscht im allgemeinen Ruhe. Es gibt aber seltene Fälle, wo immer wieder neue Geschwüre auftreten, obwohl bereits bei einer zweiten und dritten Operation vom Magenstumpf etwas abgeschnitten wurde. Wenn man diesen Patienten eine Magensonde einlegt, dann ergießt sich aus ihr auch ohne Nahrungszufuhr oder „Probefrühstück" saurer Magensaft in überraschender Menge. Bei der labormäßigen Magensaftbestimmung ähneln diese Patienten solchen mit Zwölffingerdarmgeschwür, indem sich das Nüchternsekret, d.h. die Menge an Säure, die schon vom leeren Magen erzeugt wird, der so genannten Maximalsekretion nähert. Unter dieser versteht man diejenige Salzsäuremenge, die der Magen erst bei starker Reizung der Magendrüsen (während der Nahrungsaufnahme oder durch Histamin) bildet. Es besteht dann der Verdacht auf ein so genanntes Zollinger-Ellison-Syndrom[7–10], ein Krankheitsbild, das durch die beiden genannten amerikanischen Autoren vor Jahren erstmals beschrieben wurde. Man hat bei diesen Patienten Tumoren oder doch tumorähnliche Wucherungen im Inselorgan feststellen und operativ entfernen können.

Gastrin

In diesen Operationspräparaten fanden sich Zellen, die den so genannten A- (oder Alpha-)Zellen eines normalen Inselorganes am ähnlichsten waren[11, 17], und man konnte aus ihnen große Mengen einer Substanz extrahieren, die sich als sehr säurelockend erwies und schließlich als „Gastrin" identifiziert wurde[13].

Gastrin ist nun das Sekretionshormon des Magens. Es ist zwar nicht der einzige, aber sicher der wichtigste Säurelocker. Ich möchte hier auf die Physiologie der Magensekretion nicht näher eingehen, weil uns dies doch zu weit von unserem eigentlichen Thema abbringen würde. Doch sei erwähnt, dass es neben nervösen Einflüssen, die uns schon beim Anblick oder Geruch von Speisen oder wenn wir den Gong zum Mittagessen hören, das Wasser im Munde zusammenlaufen lassen, in erster Linie eben jenes Gastrin ist, welches beim Essen die Magensaftsekretion in Gang kommen lässt[14, 15]. Es entsteht am Boden der Schleimhautdrüsen des Magenausganges, wenn dieser mit Speisen in Kontakt kommt, wird in die Blutbahn abgegeben und erreicht so die Drüsen am Mageneingang, im so genannten Fundus, wo Salzsäure und eiweißspaltende Fermente (Pepsin, Kathepsin) produziert werden und wo es direkt und indirekt auch die Bewegungen des Magens, insbesondere den Entleerungsmechanismus beeinflusst (Abb. 16).

Der Magen hat damit eine Art Selbststeuerung. Nimmt er Speisen auf, dann bildet sich Gastrin, und dieses veranlasst die Absonderung von Fermenten und von Salzsäure, die zur Verdauung im Magen notwendig sind. Ist der Mageninhalt damit

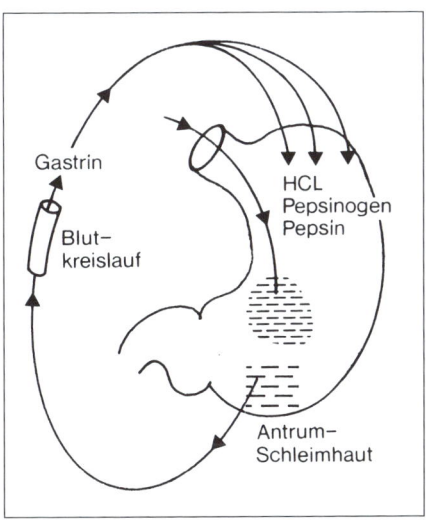

Abb. 16: Mechanismus der physiologischen Gastrinbildung; die Säureproduktion ist zeitlich an die Verdauungsperiode bzw. die Anwesenheit von Nahrung im Magen gebunden.

entsprechend gesäuert, dann öffnet sich der Pförtner, und der (saure) Inhalt tritt in den Zwölffingerdarm über.

Dort werden umgekehrt jetzt Substanzen frei, welche die Tätigkeit der Bauchspeicheldrüse anregen und damit auch die Neutralisierung der vom Magen gelieferten Säure bewirken, während gleichzeitig der Austritt von weiterem saurem Mageninhalt gestoppt wird.

Es ist nun sehr bedeutsam, dass bei allen Fällen von Übersäuerung, beim Magen-, besonders aber beim Zwölffingerdarmgeschwür und in extremem Maße beim Zollinger-Ellison-Syndrom, zu viel Gastrin produziert wird und dass dieses Gastrin nicht aus dem Magen, sondern aus der Bauchspeicheldrüse stammt[13, 16–23].

Polypeptidhormone aus der Bauchspeicheldrüse

In den letzten Jahren hat man im so genannten Verner-Morrison-Syndrom[24–29] das Spiegelbild des Zollinger-Ellison-Syndroms gefunden, mit Durchfällen, niedrigen Blutkaliumwerten und einem Mangel an freier Magensäure. Kleinere Geschwülste in der Bauchspeicheldrüse mit erhöhtem Gehalt an Sekretin, einem Hormon ähnlich dem Gastrin, aber von unterschiedlicher Wirkung, können dabei vorkommen. Die beiden Krankheitsbilder (nach Zollinger-Ellison bzw. Verner-Morrison) sind aber nicht so streng voneinander getrennt, wie es nach dieser Schilderung erscheinen mag; ihre Symptome bieten sich in verschiedenen Mischformen an, kombiniert mit Störungen aus dem diabetischen Formenkreis, also mit Blutzuckeranstieg oder mit Unterzuckerungen ("Hy-pos"), wie bei den Geschwülsten der Betazellen.

Solche Patienten haben oft auch Kopfschmerzen und Hitzewallungen, die zeitlich mit der Nahrungsaufnahme zusammenhängen. Man kann dann im Blut und im Harn erhöhte Werte für ein weiteres Hormon, das Serotonin, finden, von dem man glaubt, dass es aus den so genannten hellen Zellen stammt, die auch im Inselorgan des Pankreas vorkommen und die nach Ansicht mancher Forscher[30–33] den Mutterboden aller Inselzellen bilden.

„Pankreasgang-Syndrom"

Es kann kein Zweifel daran bestehen, dass alle diese Hormone aus den Inseln der Bauchspeicheldrüse kommen. Alle Inselzellen, gleich, welche Hormone sie erzeugen, stammen aber vom primitiven Ausführungsgang ab, der beim Embryo der Gegend des Magenausganges entsprießt (Abb. 17). Die Entwicklungsgeschichte, die schon oft schwierige funktionelle Zusammenhänge aufgeklärt hat, weist uns damit darauf hin, dass im Inselorgan eigentlich eine Regelvorrichtung für den oberen Verdauungstrakt (Magen, Zwölffingerdarm und Dünndarm) vorliegt, die über einen ganzen Fächer von Hormonen verfügt.

Die einzelnen Glieder dieses Fächers, die Betazellen und die anderen Inselzellen (Non-Beta-Zellen genannt) mit ihren Polypeptidhormonen, sind begreiflicherweise nahe miteinander verwandt und damit auch funktionell verbunden. Sie reagieren zwar einzeln je nach Bedarf, bei sehr starker Reizung ist es aber doch verständlich, dass sie gemeinsam ansprechen, etwa wie Ge-

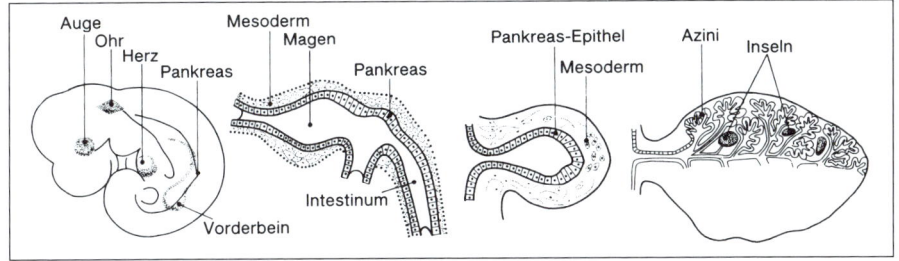

Abb. 17: Entwicklung des Pankreas beim Mäuse-Embryo (nach Scientific American 1969)

schwister, wenn eines von ihnen in Schwierigkeiten gerät.

Wahrscheinlich ist es also so, dass ein starker Reiz auf einen der Abkömmlinge des Pankreasganges schließlich alle anregt. Es wird dann nicht nur Insulin und Glukagon, sondern auch Gastrin, Sekretin, Serotonin und vielleicht noch etwas bisher Unbekanntes produziert, wobei das gegenseitige Mengenverhältnis dieser Produkte für die Ausprägung der verschiedenen Krankheitsbilder verantwortlich ist. Steht das Insulin im Vordergrund, kommt es zu Unterzuckerungserscheinungen, sofern nicht, wie schon erörtert, der Organismus mit seinen Gegenmaßnahmen einspringt; auch Fettsucht und Diabetes gehören hierher. Beim Glukagon liegen die Dinge zwar weniger klar, sicherlich gibt es aber auch einen „Hyperglukagonismus", dessen Symptomatik wir im Kohlenhydratstoffwechsel und im Bereich des oberen Verdauungstraktes bzw. der Leber zu suchen haben werden. Vermehrtes Gastrin führt zum Anstieg der Säureproduktion bzw. je nach der Konstellation disponierender Faktoren zum Geschwür.

Ein Übermaß an anderen Polypeptidhormonen führt zu Magensaftmangel und zu Erscheinungen einer Dünn- bzw. Dickdarmentzündung mit Durchfällen.

Serotonin schließlich erzeugt Hitzewallungen 30 bis 60 Minuten nach dem Essen, verbunden mit Kopfschmerzen. Damit entsteht ein Zustand, der bestimmt allen Ärzten von ihren Magen-Darm-Patienten her wohlbekannt ist. Auch dieser Patient spricht meiner Erfahrung nach prompt auf eine Kohlenhydratbeschränkung an.

Das „Pankreasgang-Syndrom" enthält damit alle Bausteine, die wir benötigen, um uns die geläufigen Beschwerden unserer Magen-Darm-Patienten zusammenzusetzen.

Was bewirkt nun die Überfunktion der Abkömmlinge des Pankreasganges? Da das Haupthormon zweifellos das Insulin ist, das zur Verwertung von Kohlenhydraten dient, wird der Verdacht von vornherein in diese Richtung gelenkt.

Er wird bestätigt durch die bereits erwähnte Beobachtung, dass Sodbrennen, saures Aufstoßen, Hitzewallungen nach dem Essen usw. sofort verschwinden, wenn der Patient auf eine kohlenhydratarme Ernährung übergeht. Diese schränkt nämlich die Insulinproduktion ein. Offensichtlich sind es die Kohlenhydrate der Nahrung, welche zur Erregung im Pankreasgangsystem (hier: zu einer Überproduktion von Gastrin) führen.

Das Geschwür (Ulkus)

Ob es bei Übersäuerung zu einem Geschwür kommt, hängt aber von einigen zusätzlichen Faktoren ab. Einmal spielt die Widerstandskraft der Schleimhaut eine Rolle, die durch die Kohlenhydrate erniedrigt wird. Die Erfahrung hat mir auch gezeigt, dass beim Ulkus anscheinend oft die Fähigkeit der Nebennierenrinde, das nötige Cortisol für den Stoffwechsel zu erzeugen, gelitten hat. Denn das Geschwür entsteht nicht selten bei starker körperlicher oder seelischer Belastung und reagiert auf eine Unterstützung der „Stress"-Abwehr durch kleine Cortisondosen. Oft konnte ich ein Ulkus mit 5 mg Cortison täglich durch einige Wochen zur Abheilung bringen. Weil schon eine Diätumstellung Stress bedeutet, soll man vorsichtig zu Werke gehen und alten Leuten in schlechtem Ernährungszustand vorsorglich etwas Cortison verabreichen.

Je mehr ich sah, was man mit kohlenhydratarmer Diät bei Magen- und Darmkranken erzielen kann, umso unverständlicher erschienen mir manche Versager beim Ulkus. Ich erinnere mich sogar noch einzelner Patienten, z.B. eines Mannes mittleren Alters, dessen Geschwür unmittelbar nach dem Magenausgang (Pförtner) ich noch bildlich vor Augen habe und das sich zu meinem Erstaunen trotz glaubhaft eingehaltener Diät durch Wochen nicht zum Verschwinden bringen ließ.

Nicht, dass ich je an der Notwendigkeit einer kohlenhydratarmen Diät bei allen Menschen, vor allem aber bei Magen-Darm-Kranken gezweifelt hätte, aber es fiel mir ein Stein vom Herzen, als ich erstmals etwas vom „Helicobacter pylori" erfuhr. Australische Kollegen[3] haben diesen Erreger in Magen- und Zwölffingerdarmgeschwüren entdeckt, einen Keim, der es anscheinend nicht nur fertig bringt, in dem lebenswidrigen Milieu dort bei Säurewerten von bis zu 2,0 pH zu überleben, sondern dem es dabei sogar ganz gut zu gehen scheint, weil die Säure alle Konkurrenz ausschaltet.

Helicobacter pylori scheint auch eine chronische Gastritis verursachen, in den oberen Dünndarmbezirken vegetieren und in das Lymphsystem eindringen zu können. Inzwischen ist auch klar geworden, dass er nicht nur in den betroffenen Gebieten existiert, sondern dort auch Krankheitserscheinungen auslöst. Während man ihn anfangs nur aus mittels Gastroskopie (Magenspiegelung) entnommenen Gewebeproben nachweisen konnte, gibt es heute schon Labormethoden, die dies auf einfachere Art ermöglichen.

Die Infektion mit Helicobacter pylori geht meist in die Kindheit zurück, auch wenn sie sich in der Regel erst im Erwachsenenalter bemerkbar macht. Stubenfliegen sollen ihn vom Stuhl infizierter Personen auf Nahrungsmittel und damit auf andere Menschen übertragen können.

Wahrscheinlich sind es die oben beschriebenen Ulkusfaktoren, die dem Helicobacter pylori die Möglichkeit geben, als Krankheitserreger in Aktion zu treten (Immunschwäche und Abnahme der Gewebsresistenz wegen Mangels an Wachstumshormon etc.; denken Sie nur an die Hühneraugen). Man kann ihn durch eine Kombination von Medikamenten, die die Produktion der Magensäure hemmen, mit speziellen Antibiotika ausrotten, so dass die Geschwüre ausheilen und auch nicht mehr wiederkommen. Ich empfehle aber, es zunächst mit kohlenhydratarmer Diät zu versuchen, weil diese sowieso ein Übermaß an Säureproduktion – vor allem außerhalb der Mahlzeiten – abbaut, worauf sich die Behandlung zumindest vereinfacht. Jedenfalls sollte man bei einem diätresistenten Geschwür im Magen und Zwölffingerdarm an den Helicobacter pylori denken, im Magen jedoch die Möglichkeit eines Ulkus-Karzinoms nie völlig aus dem Auge verlieren.

Gastritis

Ursprünglich hat man geglaubt, auch die Schleimhautentzündungen einfach mittels einer Röntgenuntersuchung feststellen zu können, aber die in den letzten Jahren entwickelte Methode der Endoskopie, bei welcher man gefahrlos kleine Schleimhautstückchen aus dem Magen und Dünndarm herausschneiden kann, um sie unter dem Mikroskop zu untersuchen, hat uns näheren Einblick und Überraschungen gebracht.

Wir wissen heute, dass die Sache sozusagen mit übermäßiger Reizung der Schleimhaut und mit erhöhter Produktion von Magensäure und Verdauungsfermenten beginnt. In diesem Stadium ist die Schleimhaut im Mikroskop noch ziemlich normal. Im Röntgenbild sieht man das so genannte Nüchternsekret, d.h. man kann erkennen, dass schon der leere Magen mit Saft gefüllt ist. Die Schleimhautfalten sind entweder normal oder wulstig, als Ausdruck dafür, dass noch reichlich Substanz vorhanden ist. Dass diese Art von Gastritis tatsächlich ein Anfangsstadium der Erkrankung und nicht eine besondere eigene Variante darstellt, geht daraus hervor, dass sie bei Kindern und Jugendlichen, wo die

Krankheit noch nicht so lange besteht wie beim Erwachsenen, die Regel ist. Wenn man Kinder mit Gastritis durchleuchtet, dann sieht man fast immer normale oder vergröberte Schleimhautfalten und viel Nüchternsekret.

Je länger der Prozess nun Zeit hat, sich zu entwickeln, umso eher verschwindet das Nüchternsekret. Der Pförtner steht offen, und man kann erkennen, dass der Magen sich vorzeitig in den Dünndarm entleert. Schließlich entsteht aus dem ursprünglichen Zuviel an Magensäure und Pepsin ein Zuwenig, so dass unter Umständen gar keine freie Magensäure mehr nachzuweisen ist.

Rückwärtsgang

Durch Sodbrennen und sonstige auf Übersäuerung hinweisende Beschwerden darf man sich nicht irreführen lassen. Ein solcher Magen mit dünner Schleimhaut kann immer noch Säure hervorbringen, und diese kann ausreichen, im Unterteil der Speiseröhre heftiges Brennen zu verursachen, wenn sie nur dorthin gelangt. Dorthin gelangt sie durch eine Umkehrung der Bewegungsrichtung, wie sie eben bei Gastritis häufig vorkommt. Der normale Magen bewegt seinen Inhalt immer nach unten in Richtung Darm (außer beim Erbrechen); der kranke Magen schiebt seinen Inhalt unter Umständen auch nach rückwärts und oben in die Speiseröhre.

Die Rückbildung (die „Atrophie") der Schleimhaut, sei sie nun Folge einer chronischen Schädigung oder – wie früher erörtert – einer übermäßigen Sekretinproduktion, durch die ja vielleicht der Säuremangel erzeugt wird, hat für den Verdauungsapparat verschiedene Folgen. Zunächst einmal wird rohes Bindegewebe, wenn zu wenig Säure oder zu wenig Pepsin vorhanden ist, nicht ausreichend aufgeschlossen, und auch die Verdauung im Dünndarm unter Mithilfe der Säfte von Leber und Bauchspeicheldrüse ist dazu nicht mehr in der Lage. Solche Patienten haben oft Durchfälle auf rohes oder geräuchertes Fleisch. Die Sache ist aber im Allgemeinen nicht tragisch, weil wir ja rohes Fleisch nur selten essen und weil es der Kranke schließlich, wenn er auf die Zusammenhänge aufmerksam gemacht wurde, auch gänzlich meiden kann.

Der Säuremangel hat aber auch eine Fehlfunktion der Magenentleerung zur Folge. Normalerweise verschließt sich nämlich der Magenausgang, der so genannte Pförtner, in dem Augenblick, wo hinter dem Magen, im Zwölffingerdarm, der Säuregehalt ansteigt. Auf diese Art wird die Entleerung von weiterem saurem Mageninhalt so lange zurückgehalten, bis durch die alkalischen Säfte des Zwölffingerdarms (aus Galle und Bauchspeicheldrüse) die Säure neutralisiert wurde. Hat der Magen zu wenig Säure, dann wird diese Neutralisierung natürlich viel rascher erreicht sein, d.h. der Magen, der zu wenig Säure bildet, entleert sich zu schnell. Er verliert damit seine Depot-Funktion und belastet die unteren Abschnitte des Verdauungstraktes umso mehr, als er schon die Nahrung nur mangelhaft aufgeschlossen hatte.

Magen als Zulieferer

Schließlich ist die Aufspaltung der Nahrung aber nicht die einzige Funktion des Magens. Er liefert z.B. eine Substanz, welche dazu dient, Vitamin B 12 (und vielleicht noch anderes, vorläufig Unbekanntes) aus der Nahrung resorbierbar zu machen, den so genannten intrinsic factor, der sich mit dem Vitamin B 12 (Cobalamin) verbindet. Ist die Schleimhaut schon schlecht geworden und bildet sie zu wenig intrinsic factor, dann wird das wertvolle Vitamin nicht resorbiert, sondern im Stuhl wieder ausgeschieden. Da es sich um einen Wuchsfaktor handelt, der nicht nur für die Ausreifung der roten Blutkörperchen, sondern ganz allgemein im Organismus benötigt wird, versteht man, dass solche Patienten die unterschiedlichsten Störungen – bis zu der so genannten perniziösen Anämie – haben können. Meiner Ansicht nach handelt es sich um einen Ernährungsschaden, ausgelöst durch den hohen Kohlenhydratgehalt der Zivilisationsnahrung. Die Kohlenhydrate wirken einerseits über das schon erläuterte Pankreasgangsyndrom mit Mehrproduktion von Gastrin, Sekretin, Serotonin usw., wobei im Anfangsstadium die Schleimhaut zur Mehrleistung, zu übermäßiger und vor allem unzeitiger Produktion von Verdauungsfermenten angeregt wird, bis sie schließlich erliegt oder sich zur Überproduktion von Gastrin eine solche von Sekretin gesellt. Durch die Neigung zum Gewebsabbau beim Kohlenhydratesser wird diesem Prozess noch Vorschub geleistet. Denn jedes Organ ist empfindlich gegen den Eiweißzoll, der durch den Mechanismus der Nebennierenrindenhormone dem Kohlenhydratesser ständig abverlangt wird. Es ist derselbe Vorgang, den wir bereits bei den Striae kennen gelernt haben.

Ich habe diese Vorgänge deshalb so ausführlich geschildert, weil ihr Verständnis für die Behandlung solcher Patienten von ausschlaggebender Bedeutung ist.

Je frischer der Prozess, je früher das Stadium, in dem der Patient zur Behandlung kommt, je mehr man Nüchternsekret, wulstige Schleimhautfalten und sonstige Erscheinungen von Schleimhautverdickung und Übersäuerung feststellen kann, umso besser sind die Aussichten, und umso schneller wird der Patient durch eine kohlenhydratarme Ernährung von seinem Leiden befreit sein.

Je länger der Prozess jedoch schon gedauert hat, je dünner die Schleimhaut wurde und je rascher der Magen sich entleert, umso länger wird es dauern, und umso weniger vollständig wird unter Umständen der Erfolg sein. Eine Zustandsbesserung wird man sich aber in jedem Fall erwarten dürfen.

Enteritis (Dünndarmkatarrh)

Die chronischen Entzündungen, Gastritis (Magen), Enteritis (Zwölffingerdarm und Dünndarm) und Kolitis (Dickdarm), kommen oft gemeinsam vor, wenn auch meist das eine oder andere Organ bzw. Hormon des Pankreasgangsyndroms mit seinen Symptomen überwiegt. Charakteristika einer Gastritis sind Übelkeit, Brechreiz und Erbrechen nüchtern, meist morgens vor und nach dem Frühstück, Würgen und Knödelgefühl im Hals, Magenbrennen. Nüchternschmerzen, die sich nach Nahrungsaufnahme bessern und zwei Stunden danach als „Spätschmerzen" wiederkehren, sprechen eher für Erkrankung des Magenausganges oder des Zwölffingerdarms. Zeichen der Enteritis hingegen sind Völlegefühl nach dem Essen, Kollern, Blähungen, Unverträglichkeit von Fett und kolikartige Bauchschmerzen.

Das Fett ist nicht schuld

Daraus, dass viele Patienten auf Fett Beschwerden bekommen, hat sich die Meinung gebildet, dass eine Magen-Diät fettarm sein müsse. Eine solche fettarme Schonkost führt aber nie zur Ausheilung. Meine Diät kann später auch ziemlich viel Fett enthalten. Schon nach einigen Tagen fühlen sich die Patienten wesentlich besser, und nach mehreren Wochen ist meist alles in Ordnung. Versuchen sie jetzt wieder Kohlenhydrate zu essen, dann merken sie, dass diese ihr Leiden verschuldeten und nicht das Fett oder andere Nahrungsmittel.

Kwashiorkor, Zöliakie, Sprue

In sehr ausgeprägten Fällen von Enteritis ist das Knäuel der Dünndarmschlingen aufgetrieben: Die Patienten haben einen Froschbauch, wie man ihn von primitiven Völkern her kennt, die sich vorwiegend von Kohlenhydraten ernähren. Schon die Kinder leiden dort oft an Kwashiorkor, einer Krankheit, die sich in reduziertem Ernährungszustand, aufgetriebenem Bauch und in Wassersucht äußert und auf einseitiger und eiweißarmer Ernährung beruht. In zivilisierten Ländern gibt es einige Pendants dieser Krankheit. Aus ungeklärten Gründen kann bei all diesen schweren Dünndarmerkrankungen das Nahrungsfett nicht verwertet werden. Es geht mit dem Stuhl ab, obwohl es nicht die Ursache der Krankheit ist und auch gut vertragen wird.

Eine typische Erkrankung dieser Art ist die Zöliakie der Kleinkinder, die durch Überempfindlichkeit gegen Klebereiweiß (Gliadin) verursacht wird[4, 5]. Es findet sich in Weizen, Roggen, Gerste und Hafer, dagegen nicht in Mais, Reis und Kartoffeln, so dass man kranke Kinder ohne Schwierigkeiten gliadinfrei ernähren und ihnen eine normale Entwicklung garantieren kann. Man vermutet, dass die Gliadinempfindlichkeit immunologisch oder genetisch bedingt (angeboren) ist, insofern als ein zur Spaltung dieses Eiweißkörpers nötiges Ferment in den Darmzotten fehlt.

Auch beim Erwachsenen gibt es eine gliadinempfindliche Form der Enteritis, die so genannte einheimische (im Gegensatz zur tropischen) Sprue[5]. Hier und bei anderen chronischen Enteritiden lassen sich im Blut Antikörper gegen Gliadin oder einzelne seiner Fraktionen (z.B. Fraktion III) nachweisen, aber auch gegen Hühnerei, Milch, selbst gegen Kanincheneiweiß[37, 38, 6]. Man kann kaum annehmen, dass auch bei diesen Patienten ein genetisch bedingter Defekt vorliegt; also lässt wohl die geschädigte Schleimhaut Antigene durch, deren Erscheinen im Blut Antikörperbildung veranlasst. Die Schleimhautschädigung stünde damit am Beginn des Krankheitsprozesses und wäre die Ursache, nicht die Folge der Autoimmunisation.

Hautjucken (Pruritus)

Auch aus einem anderen Grund glaube ich dies annehmen zu dürfen. Es gibt häufig Patienten, die den Arzt wegen Hautjucken aufsuchen, das meist nach Benetzung der Haut (nach dem Bad oder nach Schwitzen), oft aber auch nach bestimmten Nahrungsmitteln auftritt. Ernährt man diese Patienten einige Monate lang kohlenhydratarm, dann verschwindet das Jucken fast mit Sicherheit.

Meine Erklärung: Durch kohlenhydratarme Nahrung erholt sich der Darm, eine Enteritis heilt aus, die Schleimhaut wird wieder dichter und hält Nahrungsbestandteile zurück (oder spaltet sie völlig auf), die vorher ins Blut gelangten und so eine Allergie auslösten.

Seit ich mich in besonderem Maße auf die klinischen und röntgenologischen Zeichen der Enteritis konzentrierte, weiß ich, wie viele klinisch gesunde und anscheinend beschwerdefreie Patienten daran leiden, aber erst auf genaues Befragen hin entsprechende Erscheinungen zugeben. Der Einwand, das Auftreten solcher Antikörper bei „Gesunden" spreche gegen die enteritische Genese[50], ist also nicht stichhaltig.

So ist es kein Wunder, dass man mit gliadinfreier Ernährung, die man natürlich sofort auch bei der Enteritis von Erwachsenen versuchte, keine besonderen Erfolge erzielen konnte. Das hindert mich nicht daran, meinen Magen-Darm-Patienten in erster Linie Getreideprodukte zu entziehen und ihnen an Kohlenhydraten eher Gemüse, Obst, Kartoffeln, Hülsenfrüchte und etwas Zucker zu lassen; bei späteren Kohlenhydratzulagen, die sich die Patienten nach eingetretener Besserung ja doch immer wieder selbst genehmigen, vertragen sie gerade Brot und andere mehlhaltige Nahrungsmittel schlecht. Ich führe dies aber weniger auf eine ursächliche Rolle des Gliadins für die Enteritis zurück. Vielmehr sind die Allergie-Effekte dieser Substanz, wenn sie ins Blut gelangt, anscheinend größer als die anderer ungespaltener Eiweißkörper.

Dass die Kohlenhydrate etwas mit den Magen-Darm-Beschwerden zu tun haben, war schon Prof. H. Lampert bekannt, der bei so genannter Gärungsdyspepsie (wenn die Stühle sauer sind und eigentümlich säuerlich riechen) und bei abdominellen Blähungen eine Beschränkung der Kohlenhydratzufuhr empfohlen hat[72]. Wenn er auf diesem Wege weitergeschritten wäre, hätte er sicher beobachtet, dass nicht nur die „Gärungs"-, sondern auch die „Fäulnisdyspepsie" auf Kohlenhydratbeschränkung anspricht. Für diese Störung hatte er andere Diätformen bereit.

Störungen der Darm-Motilität

Verstopfung (Obstipation)

Sie ist die häufigste Erkrankung des Dickdarms überhaupt, allerdings weitgehend auf das weibliche Geschlecht beschränkt, weil weibliche Hohlorgane, zu denen auch die Gebärmutter gehört, zur Erhaltung der Leibesfrucht eher dazu tendieren, ihren Inhalt zu behalten, statt ihn auszutreiben. Frauen neigen deshalb auch häufiger zu Erschlaffungen des Harntraktes und zu Infektionen der Harnwege.

Leserbrief

Mit großem Interesse habe ich Ihr Buch „Leben ohne Brot" gelesen. Diese Ernährungsweise bekommt mir sehr gut, ich fühle mich nicht so „voll". Meine Wasseransammlungen sind bei kohlenhydratarmer Ernährung fast vollständig weg. Mir geht es einfach besser. (Ich komme aus einer Diabetiker-Familie – habe aber noch keinen Zucker – bin 42 Jahre alt.) Mit meiner Umwelt habe ich aber zu kämpfen, jeder sagt mir, wir müssen vom Fleisch weg, und nur Müsli, Kartoffeln, Reis, Körner usw. sei des Lebens Heil.
A.L. in Wermelskirchen

Beim chronisch Verstopften wird (ohne Abführmittel) der Stuhl durch Fäulnisbakterien zerlegt; die dabei entstehenden Gase werden vom Blut aufgenommen und in der Leber entgiftet, oder es kommt zu den so genannten paradoxen Durchfällen, durch welche sich der gepeinigte Darm schließlich der Stuhlreste entledigt.

Milliardenbeträge werden von den Herstellern der Abführmittel umgesetzt, und doch ist damit nur eine recht oberflächliche Behandlung des Leidens möglich. Die Erfahrung zeigt, dass die Wirkung der Abführmittel mit der Zeit nachlässt, dass sie oft gewechselt oder immer wieder höher dosiert werden müssen. Sie sind auf die Dauer sicher auch gesundheitsschädlich, weil sie den Darm nur zur Entleerung bringen, indem sie ihn reizen, und weil sie nachgewiesenermaßen zu Störungen im Mineralstoffwechsel (Kaliumverlust etc.) führen. Die dauernde Reizung der Schleimhaut führt schließlich zu Beschwerden, die bei chronisch Verstopften dominieren: Sie haben das Gefühl, zu wenig Stuhlgang zu haben, obwohl der Dickdarm völlig leer ist und die Abführmittel sozusagen gar nicht notwendig wären.

Kommen solche Patienten zum Arzt, dann empfiehlt er ihnen mit Recht den Verzicht auf diese Medikamente. Ohne sie haben die Patienten aber keinen Stuhl. Setzt man sie auf eine kohlenhydratarme Diät, dann haben sie erst recht keine Entleerungen. Jetzt fällt nämlich der letzte Antrieb für den Darm fort, weil der ganze Magen-Darm-Trakt sich beruhigt. Schon bei normalen weiblichen Patienten, die sonst gar nicht verstopft sind, setzt unter kohlenhydratarmer Diät in der Regel Darmträgheit ein, was mich veranlasst hat, Verstopfte zunächst nicht mit dieser Diät zu behandeln. Ich habe im Laufe der Jahre das Problem aber gelöst: Ich lasse den Patienten die Abführmittel absetzen und ihn stattdessen einen täglichen Reinigungseinlauf mit anderthalb Litern warmen Wassers ohne Zusätze machen, um die Periode der anfänglichen „Verschlechterung" des Leidens zu überbrücken. Früher oder später kommt es dann unter Fortsetzung der Diät zu einem normalen Stuhlgang. Das kann beim Kind ein bis zwei Tage, beim jugendlichen Patienten ein bis zwei Wochen, beim älteren Menschen mehrere Monate dauern. Der Erfolg tritt aber früher oder später mit Sicherheit ein.

Der chronische Durchfall und das Motilitäts-Szenario im Darm

Ich spreche nicht von den mehrmals jährlich auftretenden kurzen Perioden flüssigen Stuhles, der auf Infektionen mit verschiedenen Bakterien oder Viren zurückgeht. Besonders Viren vermehren sich im Darm, um dann schließlich ins Blut überzugehen und zu einer Allgemeinerkrankung zu führen. Wer viel reist, weiß, dass Montezumas Rache nicht nur in Mexiko auftritt. Man wechselt bei einer weiten Reise in Gebiete mit anderen Krankheitserregern, gegen die man noch keine Abwehrkräfte besitzt, und erkrankt prompt.

Hier möchte ich vom chronischen Durchfall sprechen, der viel häufiger vorkommt als man geneigt ist anzunehmen. Man braucht nur eine größere WC-Anlage in einem Massenlokal, auf einem Bahnhof usw. zu besuchen und wird aus den Nachbar-Kabinen die typischen Geräusche vernehmen. Nur wird dieses Leiden von den verschiedenen Menschen unterschiedlich bewertet. Manche haben jahrelang Durchfall und sich schon so daran gewöhnt, dass sie den Zustand nicht als abnorm empfinden.

Achtung: Kaffee

Eine der häufigsten Ursachen für chronischen Durchfall ist übermäßiger Genuss von Kaffee. Wer da empfindlich ist, wird schon bemerkt haben, dass er nach seinem Morgenkaffee auf die große Seite gehen muss. Für Leute, die es morgens eilig haben, bedeutet dies ein Problem, weil der Stuhldrang zu einer Zeit auftreten kann, zu der er sich mit einem Verkehrsmittel auf dem Weg zum Arbeitsplatz befindet. Dabei ist es nicht das im Kaffee enthaltene Koffein, sondern es sind die Röstprodukte, die sich auch in koffeinfreiem Kaffee und besonders im Espresso finden; der Name Espresso sagt ja schon, dass dabei das Kaffeepulver besonders intensiv ausgepresst wird. Demgegenüber wird oft schwächerer Filterkaffee anstandslos vertragen, wenn damit nicht richtig Missbrauch betrieben wird. In manchen Büros hat es sich aber eingebürgert, alle Stunden Kaffee herumzureichen; ich bin nicht sicher, ob mit diesem Dauerreiz auf den Dickdarm nicht einer aus anderen Gründen bereits bestehenden Tendenz zum Dickdarmkrebs unnötig Vorschub geleistet wird und ob nicht die in letzter Zeit beobachtete Tendenz zum Anstieg dieser Erkrankung auch bei Frauen mit dem Kaffee- und Espresso-Mißbrauch zusammenhängt.

Über den Wirkungsmechanismus der genannten Röstprodukte im Kaffee besteht wohl noch keine Einigkeit; man vermutet einen „gastrokolischen Reflex", d.h. eine nervöse Schaltung, die bei einem Reiz im

Magen den Dickdarm zur Entleerung bringen soll; ich habe da meine Zweifel, weil viel Kaffee an einem Tag mit seiner Wirkung länger anhalten kann, auch wenn kein Kaffee mehr getrunken wird.

Die Grundlage für den chronischen Durchfall liegt aber sicher auf dem Gebiet der pankreatischen Polypeptide, was soeben ausführlich erörtert wurde (S. 70). Ich habe schon erwähnt, dass man, wenn man seine Patienten selbst röntgenologisch untersucht, immer wieder feststellen kann, dass Magen-Darm-Patienten häufig eine abnorm rasche Fortbewegung des Darminhaltes haben. Das beginnt mit beschleunigter Entleerung des Magens (offen stehendem Pförtner), setzt sich fort in beschleunigter Dünndarmpassage und endet mit Durchfall, weil der Dickdarm nicht in der Lage ist, Inhalt zu bearbeiten, der nicht entsprechend verdaut ist. Ich habe das Problem in meinem Buch „Kranker Magen, kranker Darm, was wirklich hilft" (INFORMED GmbH, Irminfriedstr. 31, 82166 Gräfelfing) ausführlich erörtert, weil es meiner Ansicht nach eine der Ursachen für die chronisch entzündlichen Darmkrankheiten ist.

Die Sache beginnt mit übermäßiger Reizung der Betazellen im Inselorgan der Bauchspeicheldrüse, ausgelöst durch die Kohlenhydrate. Der Reiz „ufert aus" auf die Nachbarzellen (wir kennen den Begriff schon vom „endokrinen" Szenario S. 45); diese beeinflussen die Motilität des Darmrohres bzw. des Darminhaltes, der sich beim Kohlenhydratesser daher zu schnell fortbewegt (was ich, wie beschrieben, jahrzehntelang bei meinen Patienten beobachten konnte).

Dieses „Motilitäts-Szenario" bedeutet, dass der Magen sich zu schnell entleert und

die alkalischen Säfte von Bauchspeicheldrüse und Leber nicht die nötige Zeit zur Verfügung haben, den stark sauren Mageninhalt zu neutralisieren, solange er sich noch im Zwölffingerdarm befindet; dass der Dünndarm nicht genügend Zeit hat, seinen Inhalt zu verdauen; dass unverdauter Nahrungsbrei an das Dünndarmende, das so genannte terminale Ileum, gerät, das eigentlich nur noch zur Endkontrolle geeignet ist und nicht dazu, die mangelhafte Verdauung der vor ihm gelegenen Abschnitte nachzuholen. Das terminale Ileum erkrankt daher mit dem Hinzutreten autoallergischer Kräfte (siehe S. 82) am Morbus Crohn.

Der Dickdarm (das Kolon) wiederum erwartet sich vom vorhergehenden Dünndarm aufbereiteten Dünndarmstuhl, der keine unverdauten Nahrungsreste mehr enthalten darf und lediglich noch eingedickt werden muss. Das stimmt nur bedingt, weil der Dickdarm auch beim Gesunden seinem Inhalt noch etwas entnimmt und hinzufügt, es stimmt aber für unsere Betrachtungen. Der Dickdarm ist nicht, wie der Dünndarm, praktisch steril, sondern von reichlich „normalen" Darmkeimen besiedelt, die sich auf die Nahrungsreste stürzen, damit wachsen, mit ihren Stoffwechselprodukten die Schleimhaut reizen, Durchfall erzeugen, weil der gereizte Dickdarm versucht, sich seines Inhaltes zu entledigen. Zu den Keimen gehören auch Pilze, z.B. Hefen, die sofort verschwinden, wenn der ganze krankhafte Prozess durch Beschränkung der Kohlenhydrate unterbrochen wird.

Dieser Reiz der Kohlenhydrate auf die Hormonproduzenten in den Inseln der Bauchspeicheldrüse wirkt zunächst „akut", d.h. in dem Augenblick, in dem die Kohlenhydrate im Dünndarm ankommen, und nur so lange, als sie dort sind. Aber auch er führt zur „Adenomisierung", d.h. die Zellen, die ständig auf den Reiz reagieren müssen, lernen es. Sie reagieren mit der Zeit heftiger, sie wachsen („hypertrophieren"), bis es schließlich zur Bildung einer (gutartigen) Geschwulst kommen kann. Man kennt solche Adenome der verschiedenen Inselzelltypen („Insulome", „Vipome" etc.). Wir können daraus schließen, dass der Reiz der Kohlenhydrate perpetuiert wird, d.h., dass er nicht nur im Augenblick, sondern „fort"-wirkt, dass er immer stärker beantwortet wird, je länger er einwirken kann. Die durch die Kohlenhydrate bedingten Beschwerden, etwa das Sodbrennen, das saure Aufstoßen, der Durchfall, die Blähungen und Gase werden mit der Zeit immer ärger, und es braucht auch immer länger, bis nach Abstellen der Ursache, d.h. Verzicht auf Kohlenhydrate, Beschwerdefreiheit einsetzt.

Die Rolle des Immunsystems

Das ist aber noch nicht die „volle Wahrheit". Nicht nur der Dünndarm (beim Crohn) oder der Dickdarm bei der Colitis ulcerosa wird gereizt, sondern auch das Immunsystem, die körpereigene Polizei. Ich habe in dem oben erwähnten Buch das Beispiel der „Disko" gebracht. Die Disko ist der Darm. Wenn zu viel Lärm oder andere Störung der Umgebung entsteht, werden die Nachbarn aufgebracht; alarmieren die Polizei. Diese „amtshandelt", verwarnt; schließlich entsteht Autoaggression, d.h., was immer in der Gegend der Disko passiert, die Disko ist schuld daran; sie erlangt die Qualität des ständigen Ärgernis-Erre-

gers und wird schließlich auch für Dinge verantwortlich gemacht, an denen sie keine Schuld trägt: Das Krankheitsbild der „Disko" hat sich selbständig gemacht, der „Morbus disco" ist entstanden.

So ähnlich entwickeln sich Morbus Crohn und Colitis ulcerosa. Weil im Darm unter den Kohlenhydraten alles zu schnell abläuft, werden Dünn- und Dickdarm chronisch gereizt; dieser innere Durchfall schädigt die Schleimhaut, Bakterien im Dickdarm vermehren sich, reizen weiter; die Schleimhaut entzündet sich. Das Immunsystem wird aufmerksam; es entsteht der Morbus disco. Und selbst wenn sich die Disko bessert, wenn kein Lärm mehr entsteht, keine PKWs mehr in der Nacht gestartet werden usw. – die Krankheit besteht fort, auch wenn die Kohlenhydrate als Ursache gestrichen werden; es muss jetzt die Polizei in die Behandlung genommen werden (Cortison dämpft das Immunsystem), und es braucht Geduld, bis sich die aufgebaute Autoaggression wieder gelegt hat.

Man versteht jetzt nicht nur die Entstehung der Enteritis, den Dünndarmkatarrh, den Morbus Crohn und die Colitis ulcerosa, man versteht jetzt auch, warum nach Übergang auf kohlenhydratarme Diät Verstopfung einsetzt: Der Reiz zur Entleerung fällt weg, bis sich ein neues Gleichgewicht für die Darm-Motilität eingespielt hat. Man versteht den chronischen Durchfall, bei dem die Polizei (das Immunsystem) noch nicht gerufen wurde und der daher rasch auf Diät anspricht, der aber, weil sich die Zellen, die die Motilitätshormone im Inselorgan erzeugen, „adenomisiert" haben, selbständig geworden sind, einige Tage bzw. Wochen an kohlenhydratarmer Diät braucht, bis sich ein normaler Hormonspiegel einpendelt. – Man versteht jetzt auch die günstige Wirkung der Hayschen Trennkost: Sie ändert zwar nichts an der beschleunigten Darmpassage, aber sie trennt Fett-Eiweiß von den Kohlenhydraten, so dass Fett-Eiweiß nicht mehr beschleunigt durchrutschen und damit Beschwerden verursachen kann. Beschränkung der Kohlenhydrate bei allen Mahlzeiten würde das Übel natürlich an der Wurzel fassen und auch Arteriosklerose und andere kohlenhydratbedingte Krankheiten verhindern.

Ich habe einen Patienten in Erinnerung, den Werkmeister einer Mercedes-Benz-Garage, der vor Jahren zu mir kam und mir erzählte, er leide seit 15 Jahren an Durchfällen und habe ohne Erfolg schon mindestens zehn Ärzte aufgesucht. Er wage es gar nicht mehr, sein Haus zu verlassen; wenn er es dennoch muss, dann gilt seine erste Suche einem WC, weil er seinen Stuhl oft nicht eine einzige Minute lang zurückhalten könne. Ich habe ihn beraten, habe ihm eine kohlenhydratarme Diät mit 6 BE verordnet und ihn in 14 Tagen wiederbestellt, weil ich sicher war, dass dann die Sache in Ordnung sei. Ich habe inzwischen mehr als 200 Patienten durch kohlenhydratarme Diät von diesem Leiden befreien können.

So war es auch. Er kam, bedankte sich und meinte, dass von den vielen vorher konsultierten Ärzten niemand gewusst habe, wie man ihm helfen könne. Er verstehe das nicht ganz, denn wenn bei einem bestimmten Fahrzeugtyp von Mercedes-Benz eine Störung auftrete, dann würden alle Werkstätten in der ganzen Welt davon verständigt und über Abhilfemaßnahmen instruiert. Ob das in der Medizin nicht so sei? Nein, musste ich zugeben; bei uns sei das nicht so. Bei uns gibt es die so genann-

te Schulmedizin mit bestimmten Ansichten, und andere Ansichten werden nicht geduldet. Die vielen so genannten „Außenseiter" unter den Medizinern werden mir hier sicherlich von Herzen beipflichten.

Ich habe die Erfahrung gemacht, dass auf eine akute Durchfallerkrankung häufig eine längere Periode mit flüssigem oder doch weichem Stuhl folgt, obwohl durch Behandlungsmaßnahmen und den zeitlichen Ablauf der Erreger sicher abgetötet und die eigentliche Infektionskrankheit überwunden wurde; ferner, dass man diese Art von Durchfall durch eine mehrtägige Behandlung mit Cortison oder mit Gold, d.h. durch eine Unterdrückung der Immunreaktionen, beenden kann. Es hat sich also um eine so genannte Autoaggressionskrankheit gehandelt.

Häufig ist aber eine immunsuppressive Therapie nicht notwendig. Es kommt nach ein bis zwei Wochen zu einer Normalisierung der Stuhlgänge, allerdings häufig unter Bauchschmerzen. Das muss man wissen, um nicht die Diätbehandlung unter der Vorstellung abzubrechen, sie sei in diesem Fall wohl nicht die geeignete Maßnahme.

Offensichtlich ist es so, dass der Darm, der monate- bis jahrelang sich die Arbeit erspart hat, indem er den vom Dünndarm ankommenden flüssigen Stuhl mehr oder weniger unverarbeitet entlassen hat und jetzt wieder arbeiten muss, rebelliert. Manchmal kommt es sogar zu einer Periode von Verstopfung, der man dann mit Reinigungseinläufen begegnen muss, da Abführmittel unbedingt vermieden werden sollen. Letztlich heilt aber eine chronische Durchfallerkrankung unter den genannten Umständen mit kohlenhydratarmer Diät immer aus.

Die Crohnsche Krankheit

Warum eine chronische Durchfaller-krankung sich schließlich zum Morbus Crohn (nach dem Erstbeschreiber, dem amerikanischen Arzt Dr. B. Crohn benannt[39]) „mausert", ist nicht klar. Offensichtlich bestehen hier aber Beziehungen, denn ein „Crohn" hat meiner Erfahrung nach immer eine Vor-Periode, in der längere Zeit hindurch Durchfälle bestehen. Er ist sozusagen nichts anderes als das Extrem des chronischen Durchfalls.

Das Leiden ist nicht auf die Schleimhaut allein begrenzt, sondern befällt alle Schichten des Darms, das Gekröse, die Lymphknoten. Auch die Gallenblase, der Zwölffingerdarm und der Magen können erkranken. Charakteristisch ist eine feingewebliche Entzündungsform, welche man als granulomatös bezeichnet. Infiltrate um den Darm im Bauchraum können sich bilden; sie können aber auch einschmelzen, Abszesse verursachen und Fisteln hinterlassen, Fisteln, durch welche der Darminhalt in die Blase, in die Scheide oder – am häufigsten – neben dem Mastdarm oder durch die Bauchhaut nach außen tritt. Sie werden meist chirurgisch und leider mit nicht ganz idealem Resultat beseitigt.

Der „Crohn" wird von Jahr zu Jahr häufiger. Ich hatte unter meinen Dickdarm-Patienten, als ich vor 40 Jahren anfing, sie mit kohlenhydratarmer Diät zu behandeln, keinen Crohn-Patienten. In der letzten Zeit sind sie fast ebenso häufig geworden wie die Kranken mit Colitis ulcerosa. Ich überblicke jetzt mehr als 600 Fälle.

Der Morbus Crohn unterscheidet sich von der Colitis ulcerosa durch das Fehlen von Darmblutungen und durch die Lokalisation. Crohn im Mastdarm ist selten; die Häufigkeit nimmt nach oben hin zu; er befällt oft sogar nur den unteren Dünndarm. Die Colitis ulcerosa sitzt hingegen bevorzugt im Mastdarm; ihre Häufigkeit nimmt von dort aus bis zum Dünndarm hin kontinuierlich ab. Es bestehen wenigstens zeitweise Darmblutungen, und es entwickeln sich keine Fisteln. Es gibt Zwischenformen zwischen Colitis ulcerosa und Morbus Crohn: Patienten mit Darmblutungen und Fisteln und solche mit Befall des Dickdarms und des Dünndarms.

Die Unterscheidung zwischen Morbus Crohn und Colitis ulcerosa ist deshalb von Bedeutung, weil der Crohn im Gegensatz zur Colitis ulcerosa mit großer Wahrscheinlichkeit in ein bis zwei Jahren ausheilt und dabei meist keine Schwierigkeiten macht.

Die Abbildungen 18 a und b zeigen den Verlauf von 67 Fällen von Morbus Crohn, bei denen jahrelang die Laborwerte kontrolliert werden konnten. Nach anderthalb Jahren ist in über 80 % der Fälle der Patient beschwerdefrei („geheilt"); sein Bluteisenspiegel hat sich normalisiert, unabhängig davon, ob Eisen verabreicht wurde oder nicht. Der Eisenspiegel ist von allen leicht zugänglichen Laborparametern derjenige, der den Verlauf am deutlichsten charakterisiert. Man kann von Ausheilung eines Morbus Crohn erst sprechen, wenn der Eisenspiegel normal ist. Von manchen Kollegen wurde mir allerdings berichtet, dass auch dann noch bei der Koloskopie einzelne Geschwüre im Darm beobachtet wurden.

Vergleicht man den Verlauf des Morbus Crohn (Abb. 18 a, b) unter kohlenhydratarmer Diät mit dem der Colitis ulcerosa (Abb. 20), dann sieht man, wie viel schneller der „Crohn" auf die Diät reagiert als die

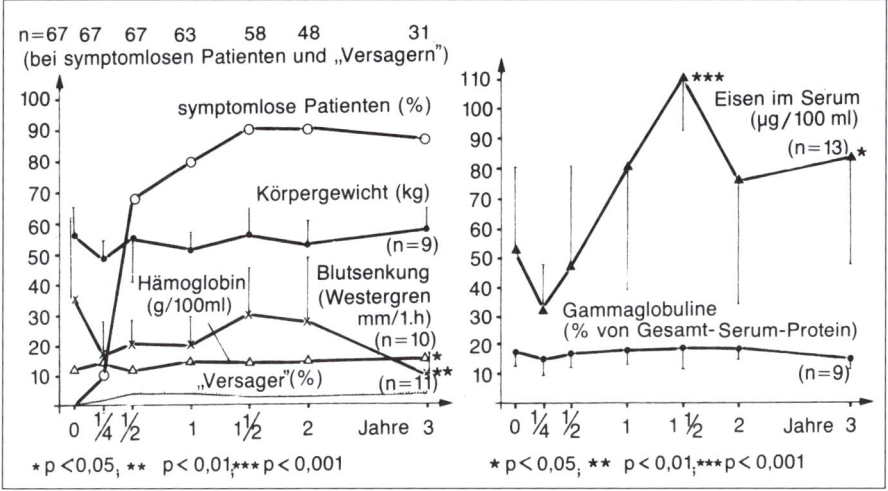

Abb. 18a (links): Reaktion von Patienten mit Morbus Crohn auf kohlenhydratarme Diät (72g/24 Std.). Verschwinden der Crohn-Symptomatik („symptomlose Patienten") und Verhalten der Laborparameter in Abhängigkeit von der Dauer der Kohlenhydratbeschränkung. n = Zahl der untersuchten Fälle.
Abb. 18b (rechts): Verhalten von Gammaglobulinen in % des Gesamtproteins im Serum und des Eisenspiegels in Abhängigkeit von der Dauer der Kohlenhydratbeschränkung. Der Eisenspiegel sinkt zunächst regelmäßig ab, um dann vom ersten Jahr an normale Werte zu erreichen. Er ist von den untersuchten Laborparametern derjenige, der am verläßlichsten die Ausheilung der Erkrankung anzeigt. N = Zahl der untersuchten Fälle. Aus Lutz, W.: Münch. med. Wschr. 129 (1987) Nr. 50.

Colitis ulcerosa. Ich habe bei ersterem bisher weder ein echtes Rezidiv, noch das Auftreten von Fisteln nach einigen Monaten Diät gesehen. Es gibt wohl einzelne Patienten, welche den Übergang von der kohlenhydratreichen Normalkost zur kohlenhydratarmen Diät schwer schaffen und die sich unter Umständen akut verschlechtern, Durchfälle bekommen, fiebern und dergleichen mehr. Dies dauert aber selten länger als ein paar Wochen, und es lässt sich mit Cortison unterdrücken.

Eventuelle Reste (Fisteln) müssen meist operativ entfernt werden; manchmal heilen sie spontan aus. Verengungen im Bereich des Darmes erfordern u.U. chirurgische Eingriffe. Man soll damit aber nach Möglichkeit warten, bis die Grundkrank-

heit überwunden ist, bis Eisenspiegel, Blutsenkung und Stühle sich normalisiert haben.

In den letzten Jahren haben deutsche und englische Autoren[73, 74] gefunden, dass bei Crohn-Patienten eine gewisse Besserung durch Verzicht auf Zucker und sog. raffinierte Kohlenhydrate zu erzielen ist. Dies entspricht der heute recht gängigen Vorstellung, dass von den Kohlenhydraten nur die so genannten raffinierten schädlich sind, d.h. Zucker und Weißmehl.

Vollkorn, Gluten

Ich glaube das nicht. Ich bin im Gegenteil davon überzeugt und habe es immer wieder gesehen, dass gerade Brot, vor allem Vollkornbrot, von Magen-Darm-Kranken

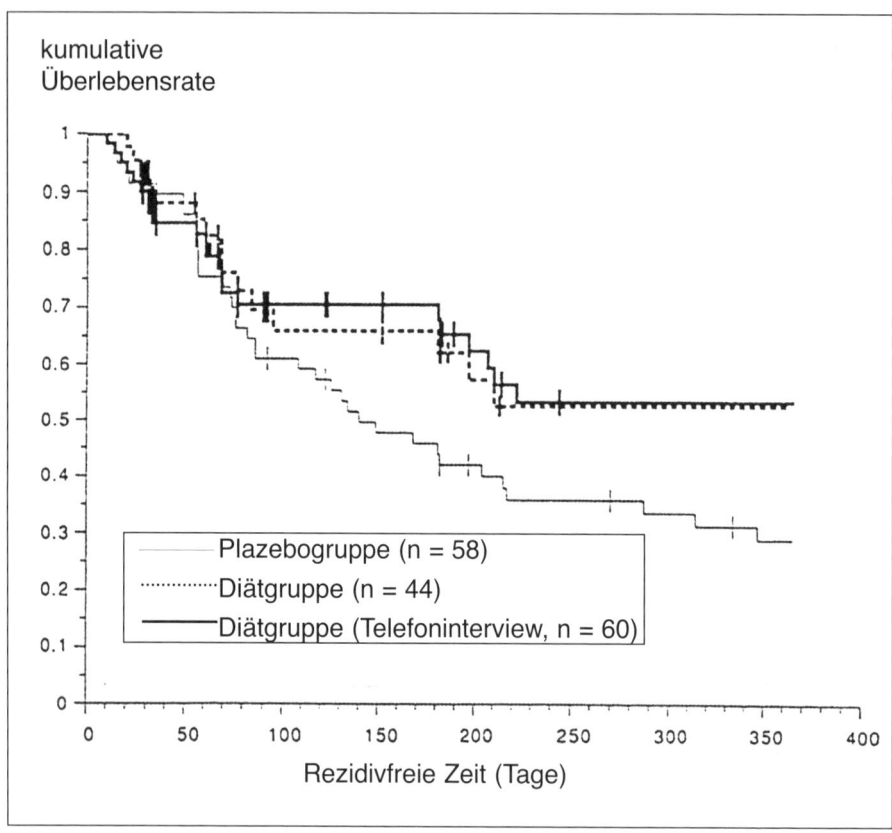

kumulative
Überlebensrate

Plazebogruppe (n = 58)
············Diätgruppe (n = 44)
Diätgruppe (Telefoninterview, n = 60)

Rezidivfreie Zeit (Tage)

Abb. 19, entnommen aus der „Crohn-Studie-V" [81]. Je 50 Patienten mit schwerer Crohnscher Erkrankung unter Cortison wurden entweder mit „Lutz-Diät" (stark ausgezogene Linie) oder – als Kontrollgruppe – nicht behandelt (dünne Linie). Die Diätgruppe beginnt sich schon nach 90 Tagen von der Kontrollgruppe abzulösen; nach 200 Tagen tritt dort überhaupt kein Rückfall mehr auf. Beide Gruppen starten bei 1,0 (=100 % der Teilnehmer); jeder Rückfall führt zu einem Absinken der entsprechenden Kurve.

schlecht vertragen wird. Aus Stärke entsteht im Darm sowieso Zucker, vielleicht etwas langsamer, als wenn man Zucker isst, und nur Traubenzucker, aber das Ergebnis ist wohl dasselbe. Immerhin gehen diese Vorschläge in die richtige Richtung: Beschränkung der Kohlenhydrate.

Vielfach wird auch glutenfreie Diät versucht, besonders beim chronischen Durchfall und beim Crohn, weil die alkohollösli-

che Fraktion des Getreideeiweißes bei Kindern die so genannte Zöliakie auslöst, welche mit breiigen, fladenförmigen Stühlen und einer Entwicklungsstörung einhergeht. Ich habe aber oft gesehen, dass das Getreideeiweiß nicht die Ursache der hier in Rede stehenden Dickdarmerkrankungen ist. Immer wieder kommen Patienten, die eine glutenfreie Diät monate- und jahrelang ohne Erfolg eingehalten haben, während sie auf Kohlenhydratbeschränkung trotz Gluten prompt ansprechen.

Crohn und Kunstfette

Von Prof. Guthy wird beim Crohn auch der Genuss von Margarine und anderen Kunstfetten diskutiert, ausgehend von der Beobachtung, dass in Frankreich und im wallonischen Teil von Belgien, wo weniger Margarine und mehr Butter konsumiert wird, die Crohnsche Erkrankung seltener ist[75, 76]. In der Tat korreliert die Zunahme des Morbus Crohn in den letzten Jahren mit der Zunahme des Margarineverbrauchs im deutschen Sprachraum sowie in Australien. Es ist durchaus vorstellbar, dass die Kunstfette im Dünndarm nicht genügend abgebaut und resorbiert werden, dass sie und ihre Abbauprodukte in die Lymphbahnen gelangen und dort die granulomatösen Entzündungen hervorrufen. Kunstfette sind, gemessen an der menschlichen Evolution, sicher noch weniger natürlich als Kohlenhydrate. Da aber 60 % meiner meist aus ländlichen Gegenden stammenden Patienten nie Kunstfette, alle aber viel Kohlenhydrate gegessen haben, können die Kunstfette nicht die alleinige Ursache des Morbus Crohn sein. Sie dürften jedoch neben den Kohlenhydraten eine bedeutende Rolle spielen.

1987 konnte ich über 67 Crohn-Patienten aus meiner Praxis berichten, die bis zu zwei Jahre lang unter kohlenhydrat(nicht nur zucker)armer Diät beobachtet werden konnten und deren Daten in der Abb. 18 a und b niedergelegt sind[80]. Offensichtlich sind es also nicht nur die „raffinierten" Kohlenhydrate, Weißmehl und Zucker, sondern alle Kohlenhydrate, die beschränkt werden müssen.

Die Crohn-Studie V

Dies hat es wünschenswert erscheinen lassen, die Rolle der Kohlenhydrate beim Morbus Crohn durch eine nach modernen wissenschaftlichen Grundsätzen aufgebaute („prospektive, randomisierte") Studie abzuklären. Es ist Frau Dr. Erdmuthe Idris und mir in jahrelangen Bemühungen gelungen, eine solche Studie unter Mithilfe der Deutschen Morbus-Crohn-Colitis-ulcerosa-Vereinigung (DCCV) unter Führung von Prof. H. Lorenz-Meyer und dem Statistiker Prof. P. Bauer auf die Beine zu stellen[81]. Das Ergebnis ist aus Abb. 19 zu entnehmen. Es handelte sich um je 50 freiwillige Crohn-Patienten, die sich anfangs in stationärer (Krankenhaus-)Behandlung befanden und deren Symptome unter hohen Dosen von Cortison weitgehend geschwunden waren. Beide Gruppen wurden vom Cortison abgesetzt; sie erhielten nur zur Erleichterung der Entzugserscheinungen vier Wochen lang kleine Cortisondosen. Bei der Kontrollgruppe erfolgte keine weitere Behandlung mehr, bei der Diätgruppe wurden die Teilnehmer auf eine Kohlenhydratmenge eingestellt, die möglichst nahe an sechs Broteinheiten liegen sollte. Tatsächlich wurde dieses Ziel (die Patienten waren aus dem Krankenhaus in häusliche Pflege entlassen worden) kaum je erreicht; wir mussten uns mit Mengen von bis zu zwölf Broteinheiten zufrieden geben.

Obwohl also die Kohlenhydratreduktion unbefriedigend war, sind die Resultate beeindruckend: Schon nach 90 Tagen begann sich die Kurve der Diätpatienten von der der Kontrollen abzulösen. Rückfälle waren unter Diät deutlich seltener; nach 200 Tagen waren in der Diätgruppe überhaupt keine Rückfälle mehr aufgetreten.

Ich kann mir zu diesem Erfolg gratulieren, denn wer läuft schon jahrelang von Kongress zu Kongress und von einer Klinik zur anderen, um Fachleute (Gastroenterologen) mit geeigneten Patienten zur Teilnahme an einer solchen Studie zu bewegen, wenn die ganze Welt der Meinung ist, die Kohlenhydrate seien die guten, und die tierischen Fette und das Fleisch seien die bösen Nahrungsmittel.

In der Tat war es von den teilnehmenden Ärzten, den Mitarbeitern an der Studie und den Patienten viel verlangt, mir und meinen vier Erfahrungsberichten aus meiner Praxis zu glauben, dass man tatsächlich die Crohnsche Erkrankung mit einer Verringerung der Kohlenhydratmenge günstig beeinflussen könne. Dass man dies kann, hat die Studie tatsächlich gezeigt. Bei der Beurteilung der Ergebnisse muss man berücksichtigen, dass es nach der Auslegung der Studie nicht erlaubt war, beim Einsetzen einer Verschlechterung eines Diätpatienten therapeutisch, etwa durch Cortison, einzugreifen, wie man das sonst natürlich tun würde. Darin liegen die Unterschiede zwischen meinen Erfahrungen in der Praxis (Abb. 18a, b) und der Crohn-Studie-V begründet. Ich bin überzeugt davon, dass man alle 50 Patienten der Crohn-Studie-V hätte symptomfrei machen („heilen") können, wenn man unter Diät Cortison so lange hätte verabreichen können, bis die Patienten einen stabilen Zustand erreicht hatten.

Unsere Resultate haben auch insofern Bedeutung, als wohl zum ersten Mal dargestellt werden konnte, dass man eine als unheilbar geltende Erkrankung mit Diät erfolgreich behandeln (ich möchte das Wort „ausheilen" vermeiden) kann, und zwar mit einer Diät, die dem Gegenteil dessen ent-

spricht, was üblicherweise als gesunde Ernährung betrachtet wird. Ich brauche wohl nicht zu sagen, dass auf die Dauer nur derjenige Patient seine Krankheit loswerden kann, der sich auf die Dauer kohlenhydratarm ernährt. Wer die Diät aufgibt, wird rückfällig. Auch das war ein Ergebnis dieser Studie, das nicht verwundert, wenn man an die Beteiligung des Immunsystems und dessen Erinnerungsvermögen denkt. Wer sieht, was man mit kohlenhydratarmer Diät beim Morbus Crohn erreichen kann, wird mir wahrscheinlich glauben, dass auch bei der Schwesterkrankheit, der Colitis ulcerosa, so etwas zu erreichen ist.

Colitis ulcerosa

Sie steht am anderen Ende der Skala chronischer Durchfall/Morbus Crohn. Es beginnt eines Tages meist ganz harmlos mit dem Erscheinen von Blut im Stuhl. Der Arzt diagnostiziert Hämorrhoiden, die sich aber bei der Inspektion mit dem Mastdarm-Spiegel nicht finden. Stattdessen sieht man eine gerötete Schleimhaut, die schon bei der geringsten Berührung blutet, oder man sieht eitrige Beläge, nach deren Ablösung es blutet. Der Prozess ist in leichten Fällen nur im Mastdarm lokalisiert; je schwerer der Fall, umso weiter erstreckt er sich im Dickdarm nach oben. Der Dünndarm, die Gallenblase, der Zwölffingerdarm und der Magen sind im Gegensatz zum Crohn nie betroffen. Es gibt auch keine Infiltrate, keine Durchbrüche, keine Fisteln. Erkrankt sind nur die Schleimhaut und die darunter liegende Muskelschicht. Beide werden aber mit der Zeit so weitgehend zerstört, dass sich der gesamte Dickdarm zu einem kurzen Rohr zusammenzieht, das keinerlei Bewegung mehr zeigt und auch sonst natürlich seine Funktion weitgehend eingebüßt hat.

Immerhin haben solche Patienten aber noch einen normalen Ausgang, im Gegensatz zu einem Kunst-After („Anus praeter"). All das ist schlimm genug, aber die Patienten würden (und tun es) sich mit ihren blutigen Stühlen, den Bauchschmerzen, mit denen die Erkrankung einhergeht, und mit den Durchfällen abfinden, wenn das Leiden nicht eine lebensbedrohliche Entwicklung nehmen könnte in Form des so genannten toxischen Megakolons. Dazu kann es jederzeit kommen, so lange eine Colitis ulcerosa aktiv ist. Der einzige Patient, den ich unter jetzt 600 Fällen, die ich überblicke, verloren habe, war ein relativ junger Mann, der sich unter kohlenhydratarmer Diät erholt und 20 kg an Gewicht zugenommen hatte. Er wurde plötzlich mit hohem Fieber und Bauchschmerzen in eine Klinik eingeliefert und, weil er sich heftig dagegen wehrte, zu spät operiert.

20 bis 30 % aller Patienten mit Colitis ulcerosa müssen, wenn sie sich nicht kohlenhydratarm ernähren, früher oder später unters Messer, weil ständiger Blut- und Eisenverlust und absackender Allgemeinzustand die Entfernung des Dickdarms und damit die Anlage eines künstlichen Afters erzwingen[44]. Unter meinen Patienten sind nur zwei, denen der Dickdarm entfernt wurde. Ich kann nicht sicher sagen, ob unter denen, die ich aus den Augen verloren habe (weil sie meine vielen Nachfragen nicht beantwortet haben), nicht der eine oder andere war, bei dem die Entfernung des Dickdarms schließlich doch noch nötig wurde. Sicherlich gibt es auch für die Behandlung mit kohlenhydratarmer Diät eine Grenze, ein Stadium, wo

die Krankheit schon so weit vorgeschritten ist, dass die Ernährungsumstellung nicht mehr vertragen wird oder nicht mehr wirksam wurde; wo die Patienten nach Monaten oder Jahren die Geduld verloren haben oder andere Gründe zu einer chirurgischen Lösung drängten.

Mit der operativen Entfernung des gesamten Dickdarms wird die Krankheit nämlich endgültig beendet. Nicht nur die Kolitis heilt aus, weil das erkrankte Organ nicht mehr vorhanden ist, sondern auch alle Nebenerkrankungen, die am Auge, an der Haut, an den Gelenken usw. bei chronischer Colitis ulcerosa vorkommen können. Sie sind sozusagen nur die Ausstrahlung der Immunreaktionen auf Organe außerhalb des Dickdarms.

Gold-Therapie?

Gold ist ein bekanntes Antirheumatikum, welches früher sehr viel bei Gelenksentzündungen eingesetzt wurde, solange es die neueren („nichtsteroidalen") Antirheumatika und die Cortisonpräparate noch nicht gegeben hat. Gold wird als Schwermetall von den immunkompetenten Zellen (den weißen Blutkörperchen und ihren Abkömmlingen) direkt aufgenommen; es behindert deren weitere Tätigkeit und bessert damit die Immunkrankheiten. Die Leukozyten sind sozusagen jetzt nicht mehr in der Lage, sich allzu viel mit der Dickdarmschleimhaut zu befassen. Man soll die Goldbehandlung allerdings auf schwerere Fälle von Colitis ulcerosa beschränken, weil sie manchmal doch Nebenerscheinungen auslöst (wochenlang andauerndes Fieber, Hautausschläge urtikarieller Art) und auch in das Hormonsy-

	Protein	Fett	Kohlen-hydrat	Kcal.	KJ
Summe für 12 Fälle	1241,0	1866,0	868,0	25 422,0	106 391,0
Durchschnitt pro Fall	103,4	155,5	72,3	2 118,5	8 866,0
Kcal pro 24 h	422,0	1395,0	295,0	—	—
% der Kalorien an den Hauptnahrungsmitteln	20,0	66,0	14,0	—	—

Tab. 2: An 12 Patienten mit Colitis ulcerosa nach monatelanger kohlenhydratarmer Diät ermittelte Werte für tatsächlich zugeführte Nahrungsbestandteile (s. Lit 78).

stem eingreifen kann. Ich habe beobachtet, dass die Gonadotropin-Ausscheidung sinkt und damit die Sexualität in Schwierigkeiten kommen kann. Bei Frauen ist das nicht so tragisch, oft sogar erwünscht, weil Schmerzen bei der Regel oder in der Brust verschwinden; bei Männern leidet oft die Potenz. In einem schweren Fall von Colitis ulcerosa wird man aber auf diese Nebenerscheinungen nicht Rücksicht nehmen dürfen, weil es ja in der Regel darum geht, den Dickdarm zu erhalten, und weil sie doch nicht ewig bestehen bleiben.

Kohlenhydratarme Ernährung

Auch sonst kann ich von meinen Patienten mit Colitis ulcerosa nur Positives berichten[41–43, 59]. Schon die Zahl von über 600 Patienten ist für einen praktizierenden Arzt ungewöhnlich – ein Zeichen dafür, dass ihn einer dem anderen empfiehlt. Viele Patienten erhielt ich über Personal aus Krankenhäusern, wo sich ja diese Unglücklichen sammeln, denen man immer wieder sagt: „Es gibt keine Diät bei Colitis ulcerosa oder Morbus Crohn; essen Sie, was Sie vertragen, nehmen Sie die Medikamente, kommen Sie bei einem Rückfall wieder zu uns. Sie müssen damit rechnen, dass Sie schließlich doch operiert werden".

Bei den ersten 74 Patienten unter kohlenhydratarmer Diät mit 6 Broteinheiten (Tab. 2, 3), die ich bis 1979 überblickte, hat sich ergeben[43], dass nach zwei Jahren etwa 60% beschwerdefrei sind, normale Laborwerte haben, und dass die Mast-

	absolut						%					
Jahre	0	2	4	6	8	>8	0	2	4	6	8	>8
Patientenzahl	74	74	54	46	35	38	100	100	100	100	100	100
ohne Befund	–	40	41	39	32	36	–	54	76	85	91	93
Kontaktblutungen	24	19	6	4	2	1	32	27	11	9	6	4
Spontanblutungen	23	7	4	2	1	–	31	10	7	4	3	–
Ulzera und Fibrin	26	4	3	2	–	1	35	6	6	4	–	4

Tab. 3: Krankheitsverlauf von 74 Patienten mit Colitis ulcerosa unter kohlenhydratarmer Diät. Kriterien: rektoskopischer Befund. Weitgehende Rückbildung von Blutungen und Ulzerationen im Verlauf von 2 bis > 8 Jahren. Anstieg der „Heilungs"-Quote bis auf über 90 %.

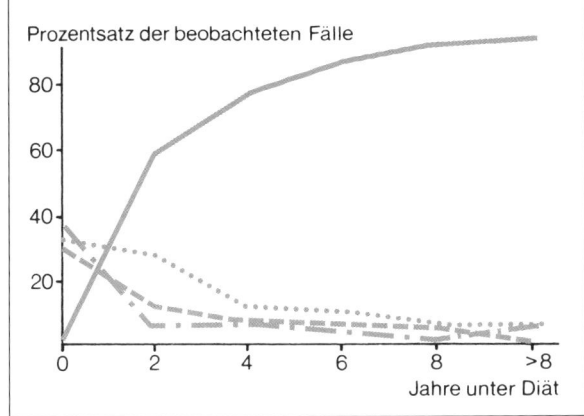

Abb. 20: Graphische Darstellung der Werte von Tabelle 3. Die schwersten Symptome verschwinden zuerst, Kontaktblutungen zuletzt. Gleichzeitig Anstieg der Prozentsätze der beschwerdefreien Patienten (_ = ohne Befund, ... = nur Kontaktblutungen, -- = Spontanblutungen, _._. = Ulzera und Fibrin (s. Lit. 43).

darmschleimhaut normal aussieht (Abb. 20 sowie Farbtafel nach Seite 102). Bei den übrigen 40 % dauerte es länger – vier, sechs, acht Jahre, bis die Blutungen zum Stillstand kamen, die Eisenspiegel sich normalisierten, Durchfälle und Bauchschmerzen aufhörten. Ich habe nur zwei Patienten, die länger als acht Jahre benötigten, bis sie zur Ruhe kamen.

Interessant sind Befunde, die auf Blitzlichtaufnahmen zu erheben sind (Farbtafel nach S. 102). Man sieht bei Behandlungsbeginn häufig gelbe Flecken, die als Fetteinlagerungen oder als oberflächliche Schleimhautgeschwüre gedeutet werden, die nach einigen Monaten unter kohlenhydratarmer Diät verschwinden. Die Darmschleimhaut sieht dann aus wie bei gesunden Personen.

Dasselbe kann man auf feingeweblichen Bildern von kleinen Schleimhautstückchen erkennen, welche bei Mastdarm-Spiegelungen entnommen wurden. Man sieht, dass die Entzündungserscheinungen (die vielen weißen Blutkörperchen in der Schleimhaut) verschwinden, wenn die Patienten einige Zeit Diät gehalten haben.

Sicherlich ist das keine ganz einfache Behandlung. Sie erfordert Mitarbeit und Opfer von Seiten des Patienten, Geduld von Seiten der behandelnden Ärzte und Zeit. Wer glaubt, er könne seine Kolitis in ein paar Monaten los werden, der irrt sich.

Man muss aber die Erfolge dieser Diätbehandlung in Beziehung setzen zu den möglichen Alternativen.

Psychotherapie

Da ist zunächst die Psychotherapie. Jeder zweite Patient etwa, der zu mir kam, war schon auf einer psychiatrischen Abteilung oder ambulant bei einem Psychiater, weil man ja angesichts der Erfolglosigkeit der üblichen Behandlung angenommen hat, es müsse sich um ein seelisches („psychosomatisches") Leiden handeln.

Diese Patienten fragen mich dann, wieso man zu der Vorstellung gekommen sei, sie hätten seelische Schwierigkeiten. Sie seien gut verheiratet, sie hätten keine Probleme, ein ausreichendes Einkommen und keineswegs den Eindruck, dass irgendetwas im seelischen Bereich ihre Krankheit beeinflussen würde oder gar ausgelöst habe. Der Leserbrief einer Ärztin ist für diese Situation bezeichnend.

---

23. Oktober 1980

Es ist mir ein Bedürfnis, mich bei SELECTA zu bedanken für die Hinweise auf die Behandlungsmethode der Colitis ulcerosa von Dr. Wolfgang Lutz in Salzburg und für dessen Buch „Leben ohne Brot", das ich im November 1974 zu Gesichte bekommen hatte. Ich litt damals bereits mehrere Jahre lang an dieser Krankheit mit Geschwüren im Enddarm und mit Kryptenabszessen; niemand konnte mir helfen. Azulfidin habe ich wegen Allergie nicht vertragen; auch Cortison machte unangenehme Nebenerscheinungen in Form von Kniegelenksschwellungen, Beinödemen, nächtlichem Schwitzen, schlechtem Schlaf und den Cushing-Symptomen. Die üblichen Diätempfehlungen ließen alles völlig unbeeinflußt, und ich fühlte mich in einer richtigen Sackgasse. Jetzt, zweieinhalb Jahre unter kohlenhydratarmer Diät, ist alles anders. Nicht nur die Kolitis ist abgeheilt, auch die vorherigen Magenbeschwerden verschwanden, und ich bin mir jetzt völlig klar darüber, dass diese Erkrankung mit Psychosomatik gar nichts zu tun hat. Sie ist lediglich ein Ernährungsproblem. Ich bedaure nur, dass die meisten Kolitis-Patienten weiterhin als Psychosomatiker eingestuft werden und dass man ihnen die einzig hilfreiche Therapie mit kohlenhydratarmer Diät verweigert, weil man daran nicht glaubt.

Operation

Die zweite Alternative ist die Entfernung des gesamten Dickdarms und das Anlegen eines künstlichen Afters. Es gibt sicherlich Fälle, wo dies schließlich der einzige Ausweg aus einem chronischen Dickdarm-Siechtum ist, und ein Patient ist erfahrungsgemäß bereit, sich mit allem abzufinden, was ihm sein Schicksal auferlegt, aber wer einmal einen künstlichen Ausgang hatte, der weiß, was das heißt.

Auch nach der „Abheilung" einer Colitis ulcerosa kann es, im Gegensatz zum Morbus Crohn, trotz Diät noch zu Rückfällen kommen. Sie werden aber von Jahr zu Jahr unwahrscheinlicher und von Jahr zu Jahr leichter. Zwei Patienten hatten noch nach zehn, einer nach sechs Jahren je ein leichtes Rezidiv von einigen Wochen Dauer, eine Patientin einen Rückfall nach vier Jahren.

Immunkrankheit

Dies hängt mit dem Charakter der Colitis ulcerosa als ausgesprochener Immunkrankheit[50–57)] zusammen. Immunreaktionen sind ja dazu da, uns vor äußeren Feinden zu schützen. Nehmen wir einmal die hämolytischen Streptokokken, gefährliche Krankheitserreger. Die erste Bekanntschaft mit ihnen führt zum Scharlach. Im Laufe der Erkrankung immunisiert sich der Organismus gegen den Erreger. Das Immunsystem, dargestellt durch weiße Blutkörperchen und Knochenmarkszellen, kennt ihn jetzt. Niemals erkrankt man zum zweiten Male an Scharlach. Ähnlich liegen die Dinge bei den meisten anderen so genannten Kinderkrankheiten, die ja deshalb so heißen, weil man als Kind nur einmal damit zu tun hat, dann nicht mehr.

Das Immunsystem vergisst nichts; es vergisst auch nicht, wenn es einmal gegen eigene Organe sensibilisiert wurde. Es gilt also im Prinzip der Satz von Prof. Ludwig Demling, einem Spezialisten für Magen-Darm-Erkrankungen: „Einmal Kolitis –

immer Kolitis". Demling hat zwar diesen Ausspruch in einem anderen Sinn getan; er meinte, wer einmal an Colitis ulcerosa erkrankt ist, wird diese Krankheit nicht mehr los. Das ist aber unter kohlenhydratarmer Diät anders. Wer einmal erkrankt ist, dessen Immunsystem bleibt zwar auf den Dickdarm eingeschossen, der Dickdarm gewinnt aber unter kohlenhydratarmer Diät an Widerstandskraft, so dass er sich die Angriffe des Immunsystems eher gefallen lassen kann; und mit der Zeit verliert das Immunsystem die Lust an diesen Angriffen: Weil der Dickdarm trotz der Angriffe sich brav verhält, nicht mehr blutet usw., wird es nicht mehr stimuliert, und so verliert sich die Intensität der Immunreaktionen. Es gibt dafür ein ganz gutes Beispiel.

Wir erkranken alle während unserer Jugend an Windpocken. Manche entwickeln einen typischen Ausschlag; manche haben nur Fieber. Aber die Varizellen bekommen wir alle einmal. Im Laufe des Lebens verliert sich die Immunität gegen den Erreger, so dass wir dann im Alter wieder erkranken können – aber anders, in Form der Gürtelrose. Sie kann unangenehme Ausmaße annehmen; allgemein ist es jedoch ein ohne Fieber ablaufendes, auf eine kleine Hautstelle beschränktes Leiden.

Laktose-Unverträglichkeit

Es wurde behauptet, dass Milch einem Patienten mit Colitis ulcerosa schaden kann[44, 45]. Ich habe es niemals beobachtet. Natürlich bekommt ein Patient mit unerkannter Milchzucker-Unverträglichkeit ("Laktose-Intoleranz") auf Milch Durchfälle. In diesen Fällen fehlt das Ferment Laktase, welches Milchzucker aufspaltet, so dass er nicht vom Darm aufgenommen und in das Blut übergeführt werden kann. Er kommt unverdaut in den Dickdarm und verursacht dort Durchfälle. Mit Colitis ulcerosa hat das aber nichts zu tun.

Die andere Gefahr, die dem Colitis-ulcerosa-Patienten droht, ist die maligne Entartung, d.h. das Auftreten von Dickdarmkrebs. Es dauert meistens mehr als 15 Jahre, bis es dazu kommt. In der Regel sind es Patienten, deren Erkrankung weit in die Jugend zurückreicht; oft entsteht Krebs an mehreren Stellen.

Inwieweit Krebs auch auftritt bei Patienten, welche rechtzeitig auf eine kohlenhydratarme Diät umgestellt wurden, kann ich nicht sagen. Unter meinen über 600 Patienten waren zwei Krebsfälle: eine Frau, die gleichzeitig eine Leukämie (eine bösartige Blutkrankheit) und einen Darmkrebs entwickelte (sie wurde vor Jahren operiert; es geht ihr gut, auch bezüglich ihrer Leukämie).

Der zweite Fall war ein älterer Herr. Nachdem es ihm länger als ein Jahrzehnt gut gegangen war, hatte er wieder Blutungen. Wir fanden am Dickdarm eine verdächtige Stelle. Eine Gewebsprobe, an den verdächtigen Stellen entnommen, ergab nichts. Schließlich wurde doch operiert; es war Krebs. Der operierende Chirurg meinte, er habe (nach über zehn Jahren Diät!) bei der Operation und auch auf dem Operationspräparat nichts gefunden, was dafür spreche, dass überhaupt jemals eine Colitis ulcerosa vorgelegen habe (so gut war die Sache unter Diät ausgeheilt). Daraufhin hat der Patient begonnen, wieder alles zu essen, um dann mit einem neuen Schub wieder zu mir zu kommen. Auch dieser Chirurg verwendet jetzt angeblich auf seiner Abteilung eine kohlenhydratarme Diät bei seinen Kolitis-Patienten.

Medikamente

Was die Medikamente betrifft, so wird man sie nicht alle sofort weglassen, weil ja doch einige Zeit vergeht, bis die Diät wirkt. Zunächst soll man versuchen, aus der Cortisonmedikation auszuschleichen, weil diese künstlichen Nebennierenrinden-Präparate die Eiweißsynthese generell bremsen und damit nicht nur die Bildung von Immunkörpern behindern (und damit die Symptome unterdrücken), sondern auch der Ausheilung der Schleimhaut und damit der Abheilung der Erkrankung entgegenstehen. Schließlich wird man dann aber auch die anderen Medikamente langsam weglassen können. Kommt es in den ersten Jahren zu einem Rückfall, dann kann man vorübergehend wieder Medikamente anwenden. Leichtere Rückfälle wird man aber ohne Medikamente zu überdauern versuchen.

Ich besitze eine ganze Mappe voll Dankesbriefen von Patienten, bei denen alles versucht wurde und denen man schließlich nur die Operation in Aussicht stellen konnte. Es gibt aber sicher auch 50 000 Fälle von Crohnscher Erkrankung und Colitis ulcerosa allein im deutschen Sprachgebiet. Warum werden diese nicht kohlenhydratarm ernährt? Warum setzt sich diese Maßnahme nicht durch? Ich kann darauf nur sagen, ich habe alles versucht. Ich habe zwischen 1965 und 1981 fünf wissenschaftliche Arbeiten in medizinischen Journalen veröffentlicht; ich habe viele Leserbriefe an Fachzeitschriften geschrieben. Vom „Leben ohne Brot" wurden inzwi-

schen mehr als 80 000 Stück verkauft. Die meisten deutschsprachigen Ärzte kennen es, weil sie von Patienten, die damit Erfolg hatten, darauf hingewiesen wurden.

In meiner Ordination hing ein Spruch von Mark Twain: „Ein Mann mit einer neuen Idee ist ein Spinner, bis sich die Idee als richtig erweist". Und das hoffe ich im Namen der vielen Zehntausende von Dickdarmerkrankten, die heute noch „essen dürfen, was sie vertragen".

Irritables Kolon (Reizdickdarm)

Man versteht darunter Beschwerden, welche die Patienten mit ihrem Dickdarm in Beziehung bringen, weil sie häufig mit dem Stuhlgang zusammenhängen und auch entlang dem Dickdarm empfunden werden. Der bekannte schwedische Modearzt Axel Munthe hat vor langer Zeit diese Art von Kolitis mit den verschiedenartigsten hysterischen Zügen vermengt und so zu einer Modekrankheit hochstilisiert, bis der Begriff der Kolitis sich schließlich langsam vom Dickdarm loslöste und eine Krankheit derjenigen sozialen Schichten geworden ist, welche sich so etwas leisten konnten.

Das Colon irritabile, der „Reizdickdarm", existiert aber tatsächlich in Form eines Gemisches aller fünf Zustände, die hier schon besprochen wurden: der Verstopfung, der Neigung zu Durchfällen, zu Bauchkrämpfen, zu Reizerscheinungen der Dickdarmschleimhaut und dergleichen mehr. Manche Patienten entleeren mit dem Stuhlgang oder dazwischen große Mengen von Schleim und sind beunruhigt, weil dieser in Form zusammenhängender gewebeartiger Fetzen erscheint; sie glauben, dass damit die Schleimhaut selbst abgestoßen wurde. Die Mediziner haben dafür den Ausdruck Colitis oder Colica mucosa geprägt. Es handelt sich aber sicherlich nicht um ein eigenes Krankheitsbild, sondern eben nur um einen Reizzustand im Bereich des Dickdarms, der zu einer starken Anregung der Schleimdrüsen und damit zu diesen Absonderungen führt. Alle diese Zustände sind bedingt durch übermäßig genossene Kohlenhydrate, was ganz einfach daraus hervorgeht, dass eine kohlenhydratarme Diät innerhalb kürzester Zeit den Spuk beseitigt. Es ist schade, dass wir nicht mehr zur Zeit Axel Munthes leben, obwohl der hysterische Überbau die damalige bessere Gesellschaft sicherlich nicht davon überzeugt hätte, dass es sich um eine Kohlenhydratkrankheit handelt. Notfalls hätte man sich an die hysterischen Symptome geklammert und ein anderes körperliches Substrat gesucht.

Divertikulose

Die Wand des Dickdarms besteht aus mehreren Muskelschichten, welche sich gegenseitig überkreuzen und wie ein Gitter kleine Lücken freilassen, durch welche Blutgefäße und Nerven durchtreten können. Werden die Muskelschichten geschwächt, dann vergrößern sich die Lücken, so dass sich die Schleimhaut durchzwängen kann. Diese fingerförmigen Schleimhaut-Vorwölbungen gelangen unter das Bauchfell, das den Dickdarm an den meisten Stellen überzieht, und werden dadurch knopfartig verformt. Diese „Knöpfe" sind also außen vom Bauchfell überzogen und damit so fixiert, dass sie sich nicht wieder zurückziehen können. In ihrem Inneren befindet sich Stuhl.

Die Zahl dieser so genannten Divertikel ist sehr unterschiedlich. Es gibt Patienten mit einem oder zwei Divertikeln, andere mit 20 oder 50. Sie machen im Allgemeinen keine typischen Beschwerden; nur wenn sie sich entzünden, können Schwierigkeiten durch Bauchfellentzündung entstehen. Diese zwingt unter Umständen zu einem sofortigen Eingriff. Die Divertikel sind am häufigsten an einer Stelle des Dickdarms lokalisiert, die man das Sigma nennt, einer S-förmigen Schlinge zwischen dem Mastdarm und dem absteigenden Dickdarm, also auf der linken Seite, wo eine Entzündung dieselben Erscheinungen macht wie eine Blinddarmentzündung auf der rechten.

Gewöhnlich wird zur Behandlung einer Divertikulose eine faserreiche Diät empfohlen, weil Wissenschaftler vor Jahren einmal feststellen konnten, dass afrikanische Neger mit ihrer faserreichen Kost keine Divertikulose und auch sonst wenig Dickdarmerkrankungen (Krebs) haben. Ich halte nicht viel von diesem Faser-Rummel, der sich in den letzten Jahren breit gemacht hat.

Der Mensch ist Jäger und Sammler und kein Pflanzenfresser, wenn auch in seiner Ur-Nahrung vielleicht etwas mehr unverdauliche Nahrungsreste vorgekommen sein mögen. Ich behandle deshalb auch eine Divertikulose mit kohlenhydratarmer Ernährung, und zwar mit Erfolg. Nur ist hier die Verhütung einer anfänglichen Verstopfung ganz besonders wichtig, etwa durch die regelmäßige Verabreichung von Reinigungseinläufen, wie im vorhergehenden Kapitel über Verstopfung bereits beschrieben.

Nach einigen Monaten haben die Patienten dann einen normalen Stuhlgang und keine Beschwerden von ihrer Divertikulose mehr. Die bereits vorhandenen Divertikel verschwinden zwar nicht, es bilden sich aber keine neuen, und vor allem heilen die Entzündungen aus, die bei einem Normalesser so häufig im Bereich des Magen-Darm-Kanals auftreten und natürlich auf die Divertikel übergreifen. Schließlich und endlich kommt es dann zu einer Kräftigung der Darmmuskulatur, und damit verschwindet die eigentliche Ursache der Divertikel, nämlich die Muskelschwäche mit den vergrößerten Öffnungen zwischen den Muskelfaser-Bündeln.

Eisenmangel (Hyposiderose)

Dass sich niedrige Bluteisenspiegel unter Kohlenhydratbeschränkung normalisieren können, habe ich zunächst bei Patienten mit Colitis ulcerosa gesehen. Diese haben häufig Darmblutungen und verlieren dabei viel Eisen, das einen wesentlichen Bestandteil des roten Blutfarbstoffes (Hämoglobin) ausmacht. In 100 ml (einem Zehntelliter) Blut finden sich 14 bis 16 g Hämoglobin mit 0,34 % Eisen. Unsere etwa fünf Liter Blut enthalten daher ungefähr 2,5 g Eisen (ein weiteres Gramm findet sich als Gewebseisen in Enzymen und in Eisendepots). Es verwundert nicht, dass die Bluteisenwerte ansteigen, wenn die Blutungen bei Colitis ulcerosa aufhören.

Die Blutungen hören aber oft nicht so schnell auf, und trotzdem erhöhen sich die Bluteisenwerte, bzw. sie werden auch bei Patienten normal, die keine Blutungen haben, etwa weil gar keine Colitis ulcerosa

vorliegt[59]. Die Abb. 21 zeigt das Verhalten von 38 Fällen mit Serum-Eisenwerten von weniger als 50 g% (normal sind wenigstens 100), von sehr schweren Fällen also, unter kohlenhydratarmer Diät. Man sieht, dass die Eisenwerte schon nach kurzer Zeit anzusteigen beginnen und nach sechs Monaten in der Regel die Norm erreicht haben, und das, obwohl die Patienten kein Eisen als Medikament weder in Tabletten- noch in Injektionsform erhalten haben. Nur in drei Fällen blieb zunächst ein Erfolg aus:

Bei einem davon lag eine so genannte eosinophile Leukämie, eine seltene und bösartige Blutkrankheit vor, in den beiden anderen ein Zwerchfellbruch. Man versteht darunter das Austreten eines Magenteiles durch eine Zwerchfell-Lücke in den Brustraum, oft mit Einklemmungserscheinungen und mit chronischen Magenblutungen verbunden.

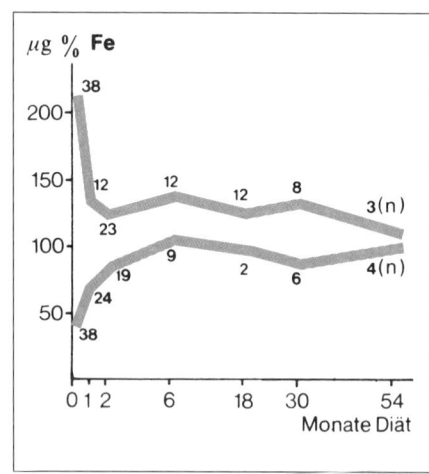

Abb. 21: Abnorme Bluteisenspiegel normalisieren sich unter kohlenhydratarmer Diät: Niedrige Werte steigen ohne jede Eisenmedikation in sechs Monaten bis zur Norm an; erhöhte Werte fallen in wenigen Wochen zur Norm ab. n = Zahl der zum jeweiligen Zeitpunkt untersuchten Fälle.

Wieso bessern sich die Eisenwerte unter kohlenhydratarmer Diät? Das Aufhören der Blutungen ist sicher nicht die alleinige Ursache, denn wir haben ja gehört, dass die Diät auch dort wirkt, wo keine Blutungen bestanden. Viele Patienten mit Eisenmangel haben überhaupt nie große Blutverluste erlitten; die Krankheit kann hier nicht darauf zurückgehen, sondern muss auf einer andersartigen Störung der Eisenbilanz beruhen.

Untersucht man Stühle chemisch auf Blut (z.B. mittels der so genannten Benzidinreaktion), findet man, dass bei Normalkost ein Teil der Patienten positiv und ein Teil negativ reagiert. Auch erstere bekommen aber Blut-negative Stühle, wenn man Fleisch aus dem Speisezettel streicht. Das Blut, das im Stuhl nachweisbar war, stammte also aus dem Fleisch der Nahrung. Unter kohlenhydratarmer Diät verlieren aber auch diese Patienten in einigen Monaten meist ihre Blutstühle, obwohl sie nun viel Fleisch essen. Ihre Fleischverdauung muss besser geworden sein.

Wir können uns damit das Phänomen des Eisenanstiegs im Blut von eisenarmen Patienten wenigstens zum Teil erklären. Die menschliche Nahrung enthält verschieden große und verschieden gut verdauliche (resorbierbare) Eisenmengen. Pflanzliche Nahrung ist relativ eisenarm, und das Eisen darin ist schlecht verdaulich. Fleisch enthält einerseits viel Eisen, und zwar sowohl im Blut, das sich noch in den Blutgefäßen der Fleischnahrung befindet, als auch im so genannten Myoglobin, einem eisenhaltigen Farbstoff in Muskelzellen. Andererseits liegt Eisen in tierischer Nahrung als so genanntes Häm vor, in einer Verbindung mit dem organischen Komplex Protoporphyrin. Während Eisen normalerweise aus der Nahrung völlig herausgelöst wird und in molekularer Form die Darmschleimhaut passiert, wird es im Häm als Komplex resorbiert, was die Aufnahme in den Körper natürlich wesentlich erleichtert[55-58]. Das in tierischer Nahrung vorkommende Eisen ist daher in dieser Hinsicht dem aus pflanzlicher Nahrung überlegen.

Unter der Kohlenhydratbeschränkung könnte es zur Erhöhung erniedrigter Eisenspiegel daher aus drei Gründen kommen:

a) Weil mehr Eisen in der Nahrung (im Fleisch) enthalten ist,

b) weil dieses Eisen besser resorbiert wird,

c) weil sich die Fleischverdauung im Darm bessert und damit die Eisenaufnahme ansteigt. Der kranke Darm lässt Nahrung und das darin enthaltene Eisen unverdaut passieren; der gesunde Darm zerlegt sie, nimmt das Eisen auf, und in den Stühlen wird der Blutnachweis negativ.

Unter meinen Patienten befanden sich einige, denen vorher bereits große Mengen von Eisen, auch durch Injektionen, erfolglos verabreicht worden waren. Hier kann Eisenmangel nicht die Ursache niedriger Bluteisenspiegel gewesen sein. Die kohlenhydratarme Ernährung muss an anderer Stelle angegriffen haben.

Der Eisenspiegel im Blut ist nicht das getreue Abbild der Eisenvorräte im Körper, wie man früher glaubte. Man weiß heute, dass Bakterien zu ihrer Vermehrung Eisen benötigen und dass bei Infektionen unser Körper versucht, das Eisen aus dem Blut und dem Raum zwischen den einzelnen Körperzellen wegzuräumen, damit sich dort die Bakterien möglichst nicht vermehren können. In den letzten Jahren hat man gefunden, dass der Körper auch bei Immunkrankheiten in dieser Form reagiert.

Da ein niedriger Eisenspiegel demnach auch ein Indiz dafür ist, dass im Körper eine Infektion oder eine Immunkrankheit abläuft, was ja für die Colitis ulcerosa und die Crohnsche Erkrankung zweifellos zutrifft, und da man diesen Zustand durch Eisenbehandlung erfahrungsgemäß nicht beeinflussen kann, soll man gegen diesen „Eisenmangel" nicht mit Eisenpräparaten vorgehen, sondern ihn als ein willkommenes Anzeichen für die Aktivität der Erkrankung betrachten. Der Eisenspiegel normalisiert sich oft innerhalb weniger Wochen von selbst, wenn sich der Krankheitsprozess beruhigt.

Zu viel Eisen im Blut

Diese Diät wirkt auch auf zu hohe Eisenspiegel. Die Abb. 21 zeigt 38 Fälle mit erhöhtem Eisenspiegel, die sich auf Kohlenhydratbeschränkung normalisierten[59]. Solche „Siderosen" (zu viel Eisen im Blut) sind zwar nicht so häufig wie „Sideropenien" (zu wenig Eisen), sie sind aber doch bedeutsam, weil sie zu Eisenablagerungen im Gewebe und damit zu erheblichen Stoffwechselstörungen führen können („Hämochromatose").

Die Bantus z.B. kochen nur in Eisengefäßen; die so zubereitete Nahrung enthält daher reichlich Eisen, so dass, wer lange Zeit „Bantu" ist (aus Eisengefäßen isst und viele Kohlenhydrate zu sich nimmt), oft an Siderose erkrankt. Wahrscheinlich wären die Bantus in der Lage, dies zu ändern. Sie müssten dazu entweder auf die Eisengefäße oder auf die Kohlenhydrate verzichten.

Nun Spaß beiseite! Die Tatsache, dass ein- und dieselbe Maßnahme, hier eine kohlenhydratarme Diät, gegensätzliche Entgleisungen heilen kann, die „Normalisierung aus beiden Richtungen" spricht doch sehr stark für eine ursächliche Wirkung, dafür, dass die Kohlenhydrate eben die Ursache sowohl der einen als auch der anderen Störung sind, dass sie uns auf vorläufig noch unbekannte Art der Möglichkeit berauben, unsere Eisenbilanz in Ordnung zu halten. Ähnliches wird für Calcium zu berichten sein.

Das Beispiel der Kung

Was die Eisen-Mangel-Krankheit betrifft, so unterstreicht sie, dass wir von altersher Jäger und Fleischfresser sind, dass unser Stoffwechsel sich durch bevorzugte Behandlung des Eisens aus dem Fleisch darauf eingestellt und die Eisenausnutzung aus pflanzlicher Nahrung vernachlässigt hat. So lange wir Fleisch essen, ist alles in Ordnung, leben wir aber entgegen unserer Natur von Pflanzenkost, dann gibt es Schwierigkeiten. Man kann diese oft durch Eisenpillen umgehen, aber es ist begreiflicherweise keine ideale Lösung.

Erst in neuerer Zeit sind Untersuchungen an den Kung, einem Negerstamm in der Kalahariwüste Südafrikas, bekannt geworden, die wie ein Beweis für die Richtigkeit der soeben erläuterten Vorstellungen anmuten. Die Kung leben seit 11 000 Jahren als Nomaden im gleichen Gebiet. In den letzten Dezennien ist ein Teil sesshaft geworden und hat sich an die benachbarten Bantus auch bezüglich der Ernährung (nicht der Eisengefäße) angeschlossen. Die nomadischen Kung leben nach wie vor von

Fleisch, von Gemüse und von Nüssen, die Sesshaften von Getreide und von etwas Milch. Diese zeigen Eisenmangelerscheinungen (auch Fettsucht und hohen Blutdruck); bei den Nomaden kommt dies nicht vor[60]. Wie zwischen uns und unseren Vorfahren liegen die Unterschiede im Fleisch- bzw. Kohlenhydrat(und Salz)gehalt der Nahrung.

Kalkmangel im Blut

Dass sich unter einer kohlenhydratarmen Ernährung die Funktion des Darms ganz allgemein bessert, zeigt sich darin, dass sich nicht nur niedrige Eisen-, sondern auch niedrige Kalkspiegel im Blut normalisieren. Ich beobachte mehrere Fälle einer solchen „idiopathischen" Hypokalzämie (bei der sich keine spezielle Ursache nachweisen lässt) seit einigen Jahren. Sie sind in Abb. 22 zusammengestellt.

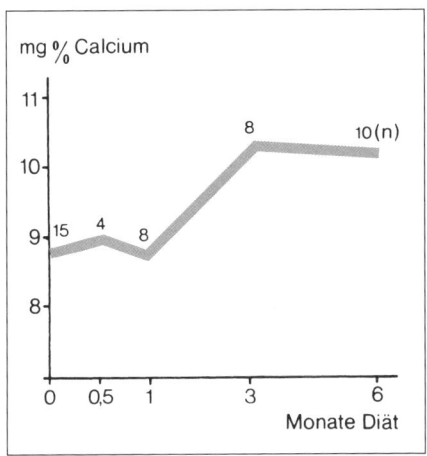

Abb. 22: Niedrige Blutkalkspiegel steigen unter kohlenhydratarmer Diät nach 4 Wochen und erreichen nach etwa 8 Wochen die Norm; n = Zahl der zum jeweiligen Zeitpunkt untersuchten Fälle.

Niedrige Blutkalkwerte finden sich vor allem bei Störungen im Bereich der Schilddrüse bzw. der Nebenschilddrüsen. Wenn bei einer Kropfoperation die Nebenschilddrüsen, genannt Epithelkörperchen, von denen wir meist sechs Stück (drei auf jeder Seite) haben, beschädigt oder irrtümlich entfernt werden, dann kann es sein, dass der Blutkalkspiegel sehr stark abfällt, und es kann eine so genannte Tetanie mit Muskelkrämpfen auftreten. Bei meinen Patienten, über die ich hier sprechen will, handelt es sich aber um andersartige Fälle, die auch nicht durch Zufuhr von Nebenschilddrüsenhormon oder – womit man meist dasselbe erreicht – mit so genanntem Kalzinosefaktor oder Vitamin D behandelt werden können. In den meisten Fällen besteht der Verdacht auf eine mangelhafte Fähigkeit des erkrankten Darms, Kalk aus der Nahrung aufzunehmen.

Der erste solche Fall war ein Kollege mit einer chronischen Entzündung der Bauchspeicheldrüse und des Dickdarms, der mit den Erscheinungen der erwähnten Tetanie und mit Blutkalkwerten von 6 mg% (anstelle von 10,5 mg% der Norm) zu mir kam. Er hat sich unter einer kohlenhydratarmen Diät innerhalb weniger Monate erholt, wobei sich die Blutkalkwerte normalisierten, und zwar, ohne dass Kalk als Medikament zugeführt worden wäre. Bei mehreren meiner Patienten war vorher an Kliniken alles mögliche unternommen worden, ohne dass die Situation wesentlich gebessert und der Blutkalkspiegel hätte normalisiert werden können. Erst die kohlenhydratarme Diät hatte Erfolg.

Denken wir an die soeben abgehandelten Fälle mit niedrigem Eisenspiegel, dann ist es nahe liegend anzunehmen, dass auch hier der Darm, d.h. die Enteritis, für die

Störung verantwortlich ist. Unter Kohlenhydratbeschränkung heilt die Enteritis aus, und die Hypokalzämie verschwindet.

Galle und Leber

Als ich 1960 begann, eine kohlenhydratarme Ernährung zur Behandlung von Patienten mit Beschwerden im Bauch anzuwenden, habe ich zunächst Fälle mit Gallenblasenerkrankungen ausgeklammert, weil es ja als ausgemacht galt, dass sie weder Fett noch Röstprodukte vertragen, und weil ohne Fett eine kohlenhydratarme Ernährung nicht möglich ist. In der Tat heilt eine Gastritis erfahrungsgemäß nicht aus, wenn die Beschränkung der Kohlenhydrate nicht von einer Fettzulage begleitet wird. Immer dann, wenn Patienten erscheinen und mir erklären (was ja selten genug vorkommt), sie hätten durch die verordnete Diät keine Erleichterung ihrer Magen-Darm-Beschwerden erfahren, forsche ich nicht nur nach einer chronischen Verstopfung, sondern auch danach, ob nicht von früher her oder aus vermeintlichen Gründen der schlanken Linie (oder des Cholesterinspiegels, siehe später) die Fette beschränkt wurden.

Besserung trotz Fett

Unter meinen erfolgreich behandelten Magen-Darm-Patienten fanden sich nun immer mehr Fälle, bei denen sich nachträglich herausstellte, dass auch eine Erkrankung der Gallenblase vorgelegen hatte und dass diese auf die Beschränkung der Kohlenhydrate und trotz entsprechender Fettzulage günstig angesprochen hatte.

Ich ging daher langsam dazu über, auch Gallepatienten in meine Diätbehandlung einzubeziehen.

Man sollte tatsächlich glauben, dass ein Patient mit einem krankhaften Prozess an der Gallenblase, z.B. mit Gallensteinen, Beschwerden nach einer fetthaltigen Nahrung bekommen müsste, denn die Gallenblase ist schließlich dazu da, dafür eine größere Menge eingedickter Galle zu Beginn eines Verdauungsvorganges zur Verfügung zu stellen. Dazu muss sie sich zusammenziehen, ihren Inhalt austreiben, und dieser Entleerungsvorgang müsste nun, wenn Gallensteine vorhanden sind, zu Schmerzen führen, weil die Steine sich nicht austreiben lassen (sonst wären sie ja nicht mehr in der Gallenblase).

Weniger Koliken

Offenbar führt aber eine kohlenhydratarme Ernährung zu einer Besserung der Situation im gesamten Verdauungstrakt und dadurch zu einer Beruhigung entzündlicher Veränderungen auch im Bereich der Gallenwege, so dass es dann weniger leicht zu Koliken kommt.

Man muss dabei berücksichtigen, dass die Größe der Gallenblase und die Menge der darin gespeicherten eingedickten Galle für den Menschen im Naturzustand berechnet ist, der ja oft tagelang nichts zu essen hat und dann plötzlich wieder ziemlich große Mengen von Fleisch und Fett aufnehmen muss.

Für uns, die wir dreimal am Tage essen, ist das Organ sozusagen überdimensioniert, und selbst das Gallevolumen, das eine steinhaltige Blase noch zur Verfügung hat, bzw. die so genannte Leber-Galle, d.h.

jene, die die Leber während der Verdauung neu bildet, reicht für den Verdauungsvorgang aus. Daher geht es ja nach einer Operation auch ohne Gallenblase meist ganz gut.

Wann operieren?

Ich habe mir jedenfalls abgewöhnt, bei Patienten mit einem pathologischen Befund an den Gallenwegen sofort eine Operation ins Auge zu fassen. Stattdessen gehe ich auf eine kohlenhydratarme Diät über, verordne Medikamente, die die Bakterienflora etwas unterdrücken, und bemühe mich, den Patienten über die ersten Wochen zu bringen. Dies ist in der Regel nicht schwierig. Geht es ihm besser, drängt er normalerweise sowieso nicht mehr zur Operation.

Natürlich gibt es Patienten, die man schließlich doch noch operieren lassen muss. Alle diese hatten Steine in einer noch einigermaßen funktionierenden Gallenblase. Ich erinnere mich an keinen einzigen, bei dem die Gallenblase bereits völlig außer Gefecht war und der doch operiert werden musste.

Anscheinend ist es also – eine kohlenhydratarme Diät vorausgesetzt – die noch gut kontraktile steinhaltige Blase, die eine Operation erfordert, und nicht das total mit Steinen angefüllte Organ, das sich sowieso nicht mehr zusammenziehen und entleeren kann.

Beschwerden trotz Operation

Noch etwas erscheint mir in diesem Zusammenhang wichtig. Die Patienten sind mit dem Erfolg einer Gallenoperation bekanntlich manchmal nicht zufrieden. Beschwerden nach solchen Eingriffen sind relativ häufig. Man hat dafür einen eigenen Namen, das „Postcholezystektomie-Syndrom" geprägt. Bekanntlich führt schon eine gewöhnliche Enteritis sehr häufig zu kolikartigen Beschwerden im rechten Oberbauch.

Wird in solchen Fällen operiert oder wird bei bestehendem Gallenblasenleiden operiert und versucht der Patient, nachher wieder alles zu essen, dann besteht oft die Enteritis bzw. die Entzündung an den Gallenwegen fort und damit das Beschwerdebild weiter. In solchen Fällen hilft nur eine Kohlenhydratbeschränkung, anfangs unterstützt durch die erwähnten antibiotischen Maßnahmen.

Gallengang-Entzündung

Da Leber und Galle funktionell weitgehend miteinander verflochten sind, ließen die Erfolge einer Diätbehandlung von Patienten mit Erkrankungen der Gallenblase und der Gallenwege erwarten, dass auch Lebererkrankungen auf eine kohlenhydratarme Diät ansprechen würden. Nur bei einer Leberschwellung, die durch einen Infekt (durch Bakterien etc.) in den kleinen Gallengängen innerhalb der Leber bedingt ist, geht es mit Diät und Antibiotika so einfach wie bei Gallenblasenerkrankungen. Diese Fälle sind gar nicht so selten. Im Gegensatz zu einer chronischen Hepatitis (Entzündung der Leberzellen selbst, nicht nur der Gallengänge, siehe später) ist die vergrößerte Leber hier deutlich druckempfindlich. Die Infektion der Gallenwege ist wahrscheinlich vom entzündeten und infizierten Dünndarm aus fortgeleitet und heilt mit der Enteritis ab.

Leberentzündung (Hepatitis)

Es war von vornherein anzunehmen, dass die Dinge bei der Hepatitis (im akuten Stadium als infektiöse Gelbsucht bezeichnet) nicht so einfach liegen würden. Hier muss ich aber etwas weiter ausholen.

Wie bekannt, besitzt der tierische und menschliche Organismus in Leber und Muskulatur ein kleines Energiedepot aus Kohlenhydraten in Form von Glykogen. Eine kranke Leber neigt dazu, ihr Glykogen zu verlieren und dafür Fett einzulagern, woraus man schon vor Jahrzehnten schloss, dass Leberkranke möglichst viel Zucker und andere Kohlenhydrate, aber möglichst wenig Fett zu sich nehmen sollten, um den normalen Glykogengehalt aufrechtzuerhalten.

Es ist aber bekannt, dass man damit keine Erfolge erzielte. Schon Professor Eppinger, Wien, war der Meinung, man sollte Leberkranke nicht allzu fettarm ernähren, selbst bei einer Gelbsucht. Und während des Zweiten Weltkrieges wurde von Patek[61] in den USA eine Methode propagiert, welche in einer hochkalorischen, eiweißreichen Ernährung von Patienten mit Leberzirrhose und Bauchwassersucht bestand. Allerdings enthielt diese Patek-Diät auch reichlich Kohlenhydrate, so dass sie sich auf die Dauer wohl nicht bewähren konnte. Will man einem Patienten mehr Eiweiß geben, dann muss man etwas anderes, z.B. die Kohlenhydrate, zurückstellen, und man muss ihm auch mehr Fett erlauben.

Es gibt verschiedene Beobachtungen, welche das Gegenteil des Bisherigen, nämlich eine Beschränkung der Kohlenhydrate

zugunsten von Eiweiß und Fett, auch für die kranke Leber als zweckmäßig erscheinen lassen. Statistiken bei infektiöser Gelbsucht haben ergeben, dass eine eiweiß- und fettreiche Diät eher bessere Resultate als eine kohlenhydratreiche, fettarme Ernährung, jedenfalls keine schlechteren liefert[62–70]. Nun heilt eine akute Leberentzündung ja fast immer aus, wenigstens zunächst, so dass es schwierig ist, Vor- und Nachteile verschiedener Ernährungsformen auszuwerten und andererseits eine eingreifende Ernährungstherapie bei einem Routinefall nicht nötig erscheint. Bedenkt man allerdings, dass eine chronische Leberentzündung sich sehr oft aus einer nicht ausgeheilten akuten entwickelt, dann wird man der Behandlung dieser Formen schon etwas mehr Gewicht beimessen.

Beim chronischen Stadium, das wegen seiner Neigung zum Übergang in eine Schrumpfleber eine schlechte Prognose hat und bei dem sich alle bisherigen Maßnahmen, vor allem alle Medikamente, als ziemlich unwirksam erwiesen haben, scheinen diätetische Erwägungen aber besonders aktuell zu sein.

Fett ist nicht schädlich

Die Frage, inwieweit nicht vielleicht eine kohlenhydratarme, fett- und eiweißreiche Ernährung zweckmäßiger wäre als die heute noch generell praktizierte fettarme, wurde in letzter Zeit neuerlich angegangen[66, 67]. Wenigstens die Fettleber wird dadurch günstig beeinflusst. Man hat sich daher gegen die Fortsetzung der Praxis ausgesprochen, Patienten mit Leberkrankheiten prinzipiell fettarm und entsprechend kohlenhydratreich zu ernähren[68–70].

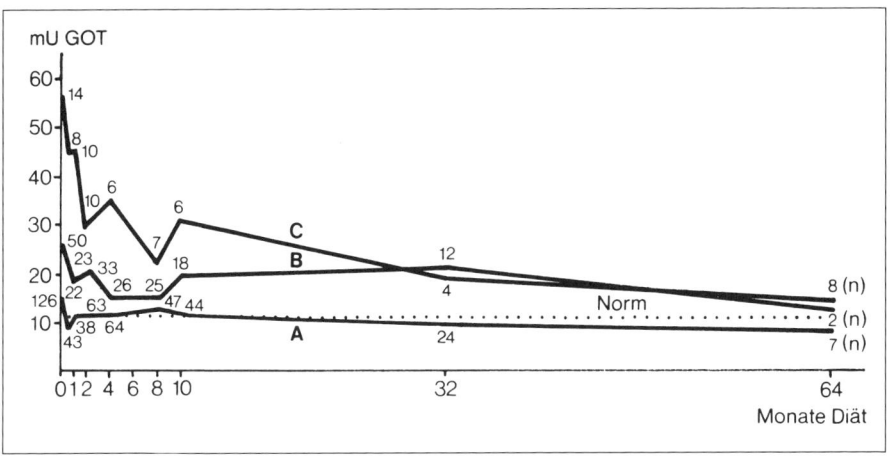

Abb. 23: Verhalten der GOT als ein für den Zustand der Leber typischer Parameter. Je nach der Höhe des Ausgangswertes (A, B, C) wird unter kohlenhydratarmer Ernährung die Norm mehr oder weniger rasch erreicht. Auch bei den schweren Fällen (C) ist das Ergebnis eindrucksvoll. (n = Zahl der zum jeweiligen Zeitpunkt untersuchten Fälle.)

Ich selbst überblicke viele Patienten mit pathologischen Lebertests. Als solche wurden regelmäßig die so genannte GOT (Glutamat-Oxalazetat-Transaminase), die LAP (Leucin-Amino-Peptidase), das Serum-Bilirubin (Gallenfarbstoff im Blut), das Gesamteiweiß im Serum und dessen elektrophoretische Auftrennung in einzelne Fraktionen (Serum-Elektrophorese) herangezogen. Die GOT, die sich in den Leberzellen und ihren Kraftwerken, den so genannten Mitochondrien, findet, dient als Maß für die Intensität einer Entzündung in den Leberzellen (Hepatitis), die LAP als Maß für eine Beteiligung der Gallenkapillaren, während sich mittels Elektrophorese die einzelnen Eiweißfraktionen, vor allem die Gammaglobuline, erfassen lassen. Der Anteil letzterer an den Proteinen des Blutes zeigt, inwieweit der Organismus bereits Immunreaktionen gegen seine eigenen Organe, hier gegen die Leber,

in Gang gesetzt hat. Von diesen Immunreaktionen haben wir ja schon gehört, und wir können uns vorstellen, dass sie gerade bei Lebererkrankungen wegen der Größe dieses Organs eine besondere Rolle spielen.

Enzymreaktionen bessern sich

Setzt man einen Leberkranken auf eine kohlenhydratarme Diät, dann sieht man nicht nur recht bald eine Besserung in seinem Befinden, sondern auch in den Laborwerten. Ich verfüge bereits über 190 Fälle, bei denen die GOT laufend beobachtet wurde, so dass dem Ergebnis sicherlich statistische Signifikanz zukommt (Abb. 23). Die leichten Fälle (GOT bis 20 mU) normalisieren sich schon in zwei Wochen, aber auch schwerere sprechen regelmäßig an, obwohl es hier begreiflicherweise länger dauert.

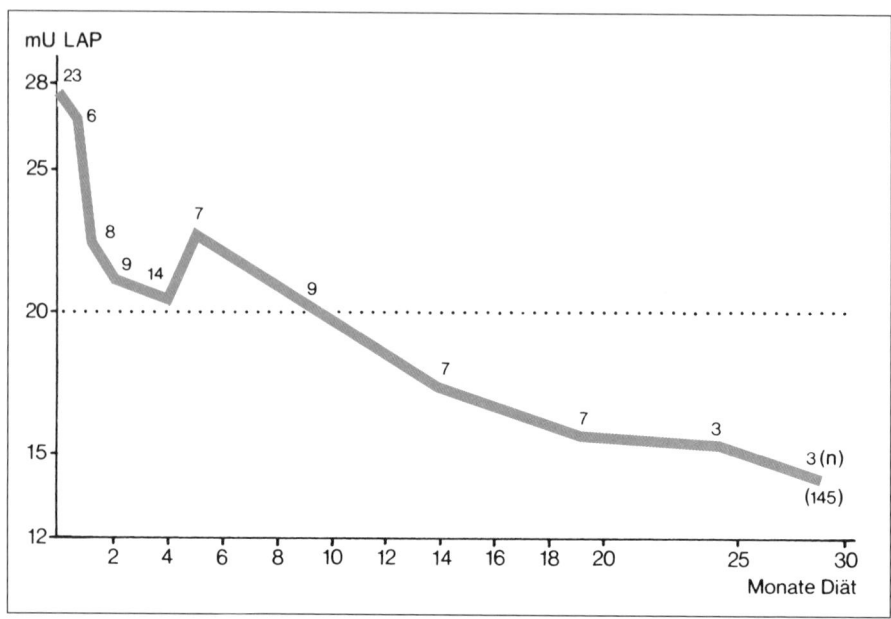

Abb. 24: Die Höhe der LAP (Leucin-Amino-Peptidase) ist charakteristisch für die Funktion der Gallenka-pillaren bzw. für den freien Abfluß der Galle (heute sind dafür die alkalische Phosphatase und die Gam-ma-GT üblich). Auch erhöhte Werte von LAP normalisieren sich rasch unter kohlenhydratarmer Ernäh-rung. N = Zahl der zum jeweiligen Zeitpunkt untersuchten Fälle.

In 23 Fällen wurde die LAP mitbe-stimmt. Auch dieser Leberwert normali-siert sich, wie die Abb. 24 zeigt, ziemlich rasch. Nach einer Gelbsucht bleiben häufig nicht nur die beiden genannten Leberpro-ben positiv, sondern das Blut enthält auch oft erhöhte Werte für Gallenfarbstoff, eine Störung, welche im Allgemeinen als recht hartnäckig gilt und für die es bis jetzt ei-gentlich nie eine Behandlungsmethode ge-geben hat. Die Abb. 25 zeigt aber, dass auch hier eine kohlenhydratarme Diät Er-folg hat.

Die chronische Hepatitis ist das Schul-beispiel einer Autoaggressionskrankheit. Wenn die Gammafraktion bei der Elektro-phorese erhöht ist, muss man annehmen, dass das Auftreten eines chronischen Entzündungsprozesses in der Leber da-rauf zurückgeht, dass der Organismus Immunkörper gegen seine eigene Leber entwickelt hat und damit die Krankheit aufrecht erhält. Er empfindet sozusagen Teile von sich selbst als fremd und versucht sie abzustoßen, wie dies ja auch bei den Er-krankungen anderer Organe, vor allem des Herzens, der Schilddrüse und des Magen-Darm-Traktes beobachtet wurde. Die Din-ge liegen ähnlich wie bei einem fremden Herzen, das der Chirurg als Ersatz für das eigene eingepflanzt hat. Solche Absto-ßungsreaktionen spielen schon in der nor-malen Erkrankungslehre eine immer grö-ßere Rolle. Ihre Bedeutung wächst aber

110

meiner Erfahrung nach mit dem Übergang auf eine kohlenhydratarme Ernährung sprunghaft an – aus Gründen, die in einem späteren Kapitel dargelegt werden sollen.

Die Gammaglobuline machen normalerweise 12 bis 15 % aller im Blut kreisenden Eiweißkörper aus. Bei Autoimmunkrankheiten gegen kleine Organe kann man hier keine Veränderungen feststellen. Je größer das erkrankte Organ jedoch ist, desto mehr Immunglobuline werden aber bei Vorliegen einer Autoaggressionskrankheit gebildet, bis sie sich bei einem Organ von der Größe der Leber in einem Ansteigen der Gammafraktion bemerkbar machen.

Leberzirrhose

Im Durchschnitt fand sich bei unseren mit kohlenhydratarmer Diät behandelten Fällen von Lebererkrankungen eine 40%ige Erhöhung der Gammaglobuline gegenüber der Norm (21 % gegenüber 15 % des gesamten Bluteiweißes) und keine Änderung unter kohlenhydratarmer Ernährung. Es scheint nur zu einer unspezifischen Anhebung aller Fraktionen und damit auch des Gesamtproteins im Serum zu kommen. Wenn sich unter Diät die GOT also bessert, während die Gammaglobuline hoch bleiben, dann bedeutet dies, dass die Verwundbarkeit der Leberzellen, d.h. die

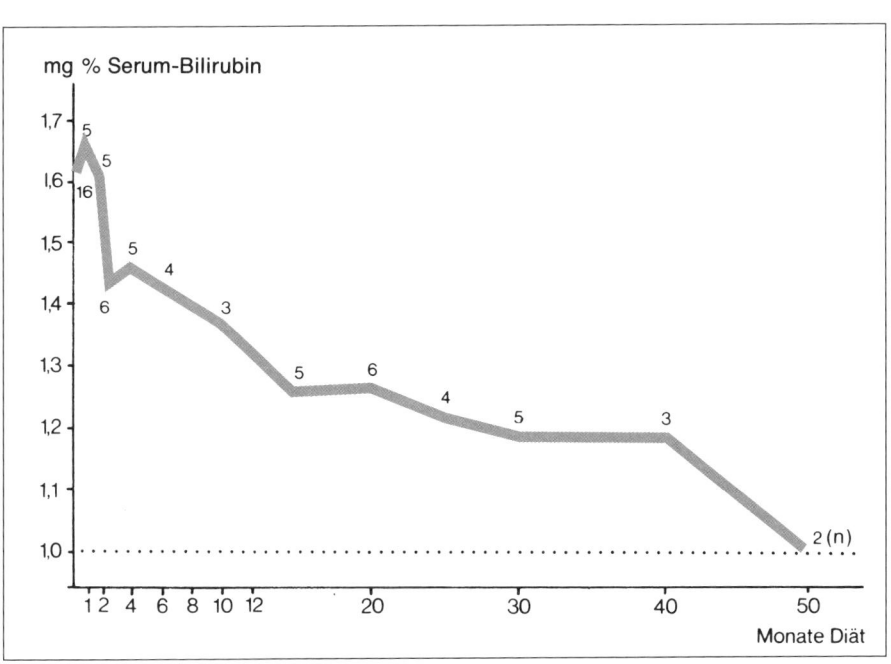

Abb. 25: Ein erhöhter Serum-Bilirubinspiegel gilt im allgemeinen als irreparabel. Die Beobachtung solcher Patienen unter kohlenhydratarmer Diät zeigt aber, dass auch erhöhte Werte für Gallenfarbstoff im Blut sich diätetisch günstig beeinflussen lassen. N = Zahl der zum jeweiligen Zeitpunkt untersuchten Patienten.

Zahl derer, die in der Zeiteinheit zugrunde gehen, abnimmt, obwohl der Organismus darin fortfährt, sie mit Geschossen aus Immunkörpern zu bombardieren. Sie werden widerstandsfähiger gegen die Autoaggression, genauso wie Darmschleimhaut, Haut, Herz, Zähne, Knochen und Gelenkknorpel. Dies hat aber natürlich irgendwo seine Grenze.

Bei drei aus 172 meiner Fälle von chronischer Hepatitis bzw. Leberzirrhose lagen die Gammaglobuline zu Beginn der Behandlung bereits bei über 30 %, und sie stiegen unter der Wirkung einer kohlenhydratarmen Ernährung, welche den Aufbau aller Eiweißkörper, also auch der Immunglobuline, fördert, weiter an (Abb. 26). So kam es einige Wochen bis Monate nach anfänglicher Besserung des Befindens zur Zunahme einer bereits bestehenden Bauchwassersucht, so dass die kohlenhydratarme Diät abgesetzt oder doch durch Zulagen abgeschwächt werden musste.

Solche Patienten haben offenbar ihren „point of no return" bereits überschritten, d.h. ihre Erkrankung hat einen Grad erreicht, der eine Umkehr nicht mehr zulässt, weil diese nicht nur die erkrankte Leber, sondern auch das für die Erkrankung ursächliche Immunsystem bessern und zu verstärkten Angriffen auf das erkrankte Organ (die Leber) instand setzen würde.

Einen solchen „point of no return" gibt es auch bei Patienten mit Herzkranzgefäßerkrankungen (Angina pectoris usw. auf Seite 153). Man müsste allerdings noch versuchen, ob man die unerwünschte Anregung des Immunsystems bei Lebererkrankungen nicht durch Cortison unterdrücken kann, d.h. man müsste die kohlenhydratarme Diät mit Cortison kombinieren.

Bei Herzpatienten mit vorwiegender Schwäche der rechten Herzkammer und chronischer Leberstauung sind solche Schwierigkeiten mit Verschlechterung bei Bauchwassersucht viel häufiger, weshalb solche Patienten keine so gute Prognose haben wie sonstige Herzpatienten unter kohlenhydratarmer Diät. Darüber wird noch mehr zu sagen sein.

Trinker-Diät

Wir haben in der Einleitung schon davon gesprochen, dass eine kohlenhydratar-

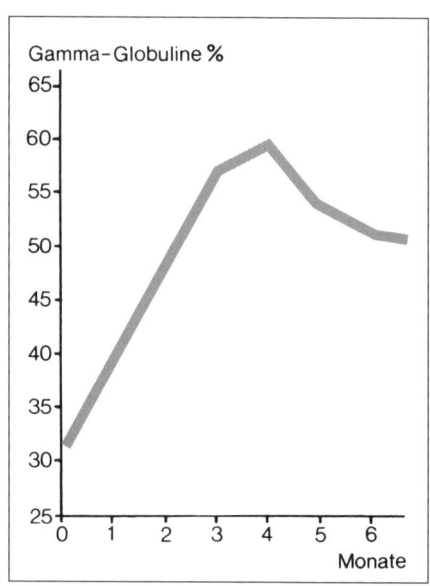

Abb. 26: Das Verhalten des Gammaglobulins in Prozent des Gesamteiweißes bei einem Fall von Leberzirrhose mit Aszites (Schrumpfleber mit Bauchwassersucht). Der Anstieg unter kohlenhydratarmer Ernährung entspricht dem allgemeinen Substanzaufbau bei dieser Diät und weist auf die gesteigerte Bildung von Immunkörpern hin. Hier handelt es sich allerdings um einen von der Natur unbeabsichtigten schädlichen Effekt.

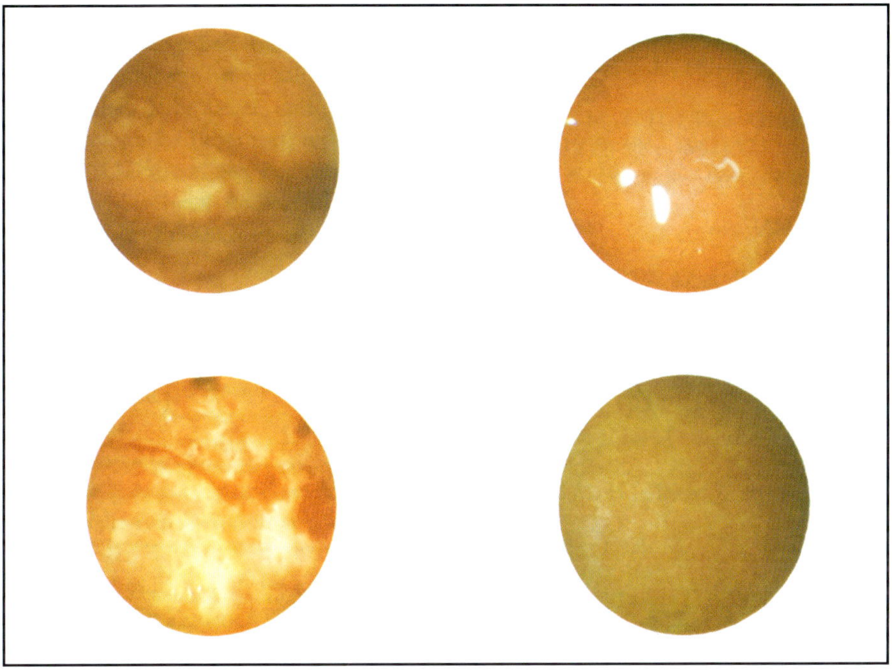

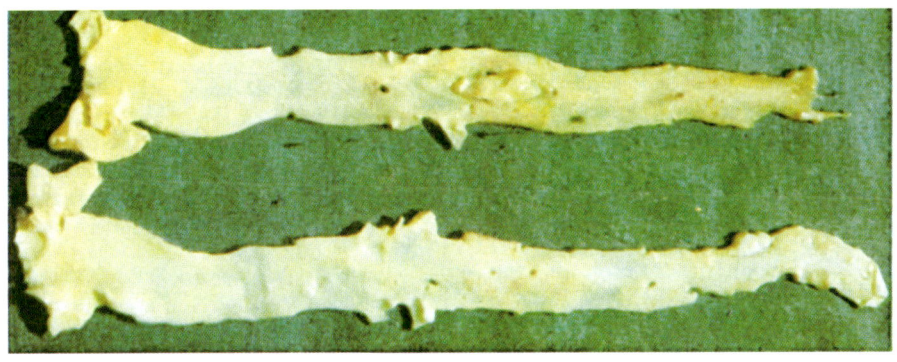

Blitzlichtaufnahme der Rektalschleimhaut bei Patienten mit Colitis ulcerosa vor (links) und nach (rechts) längerer Kohlenhydratbeschränkung. Die gelblichen Flecken sind oberflächige Geschwüre (Nekrosen) der Schleimhaut; sie verschwinden unter Diät auch noch in höherem Alter.
Pat. M. F., 62 Jhr.: August 65 bis April 68
Pat. A. H., 44 Jhr.: Januar 60 bis März 64

Aorten von Hühnern nach dreijähriger Fütterung, oben mit, unten ohne Kohlenhydrate.

me Diät einen gewissen Ersatz für Alkoholbeschränkung bei Trinkern darstellt. Solche Patienten haben sehr häufig eine vergrößerte, derbe Leber, und sie haben oft pathologische Lebertests, meist eine erhöhte GOT zusammen mit einer erhöhten LAP. Manchmal finden sich hier auch ausgeprägte Erhöhungen der Blutfettwerte.

Hier spielt es wahrscheinlich eine erhebliche Rolle, dass Alkohol mit sieben Kalorien/Gramm recht stark in die Kalorienbilanz eingeht. Er hat fast so viel Energie pro Gewichtseinheit wie Fette (diese haben neun Kalorien/Gramm). Wer viel trinkt, hat daher wenig Appetit. Auf diese Art leidet vor allem die Zufuhr von Eiweiß, das ja zum Aufbau des Körpers und zur Erhaltung seiner Substanz unbedingt nötig ist. Nimmt man diesen Patienten die Kohlenhydrate weg, dann haben sie immer noch reichlich Kalorien aus ihrem Alkohol, es verschwindet aber die Appetitlosigkeit, und der Eiweißmangel gleicht sich aus. „Drinking man's diet" ist meines Erachtens eine ganz wesentliche medizinische Erkenntnis, die von Laien beigesteuert wurde[66].

Literatur

1) Bruker, M. O.: Der Zucker als pathogenetischer Faktor. Schwabe & Co., Bad Homburg 1962.
2) Cleave, T. L., G. D. Campbell: Diabetes, Coronary Thrombosis and the Saccharine Disease. John Wright & Sons, Bristol, 1966.
3) Marshal, B.J., Goodwin, C.S., Warren, J.R., et al: Lancet 2: (1988), 1437
4) Dicke, W. K.: Thesis Univ. Utrecht, 1950.
5) Ross, C. A. C., A. C. Frazer, J. M. French, J. W. Goosard, H. G. Sammsons, J. M. Smeller: Lancet I (1955) 1087.

6) Kivel, R. M., D.H. Kearns, D. Liebowitz: New Engl. J. Med. 271 (1964) 769.
7) Zollinger, R. M., E. H. Ellison: Ann. Surg. 142 (1955) 709.
8) Zollinger, R. M., E. H. Ellison: Gastroenterology, 37 1959) 401; (1962) 572.
9) Zollinger, R.M.. et al.: Ann. Surg. 156 (1962) 572.
10) Zollinger, R.M., G.N. Grant: JAMA 190 (1964) 181.
11) Greider, M. H., D. W. Elliot, R. M. Zollinger: JAMA 186 (1963) 566.
12) Osborne, M.P., L.N. Pernokas, M. Btown: New Engl. J. Med. 268 (1963) 465.
13) Gregory, R. A., H. J. Tracy: Gut 5 (1964) 115.
14) Dragstedt, R. L., et al.: Gastroenterol. 24 (1953) 71.
15) Gregory, R.A., H.J. Tracy: J. Physiol. 149 (1959) 58.
16) Edit. Lancet 1960, II, 137; Lancet II (1957) 1151.
17) Billington, B. P.: Lancet I (1959) 886.
18) Gregory, R. A., H.J. Tracy, J. M. French, W. Sircus: Lancet 1960, I, 1054.
19) Gregory, R. A., H. J. Tracy: Gut 5 (1964) 1903.
20) Edmeads, J.G., R.E. Mathews, N.T. McPhedran: Canad. Med. Ass. J. 86 (1962) 847.
21) Aylett, P.: Clin. Sci. 22 (1962) 179.
22) Robinson, R. M.: Proc. Soc. exper. Biol. a. Med. 96 (1957) 518.
23) Salter, J. M., C. Eyrin, J. C. Leidlaw: Metabolism. 9 (1960) 753.
24) Verner, J. V., A. B. Morrison: Am. J. Med. 25 (1958) 374.
25) Martini, C.A., G. Strohmeyer, F. Haug, W. Gusek: Dtsch. med. Wschr. 89 (1964) 313.
26) Pries, W. M., M. K. Alexander: Lancet II (1957) 1145.
27) Chears, W. C., J. E. Thompson, J.B. Hutcheson, C.O. Patterson: Am. J. Med. 29 (1960) 529.
28) Bergoz, R., A. Rohner: Schweiz. med. Wschr. 97 (1967) 413.
29) Zenker, R., M. M. Forell, R. Erpenbeck: Dtsch. med. Wschr. 91 (1966) 634.
30) Feyrter, F.: Klin. Wschr. 40 (1962) 1085.
31) Dengler, H.J.: Klin. Wschr. 37 (1959) 1245.

32) Dollinger, M. R., L. H. Ratmer, Ch. A. Shamoian, B.D. Blackbourne: Arch. Int. Med. 120 (1967) 575.

33) Aron, F., L. Leger, F. Feckete: Presse Méd. 69 (1961) 143.

34) Das pankreatische Gangsystem, aus dem alle Bestandteile der fertigen Drüse, vor allem aber das Inselorgan entstehen, entstammt entwicklungsgeschichtlich dem Ende des Magens. Er hat sich damit in Form einer Ausstülpung aus jenem Teil, der mit den Speisen in besonders innige Berührung tritt, ein Organ geschaffen, welches die Erzeugung von Fermenten und die Entleerung regelt. Dass die Abkömmlinge des Pankreasganges Gastrin produzieren, ist sozusagen selbstverständlich; dass diese Tätigkeit auf die übrigen Abkömmlinge ausstrahlt, überrascht kaum. Wir haben hierzu ähnliche Beispiele, die jedem Mediziner geläufig sind.

Ich erinnere zunächst an das Auftreten von Froschaugen (Exophthalmus) bei Schilddrüsenüberfunktion. Die Tätigkeit der Schilddrüse wird bekanntlich durch die Hypophyse gesteuert. Arbeitet die Schilddrüse zu wenig, dann produziert die Hypophyse in ihrem Vorderlappen mehr Hormon zur Anregung der Schilddrüse (so genanntes TSH) und umgekehrt, bis ein den Bedürfnissen entsprechendes Gleichgewicht erreicht ist. Steigt aus irgend einem Grund die Tätigkeit der Zentrale (der Hypophyse bzw. des Zwischenhirns), etwa weil die Schilddrüse den Forderungen nicht nachkommt oder weil die Zentrale selbst „verrückt" geworden ist, wie z.B. bei der Basedowschen Erkrankung, dann kann diese Erregung auf andere Funktionsgebiete der Hypophyse ausstrahlen. Es kommt dabei zu einer Mehrproduktion des so genannten Exophthalmus Producing Factor (EPF), der die Augen nach vorne treibt (Glotzaugen macht) und uns damit sehr deutlich daran erinnert, dass die Schilddrüse aus der Zeit des Amphibs stammt. Dieses bringt die Augen umso weiter aus den Höhlen, je intensiver es lebt. Seine Aktivität ist nämlich sehr stark von den Witterungsverhältnissen abhängig.

Sind Temperatur und Feuchtigkeit der Luft niedrig, dann fällt es in eine Art Winterschlaf: Die Haut wird trocken, das Herz schlägt langsamer, die Augen werden zurückgezogen, und natürlich wird die Fortpflanzung eingestellt. Diese Unterschiede in der Aktivität werden von der Schilddrüse gesteuert. Für unsere Betrachtung ist die Tatsache wesentlich, dass verschiedene Tätigkeitsbereiche der Hypophyse, dargestellt durch voneinander völlig verschiedene hormonale Substanzen, miteinander gekoppelt sind, dass sozusagen die Aktivität in der einen Richtung auf eine andere ausstrahlt: Die vermehrte Ausschüttung von schilddrüsenanregendem Wirkstoff verursacht eine vermehrte Bildung von exophthalmuserzeugender Substanz: Sie strahlt sozusagen auf diese aus.

Etwas ganz Ähnliches kennen wir alle vom Klimakterium der Frau. Hier kann aus noch nicht näher bekannten Gründen der Eierstock dem Kommando der Hypophyse nicht mehr folgen: Anders ausgedrückt: Die Hypophyse verlangt im Klimakterium der Frau vom Eierstock, der seine Tätigkeit einstellen will, zu viel. Je weniger dieser ihrem Kommando folgt, umso mehr kommandiert sie. Die klimakterische Frau spürt dieses Kommando der Hypophyse in Richtung auf den Eierstock zwar nicht, sie merkt aber die Ausstrahlung auf ihren Kreislauf in Form von Wallungen. Möglicherweise sind auch hier hormonartige Substanzen wie bei den Kopfschmerzen der Magen-Patienten im Spiele. Ein drittes Beispiel für die Ausstrahlung endokriner Impulse ist die Pigmentierung des Patienten mit Addisonscher Krankheit. Sie geht auf eine weitgehende Zerstörung der Nebennierenrinde zurück. Bekanntlich untersteht auch diese dem Kommando des Hypophysenvorderlappens. Die Befehle von oben, denen nicht Folge geleistet werden kann, werden immer heftiger, bis sie schließlich auf andere Kommandobereiche ausstrahlen. So werden Farbstoffzellen aktiviert, welche für die Bräune unserer Haut verantwortlich sind. Diese Beispiele sollten uns zeigen, dass wir im Bereich der Hormondrüsen mit Ausstrahlungen unter verwandten Zellgruppen zu rechnen haben.

Nun sind alle Abkömmlinge des Pankreasganges, der aus dem Magen entsprungen war, miteinander eng verwandt. Schon gestaltlich kann man nur schwer zwischen den Betazellen unterscheiden, die das Insulin produzieren, den Alphazellen mit ihrem Glukagon und den übrigen Zellgruppen, die man unter dem Namen Non-Alpha-Non-Beta-Zellen zusammenfasst. Die Zellen der Tumoren beim Zollinger-Ellison-Syndrom ähneln am ehesten den Glukagon produzierenden Alphazellen. Man vermutete daher, dass sie Glukagon erzeugen und dass Glukagon die ausgeprägte Erhöhung der Magensaftsekretion dieser Patienten verursacht, zumal es als ein starker Säurelocker gilt[20–22,37,38,40]. Inzwischen konnte man aber in den Zollinger-Ellison-Tumoren eindeutig Gastrin nachweisen.

35) Es kann zunächst einmal die generelle insuläre Überfunktion sein, die beim Kohlenhydratesser vorliegt, seine Neigung zu Übergewichtigkeit erzeugt und dazu führt, dass in den Nahrungspausen eine Tendenz zur Unterzuckerung (Hypoglykämie) besteht. Durch diese wird nicht nur die hypophysäre Gegenregulation, sondern – wie bereits erörtert – eine Mehrausschüttung von Glukagon provoziert. Gleich, ob Glukagon nun selbst als Säurelocker auftritt oder ob parallel zu der Erregung der Gangsystem-Abkömmlinge der Gastrinspiegel ansteigt[16–23], die Tatsache, dass die Nüchternsekretion zum Geschwür führt und dass die Beschwerden bei Nahrungsaufnahme verschwinden, weist darauf hin, dass in erster Linie dieser Mechanismus in Frage kommt. Denn es ist für die Übersäuerung und das Geschwür geradezu typisch, dass die maximale Säureproduktion (während der Nahrungsaufnahme) unverändert ist, während die Säureproduktion im Nüchternzustand („Basalsekretion") ansteigt. Und gerade dann, nämlich nüchtern, besteht eine Tendenz zur Hypoglykämie und damit die Notwendigkeit der Glukagonsekretion. In diesem Sinne spricht auch die histologische Ähnlichkeit der Zellen in Tumoren beim

Zollinger-Ellison-Patienten mit den normalen Alphazellen des Inselorgans[19].

Es könnte aber auch sein, dass die Kohlenhydrate auf andere Weise wirken, indem sie nämlich[41,42] während ihrer Anwesenheit im oberen Teil des Verdauungstraktes direkt die gleichzeitige Sekretion von Insulin und Glukagon anregen. Glukagon scheint nämlich nicht nur Antagonist, sondern auch Synergist von Insulin zu sein. Das gemeinsame Auftreten beider Hormone nach Genuss von Kohlenhydraten könnte dazu dienen, den resorbierten Zucker unter Umgehung der Leber in die Peripherie zu schaffen und dort zu verwerten, denn Glukagon wirkt dem Aufbau von Glykogen aus Zucker in der Leber entgegen.

Wie dem auch sei, es ergibt sich die Vorstellung, dass unsere Magenchirurgie theoretisch an der falschen Stelle arbeitet. Sie entfernt mit dem unteren Magenteil (dem Antrum) denjenigen Gastrinproduzenten, dessen Tätigkeit noch im Einklang mit den Bedürfnissen des Verdauungsprozesses steht, und verschont den anderen, der zwischen den Mahlzeiten arbeitet und damit die Nüchternsekretion und die Geschwüre verursacht. Ich glaube, wir könnten vielen unserer Magen-Darm-Patienten durch generelle Kohlenhydratbeschränkung die Operationen überhaupt ersparen, die ja doch schließlich verstümmelnde Eingriffe sind und das Leiden im Prinzip ungeheilt belassen.

36) Von den Geschwüren am Magenausgang und am Zwölffingerdarm unterscheiden sich die des übrigen Magens. Diese „kallösen" Magengeschwüre finden sich bei mageren, ausgemergelten Typen mit Symptomen einer Nebennierenrinden-Unterfunktion. Man kann immer wieder beobachten, dass ein solches Ulkus sich nach Streß-Situationen entwickelt, also nach Aufregungen, Anstrengungen (z.B. in der Erntezeit), nach Hunger oder Infekten. Im Krieg gab es an der Front das so genannte Graben-Ulkus, ein großes, schlecht heilendes Magengeschwür, und am Tier kann man jederzeit nur durch Unterkühlung oder durch Verbrennung, also wiederum durch Stress, Magengeschwüre erzeugen.

Schon Billroth wusste, dass Patienten nach einer Operation oft Magengeschwüre bekommen. Die Fermentforschung stieß auf Zusammenhänge, die die Geschwürsbildung erklären können. Sie wies nach, dass die Tätigkeit der Magendrüsen, besonders bei der Pepsinproduktion, durch die Hypophyse gesteuert wird. Bei Stress, der ja die Tätigkeit des Hypophysenvorderlappens anhebt, wird im Harn mehr Uropepsin ausgeschieden, eine Abbaustufe des Pepsins. Auch beim Geschwür finden sich nun stets erhöhte Uropepsinwerte. Wir können so mit großer Wahrscheinlichkeit annehmen, dass es auf eine gesteigerte Aggressivität des Magensekrets zurückgeht, der wiederum eine erhöhte Aktivität des Hypophysenvorderlappens zugrunde liegt[46,47].

Wieso kommt es aber dazu beim Ulkusträger, dessen schlechter Allgemeinzustand ja das Gegenteil erwarten ließe? Die Erklärung dafür geben meine Beobachtungen über die Nebennierenrindenfunktion bei solchen Patienten und der Feedback-Mechanismus zwischen dem Hypophysenvorderlappen und seinen Erfolgsorganen. Wenn die Hypophyse im Stress die Nebenniere besonders antreibt, muss diese mit erhöhter Produktion von Zuckerhormon antworten.

Über den Rückkopplungsmechanismus ist die Hypophyse jederzeit darüber im Bilde, ob und inwieweit ihrem Kommando entsprochen wird. Werden zu wenig Zuckerhormone erzeugt, dann verstärkt sie ihre Aufforderung immer mehr, bis die Nebenniere schließlich darauf entsprechend reagiert. Je schwächer die Nebenniere, desto mehr Aufforderung wird nötig sein. Dieses viele Hormon, dessen „Dosis" nach der Reaktion der Nebenniere ausgerichtet ist, reguliert aber auch die Sekretionsaktivität der Magenschleimhaut, d.h., je schwächer die Nebenniere, desto mehr wird die Magensekretion angeregt, bis schließlich ein Geschwür resultiert.

Dabei spielt, wenigstens beim Magengeschwür, sicherlich die niedrigere Widerstandsfähigkeit der Schleimhaut gegenüber der Aggressivität des Magensaftes eine begleitende Rolle.

Meine Behandlung des Magengeschwürs besteht daher in der Verabreichung kleiner, sozusagen natürlicher Hormondosen, etwa im Ausmaß von 5 bis 10 mg Prednisolon (einem künstlichen Zuckerhormon der Nebennierenrinde) pro Tag. Höhere Dosen sind nicht nur unnötig, sondern gefährlich; sie verzögern durch ihre Bindegewebseffekte die Heilung und begünstigen einen Durchbruch oder eine Blutung. Dies ist wohl auch der Grund dafür, dass man Zuckerhormone beim kallösen Ulkus bisher nicht angewendet hat, obwohl Zusammenhänge zwischen Nebenniere und Magengeschwür seit langem vermutet werden.

Der Einsatz von Prednisolon hilft der schwachen Nebennierenrinde und vermindert damit die Aktivität des Hypophysenvorderlappens; das bremst die Magensäuresekretion und ermöglicht erst die Ausheilung des Geschwürs.

Ich kann nicht mehr feststellen, wie viele Fälle ich auf diese Weise in den letzten 15 Jahren behandelt habe; ich weiß aber, dass ich nur ganz wenige von ihnen operieren lassen musste. Natürlich erleichtert sich für den Arzt damit auch die Entscheidung gegenüber dem Magenkrebs, der bekanntlich immer dann in Erwägung gezogen werden muss, wenn ein Geschwür keine Heilungstendenz erkennen lässt.

Bei Geschwüren am Magenausgang bzw. am Zwölffingerdarm liegen die Dinge etwas anders. Auch hier ist die Geschwürsbildung auf erhöhte Aggressivität des Magensaftes zurückzuführen; die Zeichen einer Nebennierenrinden-Unterfunktion sind aber weniger ausgeprägt als die einer Entzündung. Dafür kann man seinen Patienten durch Bekämpfung des neu entdeckten Keimes Helicobacter pylori (S. 72) helfen.

37) Anderson, A.F.R.: Med. J. Rev. 122 (1925) 271.
38) Alarcon-Segovia, D., T. Herskovic, Kh.G. Wakin, P. A. Green, H. H. Scudamore: Am. J. Med. 36 (1964) 485.
39) Crohn, B. B., Ginzburg, G. D. Oppenheimer: JAMA 99 (1932) 1323.
40) Lutz, W.: Wien. Med. Wschr. (1965) 516.

41) Lutz, W.: Monatskurse f. ärztl. Fortbildung, 18 (1968) 615.

42) Lutz, W.: Die Behandlung der Colitis ulcerosa durch Kohlenhydratbeschränkung, Bericht über 40 Fälle. Wien. Med. Wschr. 25/26 (1967) 660.

43) Lutz, W.: Kohlenhydratarme Diät bei Colitis ulcerosa. Münch. Med. Wschr. 28 (1979) 953.

44) Fahrländer, H., E. Shalev: Dtsch. Med. Wschr. 99 (1974) 2141.

45) Truelove, S. C.: Brit. Med. J. I (1961) 154.

46) Rieder, J. A., H. C. Moeller: Amer. J. Gastroent. 37 (1962) 497.

47) Anderson, A. F. R.: New Jersey Rev. 122 (1925) 271.

48) Dick, A.P., M.J. Grayson: Brit. Med. J. 1 (1961) 160.

49) Klavins, J.V., N.C. Durham: JAMA, 183 (1963) 547.

50) Knick, B.: Erste Tagg. Dtsch. Diab. Ges. Bad Neuenahr (1965), Vortrag.

51) Koffler, D., S. Minkovitz, W. Rothmann, J. Garlock: Amer. J. Path. 41 (1962) 733.

52) Müller-Wieland, K.: Med. Klin. 60 (1965) 1.

53) Kirsner, J. B., M. M. Goldgraber: Gastroenterology 38 (1960) 536.

54) Knick, B.: 9. wissensch. Kongr. d. Dtsch. Ges. für Ernährung (1965), Vortrag.

55) Callender, S.T., B.J. Mallett, M.D. Smith: Absorption of hemoglobin iron. Brit. J. Hemat. 3 (1957) 186.

56) Hallberg, L., L. Sölwell: Absorption of hemoglobin iron in man. Acta Med. Scand. 181 (1965) 335.

57) Conrad, M.E., B.I. Benjamin, H.L. Williams, A.L. Foy: Human absorption of hemoglobin iron. Gastroenterol. 53 (1967) 5.

58) Hussain, R., R. B. Walker, M. Layrisse, P. Clark, C.A. Finch: Nutritive value of food iron. Amer. J. Clin. Nutr. 16 (1965) 464.

59) Lutz, W.: Hypo- und Hypersiderosen unter kohlenhydratarmer Diät. Wien. Med. Wschr. 16/17 (1976) 221.

60) Lee, R. B., I. DeVore: Hunter-Gatherers. Harvard Univ. Press, Cambridge Mass., zit. nach Science Vol. 185 (1974) 932.

61) Patek, A. J. jr., J. Post: J. Clin. Invest. 20 (1941) 481.

62) Hoagland, C. L., et al.: Am. J. Publ. Health 36 (1946) 1278.

63) Gertzen, O.: Brit. Med. J. 1 (1950) 1166.

64) Wilson, C., M. R. Polok, A. Harris: Lancet 250 (1964) 881.

65) Chalmers T. C. et al.: J. Clin. Invest. 34 (1955) 1163

66) Jameson, G., E. Williams (Decknamen): The drinking man's diet. Cameron & Co., San Francisco 1965.

67) Knick, B., R. Ottenjann, J. Gruner, G. Kanzler: Dtsch. Med. Wschr. 16 (1971) 298.

68) Phlippen, R.: Med. Welt 25 (N.F.) (1974) 1916.

69) Phlippen, R., K. Oette: Verh. Dtsch. Ges. Inn. Med. 74 (1968) 239.

70) Phlippen, R., K. Oette, H. Trotz, Th. Georghiu: Leber, Magen, Darm 1 (1971) 146.

71) Die Vorstellungen vom „Pankreasgang-Syndrom" sind durch neuere Erkenntnisse vertieft worden. Man hat weitere gastrointestinale Hormone gefunden, so das Glucose-dependent Insulinotropic Polypeptide (GIP) und das „vasoaktive intestinale Polypeptid" (VIP); dieses wahrscheinlich identisch mit Serotonin. GIP ist besonders interessant, weil es bei Anwesenheit von Zukker im Darm die Darbietung von Insulin vergrößert. Dies erklärt, warum dieselben Zuckermengen im Darm wesentlich mehr Insulin hervorlocken als wenn sie in die Vene eingebracht werden.

Peptidhormone haben in den letzten Jahren unsere Vorstellungen von den Regulationen im menschlichen und tierischen Organismus stark erweitert. Sie gehören zu den Neurotransmittern, zu Substanzen, welche eine Nervenzelle an ihren Fortsätzen ausscheidet, um einer anderen eine Information zu übermitteln. Diese „andere" kann auch eine Drüsenzelle sein.

Das typische Beispiel einer solchen Neurosekretion (Kommando einer Nerven- an eine Drüsenzelle) ist die Achse Hypothalamus-Hypophyse. Im Hypothalamus werden Transmittersubstanzen gebildet, welche der Hypophyse über ein eigenes Blutgefäßsystem zugeführt werden. Deshalb wurde die Hypophyse ja in die Nähe des Gehirns gebracht, siehe Seite 40.

Über weite Strecken, etwa mit Hilfe des Blutstromes, können Neurotransmitter nicht transportiert werden. Sie werden im Blut zu schnell zerstört. Die Befehle des Gehirns müssen daher, um die Keimzellen, die Nebennierenrinde und die Schilddrüse auf dem Blutwege zu erreichen, in Eiweißhormone übersetzt werden. Dies ist die Aufgabe des Hypophysenvorderlappens, worüber bereits gesprochen wurde.

Bei den gastrointestinalen Polypeptiden ist, abgesehen vom Gastrin, ein Transport auf dem Blutwege nicht nötig. Diese müssen daher nicht in Proteohormone übersetzt werden, sondern können direkt im Darm und seinen Anhangsgebilden (Leber, Bauchspeicheldrüse) wirken.

Ich sehe in den insulinotropen Polypeptidhormonen des Magen-Darm-Traktes die eigentliche Ursache des Diabetes. Schon immer war unklar, wieso bei manchen Menschen (bei Fettleibigen und bei Diabetikern) dieselbe Menge an Kohlenhydraten einen höheren Ausstoß von Insulin hervorruft. Es sind wahrscheinlich die insulinotropen gastrointestinalen Hormone, welche dies verursachen.

Wenn immer und immer wieder unphysiologische Mengen von Kohlenhydraten im Darm erscheinen, dann führen diese Polypeptide zu einer immer stärkeren Reaktion des Inselorgans, sozusagen zu einer Sekretionsneurose, bis schließlich Insulin sogar dann gebildet wird, wenn sich im Darm gar keine Kohlenhydrate befinden. Schließlich ist der Organismus gezwungen, Gegenmaßnahmen zu ergreifen und damit die Insulinresistenz einzuführen.

72) Lampert, H.: Konstitution und Blähsucht. Hippokrates-Verlag, Marquardt & Cie., Stuttgart 1943.

73) Thornton, J. R., et al.: Diet and Crohn's Disease. Characteristics of the Pre-Illness Diet. Brit. Med. J. 365 (1979) 74.

74) Brandes, J. W.: Zuckerfreie Diät als Langzeit- bzw. Intervall-Behandlung in der Remissionsphase des Morbus Crohn – eine prospektive Studie. Leber, Magen, Darm 12, Nr.6 (1982) 225.

75) Guthy, E.: Aetiologie des Morbus Crohn. Dtsch. med. Wschr. 108 (1983)1229

76) Guthy, E.: Morbus Crohn und Nahrungsfette. Dtsch. med. Wschr. 107 (1982) 71.

77) Lutz, W.: Kohlenhydratarme Diät bei Colitis ulcerosa und Morbus Crohn. Coloproctology 3 (1981) 349.

78) Kasper, H., W. Lutz, M. Wild: Die Höhe der Nährstoff-Cholesterin- und Ballaststoffzufuhr unter kohlenhydratarmer Diät bei freier Wahl der Fett- und Proteinzufuhr. Aktuelle Ernährungsmedizin 4 (1979) 155.

79) Lutz, W.: Morbus Crohn unter kohlenhydratarmer Diät, Coloproctology VII (1985) Nr.5, 278.

80) Lutz,W.: Münch.Med.Wschr. 50 (1987), 921.

81) Lorenz-Meyer, H., P. Bauer, et al.: Scand. J. Gastroenterol. 31 (1996), 778.

Dr. Wolfgang Lutz

Kranker Magen, kranker Darm
Was wirklich hilft

Dr. Lutz erläutert darin, wie unsere Zivilisationsnahrung,
die weitgehend von Produkten des Ackerbaues beherrscht
wird, besonders für die Organe des Verdauungstraktes,
schlecht verträglich ist, wie es zum sauren Aufstoßen,
Sodbrennen, Magen- und Zwölffingerdarmgeschwür kommt,
wie Bauchspeicheldrüse, Dünndarm und Dickdarm leiden und
erkranken (Blähungen, Gase, chronischer Durchfall, Kolitis
und Crohnsche Krankheit) und wie man mit Rückkehr zur
Diät unserer altsteinzeitlichen Vorfahren – mit mehr Fleisch
und tierischen Fetten – seine Probleme in den Griff bekommen
kann, die allen sonstigen Behandlungsmethoden trotzen.
Dr. Lutz bespricht auch genau, wie man Erfolg hat, ohne allzuviel
von seinen Lebensgewohnheiten aufgeben zu müssen.
Im Anhang findet sich eine Sammlung von Kochrezepten.

INFORMED GmbH
Irminfriedstraße 31
D-82116 Gräfelfing
Tel.: 089/854 20 88, Fax: 089/854 27 66
ISBN: 978-3-88760-080-0
Preis: € 15,00

Arteriosklerose

Arteriosklerose (Arterienverkalkung) ist die hauptsächlichste Todesursache des zivilisierten Menschen. Mehr als 50% gehen auf ihr Konto – sei es als Herzinfarkt, als Schlaganfall, als Verkalkung der Adern in der Lunge oder als Verkalkung der Beinarterien. Abgesehen vom Krebs spielen andere Todesursachen eigentlich nur mehr eine untergeordnete Rolle. Auch im hohen Alter sterben wir meistens an Arteriosklerose und ihren Folgeerscheinungen. Es lohnt sich also, sich mit diesem Kapitel besonders zu befassen.

Die Kriegszeiten

Es ist allgemeine Ansicht, dass die Ernährung hier eine wesentliche Rolle spielt. Man hat gefunden, dass in den Hungerzeiten der Kriegs- und Nachkriegsjahre die Arteriosklerose deutlich rückläufig war wie andere Zivilisationskrankheiten (Diabetes und Gicht) und dass sie zur ursprünglichen Häufigkeit zurückkehrte, als die Hungerjahre zu Ende gingen und der Überfluss wieder einkehrte[1].

Schon damals hat man nicht so sehr die Überernährung als vor allem die Nahrungsfette verdächtigt, obwohl in den Kriegszeiten ja alles knapp war, auch Eiweiß und Kohlenhydrate, die anderen Hauptnahrungsmittel. Man hätte doch eigentlich annehmen müssen, dass die allgemeine Überernährung in den Friedenszeiten und nicht nur die Fette schuld waren.

Ursache für diese etwas einseitige Verdächtigung der Fette waren so genannte geomedizinische Beobachtungen, Beobachtungen an verschiedenen Bevölkerungen und ihren Ernährungsgewohnheiten, die in den Studien des Amerikaners Ancel Keys und seinen Mitarbeitern gipfelten[2,3] und in der berühmten Arbeit „Seven Countries" ihren Niederschlag fanden. Man hat nämlich festgestellt, dass Arteriosklerose umso häufiger vorkommt, je mehr tierische Fette gegessen werden, und umso weniger, je mehr pflanzliche Fette vorherrschen, wie etwa in Dalmatien, in Griechenland, in Sizilien. Die Neigung zu Herzinfarkten und Schlaganfällen in den hochzivilisierten Ländern der nördlichen Halbkugel, in Amerika, England, Skandinavien und in Europa, wurden daher in zunehmendem Maße darauf zurückgeführt, dass hier zu viel tierische Fette gegessen werden[5].

Die „Sieben-Länder-Studie"

Sehr bald hat man herausgefunden, dass in Ländern, wo vorzugsweise mit Öl gekocht wird, weniger Herzinfarkte und Schlaganfälle vorkommen (keineswegs weniger Todesfälle überhaupt) und die Leute niedrigere Cholesterinspiegel aufweisen. Cholesterin ist hier von besonderem Interesse, weil es einen Teil der arteriosklerotischen Herde in den Arterien ausmacht. Man weiß das seit mehr als 100 Jahren[6]. Cholesterin findet sich haupt-

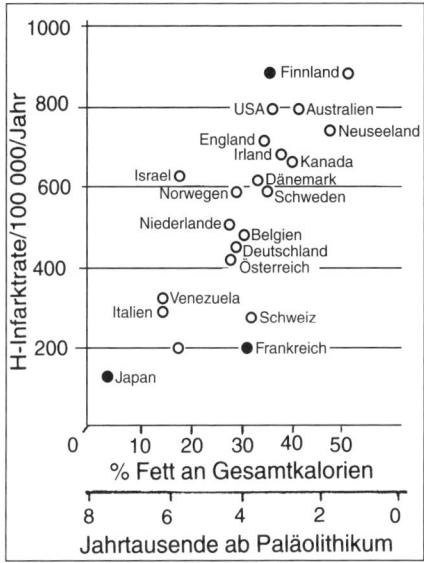

Abb. 27: Sieben-Länder-Studie, „French Paradox". Die Herzinfarktrate entspricht dem Süd-Nordwest-Gefälle, d.h. dem zeitlichen Abstand vom Paläolithikum, siehe untere Skala, besser als dem prozentualen Gehalt der Nahrung an Fetten (obere Skala). Frankreich hat etwa denselben Fettverzehr wie Finnland, aber nur ein Fünftel an Herzinfarkten; seine Bevölkerung stammt vorwiegend aus dem Mittelmeergebiet mit längerer Adaptation an die Kohlenhydrate. Nach Skalenwechsel wandert der Punkt für Finnland nach rechts und für Frankreich nach links in die lineare Abhängigkeit.
Ausgangsgraphik nach LeFanu, J: Eat your Heart Out. London. Macmillan, 1987.

sächlich in tierischen Nahrungsmitteln, d.h. in Fleisch, Eiern und tierischen Fetten. Was lag näher als anzunehmen, dass deren Genuss den Cholesterinspiegel im Blut erhöht und dass dieses Cholesterin in die Arterien einwandert, dort liegenbleibt und durch seine Anwesenheit bzw. die zur Beseitigung der Herde vom Körper einsetzenden Reaktionen die Arteriosklerose auslöst. Diese Herde vergrößern sich mit den

Jahren; sie buchten sich in das Gefäßlumen vor, engen den Blutstrom ein, bis schließlich ein Gerinnsel an der verengten Stelle den Blutstrom völlig unterbricht. Das ist der gefürchtete Tod am Rednerpult, der Tod des Managers, der plötzliche Tod am Lenkrad, der Herzschlag und der Schlaganfall, wenn eine Gehirnarterie betroffen ist.

Risikofaktoren

Bald setzte eine intensive Suche danach ein, wie es durch die tierischen Fette und das Nahrungs-Cholesterin zur Arteriosklerose käme und was man dagegen rechtzeitig tun könnte. Auf diesem Weg lag die berühmte Framingham-Studie[7–10], in der die Einwohner einer ganzen Kleinstadt über Jahrzehnte hinaus untersucht und bezüglich Herzinfarkt und Schlaganfall (auch sonstiger Erkrankungen) verfolgt wurden und deren Resultat die so genannten Risikofaktoren waren. Man hat nämlich festgestellt, dass sie schon relativ frühzeitig eine besondere Gefahr für deren Träger signalisieren, später einmal einen Herzinfarkt oder Schlaganfall zu erleiden. Der Begriff dieser Risikofaktoren hat sich im Laufe der Jahrzehnte etwas gewandelt, weil man ursprünglich auch das Zigarettenrauchen und abnorme EKGs dazu gezählt hat, die nicht ganz dem jetzt gültigen Begriff entsprechen, denn das Zigarettenrauchen ist ein eindeutiger Schaden, den sich der Raucher zufügt, und EKG-Veränderungen sind ja oft schon die Folge von Arteriosklerose.

Als Risikofaktoren geblieben sind aber Diabetes (auch erbliche diabetische Veranlagung, d.h. Diabetes bei den Vorfahren),

Übergewicht erheblichen Ausmaßes, hoher Blutdruck, ein hoher Cholesterinspiegel, ein hoher Blutspiegel an Neutralfetten (Triglyzeriden, besonders beim weiblichen Geschlecht und nach dem Klimakterium) und ein zu „dickes Blut", eine übermäßige Zahl von roten Blutkörperchen in der Volumen-Einheit, was man medizinisch als Polyglobulie bezeichnet.

Diese Risikofaktoren potenzieren sich gegenseitig, d. h. drei Risikofaktoren bei ein- und demselben Patienten bedeuten nicht das dreifache, sondern ein viel höheres Risiko, einen Herzinfarkt oder Schlaganfall zu erleiden. Man kann aufgrund des Ergebnisses der Framingham-Studie heute mit einer ziemlich hohen Sicherheit sagen, wie viele von 1 000 Patienten mit einer bestimmten Konstellation von Risikofaktoren in welchem Alter einen Herzinfarkt und später einen Schlaganfall erleiden werden.

Die „Feldstudien"

Im Besitze dieser Erkenntnisse veranstaltete man nun, wieder in den USA, in England und in den skandinavischen Ländern, viele so genannte Feldstudien, in denen man den Nachweis zu erbringen versuchte, dass die tierischen Fette und das Cholesterin in unserer Nahrung tatsächlich einen erhöhten Befall von Arteriosklerose auslösen, dass sie also die „Schurken" sind, die uns krank machen und schließlich töten. Dieser Nachweis wollte nicht recht glücken.

Es wurden daher immer wieder neue Studien unter neuen Bedingungen entworfen und durchgeführt, weil man es einfach nicht glauben konnte, dass sich auf diese Weise die Richtigkeit der Fett-Theorie nicht sollte erweisen lassen. Einzelne Studien hatten sogar ergeben, dass Leute, die mehr Fett essen, eher länger leben[11,12]. So hat man zu immer größeren und besser organisierten Studien Zuflucht genommen[12–15].

Die bisher größte ist die MRFIT-(Multiple-Risk-Factors-Intervention-Trial[16], zu deutsch: Studie zur Beeinflussung mehrerer Risikofaktoren). Sie umfasste mehr als 12 000 Amerikaner männlichen Geschlechtes mit erhöhtem Koronarrisiko (hoher Blutdruck, hohes Cholesterin, Raucher), die in zwei exakt randomisierte Gruppen geteilt wurden. Randomisiert heißt, dass die mehr als 6 000 Personen in beiden Gruppen in ihren Risikofaktoren und damit auch in ihrem Risiko exakt übereinstimmten, dass man also, ohne irgendwelche spezifischen Maßnahmen zu ergreifen, damit rechnen konnte, dass in beiden Gruppen gleich viele Herzinfarkte und andere für Kranzader-Erkrankungen typische Erscheinungen zu erwarten waren.

In der einen Gruppe (Interventionsgruppe) wurden nun die Patienten angewiesen, das Rauchen einzustellen oder doch einzuschränken, die tierischen Fette wegzulassen und durch solche mit hochungesättigten Fettsäuren zu ersetzen (eine Maßnahme, von der man weiß, dass sie den Cholesterinspiegel etwas senkt) und das Cholesterin in der Nahrung möglichst weit einzuschränken. Außerdem wurde dort der Blutdruck durch Medikamente behandelt. Die Patienten der anderen Gruppe (die Kontrollen) wurden diesbezüglich nicht beeinflusst; sie wurden zu ihren Hausärzten überwiesen.

Obwohl nun die Maßnahmen in der Interventionsgruppe durchaus „griffen", diese Leute tatsächlich weniger rauchten, weniger tierische Fette und weniger cholesterinhaltige Nahrungsmittel zu sich nahmen, waren die Ergebnisse enttäuschend, so dass nun noch intensiver auf Einhaltung einer fett- und cholesterinarmen Nahrung gedrängt wurde. Das Endergebnis nach sechs Jahren war deshalb aber für die Architekten der Studie keineswegs befriedigender. Es war zwar eine geringfügige Erniedrigung der Todesfälle an Herzinfarkt zu verzeichnen, die gesamte Sterblichkeit, und zwar anscheinend auch an Krebs[14], war aber eher höher als bei den Kontrollen.

Beklemmend war vor allem auch die Feststellung, dass diejenigen Teilnehmer an der Interventionsgruppe, bei denen der Blutdruck mit den heute üblichen Mitteln gesenkt worden war (um das Risiko des Herzinfarktes zu vermindern), eine um mehr als 50% erhöhte Sterblichkeit aufwiesen, wenn bei Beginn der Studie an den EKGs schon irgendetwas abnorm war[16]. Man muss doch daraus folgern, dass diese Mittel auch beim Herzgesunden nicht ganz gleichgültig sind.

Man hatte natürlich verschiedene Ausreden parat, die das Versagen dieser Studie erklären sollten[17]. Die medizinische Öffentlichkeit, vor allem in den USA, war aber doch tief desillusioniert und zeigte sich nicht mehr bereit, neuerlich so viel Geld für eine solche Studie auszugeben. Der Fehler bei der Planung dieser Studie lag meines Erachtens darin, dass man versucht hat, gleichzeitig mehrere Faktoren zu beeinflussen, welche in der Fett-Theorie eine Rolle spielen, nämlich das Rauchen, das Cholesterin, die tierischen Fette und den erhöhten Blutdruck. Dass das Rauchen schädlich ist, kann keinem Zweifel unterliegen. Ganz abgesehen davon, dass man

seit Jahrzehnten weiß, dass die Arteriosklerose an den Beinarterien (das „Raucherbein") durch Nikotin beschleunigt wird, hat eine Riesenstudie der amerikanischen Krebsgesellschaft (an über einer Million Amerikaner, die 20 Jahre lang genau beobachtet wurden) gezeigt[12], dass der Raucher (mindestens 20 Zigaretten täglich) um durchschnittlich 8,3 Jahre früher stirbt als der Nichtraucher.

Nachdem es tatsächlich in der MRFIT gelungen ist, in der Interventionsgruppe das Rauchen sehr deutlich einzuschränken, hätte (und das entsprach auch den Vorhersagen von Framingham) diese Gruppe wesentlich besser abschneiden müssen, als es tatsächlich der Fall war. Es erhebt sich daher die Frage, ob die cholesterin- und fettarme Diät, die neben dem „Weniger-Rauchen" ein Teil des Interventionsprogrammes war, nicht vielleicht geschadet und den zu erwartenden positiven Einfluss des Nichtrauchens wieder zunichte gemacht hat[18].

Eine weitere Auswertung von MRFIT[19] hat gezeigt, dass in dieser Studie die Raucher bezüglich Krebs nicht schlechter abgeschnitten haben als die Nichtraucher. Nach der oben erwähnten Studie der US-Krebsgesellschaft verursacht Zigarettenrauchen nämlich nicht nur vermehrt Lungenkrebs, sondern auch Krebs an anderen Körperstellen. Auch das weist in diese Richtung: Weil die Raucher bezüglich Krebs eben unbedingt schlechter hätten abschneiden müssen, muss man folgern, dass die Teilnehmer an der Kontrollgruppe, bei der das Rauchen nicht oder jedenfalls weniger eingeschränkt wurde als in der Interventionsgruppe, durch ihre Normalkost, also durch das Mehr an Cholesterin und tierischen Fetten in ihrer Nahrung, vor den Folgen des Rauchens besser geschützt waren. Eine fast apokalyptische Idee, gegen die sich aber kaum Argumente beibringen lassen.

Ende 1983 erschienen nun die Resultate einer weiteren großen amerikanischen Feldstudie, der „Lipid-Research-Clinic-Coronary-Primary-Prevention-Trial" (LRCCPPT)[20], bei der zwei Gruppen von Patienten mit erhöhtem Koronarrisiko (wie bei der MRFIT) gegenübergestellt und 7,4 Jahre im Durchschnitt beobachtet worden waren. In beiden Gruppen wurde eine gemäßigt cholesterinsenkende Diät (Reduktion tierischer Fette bzw. deren Ersatz durch solche mit erhöhtem Gehalt an hochungesättigten Fettsäuren) verabreicht, in einer Gruppe aber außerdem noch das Austauscherharz Colestyramin, welches Gallensäuren im Darm abfängt und so den Cholesterinspiegel im Blut erniedrigt. Diese Gruppe zeigte eine 24%ige Reduktion an Koronar-Todesfällen und eine 19%ige an nichttödlichen Herzinfarkten gegenüber den Kontrollen. Aber auch hier war die Gesamtmortalität dadurch nicht signifikant zu beeinflussen; die Sterblichkeit aus anderen Ursachen war entsprechend höher.

Zu erwähnen wäre noch, dass nur eine ganz bestimmte seltene Gruppe von Patienten mit Fettstoffwechselstörungen in den Versuch aufgenommen worden war, so dass sie von vornherein keine allgemein gültigen Resultate erwarten ließ.

Prinzipiell dasselbe Resultat ergab eine weitere Studie, deren Ergebnisse im November 1987 erschienen sind. Bei dieser Helsinki Heart Study[55] verwendete man den Lipidsenker Gemfibrozil, um nicht nur eine drastische Erniedrigung des LDL-, sondern auch einen deutlichen Anstieg des HDL-Cholesterins zu erzwingen.

Das Resultat war eine Art Potenzierung der Ergebnisse der LRCCPPT-Studie, nämlich eine Abnahme der Sterblichkeit an Herzinfarkten um 34% und eine Zunahme der Schlaganfälle um 50%, der gewaltsamen Todesfälle um 250% und von Krebs um 19% (Tab. 4). Wiederum also die Verschiebung weg vom Herztod hin zu anderen Todesarten, so dass die Gesamtmortalität sogar um 7% gegenüber den Kontrollen anstieg. Es war bei den mit Gemfibrozil behandelten Patienten auch mehr grauer Star und mehr Hautkrebs aufgetreten.

Die „4-s-Studien"

Seit der Helsinki-Herz-Studie mit Gemfibrozil warten die Anhänger der „Fett-Theorie" auf den Messias, auf ein Medikament, das die günstigen Effekte des Gemfibrozils auf den Cholesterinspiegel und die Herzinfarktrate, nicht aber die (von ihnen hartnäckig geleugneten) negativen auf Schlaganfall und Krebshäufigkeit hätte. Tatsächlich gibt es diese Medikamente und die entsprechenden „4-s-Studien" mit Simvastatin und Pravastatin. Sie

Studie	MRFIT	LRC	Gemfibr
Teilnehmer (1000)	6,5	3,8	2,0
Dauer (Jahre)	7,0	7,4	5,0
Koronar-Tote %	- 7,1	- 20,0	- 34,0
Gesamt-Tote %	+ 2,0	- 7,0	+ 7,0
Schlaganfälle %	+ 18,0	+ 21,0	+ 50,0
Gewaltsamer Tod %	- 22,0	+ 275,0	+ 250,0
Krebs %	+ 15,5	+ 6,0	+ 19,0

Tabelle 4: Die älteren Feldstudien zur Prävention der Zivilisationskrankheiten. Die Gewinne durch Abnahme der Herzinfarkt-Todesfälle werden durch Zunahme anderer Todesfälle (zum Teil mehr als) aufgewogen[56].

zeigten, dass damit nicht nur der Cholesterinspiegel gesenkt und das Herzinfarktrisiko erniedrigt, sondern auch die Zunahme des Risikos für Schlaganfall und Krebs verhütet werden kann. Erstmals schlägt sich daher jetzt die Erniedrigung der Herzinfarkthäufigkeit auch in der Gesamtmortalität nieder.

Was will man mehr? Die beiden Nobelpreisträger Michael Brown und Joseph Goldstein, die den Mechanismus der Synthese des LDL-Cholesterins in der Leber entdeckt haben, bejubelten in einem Editorial von SCIENCE am 3. Mai 1996 die Erfolge mit den neuen Medikamenten und meinten, dass mit besserer Definition genetischer Faktoren für Koronarsklerose und noch besseren Medikamenten im nächsten Jahrhundert die Herzinfarkte etc. als Volksgesundheitsproblem ausscheiden werden. Sie haben im Auge, alle erblich mit Koronarsklerose belasteten Individuen, auch solche mit niedrigen Cholesterinspiegeln, prophylaktisch mit Medikamenten zu behandeln. Eine Horrorvision – jeder zweite Mann ab 35 und jede zweite Frau ab 65 unter (eventuell noch verbesserten) Statin-Medikamenten! Das kann höchstens die Zukunft einer Menschheit sein, die sich unter allen Umständen so lange vermehren will, bis außer Kohlenhydraten keine Nahrungsmittel mehr vorhanden sind. Einem Arzt ist wohl klar, dass man Gesundheit nicht mit Tabletten erzwingen kann, auch wenn sie, wie Simvastatin und Pravastatin, bisher (!) keine Nebenerscheinungen hervorgerufen haben.

Doch nun zurück zu den Feldstudien. Die beiden Großstudien MRFIT und LRC haben gezeigt, dass mit Diät allein nichts zu machen ist, weil Herzinfarkte gegen Schlaganfälle und Krebs getauscht werden.

Man kann mit Diät allein nicht einmal den Cholesterinspiegel einigermaßen senken[24]. Wenn man dazu cholesterinsenkende Medikamente braucht, wozu dann überhaupt Diät halten? Die ganze „Fett-Theorie", die Vorstellung, dass man fett- und cholesterinarm (und damit kohlenhydratreich) länger lebt und verschiedenen Krankheiten ausweichen kann, haben die Anhänger der Fett-Theorie selbst ad absurdum geführt.

Die Adaptationstheorie

Damit nicht genug. Es zeigte sich im Laufe der Jahre, dass nicht alle Herzinfarkt-Patienten einen erhöhten Cholesterinspiegel haben, was man doch bei kausalen Zusammenhängen erwarten müsste. Es gibt eine Blutfett-Fraktion, Lipoprotein(a) genannt, deren Träger eine ausgeprägte Neigung zum Herzinfarkt zeigen, auch bei normalen oder sogar subnormalen Cholesterinspiegeln. Französische Forscher haben in infarktbelasteten Gegenden, z.B. in Belfast, einen auffälligen „Polymorphismus" (eine Unvollständigkeit) des Gens für ACE gefunden[22]. ACE steuert die Bildung des Hormons Angiotensin II, das gefäßverengend wirkt und dem man eine Rolle beim Herzinfarkt zuschreibt. Dieses Gen ist nun in Belfast, wo ungewöhnlich viele Herzinfarkte vorkommen, wie das Gen für Apolipoprotein B („Apo-B"), unvollständig („polymorph") im Gegensatz zu französischen Städten, wo die Einwohner weniger infarktgefährdet sind.

Natürlich reklamiere ich diese französischen Forschungsergebnisse für meine Adaptationstheorie, indem ich sage, der Ackerbau hat sich im Neolithikum vom Südosten nach dem Nordwesten Europas

(Abb. 27) ausgebreitet[23,31,32,47], wobei in mehreren Jahrtausenden eine Anpassung an die dem Eiszeitjäger völlig neuartigen Nahrungsmittel, an die Kohlenhydrate, erfolgte, umso mehr, je mehr Zeit dafür zur Verfügung stand. Da Frankreich über Rom vom Mittelmeer aus mit bereits teilweise an Kohlenhydrate adaptierten Menschen besiedelt wurde (die Römer nannten bezeichnenderweise Südfrankreich Provence = Provinz), hatten ihre Gene mehr Zeit, am ACE-Gen zu basteln als die Nordiren in Belfast, die die Kohlenhydrate erst viel später erhielten.

Ich betrachte daher das komplette ACE-Gen der Franzosen und ihre niedrige Herzinfarktrate als Resultat frühzeitig erfolgter Anpassung an die kohlenhydratreiche Kost des Neolithikers und umgekehrt den in Belfast gefundenen Polymorphismus des ACE-Gens sowie die dort viel höhere Infarktrate als Folge einer noch unvollkommenen Anpassung. Damit betrachte ich die Herzinfarkte als Folge des hohen Kohlenhydrat-Verzehrs von noch nicht genügend an Kohlenhydrate adaptierten Individuen – gleich, inwieweit die beiden genannten Gene ursächlich für den Herzinfarkt verantwortlich sind.

Eine cholesterin- und fettarme Ernährung widerspricht total der menschlichen Stammesgeschichte. Wir waren vor etwa sieben Millionen Jahren noch enge Verwandte der Schimpansen, also wohl vorwiegend Vegetarier, und können daher heute noch als solche leben, was durch zahlreiche Beobachtungen über positive Effekte einer vegetarischen Ernährung belegt wird. Wir haben von dort an aber den Anteil tierischer Nahrungsmittel an unserem Speisezettel langsam erhöht, bis wir schließlich am Ende der Altsteinzeit (in der Würm-Eiszeit) an die 100 000 Jahre lang vorwiegend Fleisch- und Fett-Esser waren.

Dem Gesamtzeitraum der menschlichen Evolution von etwa fünf Millionen Jahren entspricht also nur ein solcher von (in Mitteleuropa) etwa 7 500–10 000 Jahren unter Ackerbau mit einem erhöhten Anteil an Kohlenhydraten. Man wird sich daher kaum der Vorstellung entziehen können, dass Fleisch und Fett (tierisches Fett!) unseren erblichen Anlagen noch eher entsprechen dürften als die Kohlenhydrate aus dem Ackerbau, dass es also eben diese sein könnten, die unsere Krankheiten auslösen. Dass inzwischen (seit der Erfindung des Ackerbaues) schon gewisse (aber noch nicht ausreichende) erbliche Anpassungen an diese neuen Lebensmittel erfolgten, ist Gegenstand meiner „Adaptationstheorie".

Ausbreitung des Ackerbaus

Der Ackerbau in Europa hat sich also vom vorderen Orient (Libanon, Irak, Syrien, Zentralanatolien) aus in Richtung Arabien nach Süden, an den Ufern des Mittelmeeres nach Westen, und entlang des Schwarzen Meeres bzw. des Kaspischen Meeres in Richtung Zentraleuropa ausgebreitet (Abb. 28), wobei die europäische Urbevölkerung, der Cro-Magnon-Mensch, durch den Ackerbauer sowohl verdrängt als auch „bekehrt" wurde. Es entstand so ein vielfältiges Muster, zumal durch drei Invasionen der „Kurgan"-Reiter aus dem Wolgabecken ein zusätzlicher Faktor ins Spiel gebracht wurde[23,32]. Die Kurgan-Leute waren nämlich eher Viehzüchter (sie brachten das Pferd nach Europa) als Ackerbauer; ihr Erscheinen hat daher die bereits erreichte Kohlenhydrat-Adaptation der

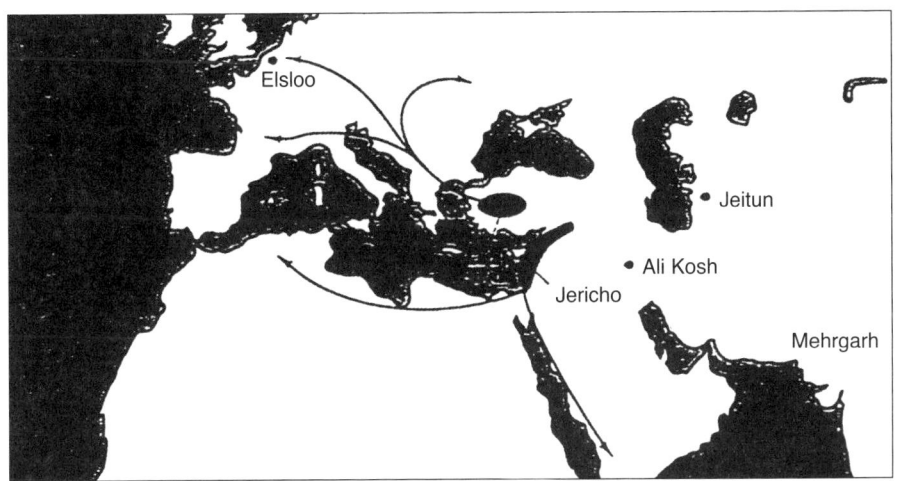

Abb. 28: Ausbreitung des Ackerbaues vom Nahen Osten: a) vom Irak und Iran aus nach Pakistan und Indien; b) von Jericho aus nach Arabien und Nordafrika; c) von Zentralanatolien aus nach Europa.

dort ansässigen Urbevölkerung eher negativ beeinflusst (Abb. 29).

Umgekehrt trug das römische Reich ganz wesentlich zur Ausbreitung des Akkerbaues bei. Sicher ist jedenfalls, dass die Völker im Mittelmeerraum die längste Zeit, nämlich 8 000–10 000 Jahre zur Verfügung hatten, sich an die Kohlenhydrate anzupassen (im Darwinschen Sinne) gegenüber 5 000–5 500 Jahren in Zentraleuropa, wobei noch zu bedenken wäre, dass der Getreidebau gegenüber der Viehzucht umso mehr im Hintergrund gestanden haben dürfte, je weiter nördlich eine Population angesiedelt war. Es gibt Gebiete außerhalb des römischen Kulturkreises, etwa solche nördlich des Limes, die die Kohlenhydrate erst sehr spät erhielten. Sicher ist es daher kein Zufall (und es beweist die Bedeutung der Kohlenhydrate für unsere Krankheiten), dass gerade dort im Monica Projekt[48] (Abb. 30) die höchsten Herzinfarktraten zu beobachten sind: in Nordir-

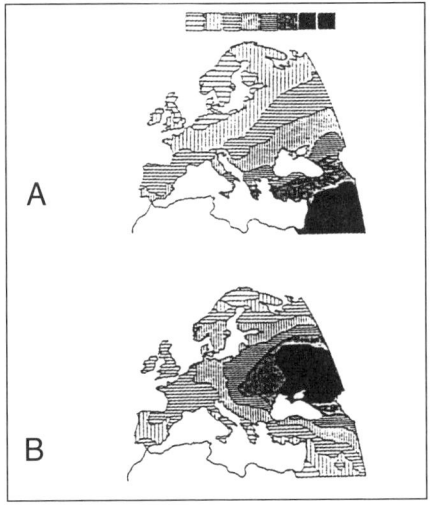

Abb. 29: Die Ausbreitung des Ackerbaues und die Einfälle der Kurgan-Leute nach der genetischen Untersuchung jetziger Populationen. Schattierungen zwischen schwarz und hell bedeuten mehr oder weniger genetische Ähnlichkeit.
A zeigt die Wanderungen der ersten Ackerbauer, B die genetischen Folgen der Einbrüche der Kurgan-Völker (horse men), nach Carolli Sforza[32]

127

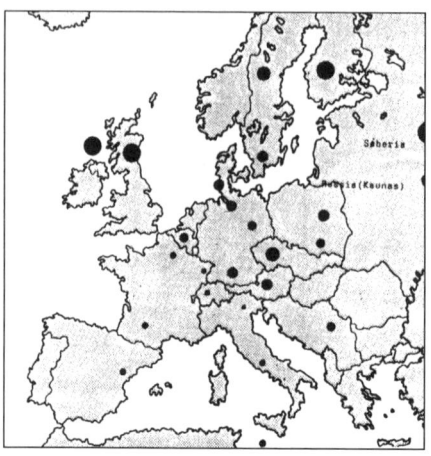

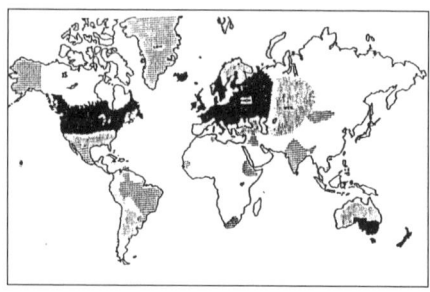

Abb. 31: Weltweite Verbreitung der Multiplen Sklerose im Jahre 1987. 30 Fälle oder mehr per 100 000 Einwohner schwarz, 5 bis 29 Fälle punktiert, weniger als 5 schraffiert, weiß ohne Daten. Angaben aus Südamerika unsicher. Nach Kurtzke, J.F.,: Clin. Microbiol. Rev., 382-427, Oktober 1993.

Abb. 30: Die Resultate des Monica-Projektes auf einer Karte Europas. Männer, Altersgruppe 45 bis 65 Jahre. 1984 und 1994. Die Mortalitätsraten lassen sich in drei Gruppen einordnen: a) niedrigste Rate im Mittelmeergebiet, wo die Kohlenhydrate zuerst hinkamen und im römischen Reich intensiv verbreitet wurden; b) höchste Rate in Nordirland, Finnland und Schottland (und in Sibirien), wohin die Kohlenhydrate zuletzt kamen und keine Verbreitung durch die Römer erfuhren; c) eine mittlere Herzinfarktrate dort, wohin die Kohlenhydrate zwischen 5000 und 6000 Jahren v. Chr. kamen und wo, besonders nördlich des Limes, der römische Einfluß gering war.

denden Genen Veränderungen eingetreten sein, die unser Genom kohlenhydratfester gemacht haben, als es beim paläolithischen Jäger der Fall war. Er wurde mit dem Übergang zum Ackerbau auch um einen Kopf

land (Belfast), in Schottland (Glasgow) und in Finnland (Karelien). So kann in der Sieben-Länder-Studie die Fettskala durch eine solche ersetzt werden, die den zeitlichen Abstand der verschiedenen Populationen vom Neolithikum darstellt, und siehe da, die Punkte für Finnland und für Frankreich fallen jetzt nicht mehr aus dem Rahmen (Abb. 27, S. 121).

Die zeitliche Differenz zwischen der Ausbreitung des Ackerbaues und dem Eintreffen der Kohlenhydrate in den genannten benachteiligten Gebieten liegt bei 6000 Jahren, was etwa 300 Generationen entspricht. In diesen müssen an entschei-

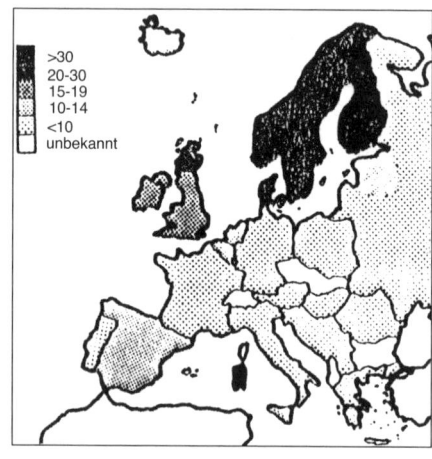

Abb. 32: Alterskorrigiertes Vorkommen von Diabetes-I (IDDM) in Europa. Zahl der Fälle pro 100000 Einwohner pro Jahr. Ausbruch der Krankheit ab Geburt bis zum 14. Lebensjahr. Nach Green, A., Galke, E.A.M., Patterson, C.C.: The Eurodiab. ACE Study, Lancet 339: 905-9, 1992.

kleiner und verlor die hünenhafte Figur seiner eiszeitlichen Vorfahren. Sicher ging damit ein seuchenhafter Ausbruch aller jener Krankheiten einher, an denen noch heute die Menschen in den Ländern leiden, die wir soeben als weniger kohlenhydratadaptiert bezeichnet haben. Die Ausgrabungen an früh-neolithischen Gräbern sprechen hier eine deutliche Sprache.

Ich wäre meiner Sache nicht so sicher, wenn es nicht noch andere Krankheiten außer dem Herzinfarkt gäbe, die eine Abhängigkeit von der Ausbreitung des Ackerbaues in Europa zeigen, z.B. die Multiple Sklerose, von der man seit langer Zeit weiß, dass sie im Norden und Nordwesten Europas wesentlich häufiger ist (Abb. 31). Der Diabetes-I (IDDM) zeigt dasselbe (Abb. 32). Dickdarm- und Mastdarmkrebs sowie der Brustkrebs der Frau grassieren in Mittel-, West- und Nordeuropa, während die Mittelmeerländer (Abb. 33) deutlich weniger betroffen sind – und das alles, obwohl natürlich verschiedene Umweltfaktoren und Völkerwanderungen für Verwischung sorgen.

Deletions-Polymorphismus, ein inkomplettes („nicht adaptiertes") Gen aus dem Bestand des altsteinzeitlichen Jägers, könnte heute schon an jedem beliebigen Individuum ohne größere Schwierigkeiten festgestellt werden. Eine gentechnische Korrektur wird aber wohl in naher Zukunft nur in Ausnahmefällen möglich sein, zumal es sich in der Regel um mehrere nicht adaptierte Gene handeln dürfte. Es wird daher, wenigstens für den Nord- und Mitteleuropäer und seine Nachkommen in den anderen „westlichen" Ländern die Wiederannäherung an die Ernährung des paläolithischen Jägers die einfachere Lösung sein.

Die Kohlenhydrat-Theorie der Arteriosklerose

Ich habe natürlich von Anfang an geglaubt, dass es gar nicht die tierischen Fette und das Cholesterin, sondern die Kohlenhydrate sind, die zur Arteriosklerose führen, und durch die Erfolge einer kohlenhydratarmen Ernährung in der Praxis wurde ich in dieser Vorstellung immer mehr bestärkt. Nun genügt in der Medizin und in der Wissenschaft nicht die Meinung oder der Glaube, sondern man muss Beweise für seine Ansichten vorbringen. Da sich die Arteriosklerose beim Menschen sehr langsam entwickelt und da sie einem ja zunächst nicht weh tut, sondern erst in Form einer Katastrophe über einen hereinbricht, konnte ich nicht abwarten, wie sich die vielen tausend Patienten, die ich in meiner Praxis auf die kohlenhydratarme Ernährung umgestellt habe, entwickeln, wie viel Herzinfarkte und Schlag-

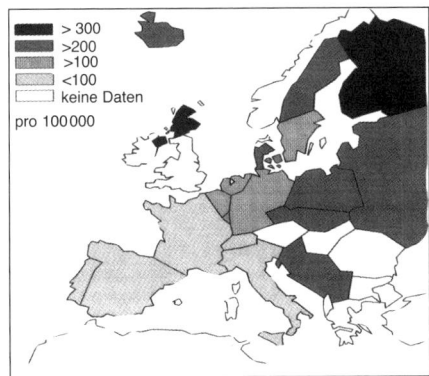

Abb. 33: Sterblichkeit von Männern an Dickdarm- und Mastdarmkrebs. Alterskorrigierte Zahlen für 36 Industrieländer (US Centers for Disease Control and Prevention) und 13 Entwicklungsländer (Sternchen, World Health Organization). Jahre 1989 – 1991
Doyle, R.: Scientific American, Januar 1996.

129

anfälle sie bekommen und wie alt sie werden, sondern ich musste hier auf Versuche an einem Tier zurückgreifen, das eine dem Menschen ähnliche Arteriosklerose zeigt und das weniger lange lebt, so dass die Erkrankungsfolgen rascher auftreten. Auf der anderen Seite habe ich versucht, die bekannten Risikofaktoren zu beeinflussen. Über beides soll im Nachfolgenden berichtet werden.

Unsere Versuche am Huhn

Als geeignetes Versuchstier, das genügsam und kurzlebig sein musste, damit ich mir die Versuche leisten konnte, das aber im Alter eine dem Menschen ähnliche Arteriosklerose zeigen sollte, erwies sich schließlich das Huhn. Die Hühnerarteriosklerose wird im dritten und vierten Lebensjahr deutlich, und sie beginnt wie die des Menschen im Bauchabschnitt der Körperschlagader, von wo aus sie sich auf die übrigen Abschnitte dieses Gefäßes ausbreitet. Sie ist der menschlichen Arteriosklerose auch histologisch und vor allem histochemisch sehr ähnlich, d. h. die eingelagerten Fette und die Gewebsreaktionen dagegen sind gleichartig[28].

Das ist von besonderer Bedeutung, denn das Huhn ist von uns stammesgeschichtlich weiter entfernt als Affen und Kaninchen, die, obwohl reine Pflanzenfresser – meist als Versuchstiere für Arteriosklerose dienen. Immer wieder wurden die Veränderungen an den Arterien bei diesen oft völlig unnatürlichen Fütterungsversuchen als der menschlichen Arteriosklerose nicht entsprechend befunden. Da Blutgefäße eine stammesgeschichtlich alte Gewebsform darstellen, d.h. bei allen höheren

Tieren in ihrem Aufbau ähnlich sind, ist es wichtiger, auf die Ernährungsweise eines Tieres und auf die feingewebliche Ähnlichkeit arteriosklerotischer Herde als auf stammesgeschichtliche Verwandtschaft zu achten.

Das Huhn frisst heutzutage vorwiegend Körner aus dem menschlichen Ackerbau. Vor seiner Zähmung vor 3 000 bis 5 000 Jahren fraß es Würmer, Schnecken, Käfer und Blätter (man braucht Hühner nur zu beobachten, wenn sie frei herumlaufen).

Unsere Versuchshühner bekamen daher kaum Kohlenhydrate, dafür Quark, Milch, Eier, getrocknete Garnelen, vor allem aber Fleisch vom Schwein und Knochensägemehl vom Rind. Die erblich gleichen Kontrolltiere (derselben Reinzuchtrasse) erhielten hingegen normales Futter mit entsprechend hohem Kohlenhydratgehalt. Die genaue Zusammensetzung des Futters ergibt sich aus Tabelle 5. Sie zeigt, dass der Kohlenhydratgehalt von Gruppe I mit 18,7% an den Gesamtkalorien über eine mittlere Gruppe II mit 42,3% auf 73,7% bei Gruppe III ansteigt, während der Fett- und auch der Eiweißanteil des Futters entsprechend abfallen.

Das Fett des kohlenhydratarmen Futters hatte einen sehr niedrigen Gehalt an ungesättigten Fettsäuren (Jodzahl 59,2!), so dass der beobachtete günstige Effekt nicht auf ungesättigte Fettsäuren bezogen werden kann.

Beide Tiergruppen hatten großen Auslauf; jede Art von Mangelernährung und alle andersartigen negativen Umwelteinflüsse waren ausgeschaltet.

Die Bedeutung des Futters für den Arteriosklerose-Befall der Versuchstiere ergibt sich aus der Tabelle 6. Sie zeigt, dass der nach bestimmten Kriterien ermittelte Arte-

Gruppe	Nahrungsmittel	Menge g	Eiweiß	Gehalt an Fett	Kohlen-hydrat	kcal.	Kohlen-hydrate in % der Kalorien
I	Trockenhefe	15	7,2	0,2	5,4	51,6	
	Garnelen	7	1,1	0,1	0,2	6,1	
	Quark	35	6,0	0,4	0,7	30,8	
	Fleisch	50	8,0	11,5	—	140,5	
	Magermilch	125	5,0	—	6,3	43,8	
	Summe:		27,3	12,2	12,6	272,8	18,7
II	Trockenhefe	10	4,8	0,14	3,6	34,3	
	Garnelen	4	0,6	0,06	0,12	3,5	
	Quark	25	4,3	0,3	0,5	22,0	
	Fleisch	35	5,6	8,1	—	101,0	
	Weizenkörner	35	4,1	0,7	24,3	127,1	
	Magermilch	84	3,4	—	4,25	30,0	
	Summe:		22,8	9,30	32,77	317,9	42,3
III	Trockenhefe	10	4,8	0,13	3,6	34,3	
	Garnelen	7	1,1	0,1	0,2	6,1	
	Magermilch	125	5,0	—	6,3	43,8	
	Weizenkörner	120	14,0	2,4	83,2	435,3	
	Summe:		24,9	2,63	93,3	519,6	73,7

Tab. 5: Zusammensetzung des Futters der Versuchshühner. Die Gruppen I, II und III unterscheiden sich vornehmlich nach dem Anteil der Kohlenhydrate an den zugeführten Gesamtkalorien (letzte Spalte rechts außen). Aus Lutz, W., Andresen, G., Buddecke, E.: Zschr. F. Ernährungswissenschaft 9 (1969) 222.

riosklerose-Befall bei den kohlenhydratarm ernährten Fleischhühnern der Gruppe I im Mittel nur 0,8, bei den Körnerhühnern der Gruppe III jedoch mit 3,3 Einheiten mehr als das Vierfache ausmacht.

Die chemische Untersuchung der Arterien auf Lipoidgehalt (er gibt den Befall an Arteriosklerose exakt wieder) aus der ersten Versuchs-Serie bei Prof. Dr. Dr. Günther Weitzel im Physiologisch-chemischen Institut der Universität Tübingen zeigte uns schon nach zwei Jahren, dass wir offenbar auf dem rechten Wege waren. Die arteriosklerotischen Herde setzten sich vorwiegend aus Cholesterin zusammen, und in den Blutgefäßen der mit Körnern gefütterten Hühner fand sich diese Substanz viel mehr als bei den Fleisch fressenden. Diese Ergebnisse wurden inzwischen an einer größeren Serie von Tieren bestätigt[29]. Tabelle 7 zeigt nähere Details der durchgeführten Lipidanalysen an den Hühneraorten und Zusammenhänge zwischen diesen Ergebnissen und dem durch bloße Betrachtung ermittelten Arteriosklerosebefall (s. Farbtafel nach S. 102).

Das wesentliche Ergebnis dieser Tierversuche, die fast zehn Jahre lang liefen

Tier Nr.	Gruppe I (ohne Kh) Makro	Tier Nr.	Gruppe III (mit Kh) Makro
3493	1,0	3019	1,0
3495	0,5	3021	1,5
3497	3,5	3023	3,0
3498	0,5	3027	4,5
3500	0,0	3030	4,5
216	1,5	197	6,0
218	0,0	178	2,0
219	0,5	200	6,0
3046	0,0	1	6,0
3064	0,5	2	0,0
		27	1,0
		30	4,5
Mittel	0,8		3,3

Tab. 6: Unterschiede im makroskopisch erkennbaren Arteriosklerosebefall in Abhängigkeit vom Kohlenhydratgehalt des Futters beim Huhn. Aus Lutz, W., Andresen, G., Buddecke, E.: Zschr. F. Ernährungswissenschaft 9 (1969) 222.

und deren statistische Signifikanz durch Computerberechnungen gesichert wurde, lässt sich dahingehend zusammenfassen, dass beim Huhn der Arteriosklerosebefall, soweit er sich mit bloßem Auge bzw. mit der Lupe an den großen Arterien und biochemisch durch Bestimmung ihres Fettgehaltes ermitteln lässt, dem Kohlenhydratgehalt des Futters parallel und dessen Fettgehalt umgekehrt proportional verläuft.

Das heißt: Je mehr Kohlenhydrate und je weniger Fett die Tiere bekommen, umso

ausgeprägter erkranken sie an Arteriosklerose[29]. Dieses Ergebnis wurde von Schole und Sallmann[30] bestätigt.

Es wurde schon erwähnt, dass es sich bei der Ernährung der Tiere um ziemlich harte Fette gehandelt hatte, so dass also – wenigstens beim Huhn – nicht einmal dem Härtegrad bzw. dem Gehalt der Fette an gesättigten Fettsäuren ein ungünstiger Effekt auf die Ausbildung und den Umfang arteriosklerotischer Herde zugeschrieben werden kann.

Literatur siehe ab Seite 150

Gruppe	Zahl der Tiere	% Kh	Gesamt-Lipide	Fett in der Aorta in % des Trockengewichtes		Phospho-Lipide	Arteriosklerose-befall makroskopisch
				Cholesterin			
				gesamt	frei		
I	5	18	19,4	1,53	0,69	3,36	1,1
II	7	42	20,24	1,47	0,76	3,40	1,86
III	5	73	24,53	1,86	0,83	3,76	2,80

Tabelle 7: Zusammenhänge zwischen dem Futter, dem prozentualen Anteil der Kohlenhydrate an den Gesamtkalorien, den Aorten-Lipiden und dem makroskopisch feststellbaren Arteriosklerosebefall beim Huhn. Aus Lutz, W., Andresen, G., Buddecke, E.: Zschr. f Ernährungswissenschaft 9 (1969) 222.

Risikofaktoren und metabolisches Syndrom

Die „Risikofaktoren" bilden einen Hauptpfeiler der Fett-Theorie. Sie signalisieren nach Framingham und den „Feldstudien" die drohende Gefahr eines Herzinfarktes oder Schlaganfalls; ich musste mich daher für sie unter kohlenhydratarmer Diät interessieren. Wir werden sehen, dass sie sich ganz anders verhalten als man nach der Fett-Theorie erwarten müsste, denn eine kohlenhydratarme Diät ist mit vermehrter Zufuhr von tierischen Fetten und Cholesterin verbunden, denen man atherogene, d.h. die Entwicklung von Arteriosklerose fördernde Eigenschaften zuschreibt.

Unter dem Begriff „metabolisches Syndrom" werden im allgemeinen Fettsucht, Diabetes, hohe Blutspiegel für Cholesterin und Harnsäure (Gicht) sowie hoher Blutdruck zusammengefasst. Ich glaube nicht, dass es sich dabei um eine echte Krankheitseinheit handelt, weil Fettsucht, Diabetes und Arteriosklerose, wie in früheren Kapiteln dargestellt, unter den Begriff der „Kohlenhydrat-Krankheit" fallen und durch Kohlenhydrat-Beschränkung verhindert bzw. gebessert oder geheilt werden können, was für den Bluthochdruck nicht zu gelten scheint. Man kann zwar beim Übergang auf eine kohlenhydratarme Kost bei nicht sehr stark ausgeprägtem Hochdruck festellen, dass der Druck etwas sinkt, es ist aber schwer auszuschließen, dass es sich dabei nur um psychosomatische Effekte handelt etwa in dem Sinne, dass die Patienten bei der ersten Messung etwas aufgeregt sind und dass der Blutdruck dabei höher liegt als bei den Kontrollmessungen später.

Der Bluthochdruck

Beim Bluthochdruck kommen wir mit unserer sonst so eleganten Theorie des Überganges von der Alt- zur Jungsteinzeit nicht weiter, oder doch? Es gibt nämlich noch etwas anderes als die Kohlenhydrate, das wir in den letzten Jahrtausenden unerlaubt in unsere Nahrung aufgenommen haben: das Salz. Nicht nur der Steinzeitjäger hatte kein Salz, um den Geschmack seiner Nahrung zu verstärken, alle unsere Vorfahren, soweit wir denken können, waren Land"tiere" und lebten daher salzlos, mit Ausnahme vielleicht der ersten Glieder der Evolution vom Affen her (aquatic genesis!), die ihre Nahrung im Ozean fanden, der damals die Osthälfte Afrikas bis zu den Aufwerfungen bedeckte, in denen das Rift Valley entstand (siehe S. 178). Von dort an stand für Millionen von Jahren nur salzlose Kost zur Verfügung, der sich unsere Vorfahren nicht entziehen konnten und an die sie sich wohl oder übel angepasst haben mussten.

Der Salzmißbrauch ist zwar nicht ganz so alt und war in Frühzeiten kaum je so intensiv wie der Kohlenhydrat-Mißbrauch, denn man kann Salz nicht wie Getreide an Ort und Stelle anbauen, sondern musste es mühsam und teuer aus dem Handel über weite Strecken beziehen; aber es gab immerhin schon 4 000 bis 6 000 Jahre v.Chr.

Salzgewinnung aus Verdunstungsbecken an Meeresufern und nicht erst in der Keltenzeit schon weit verbreiteten Salzbergbau. Der Wohlstand der Gebiete um den Salzbergbau spricht Bände. Ohne Salz gäbe es heute nicht das barocke Salzburg, aus den erzbischöflichen Salzzöllen von italienischen Architekten nördlich der Alpen erbaut. Genau wie der Ackerbau mit seinen Kohlenhydraten hat sich der Gebrauch von Salz („Kochsalz") langsam, aber sicher in Europa ausgebreitet, nur haben wir beim Salz nicht die lange, über zwölf Jahrtausende laufende Adaptation, sondern nur sechs bis acht Jahrtausende mit 300 bis 400 Generationen. Es könnte immerhin eine Kochsalz-Adaptation und damit Gegenden (am Meer) geben, wo die dort ansässigen Populationen im Laufe der Jahrtausende sich eine gewisse Kochsalz-Adaptation erworben haben und daher weniger an Bluthochdruck leiden.

Ich bin mir nämlich ziemlich sicher, dass dieses Salz-Szenario richtig ist, dass wir für unseren Kochsalz-Mißbrauch gesundheitlich wie für den Kohlenhydrat-Mißbrauch bezahlen müssen und dass die Buße unter anderem im hohen Blutdruck zu suchen ist. Überlegen wir einmal: Der salzlos lebende Frühmensch hatte eine ausgefeilte hormonale Regulation eingebaut (wir haben sie auch, aber wir lassen sie verkümmern), um das wenige Salz, das in seiner Nahrung vorkam, zu konservieren. Über eine Hormonkette, bestehend aus Renin, Angiotensin-1, Angiotensin-2, Aldosteron (RAA), wurde die Niere zu extremer Sparsamkeit in der Ausscheidung von Salz verpflichtet. Diese Hormonkette ist bei uns von frühester Jugend an lahmgelegt, denn wir haben nicht nur ausreichend, sondern viel zu viel Salz im Essen.

Warum ist es nicht mehr bekannt, dass (fast) jeder Bluthochdruck innerhalb von einigen Tagen auf eine kochsalzfreie Diät anspricht? Weil sich seltsamerweise in der Medizin die Meinung verbreitet hat, drei Gramm Salz wären nötig, und diese Menge sollte nicht unterschritten werden (und weil es für Arzt und Patienten viel einfacher ist, auf Tabletten auszuweichen). Mit drei Gramm Salz ist aber ein hoher Blutdruck oft nicht zu erschüttern. Er reagiert in der Regel erst, wenn (fast) alles Kochsalz ausgeschaltet wird. Damit gibt es Käse, Wurst, Schinken und wie immer geartete vorgefertigte Nahrungs- und Genussmittel nur mehr in geringsten Mengen.

Es muss immer zu Hause gekocht werden; es gibt keinen Verlass auf noch so dringend vorgebrachte Ermahnungen bei der Bestellung von Speisen im Restaurant, denn das Schnitzel wird mit gesalzenen Bröseln gebraten, eventuell in einer Pfanne mit Fett, in der soeben gesalzene Schnitzel brutzelten, und der Salat wird mit (oft) gesalzenem Essig angemacht. Es ist klar, dass das Leben damit zur Qual wird. Eine kohlenhydratarme Diät ist dagegen ein Kinderspiel.

Und doch, wer einen Blutdruck von 250/140 damit in den Griff bekommt, wird diesen Rettungsanker ergreifen (wie ich es tat). Wenn nicht eine Erkrankung der Niere Ursache für den Hochdruck war, wird er fallen, und die Renin-Angiotensin-Aldosteron-Kette wird ihre Arbeit wieder aufnehmen.

Allein das ist schon erstaunlich genug, denn sie müsste längst verkümmert sein, da wir ja alle seit frühester Jugend mit einem Übermaß an Salz leben und daher die Renin-Angiotensin-Aldosteron-Kette nicht gebraucht haben.

Was lässt den Blutdruck ansteigen?

Wie kommt es überhaupt zum Anstieg des Blutdrucks unter erhöhter Kochsalzzufuhr? Die Hormonkette (RAA) ist doch außer Gefecht, wenn eher zu viel als zu wenig Salz genossen wird. Sie könnte den Blutdruckanstieg erklären, denn es gibt einen Aldosteron-Hochdruck, und man kann durch ACE- oder Aldosteron-Hemmer einen Hochdruck erfolgreich behandeln, auch der Anstieg des Sympathikotonus ist durch Aktivierung der RAA-Kette verständlich. Aber wieso wird die AAA aktiviert, wenn eher zu viel Salz verzehrt wird?

Hier hilft uns wiederum die Theorie der Adenomisierung weiter (S. 47). Die RAA-Kette ist zunächst inaktiv, weil eher zu viel Salz gegessen wird. Wenn das viele Salz damit nicht ausgeschieden werden kann, greifen wir zurück auf unsere Vergangenheit als Fische oder auf die Aquatic Genesis, wo wir ja auch mit viel Salz in der Nahrung fertig werden mussten. Aus dieser Zeit haben wir noch die natriuretischen Hormone im Gehirn, in der Niere und – vor allem – in den Vorhöfen des Herzens, die die Ausscheidung von Natrium (Salz) fördern.

Im Laufe des Lebens hypertrophiert und adenomisiert das System der natriuretischen Hormone; es wird jetzt mehr und mehr Salz ausgeschieden, soviel, dass die AAA-Kette alarmiert wird und Salz zurückhalten muss; es kommt zu einem „Patt" im Salz-Milieu, bei dem beide Teile mehr als nötig arbeiten. Der eine Teil scheidet Salz aus, der andere hält es zurück. Natürlich können wir jetzt durch Bremsung der AAA den Blutdruck erniedrigen mit dem Ergebnis, dass noch mehr natriu-

retische Hormone erzeugt werden. Wenn wir aber die Kochsalzzufuhr einschränken, kommen die natriuretischen Hormone zur Ruhe, die so häufigen Vorhof-Extrasystolen verschwinden, und auch die RAA-Kette passt sich an. Warum ich daran glaube? Weil ich beobachtet habe, dass Patienten, bevor sie sich an die neue Situation angepasst haben, häufig an starken Blutdruckschwankungen leiden, bis die RAA-Kette sich wieder installiert hat.

Manche Patienten vertragen es deshalb auch nicht, wenn die Kochsalzzufuhr unter ein gewisses Ausmaß sinkt. Auf der anderen Seite braucht, besonders bei älteren Menschen, die RAA-Kette doch einige Zeit, bis sie die angeborene Aktivität nach so langer Pause wiedergewinnt. Es gibt wohl auch Regulationen im Körper, die allzu starken Schwankungen des Blutdrucks entgegenwirken (Barorezeptoren). Kurzum, man muss abwarten, wie der Blutdruck auf eine mittlere Kochsalzreduktion (etwa 2 g/24 Stunden) anspricht und dann nachjustieren. Dazu lässt man sich am besten in einer Apotheke Kochsalz in 1-Gramm-Pulvern abpacken, lebt salzlos und setzt Salz zu, bis man die richtige Menge ermittelt hat.

Salz- und kohlenhydratarm

Man sollte als Hochdruckpatient aber nicht nur salzarm, sondern auch kohlenhydratarm leben, weil die Folgen des Bluthochdrucks (Schlaganfall bzw. Herzversagen) durch Erhöhung der Qualität der Blutgefäße bzw. des Herzmuskels mit kohlenhydratarmer Diät gemildert werden können. Die Hirngefäße zeichnen sich durch viel schwächere Muskulatur als die im übrigen Körper aus, weshalb es besonders wichtig ist, ihre Wandung durch Diät (Wachstumshormon!) zu kräftigen.

Dagegen sind gerade in den letzten Jahren verschiedene gegen hohen Blutdruck verordnete Medikamente unter Verdacht geraten. Man weiß z.b., dass die so genannten Betablocker einen Diabetes verschlechtern, und den Calciumantagonisten wirft man vor, Herzinfarkte zu provozieren. Von Entwässerungsmitteln (Diuretika) will ich gar nicht reden. Sie zwingen die Niere, Salz, das sich bereits im Körper befindet, auszuscheiden, erfordern zu ihrer Wirksamkeit daher eine gewisse Kochsalzzufuhr; sie sind damit einer kochsalzarmen Diät keineswegs gleichwertig. Die Natur lässt sich nicht betrügen – genauso wenig wie mit den Entwässerungsmitteln bei Herzkranken, die damit zwar ohne Wasseransammlungen, meiner Erfahrung nach aber auch weniger lang leben als ohne diese.

Ob man diese Nachteile durch zusätzlich eingehaltene kohlenhydratarme Diät vermeiden könnte, muss zukünftigen Studien vorbehalten bleiben, ich halte es aber für unwahrscheinlich. Dass in der Bevölkerung gegen die Dauermedikation aus der Retorte gewisse Bedenken bestehen, ist verständlich; ich habe mich ihnen im Laufe der Jahre selbst angeschlossen. Wenn man, wie ich, sehr viele Hochdruckpatienten zu betreuen hatte, wird man schließlich zur Überzeugung gekommen sein, dass die Medikamente nicht viel Erfolg haben. Entweder sie werden aus Nachlässigkeit nicht konstant und nach Vorschrift eingenommen, oder sie erschöpfen sich mit der Zeit in ihrer Wirksamkeit. Ich habe mich daher bei der Versorgung von Hochdruckpatienten immer mehr auf diätetische Maßnahmen konzentriert und damit keine schlechten Erfahrungen gemacht.

Gesunde Gefäße (von kohlenhydratarm ernährten Patienten) können sehr lange der vermehrten Belastung durch einen hohen Blutdruck standhalten. Grund für diesen Optimismus sehe ich in Beobachtungen am Augenhintergrund (der Netzhaut) von Hochdruckpatienten, bei denen nicht selten Blutaustritte aus Netzhautgefäßen festzustellen sind. Ich habe selbst ständig Augenspiegelungen bei solchen Patienten durchgeführt und weiß aus langjähriger Erfahrung, dass diese Symptome in wenigen Monaten zu verschwinden pflegen, woraus man wohl den Schluss ziehen darf, dass sie bei Diätpatienten von vornherein nicht aufgetreten wären. Fasst man sie als Vorläufer von Gehirnblutungen auf (das Auge ist ein Gehirnteil), dann wird man seinen Hochdruckpatienten diesbezüglich eine gute Prognose stellen dürfen. Wiederum drängt es mich, darauf hinzuweisen, dass wir Mediziner uns viel intensiver mit Fragen der Ernährung (einer kohlenhydratarmen und eventuell auch salzarmen Ernährung!) befassen sollten, anstatt uns von der pharmazeutischen Medizin mit Beschlag belegen zu lassen. Es kann nichts geben, was wirksamer und nebenwirkungsfreier wäre als die Rückkehr zu den Ernährungsgewohnheiten unserer Vorfahren, die weder Salz noch größere Mengen von Kohlenhydraten hatten und an diese Ernährungsform ideal angepasst gewesen sein mussten. Sicher hatten sie auch keinen erhöhten Blutdruck.

Ich würde für die Praxis folgendes Vorgehen bei hohem Blutdruck empfehlen:

1) Zunächst kohlenhydratarme Diät; sie ist leicht durchzuführen, beeinflusst den Blutdruck zwar nicht, verhindert aber

Schäden am Gefäßsystem und am Herzen sowie das Auftreten von Arteriosklerose.

2) Steigt der Blutdruck dauernd auf Werte über 200 systolisch, sollte zusätzlich eine salzlose Diät erwogen werden. Diese Entscheidung wird von vielen Faktoren abhängen, vom Alter des Patienten und vor allem von seinem Willen, mitzumachen („Compliance"), doch auch von den Möglichkeiten einer eigenen Küche. Bei Blutdruckwerten von über 220 mm systolisch wird eine kochsalzfreie Diät aber sozusagen obligat.

3) Andernfalls wird man zu Medikamenten Zuflucht nehmen müssen mit allen bereits erwähnten Vorbehalten und der Hoffnung, dass wenigstens ein Teil der zu erwartenden Nebenwirkungen durch die Vorteile der kohlenhydratarmen Diät ausgeglichen wird.

Harnsäure

Ein weiterer Risikofaktor, dessen Bedeutung man erst in den letzten zehn Jahren erkannt hat, ist ein hoher Harnsäurespiegel. Die im menschlichen Organismus vorhandene Harnsäure ist das Stoffwechselprodukt der durch die Nahrung zugeführten Zellkernsubstanzen, der Nukleotide bzw. der Nukleinsäuren, und wird daher mit zellkernreichen Nahrungsmitteln, etwa mit Innereien, in verstärktem Maße zugeführt.

Trotzdem ist die Vorstellung etwas primitiv, man müsse zur Erniedrigung des Harnsäurespiegels Innereien und dergleichen vermeiden. Zellkerne gibt es nämlich in allen (auch pflanzlichen) Nahrungsmitteln, und Harnsäure entsteht teilweise durch Abbau von Nahrungseiweiß, außer-

dem im Stoffwechsel, und das sicherlich nicht zum kleinsten Teil. Wahrscheinlich ist es gerade diese Quelle von Harnsäure, die zu einem erhöhten Blutharnsäure-Spiegel, zu vermehrter Ausscheidung von Harnsäure im Harn und zur Ablagerung von Harnsäure im Gewebe (Gicht) bzw. in Harnsteinen und in der Niere führt[34].

Gicht

Gicht ist ein eindeutiges Wohlstandssymptom. Ich habe schon die Vorstellung geäußert, dass es sich um eine Rezeptoren-Krankheit wie bei anderen Wohlstandsleiden, etwa beim Altersdiabetes und bei der Erhöhung des Cholesterinspiegels handeln könnte. In der Tat lässt sich durch Hungern oder wenigstens durch knappe Ernährung, ganz unabhängig von der qualitativen Zusammensetzung der Nahrung, der Blutharnsäurespiegel erniedrigen.

Unter kohlenhydratarmer Ernährung wird die Zufuhr von Fleisch und damit die von Nukleinsäuren und von Eiweiß erhöht, so dass die Harnsäurewerte ansteigen müssten, zumal der Organismus nicht darauf gefasst ist, plötzlich von Kohlenhydraten auf Eiweiß und Fett umgestellt zu werden. Erst nach längerer Zeit könnte man sich eine Anpassung und damit eine Rückkehr des Harnsäurespiegels zur Norm erwarten.

Es passiert aber genau das Gegenteil. Die Abbildung 34 zeigt Beobachtungen an 193 Patienten meiner Praxis mit erhöhten Harnsäurespiegeln im Blut unter kohlenhydratarmer Ernährung. Man sieht, dass die Konzentration der Harnsäure im Blut sofort sinkt und dass nach vier Monaten ein Tiefstand erreicht wird. Von dort aus

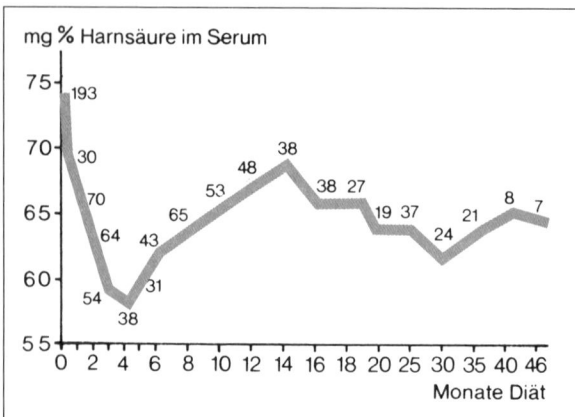

mg % Harnsäure im Serum

Abb. 34: Der Harnsäurespiegel im Blut bei 193 sogenannten Hyperurikämikern (Patienten mit erhöhten Harnsäurewerten im Blut). Es kommt sofort zu einem ausgeprägten und nachhaltigen Absinken. Weil bei kohlenhydratarmer Diät mehr Eiweiß und mehr Nukleinsäuren aus kernreichen tierischen Organen zugeführt werden als sonst, kann diese „exogene Harnsäure" nicht die Ursache vorher erhöhter Harnsäurespiegel gewesen sein; dann hätte es nämlich zu einem Anstieg statt zu einem Abfall kommen müssen. Nach vier bis fünf Monaten ist im Durchschnitt ein Tiefpunkt erreicht, wonach der Harnsäurespiegel wiederum ansteigt (Erklärung siehe Text). Später stabilisiert er sich auf mittlerem Niveau. Die Zahlen entsprechen den Harnsäurebestimmungen zum jeweiligen Zeitpunkt.

geht es langsam wieder aufwärts, bis sich schließlich die Werte auf einem mittleren Niveau stabilisieren. Eine kohlenhydratarme Diät hat also eine eindeutig Harnsäurespiegel-senkende Wirkung; man wird daher annehmen müssen, dass hohe Harnsäurespiegel durch den Kohlenhydratgehalt der Nahrung bedingt oder doch wenigstens mitbedingt sind.

Man weiß seit langem, dass Infusionen von Zuckerlösungen, vor allem von Fruktose, Sorbit und Xylit, die Harnsäurespiegel rasch ansteigen lassen[33–37], und dass dies durch Mehrproduktion und nicht durch Erniedrigung der Ausscheidung bedingt ist[33,38,39]. Der Anstieg der Harnsäure

auf Zuckerinfusion lässt sich nämlich mit Allopurinol unterdrücken. Dieses hemmt das Enzym Xanthinoxydase, das bei der Herstellung von Harnsäure im Organismus behilflich ist. Den Kohlenhydraten dürfte also eine die Harnsäureproduktion anregende Wirkung zukommen, was allein schon dazu veranlassen sollte, Patienten mit hohen Harnsäurespiegeln prinzipiell kohlenhydratarm zu ernähren.

Die Abbildung 34 zeigt das Verhalten erhöhter Harnsäurewerte unter kohlenhydratarmer Diät; die Abbildung 35 hingegen zeigt elf Patienten, bei denen der Harnsäurespiegel anfangs zwar auch sofort sank, anschließend aber wieder über den Ausgangspunkt anstieg[40].

Es gibt also zweifellos Fälle, die vom großen Durchschnitt abweichen und unter Kohlenhydratbeschränkung schließlich einen weiteren Anstieg der Harnsäure zeigen. Dies ist ja auch unter Null-Diät beobachtet worden und am Cholesterinspiegel aufgefallen, nämlich das anfängliche Absinken und das folgende Wiederansteigen der Werte – eine weitere Parallele zwischen beiden Stoffwechselstörungen, ein Hinweis vielleicht auf prinzipielle Gleichartigkeit, auf eine Störung wahrscheinlich im Rezeptorenmechanismus der Zelle.

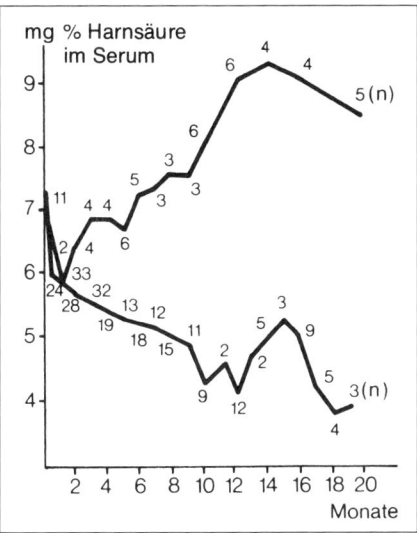

mg % Harnsäure im Serum

Monate

Abb. 35: Zu einem früheren Zeitpunkt als dem der Abb. 34 wurden aus dem Gros der Patienten elf Fälle abgezweigt, bei denen der Harnsäurespiegel schon einen Monat nach anfänglichem Abfall wieder anstieg und schließlich den Ausgangspunkt übertraf. Erklärung siehe Text.

Erhöhte Harnsäurespiegel im Blut können zu Ablagerungen in Nieren und Gelenken führen, zu Gicht. Erfahrungsgemäß handelt es sich dabei um Patienten mit wenig körperlicher, aber erhöhter geistiger Tätigkeit. Man hat in Amerika gefunden, dass Hochschüler, die weniger begabt sind und sich daher mehr anstrengen müssen, eher höhere Harnsäurespiegel haben; das hat zu der Hypothese (Orovan) geführt, dass die Harnsäure, die bei Primaten – im Gegensatz zu weniger intelligenten Tieren – im Stoffwechsel anders behandelt wird, zur Anregung des Gehirns, etwa wie Kaffee dient. Und tatsächlich sind beide Substanzen chemisch nahe verwandt.

Was soll man nun machen, wenn man einen Gichtanfall erleidet? Dazu muss man wissen, dass auch sehr hohe Spiegel an Harnsäure sich nicht ohne weiteres in Gelenken ablagern und dort die gefürchtete heftige und extrem schmerzhafte Entzündung provozieren, sondern nur dort, wo schon eine Gewebsschädigung besteht. Typisch für den Gichtanfall sind die Großzehengelenke des zivilisierten Menschen, die von Kindheit an durch unser modisches Schuhwerk beleidigt werden (daher der Name „Podagra", kranker Fuß). Typisch sind auch Gichtanfälle nach Sportverletzungen – oft als solche nicht richtig gedeutet.

Man muss die Entzündung unterdrücken, am besten durch Cortison, etwa 12 mg täglich, und gleichzeitig ein Medikament nehmen, das den Harnsäurespiegel senkt. Statt Cortison kann man eines der vielen nonsteroidalen (nicht hormonalen) Antirheumatika anwenden; Cortison ist aber natürlicher und frei von Nebenwirkungen, wenn es, wie hier, nur kurzfristig angewendet werden soll. Dann sollte man nach Möglichkeit Schuhwerk tragen, das der großen Zehe mehr Spielraum lässt, und man sollte kohlenhydratarm leben oder weiterleben, um das Gelenk zu kräftigen. Eine kohlenhydratarme Diät ist die beste Maßnahme bei Arthrosen. Das Cortison kann man nach 14 Tagen absetzen. Wann man mit dem Medikament zur Senkung des Harnsäurespiegels aufhören kann, ist eine Sache von „trial and error" (Versuch und Irrtum), d.h., man muss es nach ein paar Wochen, wenn das Gelenk sich völlig beruhigt hat, versuchen. Man muss (mit beiden Medikamenten) wieder anfangen und jetzt länger durchhalten, wenn ein Rückfall auftritt. Ob eine Gichtniere bei kohlenhydratarmer Diät überhaupt auftritt bzw. auf diese anspricht oder harnsäureerniedrigende Medikamente benötigt, kann ich nicht sagen.

Cholesterin

Cholesterin gilt als der wichtigste Risikofaktor. Seine Rolle für Herzinfarkt und Schlaganfall war schon etabliert zu einer Zeit, als die übrigen Risikofaktoren noch gar nicht so richtig im Gespräch waren. Seine Bedeutung wurde seit der Sieben-Länder-Studie von Ancel Keys und seinen Mitarbeitern niemals angezweifelt[3].

Schwierigkeiten der Interpretation wurden schon erwähnt: dass auch Patienten mit sehr niedrigen Cholesterinspiegeln einen Herzinfarkt erleiden können, dass überhaupt an der Einzelperson kein eindeutiger Zusammenhang zwischen der Ernährung und dem Cholesterinspiegel besteht und dass bei den Trappisten und Benediktinern mit ihrer unterschiedlichen Ernährungsweise auch keine klare Beziehung zu erkennen ist. Manche Forscher behaupten, die Unterschiede im Cholesterinspiegel zwischen Sizilianern und Dalmatinern auf der einen und den nordischen bzw. westlichen Populationen auf der anderen Seite seien überhaupt nicht ernährungsbedingt, sondern auf andere Unterschiede in der Lebensweise zurückzuführen; Populationen mit so unterschiedlichen Lebensbedingungen könne man nicht vergleichen.

Dass die Ernährung den Cholesterinspiegel aber doch, wenn auch in gegenteiliger Richtung, beeinflusst, geht aus eigenen Beobachtungen hervor.

Ich habe an 263 Patienten meiner Praxis das Verhalten des Spiegels an Gesamtcholesterin im Blut unter kohlenhydratarmer Ernährung über längere Zeit verfolgt[41]; die Ergebnisse wurden computermäßig ausgewertet (Abb. 36). Dabei hat sich ergeben, dass der Cholesterinspiegel grundsätzlich sinkt und dass dies umso deutlicher in Erscheinung tritt bzw. umso eher bestehen bleibt, je höher der Ausgangswert liegt und um je jüngere Patienten es sich handelt.

Dieses Ergebnis ist, wenn man an die Fett-Theorie der Arteriosklerose glaubt, überraschend. Meine kohlenhydratarme Diät enthält mehr tierische Fette und mehr Cholesterin als die hier zu Lande übliche Normalkost bzw. als die Diät, die die Patienten vor Beginn des Versuches eingehalten haben. Bei 14 Patienten haben wir es überprüft (Tabelle 8)[42]. Vor allem der

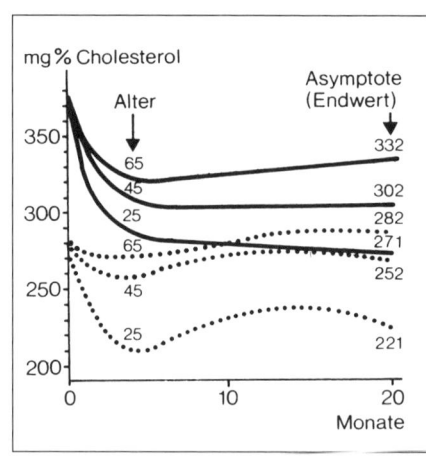

Abb. 36: Der Cholesterinspiegel bei 263 Patienten unter kohlenhydratarmer Diät nach mathematischer Regressionsanalyse. Gezeichnet ist das Verhalten dreier Altersstufen (25, 45, 65 Jahre) bei Ausgangswerten für Serum-Gesamtcholesterin von 280 und 380 mg%. Der Cholesterinspiegel sinkt unter allen Bedingungen, jedoch umso mehr, je jünger das Individuum und je höher der Ausgangswert. Man beachte, dass dies auch für den asymptotischen Wert (Zahlen rechts außen untereinander) mit Ausnahme der 65jährigen bei 280 mg% Ausgangswert gilt.

	Proteine g	Fette g	Kohlen-hydrate g	Chole-sterin mg
Kh-arm	102,6	156,1	74,6	750
Normal	70–100	130	330	490

Tab. 8: Durchschnittliche tägliche Zufuhr von Nährstoffen und Cholesterin bei 14 langfristig kohlenhydratarm ernährten Patienten während einwöchiger Kontrolle gegenüber für Normalkost gültigen Durchschnittswerten in der Bundesrepublik Deutschland (nach Kasper, H., Lutz, W., Wild, M.[42]).

Cholesteringehalt der Nahrung liegt bei den Diätpatienten um ungefähr 50% über dem der Normalbevölkerung und damit über dem, was die Patienten wahrscheinlich vor der kohlenhydratarmen Diät zu sich genommen hatten. Wenn trotz starker Zunahme des Verzehrs an Cholesterin (und an tierischen Fetten) der Cholesterinspiegel im Blut sinkt, wie man es seit den Arbeiten von Ahrens[43] und Kuo[44] auch für hohe Triglyzeridspiegel weiß (die häufigste Form der Hypertriglyzeridämie ist „kohlenhydratbedingt"), dann fällt eine der Stützen der Fett-Theorie, nämlich die Idee, dass eine hohe Zufuhr von tierischen Fetten und Cholesterin durch die Nahrung eine wichtige Ursache der Arteriosklerose ist. Nach den Gedankengängen, die der Fett-Theorie zugrunde liegen, sind ja hohe Plasmaspiegel der Triglyzeride und vor allem des Cholesterins die primäre Ursache der Arteriosklerose.

HDL-Cholesterin

Wie schon erwähnt, kann man jetzt die Cholesterin-Fraktionen nach ihrer Gefährlichkeit für Arteriosklerose (nach ihrem Risikowert) einordnen, und zwar durch Elektrophorese der so genannten Lipoproteine als denjenigen Cholesterin-Eiweiß-Fett-Verbindungen, in denen das Cholesterin

transportiert wird. In der Beta-Lipoprotein-Fraktion fährt das LDL-(das „schlechtere") Cholesterin, das durch das Blut in die Gewebe hineintransportiert wird, in der Alpha-Lipoprotein-Fraktion das „gute" Cholesterin (HDL), das zur Leber abtransportiert wird und damit den Organismus über die Galle verlassen soll.

An über 80 Patienten wurde untersucht, wie sich diese Fraktionen unter kohlenhydratarmer Diät verhalten. Sowohl das Gesamtcholesterin als auch das (schlechte) LDL fällt mit den Beta-Lipoproteinen mit einem Minimum etwa zur zwölften Woche, um dann langsam wieder zum Ausgangswert anzusteigen; das (gute) HDL-Cholesterin in den Alpha-Lipoproteinen verändert sich nicht. Während der Diätumstellung kommt es also zu eher günstigeren Cholesterin-Konstellationen (Abb. 37).

Erfahrungen in der Praxis

Es wurde schon erwähnt, dass sich Arteriosklerose von den Magen-Darm-Krankheiten grundsätzlich dadurch unterscheidet, dass sie sich sozusagen im Stillen entwickelt und erst sehr spät in Form eines Herzinfarktes oder eines Schlaganfalles bzw. in Form von Durchblutungsstörungen an den Beinen bemerkbar macht. Man

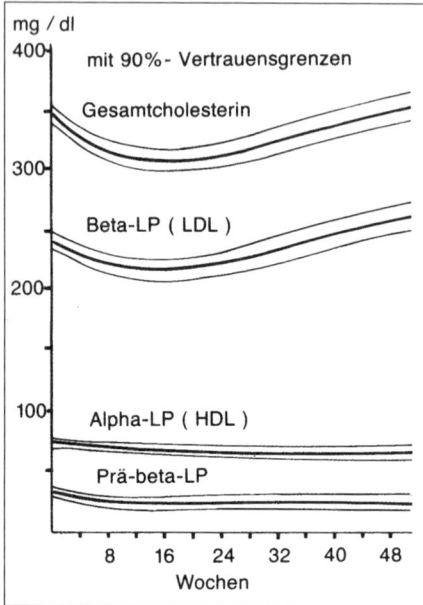

mg / dl

mit 90%- Vertrauensgrenzen

Gesamtcholesterin

Beta-LP (LDL)

Alpha-LP (HDL)

Prä-beta-LP

8 16 24 32 40 48
Wochen

Abb. 37: Ergebnis einer Regressionsanalyse über das Verhalten des Gesamtcholesterins und der in den Beta- bzw. Alpha-Lipoproteinfraktionen wandernden Cholesterinteile LDL und HDL. Es kommt nur zu einem vorübergehenden Absinken des Gesamtcholesterins und der LDL-Fraktion; das HDL in den Alpha-Lipoproteinen bleibt auffallend konstant. Man kann jedenfalls davon ausgehen, dass der Übergang auf eine kohlenhydratarme, fett- und cholesterinreiche Nahrung nicht zu einem Anstieg, eher anfangs zu einem Abfall des Cholesterins führt.

kann sich hier daher nicht ohne weiteres Besserung durch eine Diät erwarten, welche sozusagen erst im letzten Augenblick kommt und schon vollendete Tatsachen vorfindet.

An den vielen Patienten, welche ich im Laufe der Jahrzehnte auf eine kohlenhydratarme Ernährung umgestellt habe, sind aber drei Erfahrungen auffällig.

1.) Wenn man vorsichtig vorgeht, kommt es nie zur Verschlechterung der Si-

tuation, wie es früher oder später der Fall sein müsste, wenn die Fett-Theorie zuträfe[14]. Denn der Übergang auf eine kohlenhydratarme Diät ist zwangsläufig mit vermehrter Zufuhr von Fetten und Cholesterin verbunden (Tab. 8). Man hat Robert Atkins[45], der eine kohlenhydratarme Diät vorwiegend zu Abmagerungszwecken verwendet und der zu Beginn der Diät ganz besonders radikal vorgeht, indem er alle Kohlenhydrate streicht, einige Herzinfarkte angelastet und ihn deshalb sogar vor ein Senatskomitee zitiert. Ich bin da von vornherein etwas vorsichtiger vorgegangen und habe die Kohlenhydrate nur bis auf 6 Einheiten beschränkt, was nach jahrzehntelangen Erfahrungen der Wiener Schule gut vertragen wird und ungefährlich ist. Sicherheitshalber empfehle ich im Infarktalter (bei Männern über 35 und bei Frauen über 65 Jahre) eine Übergangszeit von drei Monaten mit acht Broteinheiten (BE) und bei Beschwerden, die an eine Koronarerkrankung (Herzschmerzen etc.) denken lassen, bei Übergewicht, Diabetes und hohem Blutdruck täglich 1/2 Tablette Aspirin in dieser Übergangszeit. Das Problem mit kohlenhydratarmer Ernährung ist nicht Radikalität am Anfang, sondern Konsequenz und Durchhaltevermögen später.

Geht man zu radikal vor, dann erzeugt man bei empfindlichen Patienten Stress, weil sie Kohlenhydrate, die sie in größerem Ausmaß gewohnt sind, nicht mehr bekommen, dafür Fette und Eiweißkörper, mit denen sie zunächst kaum etwas anfangen können. Im Laufe jahrzehntelanger Adaptation entwickeln sich nämlich Stoffwechselverhältnisse, welche nicht über Nacht geändert werden können. Und Streßreaktionen, wie bei Hunger, Kälte, Hitze, körperlichen und beruflichen Belastungen,

Aufregungen, Emotionen können einen Organismus schwer belasten, die Gerinnungsneigung des Blutes erhöhen und damit zu einer Katastrophe, zur Bildung von Thromben, führen, wenn schon arteriosklerotische Veränderungen im Inneren von Blutgefäßen vorliegen. Wenigstens Herzinfarkte durch Fasten („Null-Diät") kann man nicht auf zu viel Fett und Cholesterin in der Nahrung zurückführen.

2.) Patienten mit Angina pectoris, d.h. mit einer Einengung der Blutströmung in den Kranzadern, welche das Herz mit Blut versorgen, profitieren in der Regel deutlich und innerhalb weniger Tage von der Umstellung auf eine kohlenhydratarme und fettreiche Ernährung. Dies ist erstaunlich, weil sich innerhalb weniger Tage natürlich an dem Querschnitt der Koronargefäße nicht gut etwas ändern kann, es sei denn durch Entquellung von Herden unter der erhöhten Wasserausscheidung, welche in den ersten Tagen der Diät einsetzt.

Bei dem günstigen Effekt auf Herzschmerzen bei Angina pectoris denke ich aber eher an die Umstellung des Herzmuskel-Stoffwechsels von Zucker auf Fettsäuren, der zwar theoretisch zu einer geringfügigen Erhöhung des Sauerstoffverbrauches führen muss, vielleicht aber auf andere Art günstig wirkt, etwa weil der Schmerz durch Milchsäure entsteht, die bei Durchblutungsstörung und Sauerstoffmangel nicht weiter abgebaut werden kann. Beim Abbau von Fettsäuren entstehen nämlich Ketokörper. Tatsache ist jedenfalls, dass es kaum einen Patienten mit Angina pectoris gibt, der nicht schon nach wenigen Tagen wieder erschiene und erklären würde, es gehe ihm besser. Noch niemals musste ich einen Patienten zu einer Bypassoperation einweisen.

3.) Ich habe den Eindruck, dass Herzinfarkte unter Diät seltener sind. Von 29 Patienten, die bereits einen ersten Infarkt überstanden hatten und dann (durchschnittlich 8,8 Jahre lang) kohlenhydratarm ernährt wurden, erlitten nur fünf (= 17%) einen weiteren Infarkt. Nach der Framingham-Studie hätten es in diesen acht Jahren 35 bis 50% sein müssen[46].

Offensichtlich muss das Kapitel über die menschliche Arteriosklerose nun neu geschrieben werden. Wir haben gesehen, dass die Fett-Theorie sich durch die Feldversuche selbst ad absurdum geführt hat. Sogar, wenn die Prozentsterblichkeit sich bei fettarm ernährten Menschen etwas vermindert hätte (was aber nicht der Fall war), müsste man sagen, dass die tierischen Fette nicht die Ursache der menschlichen Arteriosklerose sein können, weil ja viele der extrem fettarm Ernährten an ihrem Herzinfarkt oder Schlaganfall zugrunde gehen. Aber die fett- und cholesterinarme Diät führt eben nicht zu einer Verringerung der Sterblichkeit, sondern die Patienten sterben nur auf andere, zum Teil unangenehmere Art. Außerdem ist ein Leben ohne tierische Fette ein dauerndes Opfer, denn fettarme oder mit Kunstfetten hergestellte Speisen sind unschmackhaft.

Natürlich gibt es eine Alternative zur Fett-Theorie der Arteriosklerose, zu der Vorstellung, dass die Zivilisationskrankheit Nr.1 durch tierische Fette und das Cholesterin aus tierischen Nahrungsmitteln hervorgerufen würde. Es ist die Kohlenhydrat-Theorie. Schon aus der menschlichen Evolution ergibt sich einleuchtend, dass die paar tausend Jahre Ackerbau mit ihren Kohlenhydraten nicht im Stande gewesen sein können, die Jahrmillionen ungeschehen zu machen, die unseren Stoffwechsel zum Fleischfresser hin geformt haben. Es konnte unserer Natur nicht zugemutet werden, innerhalb so kurzer Zeit alles auf den Kopf zu stellen, was so mühsam erworben war. Wir müssen daher davon ausgehen, dass wir nach wie vor die Jäger und Sammler sind, die mit dem Rückzug der letzten Eiszeit das freigewordene Land besetzt und für den Ackerbau genutzt haben.

Die Ersten waren die Ärmsten

Dass die ersten Ackerbauer den höchsten Zoll für diese Umstellung bezahlt haben, kann gar keinem Zweifel unterliegen. Man kann das u.a. an den Skeletten ablesen, die mit dem Ackerbau plötzlich um gut 15 cm kleiner geworden sind[51], und zwar sowohl in Griechenland und in der Türkei als auch in der amerikanischen Urbevölkerung. Noch heute sind ja die Kikujus kleiner, schmächtiger und viel weniger gesund als ihre unmittelbaren und wahrscheinlich genetisch eng verwandten Nachbarn, die Massai, die nicht vorwiegend von Kohlenhydraten, sondern von Milch, Blut und Fleisch ihrer Buckelrinder leben[52]. Was sich an der Körpergröße abspielt, kann natürlich an den übrigen Organen und damit an der Gesundheit dieser ersten Bauern nicht unbemerkt vorbeigegangen sein. Sie werden also an allen unseren Zivilisationskrankheiten wahrscheinlich noch mehr als wir gelitten haben, was ja aus all dem hervorgeht, was wir über die Ägypter und ihre Krankheiten wissen.

In den Papyri mit Verhaltensmaßregeln für ägyptische Ärzte wird der Herzinfarkt so eindeutig beschrieben, dass man sich fast in das einschlägige Kapitel eines neueren Lehrbuches versetzt fühlt. Man findet an den Mumien die verkalkten Arterien, an ihren Knochen Geschwülste und dergleichen mehr.

Es leben noch Paläolithiker

Es gibt auch heute noch nach Art des Steinzeitjägers lebende Populationen. Eine davon, die Massai, wurden von Prof. George Mann[27] auf ihre Ernährung und Gesundheit hin untersucht. Von ihm stammt die berühmt gewordene Arbeit „Diet Heart, End of an Era"[21] (frei übersetzt: Das Ende der Fett-Theorie), doch durch solche Argumente lassen sich hartgesottene Anhänger egal welcher „Religion" nicht aus der Ruhe bringen. Ein weiteres, noch paläolithisch lebendes Hirtenvolk wurde von Lapiccirella in Kenia aufgespürt und im Auftrag der UNO auf Ernährungsgewohnheiten und Gebrechen untersucht[26]. Er fand, dass sie extrem niedrige Cholesterinwerte und extrem wenig Arteriosklerose haben, obwohl sie sich sehr fettreich ernähren, indem sie pro Trag bis zu 4 Liter Kamelmilch mit 7 % „harten" Fetten zu sich nehmen.

Auch von den urtümlich lebenden Massai[27] ist bekannt, dass sie fast nur von tierischen Nahrungsmitteln leben. Sie haben niedrige Blutfettspiegel und keine Herzinfarkte. Bei den Eskimos, für die dasselbe zutrifft, hat man immer wieder auf den hohen Anteil von Fischen in ihrer Nahrung hingewiesen und auf deren erhöhten Gehalt an Eicosatetraensäure. Aber erstens leben die Eskimos ja auch sehr stark von Karibus und anderen Warmblütern, und die Massai etc. haben keine Fische als Nahrung. Es dürfte sich bei allen diesen primitiven Völkern daher doch eher darum handeln, dass sie eben keine Kohlenhydrate essen. Dann schaden auch die tierischen Fette nichts.

Auch in der Kalahari-Steppe gibt es etwas derartiges. Dort leben die Himba, ein Negervolk, hauptsächlich vom Fleisch und der Milch ihrer Ziegen, mit ganz wenig Kohlenhydraten aus Mais. Die Frauen dort haben noch im Alter mädchenhafte Figuren.

Es spricht somit eine ganze Menge für die Kohlenhydrat-Theorie der Arteriosklerose: die menschliche Evolution, die neue Deutung der Sieben-Länder-Studie bezüglich Herzinfarkt und Krebshäufigkeit in Abhängigkeit von der Adaptation an die Kohlenhydrate, die Beobachtungen an primitiven, noch sozusagen in der Steinzeit lebenden Populationen, das negative Resultat der kostspieligen Feldstudien, unsere Versuche an Hühnern und unsere Beobachtungen in der Praxis am Cholesterinspiegel unter kohlenhydratarmer Diät. Man kann sich wohl kaum mehr der Vorstellung entziehen, dass es nicht die tierischen Fette sind, die uns krank machen, sondern die Kohlenhydrate.

Als mir erstmals die Parallelität zwischen Krebs und Herzinfarkt in Abhängigkeit vom zeitlichen Abstand zur Ackerbaukultur auffiel, kam mir die Idee, dass beides vielleicht auf demselben Mechanismus beruht. Ich muss hier etwas vorwegnehmen, das dann im Kapitel über Krebs ausführlich erörtert werden soll: Ich betrachte Krebs als eine Rückkehr unseres Stoffwechsels zur Situation, wie sie zu Beginn des Lebens bestand, nämlich zur Urzelle, die vorwiegend von Kohlenhydraten lebte. Wenn man eine Situation (z.B. eine solche bezüglich Ernährung) schafft, welche einer früheren Zeit des Lebens entspricht, dann

kehrt das Leben, das in seinen Erbanlagen anscheinend nichts von früheren Zeiten vergessen hat, wieder dorthin zurück, wo die Bedingungen ähnlich gestaltet werden. Denken wir uns einmal die sieben Millionen Jahre zum Menschenaffen zurück; diese verzehrten reichlich Kohlenhydrate aus Blatt, Stängel und Frucht. Wenn wir wieder viel Kohlenhydrate essen, wird der Stoffwechsel versuchen, zu dem des Menschenaffen zurückzukehren. Die Nahrung enthielt damals kein Cholesterin, es musste daher in jeder Zelle erzeugt werden. Der Stoffwechselweg dazu ist bekannt und auch beim heutigen Menschen noch unverändert vorhanden.

Könnte es sein, dass wir sozusagen mit viel Kohlenhydraten den Stoffwechselweg der Primaten wieder erwecken und dass unsere Zellen nun beginnen, Cholesterin selbst zu erzeugen, obwohl es über die Nahrung reichlich in unseren Organismus gelangt? Schließlich leben wir nicht mehr rein vegetarisch wie die Affen, sondern mit einer gemischten Kost. Was beim Vegetarier noch funktioniert, die Eigenproduktion von Cholesterin im notwendigen Ausmaß, führt jetzt bei uns unter kohlenhydratreicher Diät zu Überproduktion, deren Ergebnisse schließlich in den Arterien abgelagert werden. So gesehen wären die heutige Arteriosklerose wie der Krebs darauf zurückzuführen, dass unsere Natur auf der Leiter der Evolution zurücksteigt in tiefere Stadien. Beides wären also „Regressionskrankheiten".

Das amerikanische Paradoxon

Wenn tatsächlich die „südlichen" Völker die Kohlenhydrate besser vertragen, weil sie länger Zeit dazu hatten, sich an sie anzupassen, dann kann man auch verstehen, warum in Amerika von der Jahrhundertwende ab die Herzinfarkthäufigkeit so stark anstieg und seit 1950 wieder abfiel. Diese Beobachtung wurde von den Anhängern der Fett-Theorie in ihrem Sinne gedeutet, nämlich als die Folge der intensiven Anti-Cholesterin- und Anti-Fett-Propaganda, die zu einem Rückgang der Koronarerkrankungen geführt habe (Abb. 38).

Die Annahme stimmt nur nicht. Der Fettverzehr in den Vereinigten Staaten in der genannten Zeit blieb unverändert[57], und die Untersuchungen des bekannten Statistikers Stallones[58] haben ergeben, dass das Auf und Ab der Koronarerkrankungen in den USA nicht mit dem Fettverzehr begründbar ist. Vor allem ist nach der Lipid-Theorie nicht recht verständlich, warum es sich um ein Phänomen handelt, das nur in den USA, höchstens noch in Kanada, Australien und Neuseeland, zu beobachten ist, nicht aber in Europa (Schweiz und Schweden, Bundesrepublik), während in den osteuropäischen Staaten eine bisher

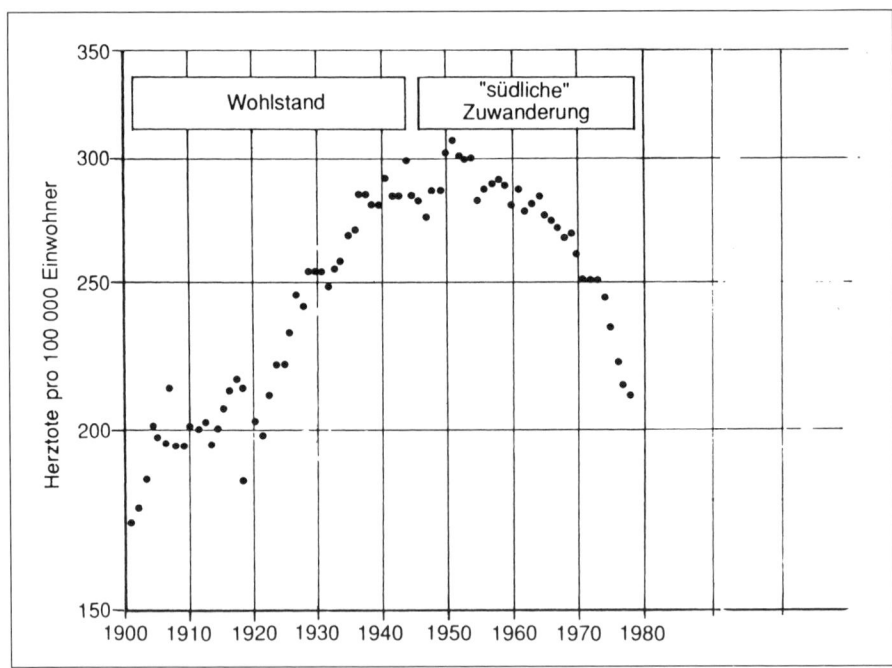

Abb. 38: Das Auf und Ab der Herzinfarkt-Rate in den USA von 1920 bis 1950. Der Anstieg erklärt sich durch Wegfall der „Hungerbremse" mit steigendem Wohlstand ab 1880, so dass ab 1920 immer mehr überernährte Männer das Infarktalter erreichen. Der Abfall ist durch Zuwanderung aus „südlichen" Ländern mit größerem Abstand von der Einführung des Ackerbaus bedingt. Diese weniger infarktgefährdeten Männer erreichten ab 1960 in immer stärker steigender Zahl das Infarktalter und riefen dadurch eine Besserung der amerikanischen Infarktstatistik hervor. Mit weiterem „Greifen" der Anti-Fett-Propaganda wäre eine Entwicklung in Richtung auf japanische Verhältnisse mit mehr Schlaganfällen und Krebs zu erwarten, wie die Ergebnisse der LRCCPPT schon andeuten.

ungebrochene Tendenz zur Zunahme der Koronarerkrankungen besteht.

Ich könnte mir vorstellen, dass hier andere Kräfte am Werk sind. Zunächst einmal hat ab der Jahrhundertwende der Kalorienverbrauch zugenommen. Der allgemeine Wohlstand ist angestiegen, und die Leute haben mehr zu essen.

Dass eine Beschränkung übermäßiger Kalorienzufuhr, unabhängig von der Nahrungsqualität, dem Ausbruch von Zivilisationskrankheiten entgegenwirkt, zeigen schon unsere ausgedehnten Erfahrungen aus den Kriegszeiten, aber auch die von Cleave and Campbell[60] an indischen Feldarbeitern, die seinerzeit nach Südafrika gebracht worden waren und (im Gegensatz zu ihren zu Hause darbenden Verwandten) im Laufe von 20 Jahren alle unsere Zivilisationskrankheiten entwickelt haben, nämlich Übergewicht, Diabetes, Hochdruck, Herzinfarkt, Schlaganfall und Thrombosen. Die genannten Autoren haben dies auf den Genuss von Raffinadezucker („Saccharine Disease") zurückgeführt, den es in Indien damals kaum gab, und sie haben damit neben Yudkin[61] einen Trend in der Ernährungslehre eingeleitet, der nur Raffinadezucker, nicht aber „komplexe" Kohlenhydrate als schädlich betrachtet und in der „Vollwertkost" einen Höhepunkt erreichte. Dabei sind grundlegende Unterschiede zwischen raffinierten und komplexen Kohlenhydraten nicht anzunehmen, da doch auch letztere im Verdauungstrakt rasch „raffiniert" werden, d.h. als Zucker erscheinen, wobei sie noch weniger von dem als eher harmlos geltenden Fruchtzucker (Laevulose) ergeben. Beim Morbus Crohn schlugen alle Versuche, lediglich Zucker auszuschalten, fehl, während die Beschränkung auch der komple-

xen Kohlenhydrate prompt Wirkung zeigt[62,63]. Auch in den USA dürfte daher der steigende Wohlstand mit Wegfall des Hungers für den Anstieg der Mortalität bis 1951 eine Rolle gespielt haben.

Ab 1950 etwa ist aber ein anderes Moment wirksam geworden: die Zuwanderung in die USA aus südlichen Gegenden, aus Griechenland, Italien, aus Südamerika und natürlich auch aus Japan. Überall dort gibt es Kohlenhydrate schon viel länger als in Westeuropa, von wo aus Nord-Amerika zunächst besiedelt wurde.

In dem Maße, indem die südlichen Zuwanderer das Infarktalter erreichen, muss sich das natürlich auch in der Statistik auswirken. Die Inzidenz der Herzinfarkte musste ab 1950 sinken, weil die Kalorienzufuhr angesichts des amerikanischen Wohlstandes nicht weiter ansteigen konnte und weil die Zuwanderer aus südlichen Regionen mit besserer Kohlenhydratadaptation weniger anfällig für Infarkt sind (Abb. 38).

Entstehung der Plaques

Zurück zu den Striae der jugendlichen Fettsüchtigen. Sie sind (nach der Zwei-Komponenten-Theorie) der Ausdruck für eine katabole Stoffwechsellage, für das Überwiegen von Hormonen, welche den Gewebsabbau fördern und den Aufbau stören, weil sie die Produktion von Cortison und Schilddrüsenhormon begünstigen und die des Wachstumshormons behindern. Gerade die Arterien sind, um gesund zu bleiben, auf einen gewissen Spiegel an Wachstumshormon angewiesen; durch ein Übermaß an Kohlenhydraten wird ihre Widerstandskraft gegen die verschiedensten schädigenden Einflüsse und ihre Regenerationsfähigkeit vermindert.

So kommt es zu den Striae, die wir von der Haut her kennen, an den Arterien. Warum sollten sie nur an der Haut auftreten, wenn sie dort auch leichter zu beobachten sind als im Inneren von Blutgefäßen?

Und tatsächlich erkennt man schon bei Kindern beginnende Arteriosklerose an den so genannten Milchflecken, in denen Fette aus dem Blut in die Innenhaut der Arterien eingelagert sind.

Der Fetteinlagerung gehen prinzipiell gewebliche Schäden an der betreffenden Stelle voraus. Dort, wo die Gefäßwandung einer erhöhten mechanischen Belastung ausgesetzt ist, etwa an Verzweigungen, sind die Milchflecken häufiger. Das ist auch experimentell ganz einwandfrei durch zwei völlig unabhängig voneinander arbeitende Mediziner-Schulen festgestellt worden, nämlich durch Prof. Werner H. Hauss und seine Mitarbeiter in Münster[48] und durch Prof. Earl P. Benditt[49] in Amerika. Beide haben immer wieder betont, dass das Primäre die Gewebsschädigung ist, auf die dann der Körper mit Reparaturmaßnahmen antwortet (die so genannte Reparaturoder Repair-Hypothese), und dass die Fetteinlagerung erst nachfolgt.

Prof. Hans Kaunitz[50] aus New York hat immer wieder darauf hingewiesen, dass Einlagerungen von Cholesterin und Blutfetten einem Reparaturvorgang entsprechen, wie zum Beispiel bei tuberkulösen Herden. Man wird es in dem Sinn also als erwiesen ansehen dürfen, dass auch der Einlagerung von Fetten aus dem Blutstrom in die Arterien in Form der Milchflecken eine Schädigung der Gefäßinnenschicht vorausgeht.

Dazu passt ganz gut, dass die Erhöhung des arteriellen Blutdrucks eindeutig ein Risikofaktor für Herzinfarkt und Schlaganfall ist: verständlich, weil die Belastung des Gefäßes bei gleicher Widerstandskraft und der Druck der Blutfette in Richtung Gefäßwand zusammen mit dem Blutdruck ansteigen.

Zur Arteriosklerose würde es meiner Meinung nach daher nicht kommen, wenn wir von Jugend auf kohlenhydratarm leben würden. Dann würden nämlich die Insulin- und Cholesterinspiegel niedrig bleiben wie bei den Hirten aus Kenia. Wir würden keine Striae bekommen, keine Milchflecken; unsere Arterien wären nicht hormonal geschädigt, sie würden daher auch bei höherem Cholesterinspiegel und bei höherem Blutdruck keine Blutfette einlagern.

Von allem zu viel

Der Mechanismus, der zum Anstieg des Cholesterins führt, harrt noch der Aufklärung. Ich darf hier eine Prophezeiung wagen. Gehen wir aus vom Rezeptor-Mechanismus, der durch die Amerikaner Roth bezüglich des Diabetes und durch Goldstein und Brown bezüglich des Cholesterins aufgeklärt wurde.

Die Rezeptoren sind die Pförtner in den Membranen unserer Körperzellen. Je mehr die Spiegel der Substanzen, über deren Eintritt in die Zelle sie wachen, im Blut ansteigen, umso mehr wird die Zahl der Rezeptoren vermindert. Der Sinn dieser Maßnahme ist klar: Der Eintritt der Substanzen muss gebremst werden; die Zelle wehrt sich gegen ein Zuviel an Nahrungsmitteln, an Zucker, an Cholesterin, an

Harnsäure. Ich glaube nämlich, dass es auch für Harnsäure Zellrezeptoren gibt und dass diese bei Gicht mit dem immer weiteren Anstieg der Harnsäure reduziert werden. Das Ganze klingt doch so, wie wenn unsere Zivilisationskrankheiten ein Überernährungseffekt wären. Wir essen zu viel. Wir müssen nicht mehr wie die Urmenschen um jede Kalorie laufen, sondern wir setzen uns an den gedeckten Tisch; wir gehen ins Restaurant, und wenn wir einmal wirklich noch Hunger haben sollten, dann öffnen wir den Kühlschrank, oder wir greifen nach dem Brotkorb.

Wenn wir keine Kohlenhydrate bekämen, dann würden diesem Appetit Grenzen gesetzt sein. So aber entsteht durch das Zuviel an Kohlenhydraten ein Zuviel an Insulin, das den Appetit stimuliert und das uns eben immer wieder die Kühlschranktür öffnen oder den Brotkorb ergreifen lässt.

Wenn das ein Leben lang so weiter geht, dann steigt das Gewicht, mit dem Gewicht wird wiederum der Insulinspiegel erhöht, weil das Insulin ein Fettgewebshormon ist. So kommt es schließlich dazu, dass die Zellen im Überfluss ersticken und dass sie als letzte Maßnahme ihren Pförtnern die Anweisung erteilen, den Eintritt der unterschiedlichen Nahrungsmittel zu stoppen. Dann haben wir, je nachdem, wozu einer neigt, einen Menschen vor uns, dessen Figur durch Fett unförmig geworden ist, einen, der außerdem noch zuckerkrank ist oder jemanden mit viel zu viel Hormonen oder Cholesterin und mit einer Schädigung der Blutgefäße, woraus sich schließlich eine Arteriosklerose entwickelt. Wundert es einen noch, dass sich alle diese Rezeptoren-Krankheiten, diese Krankheiten des Überflusses gegenseitig vertreten kön-

nen, indem eine für die andere einen Risikofaktor darstellt? Die Fettsucht für den Diabetes, der Diabetes und die Fettsucht für die Arteriosklerose, die Gicht für Arteriosklerose, Fettsucht und Diabetes usw.?

Gicht und Arteriosklerose haben eine Parallele: Beides sind ausgesprochene Wohlstandserkrankungen (siehe Kriegszeiten); in beiden wird ein Stoffwechselprodukt, das entweder nicht entstehen oder rechtzeitig ausgeschieden werden sollte, in gewissen Gewebspartien eingelagert. Und in beiden Fällen ist die Einlagerung nicht die primäre Störung, sondern die sekundäre. Das Stoffwechselprodukt wird dort eingelagert, wo die Gewebe geschädigt sind. Bei der Gicht ist es sehr häufig das Großzehen-Grundgelenk. Warum? Weil dieses Gelenk durch unser nicht orthopädisch gerechtes, vorne spitz zulaufendes Schuhwerk nach außen gedrückt wird und dadurch arthrotisch erkrankt. Dort setzt sich dann die im Überfluss vorhandene Harnsäure zuerst fest.

Bei der Arteriosklerose sind es die vorgeschädigten Gefäßwände, in die sich die Blutfette einlagern. Man kann daher in beiden Fällen an der Primär- oder Sekundärläsion angreifen. Bei der Primärläsion, indem man dafür sorgt, dass (durch eine kohlenhydratarme Ernährung) die Gewebsqualität aufrechterhalten wird, so dass trotz erhöhter Einlagerungstendenz nichts eingelagert wird, bei der Sekundärläsion, indem man die Blutspiegel der zur Einlagerung neigenden Substanzen erniedrigt.

Den letztgenannten Weg ist man bisher in der Verhütung der menschlichen Arteriosklerose gegangen. Der richtige Weg wäre aber die Beeinflussung der Primärläsion und der Sekundärläsion, was beides durch

Beschränkung der Nahrungskohlenhydrate erfolgreich möglich wäre. So gesehen ist die menschliche Arteriosklerose tatsächlich eine multifaktorielle Erkrankung. Nicht multifaktoriell in dem Sinne, dass ganz verschiedene, miteinander gar nicht im Zusammenhang stehende Ursachen eine Rolle spielen würden, etwa Nahrung, Stress, Bewegungsmangel usw., sondern nur insoferne, als eben die Kohlenhydrate auf verschiedene Art wirken, indem sie die Gewebsqualität verschlechtern, die Gefäßwände schädigen und zur Aufnahme der Blutlipide vorbereiten, und indem sie letztere selbst vermehren.

Dieses Rätsel der menschlichen Arteriosklerose wird solange rätselhaft bleiben, als diejenigen, die an den Schaltstellen für die klinische Forschung sitzen, sich nicht von veralteten Vorstellungen über die Schädlichkeit tierischer Fette loslösen können und nicht über soviel Phantasie verfügen, eine andere Möglichkeit in Erwägung zu ziehen - so lange man nicht darangeht, den vielen Feldstudien, die zusammen sicher mehr als eine Milliarde Dollar gekostet haben und erfolglos verlaufen sind, eine einzige Feldstudie nachfolgen zu lassen, um die Wirkung einer kohlenhydratarmen menschlichen Ur-Diät auf die Risikofaktoren und auf die Entwicklung der Arteriosklerose aufzudecken.

Literatur:

1) Himsworths, H. P.: Proc. R. Soc. Med. 42 (1949) 323.
2) Keys, A.: J. chron. Dis. 4 (1956), 264.
3) Keys, A.: Seven countries. A multivariate analysis of death and coronary heart disease. Cambridge, Mass.: Harvard Univ. Press, 1980.
4) Keys, A.: Circulation, 41(1970) Supp. 1, 211.
5) Stamler, J.: Research related to risk factors. Circulation 60 (1979) 1575.
6) Windaus, A.: Hoppe-Seylers Z. Physiol. Chemie 67 (1910) 174.
7) The Framingham Study: An epidemiological investigation of cardiovascular disease (Section 26); some characteristics related to the incidence of cardiovascular disease and death – Framingham Study, 16-years follow-up. US Government Printing Office, Washington D. C., Dezember 1970.
8) The Framingham Study: An epidemiological investigation of cardiovascular disease (Section 27); coronary heart disease, atherothrombotic brain infarction, intermittent claudication – a multivariate analysis of some factors related to their incidence – Framingham Study, 16-years follow-up. US Government Printing Office, Washington D. C., Mai 1971.
9) Kannel, W. B., Vortrag auf der 40. Jahrestagung der American Heart Assosiation, San Francisco, 1967.
10) Kannel, W. B.: Epidemiology of cerebrovascular disease: An epidemiology study of cerebrovascular disease. In: Cerebral Vascular Diseases. Grune & Stratton (1966) 53.
11) Miettinen, M., O. Turpeinen, M. J. Karvonen, R. Elosuo, E. Paarilainen: Effect of cholesterol lowering diet on mortality from coronary heart disease and other causes. Lancet II (1972) 835.
12) Am. Cancer Society Cancer Prevention Study, Report of 20 Years of Progress.
13) Goldbourt, U., J. J. Medelic, H. N. Neufeld: Clinical myocardial infarction over a five-year period. III. A multivariate analysis of incidence. The Israel Ischaemic Heart Disease Study. J. Chronic Dis. 28: 217, 1975.
14) Gordon, T., W. B. Kannel, W. P. Castelli, T. R. Dawber: Arch. Int. Med. 141 (1981) 1128.
15) Hjermen, I., K. Velve Byre, I. Holme et al.: Effect of diet and smoking intervention on the incidence of coronary heart disease: Report from the Oslo Study Group of a randomized trial in healthy men. Lancet II (1981) 1303-1310.

16) Multiple Risk Factor Intervention Trial: Risk factor changes and mortality results. Multiple Risk Factor Intervention Trial Research Group. JAMA 248 (1982) 1465-1477.

17) Schettler, G., Lutz, W.: Was lernen wir aus der MRFIT-Studie? Münch. med. Wschr. 124 (1982) 16.

18) Lutz, W.: Ich halte fett-und cholesterinarme Diät für schlecht. Med. Tribune 5 (1982) Seite 1/16.

19) Enstrom, J. E.: 7th Annual Meeting, Amer. Soc. of Preventive Oncology, Bethesda, MD, 24 bis 25. März 1983.

20) The Lipid Research Clinic Coronary Primary Intervention Trial Results. JAMA 251 (1984) 351.

21) Mann, G. V.: Diet Heart, End of an Era. New Engl. J. Med. 297 (1977) 644.

22) Cambien, F. et al.: Deletion Polymorphism in the gene for ACE is a potent risk factor for myocardial Infarction. Nat 1992, 359, 641.

23) Gimbutas, M: The Civilization of the Godess, the World of Old Europe. San Francisco, Harper, 1991.

24) Nichols, A. B., et al.: Independence of serum lipid levels and dietary habits. JAMA 236 (1976) 1948-1953.

25) Goldstein, J. L., M. S. Brown: Lipoprotein Receptors, Cholesterol Metabolism and Atherosclerosis. Arch. Pathol. 99 (1975) 181.

26) Lapiccirella, V., R. Lapiccirella, F. Alboni, S. Liotta: Bulletin de l'Organisation Mondiale de la Santé 27 (1962) 681.

27) Mann, G. V.: Cholesteremia in Pregnant Massai Women. JAMA 197 (1966) 1071.

28) Weitzel, G., E. Buddecke: Klin. Wschr. 34 (1956) 1171.

29) Lutz, W., G. Andresen, E. Buddecke: Untersuchungen über den Einfluss einer kohlenhydratarmen Langzeitdiät auf die Arteriosklerose des Huhnes. Zeitschr. f. Ernährungswissensch. Bd. 9 (1969) 222.

30) Sallmann, H.P., G. Harisch, J. Schole: Über den Einfluss kohlenhydratarmer Diäten auf die Arteriosklerose des Huhnes im Langzeitversuch. Zbl. Vet. Med. A23 (1976) 635.

31) Renfrew, C.: Archeology and Language. The Puzzle of Indo-European Origins. Cambridge, University Press, 1988.

32) Cavalli-Sforza, L.L.: Genes, Peoples and Languages, Scientific American, S. 72, November 1991.

33) Förster, H., E. Meyer, M. Ziege: Klin. Wschr. 48 (1970) 878.

34) Perheentura, J., K. Raivin: Lancet II (1967) 528.

35) Förster, H., H. Mehnert: Lancet II (1967) 1205.

36) Haldane, B. S.: Nature 176 (1955) 169.

37) Brokks, G. W., E. Mueller: JAMA 195 (1966) 415.

38) Lanese, R. R., G. E. Gresham, M. D. Keller: JAMA 207 (1969) 1878.

39) Anumonye, A., J. W. Dobdon, S. Oppenheim, J. S. Gutherland: JAMA 208 (1969) 1141.

40) Lutz, W.: Leben ohne Brot. 8. Auflage (1981/82) Selecta-Verlag, Planegg.

41) Lutz, W.: Ernährung und Risikofaktoren. Wien. Med. Wschr. 7 (1977) 222-225.

42) Kaspar, H., W. Lutz, M. Wild: Die Höhe der Nährstoff-, Cholesterin- und Ballaststoffzufuhr unter kohlenhydratarmer Diät bei freier Wahl der Fett- und Proteinzufuhr. Aktuelle Ernährungsmed. 4 (1979) 155.

43) Ahrens, E., H. Jun: The Management of Hyperlipidemia: wether rather than how. Ann. Int. Med. 85 (1976) 87.

44) Kuo, P. T., J. C. Carson: Dietary and the diurnal triglyceride levels in man. J. Clin. Invest. 38 (1959) 1384-1393.

45) Atkins, R.: Dr. Atkins' Diet Revolution. David McKey, New York 1972.

46) Lutz, W.: Vortrag Kongress Deutsche Herzhilfe, München 1983.

47) Gamkrelidze, T.V., Ivanow, V.V.: The early history of Indoeuropean Languages. Scientific American, S. 82, März 1990.

48) WHO Monica Project: World Health Stat. Quart, S.40, 1987.

49) Benditt, E. P.: The origin of atherosclerosis. Scientific Am. 236 Nr.2 (Februar 1977) 74.

50) Kaunitz, H.: Cholesterol and Repair Processes in Arteriosclerosis. Lipid, vol. 13, Nr. 5 (1978) 373-374.

51) Angel, L. S.: Paleoecology, Paleodemography and Health. Polgar, S., ed. Population Ecology and Evolution, De Hague: Mouton (1975) 166-190.

52) Orr, J. B., J. L. Gilks: Studies of Nutrition: The Physique and Health of Two African Tribes, HMSO, London 1931.

53) Le Fanu, J.: Eat Your Heart Out. McMillan, London 1987.

54) Lutz, W.: Cholesterin und tierische Fette. Eine Neubewertung. SM-Verlag, Planegg 1988.

55) Helsinki Heart Study (1987). Primary Prevention Trial with Gemfibrozil in Middle Aged Men with Dislipemia. New Engl. J. Med. 317-327.

56) McCormick, J., P. Skrabanek: Lancet, October 8 (1988) 839.

57) FAO Production Yearbook 1982. FAO Rome.

58) Stallones, R.: The Risc and Fall of L.H.D., Sci. Am. 43 (1980), 243.

59) Lutz, W.: Arteriosklerose und Krebs - Fette oder Kohlenhydrate? Wien. klin. Wschr. 12 (1989) 429.

60) Cleave, T.L., Campbell, C.: Diabetes, Coronary Thrombosis and the Saccharine Disease. Bristol, Wright, 1966.

61) Yudkin, J.: This slimming business, London, McGibbon and Kee, 1958.

62) Lutz, W.: Morbus Crohn unter kohlenhydratarmer Diät. Münch.Med.Wschr.129 (1982) 921

63) Lorenz-Meyer, K., et al.: Omega-3 Fatty Acids and the Carbohydrate Diet for Maintenance of Remission in Crohn's Disease. Scand. J. Gastroenterol. 31 (1996) 778-785.

64) Editorial. Scientific American, Nov. 1993, 13.

65) Stamler, J., in Nutrition and Cardiovascular Diseases, Annals of the N.Y. Academy of Sciences, 676 (1993), 122.

66) Wilkins, M.R., Redondo, J., Brown, L.A.: The Natriuretic-Peptide Family, Lancet, 349 (1997), 1307

Herz – Kreislauf

Herzschwäche („Dekompensation")

„Primäre Kardiopathie"

Die häufigste Form dieses Leidens bezeichnet man geheimnisvoll mit dem Ausdruck primäre Kardiopathie, worunter man die Tatsache versteht, dass die wahre Ursache unbekannt ist. Irgendwann einmal empfindet der Patient, oft im Anschluss an eine Infektionskrankheit, dass er bergauf etwas Atemnot hat, dass er nicht mehr so schnell gehen kann, dass das Herz dabei stärker klopft. Später bemerkt er Wasseransammlungen („Ödeme") an den Beinen, einen dickeren Bauch mit schmerzhafter Leber, und das alles schließlich auch ohne besondere Anstrengungen, bei körperlicher Ruhe und nachts.

Im Elektrokardiogramm findet man dann fast immer bestimmte Erscheinungen, welche von der Norm abweichen und welche man als Störungen der Repolarisation bezeichnet. Man meint damit, dass die elektrischen Signale der Erschlaffungsphase des Herzmuskels gestört sind. Auch der Laie kann das an der Abbildung 39 erkennen. Oft besteht schon Vorhofflimmern, d.h. es sind Zeichen dafür vorhanden, dass das Herz nicht mehr so richtig arbeitet und dass die Vorhöfe erweitert sind, weil die Herzkammer das Blut nicht richtig vorwärts treiben kann. Solche Patienten haben immer schon Herzklopfen, Atemnot und Druck auf der Brust. Sie wissen, dass sie herzkrank sind.

Die letzten Jahre

Es gibt Mittel gegen diese „Dekompensation" – die Digitalispräparate, welche die Auswurfleistung des Herzens erhöhen und die Pulsfrequenz normalisieren, und ande-

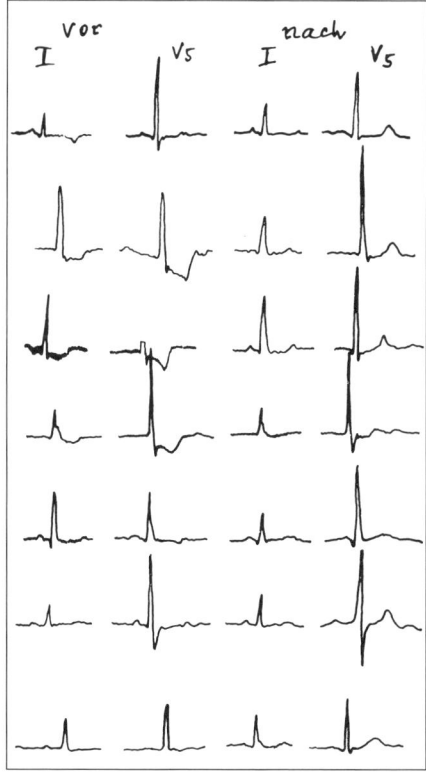

Abb. 39: EKGs bei Koronorsklerose vor und nach längerer kohlenhydratarmer Ernährung. Dargestellt sind jeweils die Ableitung I und die Ableitung V5 nach Wilson. Die EKG-Kurven normalisieren sich entweder völlig, oder sie nähern sich zumindest der Norm.

153

re, die das zurückgehaltene Wasser auszuscheiden helfen, die Entwässerungsmittel („Diuretika"). Damit gelingt es wenigstens vorübergehend, die Symptome des Leidens zu beseitigen, dem Patienten mehr Luft zu verschaffen und ihm das Gefühl zu vermitteln, es ginge jetzt wieder aufwärts.

Langsam, aber sicher geht es stattdessen abwärts. Es ist bis jetzt noch niemals nachgewiesen worden, dass die so behandelten Patienten länger leben als andere, die nicht behandelt wurden; ja, ich habe auch von Seiten meiner Kollegen immer wieder gehört, sie hätten den Eindruck, die Patienten stürben umso rascher, je mehr und je intensiver man sie behandelt.

Nach meinem Alles-oder-nichts-Gesetz müsste die Rückkehr zur Ur-Menschen-Diät, wenn sie eine einzige Krankheit heilen kann, auch alle anderen günstig beeinflussen, soferne sie überhaupt ernährungsbedingt sind. Das hat mich natürlich dazu bewogen, auch Patienten mit Herzschwäche kohlenhydratarm zu ernähren, um zu sehen, ob man ihnen damit nicht helfen könnte. Jahre nachher war in Lancet zu lesen, dass auch bei diesem Herzleiden ein abnormer Polymorphismus am ACE-Gen beobachtet wurde[2].

Anfangs-Erfolge

Mein erster Fall, bei dem ich eine derartige, von den Gepflogenheiten abweichende Behandlung durchführte, war eine 35-jährige Frau mit stark erhöhtem Blutdruck, begleitender Nierenerkrankung und den zugehörigen Veränderungen im Augenhintergrund, die 1958 aus vergeblicher Krankenhausbehandlung sozusagen zum Sterben nach Hause entlassen worden war.

Ich behandelte sie mit kohlenhydratarmer und – wegen der Blutdrucksteigerung und der Augenhintergrundveränderungen – auch mit kochsalzarmer Diät. Der Erfolg überstieg alle Erwartungen. Die Kochsalzbeschränkung allein konnte es nicht gewesen sein; es musste sich die Herzkraft auch durch die kohlenhydratarme Diät gebessert haben.

Auch sah ich nach längerem Intervall einen Patienten mit einem Herzklappenfehler wieder, der seit mehr als einem Jahrzehnt kohlenhydratarm lebt und von seiner Krankheit so gut wie geheilt ist. Er kann sogar wieder im Steinbruch seines Bruders arbeiten. Selbst die ursprünglichen Symptome, ein ausgeprägtes Herzgeräusch und eine deutliche Erweiterung des linken Vorhofes, sind nicht mehr festzustellen.

Eine komplikationslose Erholung konnte ich auch bei einer Patientin mit schlußunfähigen Aortenklappen erleben, die vor lauter Atemnot und Herzklopfen gar nicht mehr weiter konnte. Nach einigen Monaten Diät überstand sie sogar eine Gallenblasenoperation klaglos. Die Abbildung 40 zeigt einen Patienten mit einem Herzklappenfehler, bei dem zwar vorübergehend eine Verschlimmerung auftrat (siehe später), dessen Herz sich aber wieder bis zur Norm oder fast bis zur Norm verkleinerte, und der sich auch sonst stark besserte. Schließlich wurde sogar eine Klappenoperation möglich.

Es war ein Glück, dass ich gleich zu Anfang Patienten hatte, bei denen die Herzschwäche durch übermäßige Anforderungen an den Herzmuskel bedingt war, wie dies eben bei Klappenfehlern oder bei hohem Blutdruck der Fall ist. Sonst hätte ich wahrscheinlich die Flinte zu rasch ins Korn geworfen.

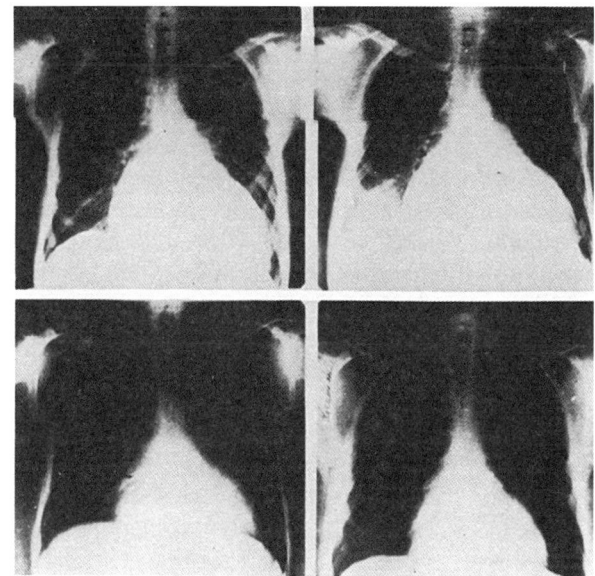

Abb. 40: Die vier Röntgenbilder zeigen den Brustkorb und das Herz eines 28jährigen Patienten mit einem Herzklappenfehler (Mitralstenose), und zwar links oben (Februar 1970) vor Behandlungsbeginn, rechts oben (April 1970) nach Einsetzen der auf Kohlenhydratbeschränkung unter Umständen zu erwartenden Verschlechterung (Herzerweiterung, Erguß in der rechten Pleurahöhle) und unten (Mai bzw. Juli 1970) die endgültige Besserung auf Diät.

Als ich nämlich daranging, immer mehr und mehr Herzkranke mit „primärer Kardiopathie" diätetisch zu behandeln, gab es bald Schwierigkeiten. Ein bis zwei Wochen nach anfänglicher Erleichterung verschlechterte sich der Zustand wieder. Es bildete sich Flüssigkeit im Brustraum; Herz (Abb. 40) und Leber vergrößerten sich, so dass der Diätversuch aufgegeben und durch die übliche Herztherapie ersetzt werden musste.

Ich habe angenommen, dass Gerinnsel mit kleineren Lungenembolien oder Autoimmunreaktionen an diesem Versagen der Diätbehandlung schuld seien, und ich machte alle möglichen Versuche, zu einem Erfolg zu gelangen. Doch leider war es vergebens.

Nach mehr als 20 Jahren glaube ich jetzt zu wissen, worin die Schwierigkeiten liegen und wie man sie gezielt und wirkungsvoll umgehen kann.

Folgen der Glukoneogenese...

Wir besprachen schon die Umstellung des Stoffwechsels von der Verbrennung von Zucker auf die Verwertung von Fettsäuren bzw. Ketokörpern. Entzieht man einem Gesunden die Kohlenhydrate, gleich, ob man ihn hungern lässt oder nur kohlenhydratarm leben lässt, dann erzeugt er zunächst in seinem Stoffwechsel Zucker aus Eiweiß für sein Gehirn, seine Blutzellen und zum Teil auch für seinen Herzmuskel. Erst nach einigen Wochen lernt er, diese anspruchsvollen Organe mit Ketokörpern, die aus den Fettsäuren stammen, zu ernähren.

Das Eiweiß für die Glukoneogenese kommt von überall her; es kommt aus Bindegewebe, Knochen, Organeiweiß, natürlich auch aus dem Eiweiß der Muskulatur, aus dem Herzmuskel. Beim Gesunden macht das keine Schwierigkeiten.

155

Das kranke Herz, das an der Grenze seiner Leistungsfähigkeit steht, das sozusagen auf dem letzten Loch pfeift, ist aber gegenüber dem Eiweißopfer sehr empfindlich. Wenn es auch durch andere Effekte einer kohlenhydratarmen Diät, die schließlich den Umschwung herbeiführen, durch den Abbau der Katabolie, durch organfreundliche Effekte des Wachstumshormons profitiert, so gerät es durch das Eiweißopfer, das der Stoffwechsel auch von ihm fordert, noch mehr aus dem Gleichgewicht.

... auch für den Sportler

Es gibt ein Pendant dazu in der Sportmedizin. Wenn man einen Athleten plötzlich auf eine kohlenhydratarme oder (fast) kohlenhydratfreie Diät umstellt, erhöht sich seine Leistungsfähigkeit nicht, sondern sie sinkt[1]. Auch hier dürfte das Eiweißopfer die eigentliche Ursache sein. Die Muskulatur muss zur Ernährung des Gehirns Eiweiß abgeben, verliert daher an Kraft und Leistungsfähigkeit, statt zu profitieren.

Natürlich habe ich die therapeutischen Konsequenzen aus dieser Erkenntnis gezogen, indem ich bei solchen Patienten außerordentlich vorsichtig vorgehe. Ich beginne mit einer exakten Berechnung der bisherigen Kohlenhydratmenge und nehme dann 2 oder 3 Einheiten im ersten Schritt weg. Nach einem Monat, wenn alles gut geht, reduziere ich die Kohlenhydrate wieder um eine Einheit – bis auf 8 Einheiten, wo ich wenigstens einige Monate verbleibe, damit der Patient auf alle Fälle gewisse Kohlenhydratmengen aus dem Darm erhält und die Eiweißverzuckerung in Grenzen bleibt.

Wieso das Herz erlahmt

Natürlich beeinflussen diese Erfahrungen mit kohlenhydratarmer Diät auch meine Vorstellungen über die Ursache der Herzinsuffizienz („Dekompensation"). Es wird wohl so sein, dass ein Herz, wenn es nicht gerade unter einem ausgeprägten Klappenfehler leidet, bei der richtigen Ernährung mit seiner Arbeit immer zurechtkommen müsste. Das Auftreten einer Herzinsuffizienz setzt schon die kohlenhydratbedingte Katabolie, das ständige Eiweißopfer, das den Herzmuskel schädigt, das Zuviel an Cortisol und Schilddrüsenhormon und das Minus an Wachstumshormon voraus.

Dadurch und vielleicht durch Infekte, die selbst wieder durch Katabolie mit Resistenzschwäche bedingt sind, wird das Herz sicher so weit geschädigt, dass zunächst die Herzleistung unter körperlicher Belastung und schließlich sogar in körperlicher Ruhe dem Bedarf nicht mehr entspricht. Aufgrund der hinreichend geklärten physiologischen Zusammenhänge wird das Herz dadurch muskulöser, es glaubt, mit mehr Muskulatur die geforderten Leistungen erfüllen zu können. Die neugebildete Muskulatur ist aber wieder den beschriebenen krankmachenden Einwirkungen ausgeliefert.

Schließlich hat das Wachstum der Herzmuskulatur seine Grenzen durch die Blutversorgung, die dann nicht mehr ausreicht. Jetzt kommt es zu einer Dehnung der Herzhöhlen, weil der gedehnte Herzmuskel eher in der Lage ist, den Anforderungen zu entsprechen. Was wir jetzt vor uns haben, ist das erweiterte, leistungsunfähige Herz, das bereits seine letzten Möglichkeiten ausgeschöpft hat und sozusagen mit dem Rücken zur Wand steht. Natürlich gibt es hier zahlreiche Untersuchungen von Seiten der Pathologen und Physiologen, welche elektronenmikroskopisch Veränderungen der Feinstruktur der Herzmuskelzelle auf der einen, Änderungen im Energienachschub durch den Kreislauf und in der Energieversorgung innerhalb der Muskelzelle andererseits bloßlegten, die aber zu keiner klaren Erkenntnis über die eigentliche Ursache der Dekompensation geführt haben.

Meiner Erfahrung nach sind es die Kohlenhydrate und, ausgelöst durch sie, die Katabolie, welche den Herzmuskel schließlich so weit schädigen, dass er seine Funktion, das Blut ausreichend zu bewegen, nicht mehr erfüllen kann. Wir stehen jetzt an dem „point of no return", an dem Punkt, wo die Umkehr, die Rückkehr zu einer richtigen Ernährung, die eine weitere Verschlechterung verhindern würde, nicht mehr ohne weiteres möglich ist. Denn diese Rückkehr bedeutet mit ihrem Verzicht auf Nahrungskohlenhydrate die Verzuckerung von Eiweiß auch aus dem Herzmuskel und damit eine weitere Verschlechterung der Situation. Sie gelingt nur unter bestimmten Kautelen, nämlich unter so vorsichtigem Abbau der Kohlenhydrate, dass der Stoffwechsel genügend Zeit hat, sich an die geänderten Verhältnisse anzupassen, ohne dass die Gluconeogenese und damit das Opfer an wertvollem Organeiweiß übermäßig in Anspruch genommen werden muss.

Auch hier Autoaggression?

Vielleicht sind auch beim Herzversagen Immunreaktionen (Autoaggressionen) von Bedeutung. Man hat bei mikroskopischen Untersuchungen mit Hilfe der Fluoreszenz-Methode gefunden, dass Immunglobuline, also Antikörper gegen die Herzmuskelzellen an ihren Membranen vor Anker gegangen sind. Bei einzelnen meiner Patienten habe ich beobachtet, dass eine gegen Immunkrankheiten gerichtete Therapie hilfreich sein kann. Hierzu verwende ich Goldpräparate, etwa Tauredon (Byk-Gulden), 1 Ampulle zu 50 mg in 8- bis 14-tägigen Abständen, wobei allerdings Nebenerscheinungen in Form von Nesselausschlag, längerdauernden leichten Temperatursteigerungen und auch in Form von Schmerzen an der Injektionsstelle vorkommen können. Diese wird man hier angesichts der dringenden Anzeige zu therapeutischen Maßnahmen aber wie bei Colitis ulcerosa ohne Bedenken in Kauf nehmen können.

Auf diese Methode des langsamen Übergangs auf kohlenhydratarme Diät mit gleichzeitiger Anwendung kleinerer Golddosen sprechen noch Patienten an, bei denen sich die klassische Behandlung als unwirksam erwiesen hat. Hartnäckige Wasseransammlungen verschwinden; der Schlaf kehrt zurück, und mit der Zeit können selbst solche, die ihr nahes Ende schon vor sich sahen, wieder beruflich tätig werden.

Ich möchte einige der Fälle, die, so behandelt, gerettet wurden, näher schildern.

Bei einer 74jährigen Krankenschwester mit Vorhofflimmern und starker Herzerweiterung war es mit der üblichen Behandlung von Monat zu Monat und von einem Krankenhausaufenthalt zum anderen immer weiter bergab gegangen, bis ich sie schließlich voller Wasser in den Körperhöhlen sowie an Armen und Beinen zur

Behandlung übernahm. Die Abb. 41 zeigt das Herzröntgenbild aus 200 cm Entfernung und das EKG dieser Patientin.

Mit einer kohlenhydratarmen Ernährung und mit etwas Gold ging es rasch aufwärts.

Das Wasser verschwand ohne Entwässerungsmittel im Laufe von vier Wochen, und nach einigen Monaten führte die Patientin wieder ein völlig normales Leben, so als wenn sie nie etwas an ihrem Herzen gehabt hätte.

Ich habe sie schließlich um eine Aufstellung dessen gebeten, was sie wirklich gegessen hat.

Frühstück

1 bis 2 Tassen Bohnenkaffee mit Milch, ohne Zucker,

1 weiches Ei
1 Semmel = 50 g Brot mit Butter
1 Teelöffel Marmelade oder Honig.

Vormittags

1 Suppenlöffel kaltgepresstes Leinöl.

Mittags

1 Tasse Bouillon mit Ei (meistens Hühnersuppe),

200 g Fleisch (Huhn, Kalb, Leber, Hirn oder Lunge) mit Salat (grüner, oder rote Rüben mit Kren, ohne Salz, mit Zitrone oder Essig), gelegentlich 1 Kartoffel zu 50 g oder Gemüse (Spinat, Fenchel, gelbe Rüben, Blumenkohl, Kohlrüben). Das Gemüse war in Butter gedünstet oder gekocht, ohne Zugabe von Mehl und Salz, stattdessen gewürzt mit Pfeffer, Kümmel, Muskat, Wacholderbeeren, Knoblauch oder Majoran.

Als Nachtisch eine Scheibe Käse mit Butter, eine halbe Tasse Bohnenkaffee mit Milch, ohne Zucker.

Nachmittags

1 Banane (etwa 100 g, ohne Schale).

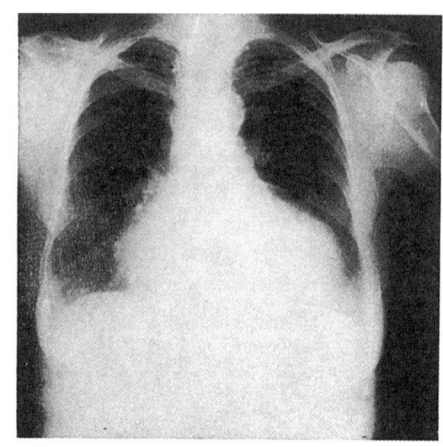

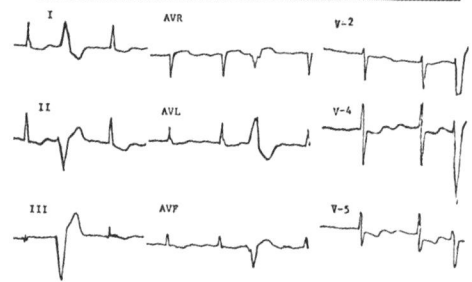

Abb. 41 (siehe Text)

Abends

1 Tasse Bouillon mit Ei und Hühnerfleisch oder 2 Eier, verschieden zubereitet, mit etwas Salat, oder die beiden Eier als Natur-Omelette in Butter gebacken evtl. ein kleiner saurer Apfel, eine halbe Tasse Bohnenkaffee mit Milch, ohne Zucker.

Dieser Speisezettel ist natürlich beliebig variierbar. Näheres darüber findet sich im Diät-Teil am Schluss des Buches.

Beim zweiten Fall handelt es sich um einen 53jährigen Patienten, der lange Zeit an chronischer Bronchitis mit Atemnot gelitten hatte und schließlich während einer Grippe-Epidemie an einer Lungenentzündung erkrankte, so dass er sich in Krankenhausbehandlung begeben musste. Trotz sofortiger Anwendung von antibiotischen Mitteln entwickelte sich eine Herzschwäche mit Wassersucht, die nicht mehr beherrscht werden konnte.

Als ich den Patienten dann übernahm, konnte er vor Atemnot nicht liegen, hatte sehr viel Wasser in allen Körperhöhlen, dicke Beine, offensichtlich auch eine Störung der Hirndurchblutung, denn er phantasierte ununterbrochen vor sich hin.

Auch hier ging es mit einer kohlenhydratarmen Diät, unterstützt durch Gold, rasch aufwärts. Nach einigen Monaten lief er wieder herum, fuhr mit dem Fahrrad größere Strecken und führte praktisch ein normales Leben.

Das Röntgenbild und das EKG (Abb. 42) zeigten, dass es sich – wie nach dem klinischen Befund zu erwarten war – um ein so genanntes Cor pulmonale gehandelt hat. Bei diesem Patienten wurden weder nennenswerte Mengen von Digitalis noch Entwässerungsmittel verabreicht, weil beides schlecht vertragen worden war. Während bei Beginn der Behandlung normaler Sinusrhythmus bestand, stellte sich nachher Vorhofflimmern ein. Betrachtet man dieses, wie früher dargestellt, als Resultat autoaggressiver Mechanismen, dann wurde die Herzleistung dramatisch gebessert, obwohl die Unterdrückung der Autoaggression offenbar nicht ausreichend war. Das Vorhofflimmern ist im weiteren Verlauf allerdings wieder verschwunden.

Noch einen dritten Fall möchte ich hier anführen. Ein 66jähriger pensionierter Intendant einer deutschen Bühne war nach Salzburg übersiedelt, um hier seinen Lebensabend zu verbringen. Er hatte schon einige Schwierigkeiten mit seinem Herzen; nun wurde es aber so arg, dass er sich in

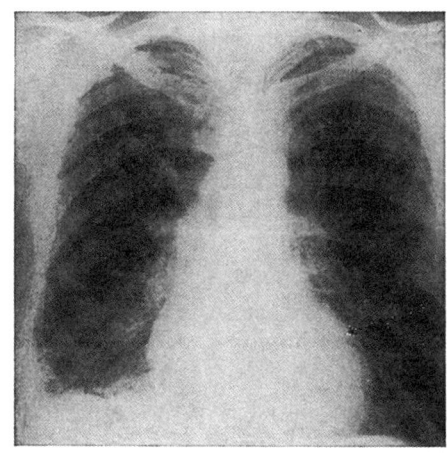

Abb. 42 (siehe Text)

Krankenhausbehandlung begeben musste. Man fand ein stark vergrößertes Herz mit Wassersucht und behandelte auf übliche Art mit Entwässerungsmitteln und Digitalispräparaten. Der Erfolg war leider nicht sehr gut, so dass man den Patienten schließlich in sehr schlechtem Zustand nach Hause schickte und durchblicken ließ, dass es wohl nicht mehr lange gehen würde.

Über einen anderen Herzpatienten kam dieser Mann schließlich zu mir. Das Herz war – wie gesagt – erweitert. Das Elektrokardiogramm deutete auf eine ausgeprägte Durchblutungsstörung im Bereich der Kranzgefäße und auf zahlreiche Herzmuskelschwielen hin; es fand sich rechts ein

Rippenfellerguß neben einer allgemeinen Wassersucht und Leberschwellung. Am störendsten für den Patienten war ein so genanntes Asthma cardiale, eine nächtliche, durch Herzschwäche verursachte Atemnot, die ihn nicht schlafen ließ.

Wir begannen dann – abgesehen von Medikamenten, die schon vorher verabreicht worden waren – mit kohlenhydratarmer Diät und mit Gold. Ich habe ein ganzes Jahr lang um diesen Patienten buchstäblich gerungen, aber jetzt ist es so weit, dass die Neigung zu Wassersucht und Atemnot verschwunden ist, dass er wieder seine Söhne und deren Familien besuchen kann, und langsam denkt er daran, Kohlenhydrate zuzulegen.

Diät oder Chirurgie?

Es wurde schon davon gesprochen, dass die Aussichten bei üblicher medikamentöser Behandlung schlecht sind. Es geht damit immer wieder etwas aufwärts, aber schließlich auch dem Ende zu, und das wahrscheinlich umso schneller, je intensiver man behandelt. Demgegenüber führt die diätetische Behandlung nach meinen Erfahrungen zu einer echten Heilung, zumindest zu einem erträglichen, stabilen Zustand, wenn auch angenommen werden muss, dass gewisse Immunreaktionen gegen das eigene Herz fortbestehen werden. Wir haben das bei der Colitis ulcerosa bereits besprochen und werden es im nächsten Kapitel bei der multiplen Sklerose wieder sehen. Diese Immunreaktionen schwächen sich aber wohl im Laufe der Jahre ab, wenn die eigentliche Ursache des Herzversagens, nämlich die kohlenhydratreiche „Normalkost", wegbleibt.

Immunreaktionen spielen bekanntlich auch bei den Herztransplantaten eine ganz erhebliche Rolle. Hier handelt es sich aber um das Herz eines anderen Menschen, das vom Immunsystem des Empfängers immer als fremd empfunden werden wird. Es müssen daher ständig Maßnahmen zur Unterdrückung der Immunreaktionen angewendet werden. Gerade diese Maßnahmen sind es, welche im Allgemeinen dazu führen, dass solche Träger eines fremden Herzens letzten Endes an Infektionen oder auch an Krebs zugrunde gehen. Von den vielen Patienten, die seit dem kühnen Entschluss von Dr. Christiaan Barnard ein fremdes Herz erhalten hatten, lebt heute nur noch ein kleiner Teil.

Mit dem ganz einfachen Mittel einer Beschränkung der Kohlenhydrate würden meiner Überzeugung nach die vielen Millionen Menschen, welche jährlich an Herzschwäche zugrunde gehen, gerettet werden können und die Möglichkeit erhalten, ihr Leben auf normale Art in entsprechend hohem Alter zu beenden.

Literatur:

1) Schnürch, P. M., G. König, R. Rost, W. Hollmann: Med. Welt 31 (1980) 1477.

2) Reynolds, M.V., et al.: Angiotensin Converting Enzyme DD Genotype in Patients with Ischaemic or Idiopathic Dilated Cardiomyopathy. Lancet 342 (1993), 1073.

Nervensystem

Die Alzheimersche Krankheit

Erstmals beschrieben im vergangenen Jahrhundert und als seltene Form von Demenz (Versagen des Gehirns in intellektuellen Leistungen) betrachtet, hat sich die Krankheit inzwischen zum Schreckgespenst der Intellektuellen entwickelt. Sie ist, vereinfacht ausgedrückt, mit ständigem Verlust von kognitiven (intellektuellen) Gehirnleistungen, besonders der Erinnerungsfähigkeit, verbunden. Vor allem ältere Leute leiden unter der Furcht vor geistiger Umnachtung, weil mit dem Älterwerden oft an sich harmlose Erinnerungsstörungen einhergehen.

Seit sich herausgestellt hat, dass es für den Morbus Alzheimer einen Risikofaktor in Form des Apolipoproteins E-sigma 4 gibt, habe ich den Verdacht, dass auch diese Krankheit mit den Kohlenhydraten zusammenhängt. Denn die verschiedenen Apolipoproteine haben als Risikofaktoren für die gewöhnliche Arteriosklerose erhebliche Bedeutung, auch Apo E-sigma 4 scheint eine Rolle im Cholesterin- und Fetttransport zu spielen und sich mit den abnormen Gebilden im Gehirn von Alzheimer-Patienten, besonders mit dem so genannten Beta-Amyloid, zu verbinden. Außerdem gibt es dabei einen Gen-Polymorphismus ähnlich dem beim Apo-B mit Beziehungen zur gewöhnlichen Arteriosklerose.

Kürzlich erschien in Holland eine wissenschaftliche Arbeit, die genau diesen meinen Verdacht zu bestätigen scheint[5]. Man fand an einer Gruppe älterer Patienten enge Zusammenhänge bzw. Übereinstimmungen zwischen der gewöhnlichen arteriosklerotischen Demenz und der Alzheimerschen, die so weit zu gehen scheinen, dass die Unterschiede sich völlig verwischen. Alzheimer und gewöhnliche arteriosklerotische Demenz wären sozusagen zwei verschiedene Bilder ein- und derselben Erkrankung. Es fehlt nur noch eine epidemiologische Studie, die nachwiese, dass die Alzheimersche Erkrankung dieselbe Abhängigkeit von der Ausbreitung des Ackerbaues in Europa aufweist wie Herzinfarkt, Diabetes, Krebs und multiple Sklerose.

Was das bedeutet? Es bedeutet nicht mehr und nicht weniger, als dass wir es vielleicht wieder mit einer Kohlenhydratkrankheit zu tun haben und wir mit Verzicht auf zu viel Kohlenhydrate keinen Alzheimer bekommen würden. Das wäre sicher eine sehr beruhigende Einsicht.

Multiple Sklerose

Als ich 1958 anfing, mit einer kohlenhydratarmen Diät zu experimentieren (nachdem ich gesehen hatte, wie gut es mir und meinen Patienten tat), war mir klar, dass es nur dann möglich wäre, meine Kollegen von der Richtigkeit meiner Vorstellungen zu überzeugen, wenn ich auf Erfolge bei einer bis dahin unheilbaren Krankheit hinweisen könnte. Ich kam mit

Prof. Dr. K. Eckel, Bad Ischl, überein, es mit multipler Sklerose zu versuchen. Denn dass es für diese Krankheit nichts gab – und auch heute noch nichts gibt – was wirklich an der Wurzel angreift, war klar.

Wir sammelten im Laufe von drei Jahren 36 Fälle, welche wir in der Wiener Medizinischen Wochenschrift[1] veröffentlichten.

Die multiple Sklerose war die erste Krankheit, die ich versuchte, mit kohlenhydratarmer Diät zu behandeln[1]. Ich wusste weder, dass chronisch-enzündliche Darmkrankheiten, die Crohnsche Krankheit und die Colitis ulcerosa, günstig ansprechen, noch war damals das geringste über die Ursache (Ätiologie) dieses Leidens bekannt. Man begann erst später, Masern und andere Kinderkrankheiten zu verdächtigen. Man wusste nur, dass nordeuropäische Länder bevorzugt befallen sind. Inzwischen erschien die Arbeit des Amerikaners John Kurtzke[2] über die multiple Sklerose auf den Färöer-Inseln, aus der hervorgeht, dass die Krankheit dort bevorzugt auftrat, wo während des Krieges britische Truppen stationiert waren. Die Färöer-Inseln sind sehr abgelegene altgermanische Siedlungsgebiete, die von den Kohlenhydraten sehr spät erreicht wurden und wo damit bis zum Krieg auch nur eine schwache Adaptation erworben werden konnte; sie müssen nach meiner Adaptationstheorie daher das bevorzugte Ausbreitungsgebiet kohlenhydratabhängiger Krankheiten sein.

Kurtzke dachte an einen besonderen Keim, den die britischen Soldaten eingeschleppt haben und der für die Erregung von multipler Sklerose besonders zuständig wäre; ich glaube eher an die Abwesenheit von Immunität der Färöer-Insulaner gegen die verbreiteten britischen Viruskrankheiten, die sie in der Umgebung der Truppenkontingente erkranken ließ, und die mangelnde Kohlenhydratadaption, die ihnen eine Resistenz gegen frisch eingeschleppte, noch unbekannte Infektionskrankheiten vorenthielt. Die Dinge liegen ähnlich wie beim Diabetes-I (Seite 58), nur fehlt bei der multiplen Sklerose die elektive Kohlenhydratbelastung, die beim Diabetes das Immunsystem gegen die Betazellen lenkt. Aber vielleicht spielte diese Rolle ein neurotropes Virus (ein Virus, das vorzugsweise das Nervensystem befällt), das von den britischen Truppen eingeschleppt wurde, und das das Nervensystem der Insulaner besonders traf, womit die Verbindung zu Kurtzke wieder hergestellt wäre.

Der unbewältigte Infekt

Die mangelhafte Kohlenhydrat-Adaption ist aber nur die halbe Wahrheit. Der Bewohner der Färöer-Inseln würde die multiple Sklerose auch nicht bekommen, wenn er nach der Art seiner nicht adaptierten Erbanlage, als Eiszeitjäger, leben würde. Als nichtadaptierter Kohlenhydratesser wird er mit den neu eingeschleppten Krankheiten nicht fertig, weil sein Immunsystem nicht richtig funktioniert. Ich habe mir in den vergangenen Jahren oft die Frage gestellt, ob das HIV-Virus (AIDS) eine solche Seuche auf der Welt hätte erzeugen können, wenn die Menschheit sich etwas mehr nach dem Eiszeitjäger ernähren würde als es heute der Fall ist.

Von meinen Diätpatienten habe ich immer wieder gehört, wie leicht sie unter Diät im Gegensatz zu früher mit Infektionen fertig würden. Ich selbst fiel vorher von einem Infekt zum anderen; oft waren die Fieberblasen des vorhergehenden noch nicht abgeheilt, als der neue einfiel. Das alles hat sich schlagartig mit der Kohlenhydrat-Beschränkung geändert. Infekte spielen für mich heute keine nennenswerte Rolle mehr; ich merke oft kaum, dass sie ablaufen. Dafür kam etwas Neues, das ich als „unbewältigten Infekt" bezeichnete und in meinem Buch „Der internistische Alltag" 1970 erstmals genau beschrieb. Das Immunsystem stürzt sich nach Überwindung des Infektionserregers auf das Organ, das vom Erreger befallen war und dementsprechend geschädigt wurde. Das war freilich auch schon in der Vor-Diät-Zeit so, nur stand damals der akute Infekt im Vorder- und das geschädigte Gewebe im Hintergrund. Aufgrund jahrzehntelanger Erfahrung weiß ich jetzt, dass ich nach Ablauf des akuten Infektes zwei bis drei Tage lang zweimal täglich etwa 12 mg Cortison einnehmen muss, um das Immunsystem dazu zu bringen, vom geschädigten Gewebe abzulassen und diesem die Chance zu geben, sich zu erholen. Dann wird es dem Immunsystem entschlüpft sein und keine Veranlassung mehr geben, einzuhaken.

Die Dinge liegen freilich noch etwas komplizierter. Das Immunsystem hat ein getreues Gedächtnis. Beim Eiszeitjäger waren nur die Infekte bzw. die Erreger registriert, die sehr rasch überwunden waren und daher keine Gewebeschäden hinterließen. Im Gegensatz hierzu liegen in unserem Immunsystem die Daten einer Reihe von Geweben und Organen, die ihm im Laufe des Lebens aufgefallen waren, weil sie durch mangelhafte Bekämpfung des Infektes geschädigt wurden. Alle diese alten „Feinde" werden wieder ins Gedächtnis gerufen, wenn ein neuer Infekt auftritt.

Beim Diabetes I sind es die Betazellen, die viel zu stark belastet sind und die (bei entsprechender erblicher Veranlagung) vom Immunsystem als Erbfeind betrachtet und ausgerottet werden. Bei der multiplen Sklerose ist es das Myelin, die Isoliersubstanz der Nervenfasern, die drankommt.

Ich bin ziemlich überzeugt davon, dass wir in diesem Mechanismus der inkompletten Infektabwehr eher die Wurzel der Autoimmunkrankheiten suchen müssen als in irgendwelchen Genen, nach denen man – im Zeitalter der Gene – hartnäckig sucht. Denn wenn man nach Überwindung des akuten Infektes den Angriff des Immunsystems auf das befallene Organ oder Gewebesystem (sagen wir: das Bindegewebe) nicht sofort unterdrückt, wird es sich dem Immunsystem jeweils stärker einprägen, bis es schließlich zum „Erbfeind" avanciert.

Der Eiszeitjäger wird keinen Erbfeind in sich haben, weil seine Gewebe durch sein gutes Immunsystem vor Schäden bewahrt wurden. Wer von uns von Jugend an kohlenhydratarm aufwuchs, wird in derselben Situation sein. Wer aber erst später begann, kohlenhydratarm zu leben, wird in seinem Immunsystem zahlreiche Gewebeschäden registriert haben, die bei neuen Infekten wieder aufleben und sich mit der Zeit aufschaukeln können, also rechtzeitig (durch Cortison) unterdrückt werden müssen. Das ist mit anderen Worten der Weg, der zur multiplen Sklerose führt. Es ist daher verständlich, dass diese Krankheit in der Regel nicht sofort nach einem Infekt auftritt, wie es von Kurtzke auch beobachtet wurde, sondern erst später, nach einigen Anläufen des Immunsystems gegen Myelin, nach einigen weiteren, oft unbemerkt abgelaufenen Infekten.

In unserem Wunsche, möglichst bald einen möglichst großen Erfolg bei Patienten mit multipler Sklerose zu erzielen, haben wir anfangs den Bedarf des Nervensystems an Kohlenhydraten unter- und seine Möglichkeiten, auf Ketokörper auszuweichen, überschätzt und mussten sehen, wie ein Teil der Patienten mit Zunahme der Spastizität an den befallenen Gliedmaßen reagierte.

Heute weiß ich von den Schwierigkeiten, welche auftreten müssen, wenn ein kranker Organismus plötzlich und radikal von einem Nahrungssubstrat auf ein anderes wechselt, und außerdem, dass gerade das Nervensystem in dieser Hinsicht besonders empfindlich ist. Es lebt normalerweise von Zucker und lernt erst im Laufe längerer Zeit, Ketokörper zu verwerten.

Immerhin hatten wir schon damals unter den 36 veröffentlichten Fällen einige „Wunderheilungen"; es gab Patienten, welche „ihr Bett nahmen und gingen" bzw. ihren Stock in die Ecke stellten. Einige von ihnen waren auch noch nach Jahren frei von Rückfällen.

Zeit lassen!

Ich habe jetzt ein vom ursprünglichen abweichendes, wesentlich weniger radikales Vorgehen eingeführt. Ich beginne mit 9 oder 8 Broteinheiten und reduziere die Kohlenhydrate jeden Monat um eine weitere Einheit bis auf 6, damit der Stoffwechsel Zeit hat, sich auf die Verbrennung von Fettsäuren, und das Gehirn, sich auf die Ausnützung von Ketokörpern umzustellen. Seither habe ich keine Zunahme der Spastizität, überhaupt keine Verschlechterung bei solchen Patienten mehr gesehen,

sondern nur Erfolge, soweit diese überhaupt noch zu erwarten waren. Denn wenn einmal Gehirn und Rückenmark von narbigen Herden durchsetzt sind, so dass ein längerer Nerv keine Chance mehr hat, seinen Bestimmungsort zu erreichen, ohne irgendwo seine Isolation und damit seine Leitfähigkeit zu verlieren, kann man nur mehr sehr begrenzte Erfolge erwarten. Man wird, wenn die Patienten nicht mehr gehen können, wenn Blasen- und Mastdarmlähmungen hinzugetreten sind, den Prozess höchstens aufhalten können; eine Wiederkehr von bereits verloren gegangenen Funktionen wird man nur in geringem Ausmaß erwarten dürfen.

Eigene Fälle

Einem Internisten sind Patienten mit multipler Sklerose natürlich nicht in dem Ausmaß zugänglich wie solche aus dem eigenen Fachgebiet, speziell solche mit Colitis ulcerosa, wo ich schon 1979 über 74 Fälle unter kohlenhydratarmer Diät berichten konnte. Man wird nur dadurch zum Ziel gelangen können, dass man die Neurologen überzeugt. Aber auch das ist anscheinend ziemlich schwer angesichts des allgemeinen Defätismus, der gerade beim Krankheitsbild der multiplen Sklerose herrscht.

So war es z.B. bei einem jungen Mädchen, dem man an der Wiener Klinik erklärt hatte, Diät sei nicht nötig. Bei ihr verschlechterte sich der Zustand trotz Anwendung aller üblichen Maßnahmen immer weiter, bis sie zu mir kam. Nach Übergang auf eine kohlenhydratarme Ernährung kam es sofort zu einer wesentlichen Besserung; nach einem halben Jahr war die

Patientin praktisch beschwerdefrei. Alle Lähmungen und Empfindungsstörungen waren verschwunden.

Nach zwei Jahren rief sie mich an und fragte, ob sie mit ihrem Freund nach Marokko reisen dürfe. Und nach einem weiteren Jahr kam die Frage ihrer Mutter, ob ihr eine Schwangerschaft schaden würde. Später erfuhr ich, dass es ihr nach drei Jahren einer kohlenhydratarmen Diät noch immer unverändert gut ging.

Einen jungen Mann übernahm ich im Januar 1979. Er kam soeben von Dr. Evers im Sauerland, der die nach ihm benannte Diät propagiert, und konnte nur am Arm seiner Frau gehen. Nach einem halben Jahr kohlenhydratarmer Diät war er wieder berufsfähig.

Einen dritten Patienten kenne ich seit Jahren. Die Diagnose war an Hand mehrerer Klinikaufenthalte eindeutig gesichert. Es ging ihm trotz aller therapeutischen Bemühungen nicht gut; eine vorzeitige Pensionierung war abzusehen. Eineinhalb Jahre nach Beginn der Diätbehandlung kam es zu einem Rückfall, dem letzten allerdings, denn von hier an ging es ununterbrochen aufwärts. Inzwischen baute er sich ein Haus, wobei er sich mit einem Kran schwer verletzte und monatelang von Unfallchirurgen behandelt werden musste. Ich fürchtete, die damit verbundene Belastung würde einen neuen Schub auslösen – keineswegs. Auch von einer Aufgabe des Berufes wurde nicht mehr gesprochen.

Eine vierte Patientin kam 1974 zu mir. Es war ein schwerer Fall. Nach mehreren Monaten Diät erlitt sie anlässlich einer nicht recht vernünftig behandelten Halsentzündung einen Rückfall, erblindete vorübergehend und befand sich dann in einem sehr schlechten Zustand. Aber heute ist sie zehn Jahre rezidivfrei und kann sich kaum mehr vorstellen, wie schlecht es ihr damals gegangen, vor allem wie aussichtslos alles erschienen war.

Vorläufiges Resultat

Ich bin mir darüber klar, dass die 36 Fälle mit Prof. Dr. Eckel und die 53 Fälle, die ich mit neuartiger, weniger radikaler Methode behandelt habe, nicht beweisend sind.

Wenn ich aber trotzdem fest daran glaube, dass man die multiple Sklerose mit kohlenhydratarmer Diät verhindern bzw. wenigstens anfangs mit Erfolg behandeln kann, dann vor allem wegen der Ähnlichkeit dieser Erkrankung mit den chronisch-entzündlichen Darmkrankheiten (Morbus Crohn und Colitis ulcerosa), bei denen über die Wirksamkeit einer Kohlenhydratbeschränkung kein Zweifel mehr bestehen kann.

Da ich selbst nie ein entsprechend großes Krankengut werde überblicken können, kann ich nur hoffen, dass sich mit der Zeit andere finden werden, welche meine Anregungen aufnehmen und einen Versuch mit Diät bei multipler Sklerose anstellen.

Epilepsie

Kohlenhydratarme Ernährung wirkt bei epileptischen Zuständen ausgesprochen günstig. Ich habe einige Kinder durch kohlenhydratarme Diät fast schlagartig von ihren Anfällen befreien können. Schon 1921 ist eine „ketogene Diät" zur Behandlung der Epilepsie an der Mayo-Klinik versucht worden[3]. Nach einer vor einiger Zeit erschienenen Pressemeldung[6] scheint die „ketogene" (kohlenhydratarme) Diät in den USA bei jugendlichen Epileptikern immer noch sporadisch angewendet zu werden.

Auch erwachsene Epileptiker profitieren offensichtlich von einer kohlenhydratarmen Diät, zumindest so lange das Gehirn nicht allzu schwer geschädigt ist. Ich verfüge zur Zeit über 19 Patienten, bei denen (meist) die Anfälle überhaupt aufhörten und die Tabletten abgesetzt werden konnten, oder (in wenigen Fällen) die Anfallstätigkeit nur abnahm. Bei einer 50 Jahre alten Patientin, welche sehr häufig große und kleine Anfälle hatte und bei der auch das EEG (Elektroenzephalogramm) die für Epilepsie typischen Veränderungen erkennen ließ, wurde die Anfallsbereitschaft weitgehend unterdrückt; das EEG ist heute normal.

Ein zweiter Fall ist besonders eindrucksvoll. Eine Patientin hatte nach Bersten eines so genannten arteriellen Aneurysmas (einer kleinen Ausbuchtung einer Arterie) an der Hirnbasis mit Lähmung des rechten Armes und des rechten Beines epileptische Anfälle vom so genannten Jackson-Typus, nämlich Schüttelkrämpfe des rechten Armes, die zunächst noch bei Bewusstsein erlebt wurden, später aber in einen typischen epileptischen Anfall mit völliger Bewusstlosigkeit und Beteiligung der gesamten Körpermuskulatur übergingen.

Da der Mann der Patientin bereits erfolgreich wegen Magen-Darm-Beschwerden bei mir war, wandte man sich an mich. Ich verordnete eine kohlenhydratarme Diät, und nach wenigen Tagen war die Patientin von ihren Anfällen befreit. Natürlich kann man sagen, diese Behandlung habe nach Art der magischen Medizin über die Psyche gewirkt, d.h. die Patientin sei von ihrem Arzt oder von seiner Art, sie zu behandeln, sehr stark beeindruckt gewesen, und zusammen mit der Hoffnung, es würde nun besser gehen, sei der Erfolg auf suggestive Weise erzielt worden. Offensichtlich wirkt eine kohlenhydratarme Diät aber auch bei anderen Epileptikern.

Ein Arzt, der einen Epileptiker zu betreuen hat, sollte es jedenfalls bei ihm einmal mit Kohlenhydratbeschränkung versuchen. Man lässt die Tablettenmedikation zunächst fortlaufen und „schleicht" sich dann langsam aus. Je jünger der Patient ist und je mehr es sich um eine so genannte genuine Epilepsie handelt, bei der im Gehirn keine gröberen Veränderungen vorliegen, umso eher ist ein Erfolg zu erwarten. Wenn die kohlenhydratarme Diät nichts anderes erzielen könnte als einen Epileptiker anfallsfrei zu machen, wäre es des Erfolges schon genug.

Hirn und Kohlenhydrate

Gerade am Hirn ist der Einfluss einer kohlenhydratarmen Diät leicht verständlich. Wie schon ausgeführt wurde, ist es dasjenige Organ, das bei konsequenter Beschränkung der Kohlenhydrate die intensivsten und tiefstgreifenden Veränderungen seines Stoffwechsels über sich ergehen lassen muss: Während es normalerweise von Zucker lebt, muss es beim kohlenhydratarm ernährten oder beim hungernden Menschen Azeton, Azetessigsäure und Beta-Oxybuttersäure, Spaltprodukte der Fettsäuren, verwerten. Es wäre also durchaus verständlich, dass damit günstige Effekte verbunden sind, weil ja auch das Gehirn des urtümlich lebenden Menschen nichts anderes als Abbauprodukte von Fleisch und Fett zur Verfügung hatte.

Nach der Zwei-Komponenten-Theorie (siehe Seite 39) kommt es mit Einschränkung des Kohlenhydratgenusses und Absinken des Insulinspiegels zu einer Beruhigung der Schilddrüse, aber auch zu einem Absinken des Cortisolspiegels (Cortisol ist, wie wir uns erinnern, das Zuckerhormon der Nebennierenrinde), weil die Erzeugung von Zucker aus Eiweiß wegfällt oder doch stark eingeschränkt wird. Cortisol und künstliche Präparate dieser Art wirken, wie man als Arzt immer wieder (z. B. bei der Behandlung von Rheumatikern) feststellen kann, erregbarkeitssteigernd; solche Patienten sind unruhig und schlafen schlecht. Weniger Cortisol unter einer kohlenhydratarmen Diät kann daher die Erregbarkeit und damit die Anfallsneigung vermindern.

Eine sehr beliebte Gruppe von Mitteln gegen Epilepsie, die Hydantoine, senken den Cortisolspiegel im Blut, weil sie die Glukoneogenese unterdrücken, genau so wie die kohlenhydratarme Diät. Wirken sie vielleicht überhaupt nur auf diese Weise? Mit dem Absinken des Cortisols gewinnt das Wachstumshormon Übergewicht, und dieses kann unter Hydantoin zu typischen Zahnfleischwucherungen führen[4]. Auch bei kohlenhydratarm ernährten Patienten kann man solche Zahnfleischveränderungen sehen.

Literatur:

1) Eckel, K., W. Lutz: Wien. Klin. Wschr. (1961) 493.
2) Kurtzke, J.F.: Epidemiological Evidence for Multiple Sclerosis as an Infection. Clin. Microbiol. Rev Oct. 93: 382
3) Wilder, R.M.: Mayo Clin. Bull. 2 (1921), 307.
4) Korff, M.: Jahrestagg. Dtsch. Ges. f. Parodontologie, Münster, Sept. 1973.
5) Hofman, A., et al.: Atherosclerosis, Apolipoprotein E, and Prevalence of Dementia and Alzheimer's Disease in the Rotterdam Study. Lancet, Vol. 347, 18. January 1997.
6) Freeman, J., cited from „The Stuart News", 7. Dezember 1995.

Ernährung und Alter

Nach einem Vortrag, den ich vor vielen Jahren hielt, näherte sich mir ein 75jähriger Mann und sagte mir, meine Ideen leuchteten ihm sehr ein, denn er habe in seiner Familie einschlägige Erfahrungen gemacht. Seine jetzt 88jährige Frau habe niemals in ihrem Leben eine Krankheit durchgemacht und sei rüstiger als er. Sie habe immer nur von Fleisch gelebt. Ihr Vater sei nämlich Wildhüter in einem großen Jagdrevier bei Wien gewesen mit der Aufgabe, dem von den Jagdinhabern angeschossenen Wild nachzugehen. Die aufgefundenen Tiere habe er behalten dürfen. Deshalb habe seine Familie nie etwas anderes als Fleisch bekommen, und seine Frau habe sich so sehr daran gewöhnt, dass sie ihr ganzes Leben lang bei dieser Art von Ernährung geblieben sei.

Ist das ein Hinweis darauf, dass man mit einer kohlenhydratarmen Ernährung aus tierischen Quellen länger lebt als mit unserer Zivilisationskost? Sollte es wirklich so sein, dass – wie Herodot berichtet – die Perser nur 80 Jahre alt wurden, weil sie Brot aßen, während die Äthiopier mit Fleisch und Milch 120 Jahre und mehr erreichten?

Will man darüber Näheres erfahren, dann muss man dorthin gehen, wo die Menschen besonders alt werden[1]. Es gibt drei solche Enklaven auf der Erde. Die eine ist die Siedlung Vilcabamba, 3500 m hoch in den Anden von Ecuador gelegen, die zweite das bekannte Hunsa-Land in Kaschmir am Karakorumgebirge, wo die Siedlungen ebenfalls auf 3000 bis 4000 Meter

hinaufreichen, und die dritte die Gegend von Abkhazia in Georgien am Nordostufer des Schwarzen Meeres.

Untersuchungen der Ernährungsgewohnheiten bei den Hunsa ergaben eine Zufuhr von etwa 50 g Protein, 36 g Fett und 350 g Kohlenhydraten pro 24 Stunden, zusammen damit weniger als 2000 Kalorien. Fleisch und Milchprodukte machen nur 1,5% der gesamten Kalorien aus. Praktisch wird Fleisch bei den Hunsa nur zu den Festtagen während des Winters verzehrt.

In Vilcabamba ergaben sich sogar nur 1200 Kalorien pro Tag mit 35 bis 38 g Protein und 12 bis 19 g Fett, dafür aber 200 bis 260 g Kohlenhydrate. Sowohl Proteine als auch Fette waren vorwiegend pflanzlicher Herkunft, lediglich 12 g Protein stammten aus tierischen Quellen. Soweit findet sich gute Übereinstimmung mit den heute herrschenden Vorstellungen, dass wenig Kalorien und wenig tierische Fette der Gesundheit förderlich sind.

Dieser Eindruck wird aber gestört durch die Beobachtungen in Georgien, wo der Prozentsatz der über 100jährigen in der Bevölkerung noch höher liegt als an den beiden anderen genannten Orten. Zwar konsumieren die alten Leute dort ebenfalls nur 1700 bis 1900 Kalorien pro Tag, aber es gibt doch ziemlich viel Milch, Käse und Fleisch. Etwa 30% der Kalorien stammen aus tierischen Quellen. Der Anteil an Proteinen beträgt 70 bis 90 g pro Tag, die Fettaufnahme ist mit 40 bis 60 g ebenfalls nicht gerade gering.

Angesichts der niedrigen Kalorienzufuhr in allen drei Enklaven wird man sich der Meinung anschließen müssen, dass mit Hunger und mit knapper Ernährung überhaupt ähnliches erreicht werden kann wie mit Kohlenhydratbeschränkung: eine Bremsung der Insulinproduktion und der endogenen Fettsynthese, so dass zusammen mit der niedrigen Fettaufnahme die Möglichkeit von Fettablagerungen vor allem in den Arterien stark beschnitten wird. Da wir immer noch in erster Linie an Erkrankungen des Herzens und des Kreislaufes, an den Folgen der Arterienverkalkung sterben, ist es klar, dass die Chance, ungewöhnlich alt zu werden, dort wesentlich höher liegt, wo es wenig zu essen gibt. Die Chance, denn auch dort werden nicht alle Leute über 100 Jahre alt; um besonders alt zu werden, braucht es auch günstige erbliche Veranlagungen. Man weiß ja hinreichend, dass auch bei uns, wo die alten Leute seltener sind, Langlebigkeit eminent erblich ist.

Kohlenhydrate und Kalorien

Dass Kohlenhydrataufnahme und Kalorienzufuhr zusammenhängen, wusste schon Yudkin[3], der an elf Personen feststellte, dass mit Übergang auf kohlenhydratarme Ernährung die Kalorienzufuhr um etwa 30% abnahm. Die Leute aßen mit wenig Kohlenhydraten weniger.

Auch unsere Hühnerversuche hatten es ergeben (Seite 121): Je weniger Kohlenhydrate die Tiere bekamen, umso weniger Kalorien nahmen sie zu sich, und das auch, wenn man die Legetätigkeit berücksichtigte, die mit wenig Kohlenhydraten zurückging.

Wir haben es aber auch an unseren Patienten gesehen[4]. Wir kamen bei kohlenhydratarm ernährten Patienten mit normaler körperlicher Aktivität (Berufstätigkeit) auf durchschnittlich 2247 Kalorien (9437 kJ) pro Tag, was doch ganz wesentlich unter dem mitteleuropäischen Durchschnitt liegt. Mit anderen Worten: Wer kohlenhydratarm lebt, lebt schließlich auch automatisch kalorienarm.

Wirkt nun aber eine kohlenhydratarme Diät nur oder hauptsächlich deshalb, weil sie die Kalorienaufnahme beschränkt? Zu dieser Auffassung kann ich mich nicht bekennen. Sie würde nämlich bedeuten, dass der Mensch eine Ausnahme unter allen Lebewesen darstellt, welche durch reichliche Nahrung nie krank werden, sondern sich nur eben mehr vermehren.

Dieser Grundsatz gilt schon für die Einzeller, etwa für Bakterien, aber auch für viel höher organisierte Lebewesen, sagen wir Hunde, Katzen, Rinder, Schafe und dergleichen. Später werden wir auf dieses Prinzip noch einmal zurückkommen. Für das hier vorliegende Problem müssen wir zu dem Schluss gelangen, dass eine kalorienarme Ernährung zwar ebenso wie eine kohlenhydratarme ein hohes Alter ermöglicht, aber nur indirekt und dadurch, dass gewisse Schäden der Kohlenhydrate durch gleichzeitige Mangelernährung verhindert werden.

Die Vermutung liegt nahe, dass dieser Effekt über die Insulinproduktion läuft: Je weniger Kalorien man zu sich nimmt, auch wenn sie vorwiegend aus Kohlenhydraten bestehen, umso weniger Insulin ist zu ihrer Verwertung nötig, und umso weniger wird die endokrine Balance nach der Zwei-Komponenten-Theorie gestört. Umso weniger können die Kohlenhydrate ein Übermaß an Nahrungsangebot auf der Ebene der Zelle erzeugen; umso weniger können die verschiedenen Rezeptorenkrankheiten auftreten, und umso älter kann der Mensch werden.

Menschendiät – Affendiät

Hier ist aber doch etwas zu bedenken, was später noch erörtert werden soll, nämlich die Rückkehr zum Stoffwechsel unserer Vorfahren, der Menschenaffen. Eine weitgehend pflanzliche Ernährung führt, davon bin ich überzeugt, im Organismus zur Rückkehr zum Affen-Stoffwechsel, an den sich unser Erbgut umso leichter „erinnern" kann, als ja nur einige Millionen Jahre liegen zwischen uns und dem gemeinsamen Ahnherrn der Menschenaffen und der Menschen und damit einem Zustand, für den unsere Natur noch programmiert ist.

Wenn wir uns die Frage stellen, was wir machen können, um ein möglichst hohes Alter in Gesundheit zu erreichen, müssen wir zunächst auf die Evolution zum Menschen zurückblicken. Entweder wir leben als Vegetarier wie Menschenaffen mit einer Rückkehr zu deren Stoffwechsel, der vorwiegend pflanzliche Nahrung verdaut hat, oder (wahrscheinlich besser) wir leben wie die Eiszeitjäger vorwiegend oder ausschließlich von Fleisch und tierischen Fetten. Jedes der beiden Milieus würde es uns gestatten, unseren Hunger zu stillen, das heißt so viel zu essen wie wir mögen, weil uns der natürlich regulierte Appetit sowieso davor bewahrt, uns zu mästen. Es hat ja wohl auch nie fette Menschenaffen gegeben und auch keine fetten Eskimos, solange sie an ihrer kohlenhydratarmen Ernährung festgehalten haben. Nur wenn wir

von einem dieser beiden Schemata abweichen, müssen wir uns kasteien. Dann können wir mittels der Kalorienbremse die negativen Effekte einer „gemischten" Kost zum Teil ausgleichen. Auch hier spielen also meine beiden Regeln, die der Regression zu früheren Entwicklungsstadien auf der Sprossenleiter des Lebens sowie die langsame Adaptation an geänderte Verhältnisse eine entscheidende Rolle.

Man kann sich ganz leicht vorstellen, wieso unter „gemischter" Kost das Leben verkürzt wird. Kehren wir zurück zu unserem Kapitel „Kohlenhydrate und Drüsenstörungen", wo wir festgestellt haben, dass mehr Kohlenhydrate über mehr Insulin die Produktion von Wachstumshormon behindern und daher eine verzögerte Pubertät und eine verschlechterte Gewebsqualität (Striae, X-Beine etc.) bewirken.

Das Wachstumshormon ist nicht nur für das Wachstum des noch nicht ausgewachsenen Individuums, sondern auch für die Erhaltung seiner Gesundheit von ausschlaggebender Bedeutung. Es ermöglicht und steuert nämlich Reparaturen an unseren Geweben, an Knochen, Bandscheiben, an den Arterien und an der Haut. Es macht uns widerstandsfähig gegen Infektionen aller Art. Schole[6] hat in eigenen Versuchen gezeigt, dass bei Hühnern künstlich gesetzte Infekte umso eher angehen, je mehr Kohlenhydrate gefüttert werden.

Nun besteht das Leben eines Menschen (oder eines Tieres) aus einem ständigen Kampf gegen schädigende Einflüsse, Krankheitserreger und Abnutzungssymptome. Damit wird ein Individuum mit hoher Gewebsqualität leichter fertig werden als ein anderes. Es wird weniger zu reparieren haben.

Hier bestehen nun sicher eindeutige Beziehungen zum Alter. Der Amerikaner Leonard Hayflick[7] hat nämlich in sehr beachteten Versuchen an Gewebskulturen nachgewiesen, dass menschliche Bindegewebszellen eine begrenzte Teilungskapazität haben. Im großen Durchschnitt kann eine Zelle sich etwa fünfzigmal teilen; dann hört die Regeneration auf. Die fünfzig Teilungsschritte werden natürlich bei schlechter Gewebsqualität- und ungünstigen Stoffwechselbedingungen eher erreicht sein. Wir können uns so Beziehungen vorstellen zwischen der Kohlenhydrataufnahme, dem Insulinspiegel, dem Wachstumshormon und der Gewebsqualität einerseits, dem Verlust der einzelnen Zelle an Regenerationsfähigkeit andererseits. Je mehr Kohlenhydrate wir essen, umso schneller werden wir altern.

Dazu kommt, dass der unbeeinflußte Spiegel an Wachstumshormon von der Jugend zum Alter hin ständig abnimmt, nicht nur von dem Augenblick an, wo das Längenwachstum zum Stillstand kommt, sondern auch von dort an bis zum Ende des Lebens; es entspricht dies dem Altersaufbau einer eiszeitlichen (paläolithischen) Bevölkerung, deren Durchschnittsalter 29 Jahre betrug; aus der Sicht der menschlichen Evolution war das Schicksal der älteren Jahrgänge damals uninteressant.

Im Alter erst recht

Heute müssen wir gerade im Alter besonders streng kohlenhydratarm leben, um für einen ausreichenden Hormonspiegel zu sorgen. Junge Leute können sozusagen machen was sie wollen. Sie können essen, was sie wollen, trinken, soviel sie wollen, und sie können ihre Gesundheit strapazieren, soviel sie wollen. Sie sind jung und werden mit allem fertig. Dann aber kommt plötzlich ein Moment, wo das nicht mehr möglich ist. Wer von uns hat nicht schon unerwartet einmal einen Menschen gesehen, den man als jugendlichen, feschen Typ in Erinnerung hat und der einem nun plötzlich mit einer Glatze, mit einem künstlichen Gebiss, mit Hängebacken und einem dicken Bauch gegenübersteht. Hier sind die fünfzig Teilungsschritte von Hayflick verbraucht, und der Mensch ist am Ende. Wir müssen uns daher schon in der Jugend richtig ernähren, damit wir für unser Alter noch gewisse Reserven übrig haben.

Dass es wirklich etwas auf sich hat mit Alter und kohlenhydratarmer Ernährung, dafür sprechen zunächst einmal die Eskimos, die nach Stefanssons Aussage häufig älter wurden als 100 Jahre[2] und die ja bekanntlich nur von tierischem Eiweiß und tierischen Fetten lebten (solange sie nicht mit der amerikanischen Zivilisation in Berührung kamen).

Dafür gibt es aber noch einen ganz besonderen Zeugen, den ältesten Menschen, den schon erwähnten Jirali Mislimow, der in Aserbeidschan im Dorfe Barsawu an der persischen Grenze der Sowjetunion lebte und ein Alter von 168 Jahren erreichte.

Als man ihn mit 164 Jahren fragte, warum er wohl so alt geworden sei, entgegnete er, er habe sein Leben lang gearbeitet und nur von Hühnersuppe, Käse und Joghurt gelebt.

Es gibt aber ein Naturexperiment in viel größerem Rahmen. Die Japaner haben sich bis zum Zweiten Weltkrieg kohlenhydratreich und extrem fettarm ernährt. Trotz weitgehender Adaption an Kohlenhydraten hatten sie eine niedrige Lebenserwartung. Mit dem Einzug der amerikanischen Kost mit mehr Eiweiß und Fett stieg die Lebenserwartung so weit, dass die Japaner jetzt noch vor den Schweden an erster Stelle rangieren. Die Anpassung an Kohlenhydrate kann viel, aber nicht so viel wie eine auch nur partielle Rückkehr zur paläolithischen Kost.

Womit wir uns bisher befasst haben, war das Problem Altern durch Krankheit, nicht das Problem des Alterns selbst. Dies ist eine Erfindung der Natur, die sie ungefähr nach den Fischen eingeführt hat. Fische altern im Grunde genommen noch nicht; sie werden immer größer und größer, bis sie schließlich krankheitsbedingt sterben.

Warum muss das Altern wohl sein? Versetzen wir uns einmal in die Lage der Natur. Überleben kann letzten Endes auf der Erde nur, was sich verbessert. Zur Verbesserung braucht es aber neue Glieder in der Kette der Generationen. In einer ökologischen Nische können neue Erbanlagen nicht entwickelt und durchgeführt werden, wenn nicht Platz dafür geschaffen wird. Es müssen also die Alten gehen, damit die Jungen zeigen dürfen, was sie können. Das Altern ist notwendig, damit die Evolution überhaupt in Gang kommen kann und da-mit neue Arten entstehen können. Ohne das Altwerden wären wir Alten heute gar nicht da.

Da das Altern jedenfalls genetisch bedingt, in unserer Erbmasse programmiert ist, sehe ich grundsätzlich die Möglichkeit, es einmal abzuschaffen, wenn die Gentechnologie weiter solche Fortschritte macht wie heute. Ich sehe nur riesige soziale Probleme voraus, denn wer wird dann schon freiwillig abtreten?

Literatur:

1) Leaf, A., J. Launois: National Geographic 143 (Jan. 1973) 93.
2) Stefansson, V.: Cancer, Disease of Civilization. Hill & Wang, New York 1960.
3) Stock, A.L., J. Yudkin: Nutrient Intake of Subjects on low Carbohydrate Diet used in Treatment of Obesity. Am. J. Clin. Nutr. 23, Nr. 7 (1970) 948.
4) Kasper, H., W. Lutz, M. Wild: Aktuelle Ernährung 4 (1979) 155.
5) Berdyslaw, G. D., S. H. Asadov: Zeitschrift für Altersforschung, 40/5 (1985) 289.
6) Schole, J., G. Harisch, H. P. Sallmann: Belastung, Ernährung, Resistenz, Paul Parey Verlag, Hamburg/Berlin 1978.
7) Hayflick, L.: Scientific American, Vol. 242, 42 (Januar 1980).
6) Sagan, L. A.: Family Ties, Sciences, March/April 1988, 20.

Krebs

Stefansson[1] wies gegen Ende seines Lebens in einer sehr umfangreichen Studie nach, dass die Eskimos keinen Krebs kannten, solange sie nicht mit Zivilisationskost in Berührung kamen; erst nachher wurde Krebs auch bei ihnen geläufig. Der Brustkrebs der primitiven Eskimofrau bot hier ein besonders verlässliches Studienobjekt, weil sie die Brust im Iglu unverhüllt zur Schau trug. Sie behandelte sie auch keineswegs besonders pfleglich, trug sie doch ihre Kinder am Rücken in einem Tuch, das vorne über der Brust geknotet war. Mechanische Insulte konnten also kaum von ursächlicher Bedeutung sein.

Man mag einwenden, bei den Eskimos gebe es in Atemluft und Nahrung keine krebserzeugenden Stoffe (Karzinogene), deren Wirkung bei Versuchstieren nachgewiesen und beim Menschen vermutet wurde. Zweifellos bestehen Zusammenhänge zwischen Zigarettenkonsum und Lungenkrebs; auch beim Lippenkrebs des Pfeifenrauchers, beim Blasenkrebs des Anilinarbeiters oder beim Hautkrebs des Kaminfegers handelt es sich um örtlich reizende Stoffe, die Geschwülste an der Stelle ihres Einwirkens zur Folge haben.

Werden Tumoren aber durch Kanzerogene ausgelöst an Stellen, wo sie örtlich gar nicht in besonderer Konzentration ansetzen, etwa in der Leber durch Arsen im Haustrunk von Weinbauern (die die besonders arsenhaltigen Trester für den Eigengebrauch vergären)? Wirken tatsächlich Verbrennungsprodukte krebserregend, wie sie in Motorabgasen enthalten sind oder beim Erhitzen von Nahrungsmitteln entstehen? Es ließ sich bislang nicht beweisen, dass menschliche Geschwülste entstehen, ohne dass sie mit Kanzerogenen direkt in Berührung kommen, etwa in der Brust oder in den Geschlechtsteilen der Frau, im Gehirn oder im Knochen, wenn dies auch unter besonderen experimentellen Bedingungen beim Tier vorkommt. Auch die Virus-Theorie des menschlichen Krebses hat sich, obwohl sie Aufklärung im mikrobiologischen Bereich gebracht hat, bisher nicht durchsetzen können.

Ich habe eine Theorie entwickelt, wie die Kohlenhydrate der Zivilisationsnahrung die bösartigen Tumoren verursachen könnten. Um nicht missverstanden zu werden:

Im Gegensatz zu dem, was ich bisher über Kohlenhydrate und Zivilisationskrankheiten berichtete, handelt es sich hier um ein rein hypothetisches Gedankengebäude, das noch an keiner Stelle durch exakte Beobachtungen untermauert ist. Andererseits weiß ich auch nicht sicher, wie weit Otto Warburg die gleichen Überlegungen bereits anstellte. Westenhöfer hat jedenfalls schon Krebs auf das Manifestwerden des Einzellers in uns zurückgeführt[36].

Biogenetisches Grundgesetz

Seit Ernst Haeckel[2] wissen wir, dass jedes Lebewesen seine Stammesgeschichte in der eigenen Entwicklung wiederholt. Das

Leben im Urmeer begann einzellig, dann schlossen sich die Zellen zu einem hohlen Bläschen zusammen, woraus später ein wurmartiges Gebilde mit einem Magen-Darm-Kanal, einem Nervensystem und segmentaler Gliederung entstand, bis sich schließlich weitere Organe differenzierten, etwa der Kreislauf mit einer zentralen Pumpe, die Nieren zur Ausscheidung von Stoffwechselprodukten und Wasser, dann das Atmungsorgan. Entsprechend entwickeln sich am menschlichen Keim im Mutterleib die Maulbeerform, die Bläschenform, das Stadium des Wurmes; nacheinander bilden sich Vorniere, Urniere und Nachniere, beim Herzen die Schlauchform wie bei Wurm und Fisch und schließlich das Herz des höheren Wirbeltieres, nachdem die Blutströme in Lungen- und Körperkreislauf aufgeteilt wurden. Die Evolution der Atmungsorgane von den Kiemen zu den Lungen wird uns im nächsten Kapitel beschäftigen.

Romanische, gotische und später erbaute Kirchen wurden immer auf den Grundfesten und Krypten ihrer Vorgänger errichtet, weshalb man regelmäßig ältere Reste unter den neueren Kathedralen findet. Ebenso baut die Natur ein Lebewesen auf den Resten der Vorgänger, auf den Organen, die von den jeweiligen früheren Entwicklungsstadien übrig geblieben sind. Unsere großen Blutgefäße in Brust und Hals entstehen aus den Arterien der Kiemenbögen, die selbst das Material für die zugehörigen Organe abgeben müssen. Aus primitiven urogenitalen Gängen niederer Tiere entstehen die Geschlechtsorgane der Säuger usw. In uns selbst entwickeln sich so Wurm, Fisch, Amphib, Reptil und Säuger nacheinander, nach neueren Untersuchungen z.T. sogar miteinander nebst allen jeweils zugehörigen Organen; diese entstehen immer wieder neu und werden dann abgeräumt, damit auf ihren Trümmern die Organe der späteren Art aufgebaut werden können.

Sehr bald fragte ich mich, ob nur die Organe selbst oder auch die zugehörigen Funktionen während unserer Entwicklung auftreten, und ob sie unter Umständen wieder in uns erwachen können. Tatsächlich kann das vorkommen, z.B. im Ablauf eines epileptischen Anfalles, beim Insulinschock oder bei schwerem Sauerstoffmangel (Höhenkrankheit): Hier erlöschen „moderne" Gehirnfunktionen wegen ihrer besonderen Empfindlichkeit, und stammesgeschichtlich ältere treten an ihre Stelle; hier kommen Reflexe zum Vorschein, die für Vierfüßler und Kletterer noch zweckmäßig waren; hier zeigen uns urtümliche Bewegungsrhythmen, die zu längst überholten Gehirnabschnitten (des Reptils etwa und des Amphibs) gehören, was wir an Vorgeschichte noch in uns tragen.

Ich suchte danach, ob nicht diese vorgeschichtlichen Funktionsabläufe manchem Krankheitsbild zugrunde liegen, das wir bisher nicht recht deuten konnten, und in der Tat fand ich viele solche „funktionellen Atavismen". An einigen Beispielen möchte ich das Prinzip dieser Rückkehr zu den Eigenheiten der Vorfahren erläutern und dann zeigen, dass man damit auch das Phänomen Krebs erklären kann.

Beim Herzasthma (Asthma cardiale) kann sich der Patient tagsüber ganz wohl fühlen, er wacht aber bald nach dem Einschlafen mit einem heftigen Druckgefühl in der Brust und mit Atemnot auf, die sich schließlich bis zu einem Anfall von Lungenödem mit blutigem Auswurf steigern kann. Dabei packt ihn eine innere Unruhe, und er hat das Gefühl, im Bett oder im Zimmer nicht genug Luft zu bekommen. Nicht selten stellt er sich an das offene Fenster und ringt buchstäblich nach Atem, reißt beim Einatmen den Mund auf und rudert mit den Armen, als könnte er dadurch die Atmung erleichtern.

Der Fisch als Vorfahre

Der letzte unserer Vorfahren, bei dem dies noch Sinn hatte, war der Fisch. Mit offenem Maul schluckt er sein Atemmedium, das sauerstoffhaltige Wasser, um es nachher durch die Kiemenspalten wieder auszustoßen. Er ringt nach Atem, indem er mit seinen Gliedmaßen, den Flossen, gegen das strömende Wasser anschwimmt. Zusätzlich begibt er sich „zum Fenster", d.h. an die Oberfläche des Wassers, weil dort der Sauerstoffgehalt höher ist als in der Tiefe. Der Sauerstoff im Wasser stammt nämlich aus der Luft und nimmt von der Oberfläche zur Tiefe ständig ab, weil sich jeweils ein Gleichgewicht zwischen Verbrauch und Nachschub einstellt. Es fragt sich, wie der Mensch unter bestimmten Bedingungen zur Atmungsform des Urvaters Fisch zurückfindet, von dem ja letzten Endes alle Landwirbeltiere abstammen. Dem amerikanischen Physiologen Y. Henderson[4] fiel vor Jahren auf, dass er durchaus nicht atemlos wurde, wenn er von seinem Hotel am Pikes Peak in 4 000 m Höhe einige hundert Meter zum Gipfel-Observatorium zurücklegte; wohl aber wurde ihm die Luft knapp, wenn er dort oben den kleinen Ballon eines Analysen-Apparates betätigte, wenn er also eine für den Gesamtorganismus verschwindend kleine, für eine umschriebene Muskel-

gruppe aber doch erhebliche Leistung aufbringen musste.

Aus diesen Beobachtungen muss man folgern, dass unter Höhenbedingungen keine integrierende Atemregulation mehr vorliegt, bei der das Bedürfnis des gesamten Stoffwechsels das Atemvolumen steuert; vielmehr richtet es sich danach, ob irgendein noch so kleines Muskelgebiet mit erhöhter Intensität arbeiten muss. Man vermutete eine Art „Atemhormon", das von allen Geweben, wenn sie „Atemnot" haben, produziert wird und an einer bestimmten Stelle des Nervensystems zur Wirkung gelangt, um die Atmung anzuregen. Heute weiß man, dass dieses hypothetische „Hyperpnein" vielleicht am Glomus caroticum angreift (Abb. 43).

Dieses kleine drüsige Organ hängt auch beim Menschen noch an der Stelle, wo beim Fisch die Kiemenbogenarterien abgehen, nämlich an der Gabelung der Arteria carotis, die den Kopf mit Blut versorgt, wo

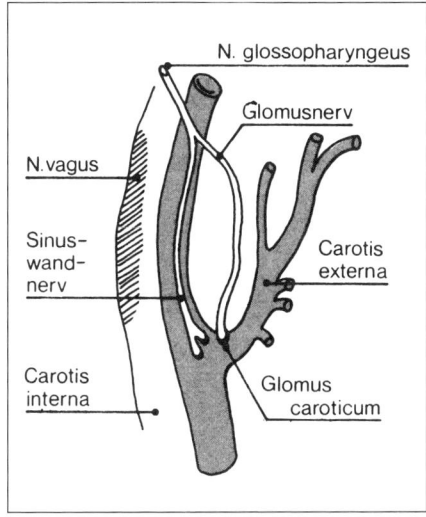

Abb. 43: Glomus caroticum, Chemorezeptor, Organ zur Regelung der Fischatmung.

es also am vorteilhaftesten wirken konnte. Auch bei uns entfaltet es noch atemanregende Tätigkeit, die allerdings durch das stammesgeschichtlich neuere Atemzentrum normalerweise unterdrückt ist. Es wurde behauptet, dass die Entfernung des Glomus caroticum bei Asthmatikern die Atemnot bessern kann.

Beim Fisch gibt es Grund genug für dieses Überwachungsorgan an den Kiemenbogenarterien, das über den Sauerstoffbedarf der Gewebe orientiert; die einzige Schwierigkeit, die er beim Atmen erwarten muss, ist Sauerstoffmangel. Je tiefer er sich unter die Wasseroberfläche begibt und je weniger das Wasser durch Wind und Wellen bewegt wird, desto dünner ist unten der Sauerstoff; die Kohlensäure hingegen spielt bei ihm kaum eine Rolle. Sie ist im Wasser praktisch unbegrenzt löslich, ihr Abtransport wirft keine Probleme auf, und ein Reglersystem erübrigt sich.

Als das Leben vom Meer auf das Land übergriff (Übergangsformen wurden in mehreren Exemplaren, etwa in Gestalt des Coelacanthus, des Quastenflossers (Abb. 44), vor der afrikanischen Ostküste geborgen), wurde die Lunge reaktiviert („Lungenfisch"), so dass die Atemregulation überarbeitet werden musste. Wichtigster Faktor war nicht mehr der Sauerstoff, sondern die Kohlensäure, die sich in der Luft nicht wie im Wasser einfach löst, sondern nur mühsam verdünnt werden kann. Doppelt so viel Kohlensäure bedarf eines doppelt so großen Atemvolumens. Das Landtier schuf sich in Jahrmillionen eine entsprechend neuartige, nach Kohlensäure ausgerichtete Atemregulation, behielt aber die alte für Notzeiten zurück.

So lange die „Landbedingungen" vorherrschen, d.h. solange in gesunden Zeiten

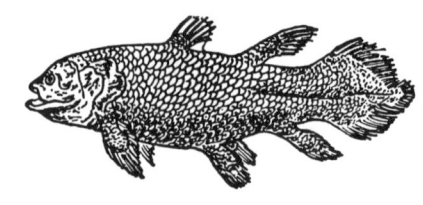

Abb. 44: Coelacanthus (Quastenflosser), Urahn der Landwirbeltiere. Lungen zum Atmen und dicke Flossen zum Stehen auf Klippen unter Wasser waren schon vorhanden (Präadaptation).

die Schwierigkeiten bei der Kohlensäure liegen, regulieren wir nach dem neuen Atemtyp; erst wenn, etwa beim Herzkranken, trotz gut funktionierender Atmung der Körper allgemein unter Sauerstoffmangel leidet (weil das Blut zu langsam umläuft) und außerdem eine bestimmte Stelle im Körper (etwa das schwer arbeitende Herz; bei Henderson war es der Handmuskel, der den Ballon betätigte) besonders überlastet ist und Atemhormon erzeugt, und wenn gleichzeitig wie beim Fisch der Kohlensäuregehalt des Blutes sehr niedrig ist, dann wird die Fischatmung hervorgeholt. Der Mensch geht zum Fenster, er ringt nach Atem und versucht, wie der Fisch, sein Atemmedium zu verschlucken.

Noch weiter zurück

Bei gewissen niederen Tieren findet sich eine sehr primitive Niere (Vorniere), bei der die Stoffwechselschlacken durch so genannte äußere Glomeruli, die in der Embryonalzeit auch noch beim Säuger auftreten, zunächst in die Leibeshöhle gebracht und erst von dort, oft zusammen mit den Geschlechtszellen, nach außen geschafft werden. Die Leibeshöhle ist daher bei die-

176

sen Tieren ein Teil der Niere und hat harnbildende Eigenschaften.

Versagt beim Menschen die Niere (Nachniere), die mit der ursprünglichen Leibeshöhle gar nichts mehr zu tun hat, und sammeln sich im Blut Stoffwechselschlacken, die von ihr eigentlich ausgeschieden werden sollten, dann wird in der Not die Vorniere herausgeholt, und die Nachfahren der ursprünglichen Leibeshöhle bekommen wieder harnbildende Eigenschaften.

So wird Harnstoff vom Bauchfell, Brustfell, aber besonders vom Herzbeutel ausgeschieden, und es treten dort Entzündungserscheinungen auf, die jeder Mediziner als urämische Perikarditis kennt. Der Vorrang des Herzbeutels erklärt sich dadurch, dass die äußeren Glomeruli der Vorniere besonders im Kopfteil der Leibeshöhle sitzen, aus dem sich Herzbeutel und Rippenfell entwickeln.

Auf ähnlich atavistische Weise erklärt sich vielleicht das Gähnen als Überbleibsel unseres Urahns, des Lungenfisches, der sich im Schlamm der austrocknenden Gewässer eingrub („schlafen ging") und vorher noch für die nächsten Jahre Luft holen musste. Heute lebende Formen von Lungenfischen, beispielsweise Neoceratodus in Australien, Lepidosiren in Südamerika und Protopterus, genannt Kamongo, in Äquatorialafrika, halten es im trockenen Schlamm bis zu sieben Jahre ohne Atmung aus[5–6].

Trommelschlegelfinger könnten die Reste ähnlicher, im Schlamm überlebender Tiere sein, die mittels ihrer gut durchbluteten Flossenspitzen eine Notatmung aufrechterhielten. Diese Fingerform findet sich daher beim Menschen vorwiegend bei Störungen der Atmung, sei sie durch Versagen des Herzens oder der Lunge bedingt. Übermittelt wird sie vermutlich durch erhöhte Werte für reduziertes Ferritin[8–11]. In diesen Zusammenhang gehören auch die Arbeiten der vergleichenden Verhaltensphysiologen (Konrad Lorenz[12–15] u.a.), die „das Tier in uns" als Grundlage unserer seelischen Struktur entdeckten. Durchdenkt man die Vielzahl der Symptome, aus denen unser klinisches Wissen besteht, kann man sicher noch weitere derartige Atavismen zu einer phylogenetischen Pathologie vereinigen.

Sicher ist nicht auf den ersten Blick zu übersehen, was das alles mit der Krebsentstehung zu tun hat. Zwischen dem Fisch und uns liegen 300 Millionen Jahre, ein fast unermesslicher Zeitraum. Wenn das Leben sich aber bis zum Fisch zurückerinnern und etwas hervorholen kann, was es damals zum letzten Mal brauchte (die Nierenfunktion der Leibeshöhle geht noch viel weiter zurück, nämlich bis zu den Protovertebraten), dann kann man auch darauf vertrauen, dass es Dinge aufbewahrt, die zu Beginn des Lebens geschaffen wurden.

Vor vielen Jahren analysierte und vervollständigte Otto Warburg mit der nach ihm benannten Stoffwechselapparatur eine der Beobachtungen Pasteurs[16–18], die auch heute noch als wesentlichster Beitrag zum Krebsproblem betrachtet wird.

Er stellte fest, dass Krebsgewebe neben der Atmung auch gärt. Es gewinnt einen Teil seiner Energie aus Abbau von Zucker zu Milchsäure, wie es das Leben vor zwei Milliarden Jahren tat, als der Einzeller im Urmeer die höchste Organisationsform darstellte und die Erdatmosphäre noch sehr wenig oder sogar keinen Sauerstoff enthielt.

Urzelle – Modell der Krebszelle

Isoliert man menschliche Gewebszellen und legt sie in eine Nährlösung, wie dies bei Anlage einer Gewebskultur geschieht, bringt man also normale, nicht krebsige Zellen in ein Milieu, wie es im Urmeer vorlag, dann beginnt der Gärungsstoffwechsel in dem Augenblick, wo die auf den Boden gesunkenen Zellen dort anwachsen und sich (ungeordnet) zu vermehren beginnen[19]. Denn es entsteht in der Gewebskultur nicht das Organ, dem die Zellen entnommen wurden, sondern ein amorpher Kuchen von Material, der keine innere Ordnung mehr aufweist. Der Gärungsstoffwechsel beginnt nach Warburg also dann, wenn schrankenloses Wachstum einsetzt, eine für die Urzelle im Urmeer und die Krebszelle typische Form der Vermehrung ohne Rücksicht auf Zellverbände. Erst später treten die typischen morphologischen Bilder krebsiger Degeneration auf, nämlich Veränderungen der Chromosomensätze[20-26] und der Kern-Plasma-Relation, Verlust von Glykogen und dergleichen.

Weitere Parallelen zwischen Ur- und Krebszellen sind auffällig. Krebszellen haben eine sehr unvollkommene Membran, so dass sie ihren Inhalt (die Enzyme) oft schlecht zusammenhalten können. Wie früher berichtet, entwickelte sich die Zellmembran erst langsam im Laufe der Entwicklung des Lebens im so genannten abiotisch-biotischen Übergangsfeld. Krebszellen lösen sich leicht aus dem Verband des Körpergewebes, ja sie gehen gegen dieses vor, durchwachsen und zerstören es. Sie ignorieren gewissermaßen, was an Fortschritt sich seit dem Urleben auf der

Erde ereignet hat. Sie kennen keine hochentwickelten Organe, keinen Blutkreislauf, keine Nerven, Drüsen, keine Differenzierung und keine Spezialisierung.

Die Urzelle im Urmeer war sich selbst genug, eine glich der anderen, und in jeder von ihr waren alle Funktionen vereinigt. Sie war selbst Nerv, Kreislauf, Magen, Leber und Muskel. Wird eine unserer Zellen krebsig, dann entdifferenziert sie sich in Richtung auf jenen Urzellen-Zustand. Man kann zwar bei gutartigen Tumoren im Allgemeinen noch erkennen, aus welchen Zellen bzw. Organen sie stammen. Je bösartiger aber ein Tumor wird, umso mehr verliert er jegliche Art der Organspezifität[27], und umso weniger unterscheidet er sich von der Urzelle. Untersuchungen über Tumorzellen[28,29], wie sie in der letzten Zeit durchgeführt wurden, scheinen diese Vorstellungen zu bekräftigen, denn bei krebsiger Entartung verliert die Zelle die Fähigkeit, organspezifische Eigenheiten zu bilden.

Auf der anderen Seite hat man neuerdings festgestellt, dass im Blut Tumorkranker gewisse Eiweißkörper (das karzinoembryonale Antigen und das Alpha-Fetoprotein) auftreten, die in jungen Feten in viel höherer Konzentration vorkommen als später. So findet sich z.B. Alpha-Fetoprotein in der zwölften Fetalwoche, bei der Geburt und bei Erwachsenen in einer Relation von 1 000 000 zu 30 000 zu 30. Je jünger das Individuum, desto höher ist also die Konzentration, so dass Tumoren anscheinend gewisse Eiweißkörper mit unreifen menschlichen Stadien gemein haben.

Auf dieser Basis kann man sich Zusammenhänge zwischen Kohlenhydraten und Krebs vorstellen. Bringt man einen Menschen in Bedingungen, unter denen der Fisch lebte, d.h. mit Schwierigkeiten in der Sauerstoffversorgung bei ungestörter Kohlensäureabgabe, dann wird er in seiner Atmung zum Fisch. Zerstört man ihm seine Niere, dann reaktiviert er die Vorniere, die er vor vielen hundert Millionen Jahren zum letzten Mal gebraucht hat. Unter Bedingungen des Urlebens vor zwei Milliarden Jahren, wo es als Nahrung nur Kohlenhydrate und zum Atmen keinen Sauerstoff gab, wird er zur Urzelle, oder einzelne seiner Zellen entdifferenzieren sich zu diesem Zustand. Sie vermehren sich rücksichtslos, wie wenn sie allein im Urmeer schwämmen, obwohl sie sich doch in einem geordneten menschlichen Organismus befinden.

Sie durchwuchern alles, gehorchen keinen übergeordneten Prinzipien mehr, sie atmen wie die Zellen im Urmeer, d.h. sie atmen nicht, sondern sie gären. Noch wissen wir nicht, welche Dinge es im Speziellen sind, die die Umwandlung einer normalen Zelle in eine Krebszelle hervorrufen (Warburg dachte an eine Störung der Zellatmung), und wie der Vorgang im Einzelnen abläuft. Aber die Vorstellung, die Warburg schon 1962 aussprach, dürfte zutreffen. Der Gärungsstoffwechsel der Krebszellen könnte eine Regression auf frühere Formen der Energiegewinnung des Lebens auf der Erde sein.

Die Krebsforschung hat durch die Entdeckung so genannter Onkogene[32–35] neuerdings erheblichen Auftrieb erfahren. Man versteht darunter Erbanlagen, also Teile des genetischen Codes (Nukleotidsequenzen), welche unter bestimmten Umständen eine Zelle zur bösartigen transformieren, d.h. Krebs erzeugen können. Bei Tier und Mensch hat man mehrere dieser Onkogene gefunden. Man nimmt an, dass es sich um Veränderungen normaler Gene (der Proto-Onkogene) handelt, also von Erbanlagen, welche in der Zelle normalerweise eine bestimmte Funktion ausüben, also gebraucht werden. Manchmal hatte man den Eindruck, dass nur die Verlagerung eines normalen Gens an eine andere Stelle der Erbmasse die Veranlassung zum Bösartigwerden darstellt. Ich warte natürlich mit Interesse darauf, dass hier auf der molekularbiologischen Ebene einmal ein Hinweis dafür gefunden wird, dass es sich bei den Onkogenen um etwas handelt, was aus der Urzellen-Zeit stammt.

Gibt es nun Beobachtungen, welche diese theoretischen Vorstellungen von den Kohlenhydraten als Ursache der Krebserkrankung belegen? Es gibt deren viele. Zunächst bestehen offenbar Beziehungen zwischen der Aktivität des Immunsystems und der Neigung zur Krebserkrankung. Man fand, dass Impftumoren beim Menschen umso eher wachsen, je weniger Allergie die Impflinge gegenüber den Tumorzellen erkennen lassen. So genannte anergische Impflinge haben die schlechtesten Aussichten.

An Patienten, bei denen nach Organübertragungen die Abstoßungsreaktionen unterdrückt wurden, etwa durch Antilymphozyten-Serum oder durch hohe Dosen von Cortison, hat man eine Häufung bösartiger Erkrankungen feststellen können. Offenbar können sich Krebskeime bei behinderter Tätigkeit des Immunsystems leichter festsetzen und entwickeln[30,31]. Man nimmt daher an, dass menschliche Tumoren viel häufiger entstehen, als sie tatsächlich sich dann bemerkbar machen, weil ein großer Teil der Krebskeime den Abwehrkräften des Körpers zum Opfer fällt. Diese werden aber nicht nur durch das Antilymphozyten-Serum und die Nebennierenrindenhormone, sondern vor allem durch den abnormen Stoffwechsel des Kohlenhydratessers geschwächt. Es ergeben sich hier wiederum Beziehungen zwischen Krebs und Nahrungsqualität.

Bereits besprochen wurden die Resultate der ausgedehnten amerikanischen Studien, die zunächst dazu angestellt wurden, die Schädlichkeit tierischer Fette nachzuweisen: die Sieben-Länder-Studie und die vielen so genannten Feldstudien. Um mich nicht wiederholen zu müssen, verweise ich auf das Kapitel über Arteriosklerose und Herzinfarkt. Wenn man, wie die amerikanischen Interpreten dieser Studien, der Meinung ist, sie sprächen für die tierischen Fette als Ursache unserer Zivilisationskrankheiten, dann frage ich mich, wieso bei den Feldversuchen, die diese Vorstellungen über eine gesunde Ernährung (fettarm, cholesterinarm, kohlenhydratreich) verwirklichten, die Krebs-Rate deutlich angestiegen ist. Offenbar sind die tierischen Fette also nicht die Ursache von Krebs.

Wie die Herzinfarkte, so lässt sich auch die Verbreitung von Krebs durch meine Adaptationstheorie mit den Kohlenhydraten in Verbindung bringen: Je später eine Population vom Ackerbau erreicht wurde, je weniger Zeit bis heute daher für die Adaptation unserer Erbmasse an die neuen Nahrungsmittel zur Verfügung stand, umso höher die Krebsrate. Für den Dickdarm- und Mastdarmkrebs die Abb. 33 auf Seite 120, die bereits für die Erläuterung der Adaptationstheorie verwendet wurde.

Beim Vergleich aller dieser Abbildungen ergibt sich die Erkenntnis, dass wir neben vielen anderen Krankheiten auch die bösartigen Tumoren unserer neolithischen Nahrung verdanken und dass alle unsere Vorfahren seit Jahrtausenden sozusagen nur deshalb gelebt haben (und an unseren Krankheiten vorzeitig gestorben sind), um uns Heutigen wenigstens einen Teil von Adaptation zu hinterlassen. Um dieses Erbe nicht zu verschenken, müssen wir jedoch wenigstens teilweise wieder zurück zur Ernährung unserer altsteinzeitlichen Vorfahren, zu Fleisch und tierischen Fetten, und das alles, obwohl uns von sicher wohlmeinenden Beratern das Gegenteil seit Jahrzehnten empfohlen wird.

Weil der Mensch so langlebig ist und sich Krebs so langsam und so spät im Alter entwickelt, wird es sehr schwierig sein, diese Vorstellungen durch Feldstudien zu untermauern bzw. solche Studien über einen so langen Zeitraum laufen zu lassen, bis die Ergebnisse eindeutiger sind als jetzt schon in den Feldversuchen. Immerhin gibt es bereits Tierversuche, welche erkennen lassen, dass eine kohlenhydratreiche Ernährung unter der Wirkung krebserzeugender Substanzen das Auftreten bösartiger Geschwülste eindeutig fördert, eine fett- und eiweißreiche, kohlenhydratarme Ernährung aber dem Auftreten von Krebs entgegenwirkt (Schole[37]). Ich selbst habe beobachtet, dass man mit kohlenhydratarmer Diät zwar das Auftreten von Brustkrebs nicht mehr verhindern kann, weil die Wurzeln einer bösartigen Erkrankung jahrzehntelang zurückreichen, wohl aber das von Metastasen nach Entfernung der ursprünglichen Geschwulst.

Unter 36 Patientinnen, bei denen sich im Laufe längerer Diätbehandlung ein Brustkrebs entwickelte, habe ich nur in einem Fall eine Weiterentwicklung (in der gleichseitigen Achselhöhle) beobachtet, niemals aber Fernmetastasen.

1998 wies mich eine meiner Anhänge-
rinnen auf eine Beobachtung von Nobelist
Albert Schweitzer hin, enthalten in dem
Vorwort zu einem Buch über Krebs, dessen
Autor aus dem Pasteur-Institut Paris
kam[38]. Albert Schweitzer berichtet darin,
dass er nach seiner Ankunft in Lambarene
im Jahre 1913 bei den vielen Patienten
dort niemals Krebs zu Gesicht bekam. Sie
lebten salzlos, einige 100 Meilen fern vom
Ozean. Als er Lambarene 1954 verließ,
hatten die dortigen Einwohner Zugang zu
reichlich Salz aus Europa gewonnen, auch
aus Dosennahrung, ohne dass sich sonst in
ihrem Lebensstil etwas geändert hätte, und
es gab jetzt Krebs aller Arten.

Albert Schweitzer führte dies auf das
Hinzutreten von Salz zu der Nahrung der
Eingeborenen zurück. Für mich ist es
„Wasser auf meine Mühle", denn auch Salz
ist ein Bestandteil des Ur-Meeres und
komplettiert damit das Szenario, das ich
mit dem „zurück zum Beginn des Lebens"
als Ursache von Krebs entworfen habe.
Vielleicht würden wir unseren Krebszellen
allein mit den Kohlenhydraten oder allein
mit dem Salz die Lebensgrundlagen entziehen, aber doppelt genäht ist sicher besser.

Literatur:

1) Stefansson, V.: Cancer, Disease of Civilisation. Hill & Wang, New York, 1960.
2) Haeckel, E.: Generelle Morphologie der
Organismen. 1866.
3) Doyle, R.: Scientific American, Januar
1996.
4) Henderson, Y.: Advantures in Respiration.
Baltimore 1938. Siehe auch in: Bancroft, J.:
Die Atmungsfunktion d. Blutes. Ausgabe
Springer 1927 und 1929.
5) Smith, H. W.: Protopterus aethiopicus.
Ecology 11 (1931) 164.
6) Smith, H. W.: Kamongo, or the Lungfish
and the Padre. Compass Books, Wiking
Press Inc., New York 1956.
7) Smith, H. W.: From Fish to Philosopher.
Doubleday & Co. Inc. Garden City, New
York 1961.
8) Schoenmaeker, J.: Arch. Kreislauff. 24
(1956) 263.
9) Hall, G. A.: Lancet 11 (1959) 750.
10) Schwab, M., R. Schröder, Th. u. W. Diss-
mann, P. Reimburg, U. Hüttemann, K. P.
Schüren: Klin. Wschr. 41 (1963).
11) Heinroth, O.: Verh. V. Intern. Ornithol.
Kongr. Gastein, 1911.
12) Lorenz, K.: Journal f. Ornithologie, 75/4,
1927.
13) Lorenz, K.: Folia Biotheoretica, 2, 1037.
14) Lorenz, K.: Dtsch. med. Wschr. 78 (1953)
1566, 1600.
15) Lorenz, K.: Über tierisches und menschliches Verhalten. Aus dem Werdegang der
Verhaltenslehre. Gesammelte Abhandlun-
gen, R. Piper & Co., München.
16) Warburg, O.: Bioch. Z. 142 (1923) 317.
17) Warburg, O.: Über den Stoffwechsel der
Tumoren. Springer-Verlag, Berlin, 1926.
18) Warburg, P.: Vortrag 100. Tagung Ges.
dtsch. Naturf. u. Ärzte, Wiesbaden, 1958.
19) Hansemann, D. V.: Virch. Arch. 119
(1890) 299.
20) Grondmann, E.: Verh. Dtsch. Ges. Path. 38
(1954) 362.
21) Lettré, H., W. Sachsenmeier: Naturwis-
sensch. 44 (1957) 445.
22) Makino, S.: Int. Rev. Cytol., 6 (1957) 26.
23) Hsu, T. C.: J. Nat. Cancer Inst. 14 (1954)
905.
24) Gläss, E.: Z. Krebsf. 53 (1960) 362.
25) Koller, P.C.: CIBA Sympos. 1 (1963) 54.
26) Graffi, A., H. Bielka: Probleme der experimentellen Krebsforschung, Leipzig, 1959.
27) Weiler, E.: Z. Naturforsch. 7b (1952) 324;
11b (1956) 31.
28) Miller, J. A., E. C. Miller: Adv. Cancer Res.
1(1953) 340.
29) Leading Article: Lancet 1(1969) 505.
30) Doak, P. B., et al.: Brit. med. J. 4 (1968) 746.
31) Brünings, W.: Münch. med. Wschr. 71
(1942)102.

32) Cairns, J.: The Origin of Human Cancer. Nature (London), 289 (1981) 253.

33) Passarge, E.: Beziehungen zwischen Chromosomenveränderungen und Tumor-Entstehung. Dtsch. Med. Wschr. 1 (1983) 28.

34) Weinberg, R. A.: A Molecular Basis of Cancer. Scientific Am. 11 (1983) 102.

35) Bishop, J. M.: Oncogenes, Scientific Am. 3 (1982) 68.

36) Westenhöfer, W.: Der Eigenweg des Menschen. Verlag: Die Medizinische Welt W. Mannstaedt & Co., Berlin SW 11.

37) Schole, 1., G. Harisch, H.-P. Sallmann: Belastung, Ernährung und Resistenz. Paul Parey, Hamburg/Berlin, 1978.

38) Schweitzer, Albert, Vorwort zu Berglas Alexander; Cancer: Nature, Cause and Cure; Institute Pasteur, Paris, 1957.

Evolution als Argument

Mein Morgenstern

Im bisherigen Teil dieses Buches habe ich dargestellt, wie ich zu der Idee kam, dass die Kohlenhydrate die Hauptschuld an unseren Zivilisationskrankheiten tragen, und wie ich Schritt für Schritt Beweise dafür zusammentrug, dass diese Vorstellung richtig ist.

Ich wundere mich selbst oft darüber, woher ich den Mut nahm, über 30 Jahre lang allein durch das Dunkel zu gehen, etwas für richtig zu halten, was die arrivierten Mediziner und Wissenschaftler für einen „Haufen Unsinn" hielten (A. Keys), wie ich den Mut aufbrachte, meine Patienten mit Methoden zu behandeln, die durch anerkannte medizinische Vorstellungen nicht gerechtfertigt waren.

Natürlich haben mich meine Erfolge bald entlastet: die Gewichtsabnahme bei fettleibigen Personen, das so prompte Verschwinden von Übergewicht und von Erscheinungen einer Drüsenkrankheit bei jugendlichen Fettsüchtigen und dann die Magen-Darm-Krankheiten. Nach und nach kamen so viele unserer Zivilisationskrankheiten dazu, und ich hatte so viele Erfolge in meiner Praxis und so viele dankbare Patienten, dass ich sicher sein konnte, mich auf dem rechten Wege zu befinden.

Alles oder nichts

Ich sagte mir auch, dass alle Tiere gesund sind, die einigermaßen im Einklang mit ihrer Umwelt leben, und dass eine Nahrung, die mehrere typische Störungen eindeutig beseitigt, auch für alle anderen ernährungsbedingten Krankheiten gut sein muss; dass es nicht eine Diät gegen Fettsucht, eine andere gegen Gicht, eine dritte gegen Durchfälle, eine gegen Verstopfung und wieder eine andere gegen Gallensteine geben kann. Dieses „Alles oder nichts-Gesetz" hat mir über einige schwierige Momente hinweggeholfen, etwa als ich sah, dass sich eine Polyarthritis, ein Bronchialasthma oder ein kardial Dekompensierter verschlechtern können.

Der „Morgenstern", der mir aber voranging, das Licht am Ende des langen Tunnels, durch den ich gehen musste, war die Überzeugung, die Stefansson schon vor vielen Jahren hatte und auch aussprach, dass angesichts der Trägheit der Erbmasse eines höher entwickelten Tieres (wozu ja auch der Mensch gehört) die paar tausend Jahre, die wir den Getreidebau, und die paar hundert Jahre, die wir die Zuckergewinnung kennen, an uns vorübergegangen sein müssen, ohne genetische Spuren zu hinterlassen.

Wir sind sozusagen noch immer das, was wir zu Beginn des Neolithikums waren: Jäger und Fischer, bestenfalls Jäger, Fischer und Sammler. Es konnte nicht wahr sein, was ein Hochschullehrer, der viel über Ernährung vorgetragen und geschrieben hat[1,2], meinte, . . . dass wir ursprünglich in prähistorischen Zeiten zwar hauptsächlich von der Jagd gelebt hätten, dass wir dann aber uns an eine sehr kohlenhydratreiche

Nahrung angepasst hätten, dass wir langsam wieder auf eine weniger energiereiche Diät vorwiegend aus Eiweiß uns umzustellen hätten, weil wir infolge der Maschinen, die uns helfen, nur mehr wenig körperliche Arbeit zu leisten haben und daher wenig Kalorien für Muskeltätigkeit verbrauchen.

Die menschliche Erbmasse ist nicht so plastisch, dass sie sich innerhalb weniger Jahrhunderte oder Jahrtausende von etwas wegpassen und später ebenso rasch wieder an etwas Neues anpassen könnte, denn dies würde die strukturelle Änderung einer Unzahl von Enzymen voraussetzen, wozu jedes einzelne 200 000 bis 300 000 Jahre benötigt. Wir wissen dies von zwei sehr gut untersuchten Eiweißkörpern, dem roten Blutfarbstoff (Hämoglobin) und dem Zytochrom C. Der Mensch hat sich vor vielen Millionen Jahren aus seiner äffischen Vorstufe mühsam zu dem emporgerungen, was er heute ist, und ein paar tausend Jahre ändern an diesem Ergebnis nichts.

Unser Vetter im Zoo

Das war das Licht am Ende des Tunnels, das mir in den vielen finsteren Jahren meinen Weg wies und das mich davor bewahrte, meiner Idee untreu zu werden. Nun wollen wir uns das Licht einmal näher ansehen.

Dass der Mensch sich aus dem Tierreich heraus entwickelte, war für unsere Großeltern noch eine erbittert umstrittene Frage. Wohl fühlte man beim Besuch eines Tiergartens, dass von allen dortigen Insassen uns die Menschenaffen, vor allem die Gorillas und die Schimpansen, am ähnlichsten sind, aber man war so sehr befangen in der Vorstellung, der Mensch sei etwas ganz

Besonderes, dass man die offensichtlichen Ähnlichkeiten nicht nur im gestaltlichen Bau des Körpers, sondern auch in der Verhaltensweise nicht zur Kenntnis nehmen wollte. Nach den gängigen religiösen Vorstellungen hatte nur der Mensch eine Seele, die ihn zu einem übernatürlichen Leben nach dem Tode befähigt, und dies schloss eine Verwandtschaft mit den Tieren kategorisch aus.

Ähnliche Vorurteile waren zu überwinden, als Galilei zu der Erkenntnis kam, nicht die Sonne drehe sich um die Erde und sei wie ein Lampion nur zu unserer Beleuchtung und Erwärmung da, sondern die Erde sei der Satellit der Sonne. Oder wie Giordano Bruno aufdeckte, dass es nicht nur unser Sonnensystem, sondern weiter draußen auch noch andere mehr gebe. Inzwischen ahnen wir ja, dass wir selbst in unserer Milchstraße kaum allein sein dürften, dass es vermutlich viele außerirdische Zivilisationen mit intelligenten Wesen gibt, mit denen wir nur wegen der Begrenztheit unserer Möglichkeiten nicht in Verbindung treten können. Unser Weltbild hat sich geändert und erweitert.

Langsam lernen wir auch den Schleier des Vorurteils gegenüber dem Tier zu lüften und die Dinge so zu sehen, wie sie sind. Nicht nur, dass der „Mensch vom Affen abstammt" (man kann es besser und exakter anders ausdrücken), sondern dass überhaupt das Leben sich aus ganz primitiven Anfängen im Laufe einiger Jahrmilliarden entwickelt hat und dass der Mensch nur die letzte Stufe dieser Entwicklung auf der Erde darstellt.

Wir wissen jetzt ziemlich genau, dass wir von einem gemeinsamen Ahnen, etwa dem Proconsul (Abb. 45) oder dem Dryopithecus abstammen, der sich im Laufe

Abb. 45: Proconsul

Primaten. Nur 1,2% der genetischen Substanz (DNA) zwischen uns und ihnen ist verschieden[28)], während Schimpansen und Gorillas in über 2% der DNA voneinander abweichen. Unter den Schimpansen stehen die so genannten Zwergschimpansen (Pan paniscus) am ehesten im Verdacht, unsere nächsten „Verwandten" zu sein, denn sowohl in ihrem Verhalten, als auch in der körperlichen Struktur sind sie uns am ähnlichsten. Sie haben schon ziemlich lange Beine (siehe den Stammbaum Abb. 46).

Über die weitere Entwicklung von den Schimpansen zu den Hominiden, den ersten Gliedern einer Linie, welche eindeutig zum Menschen führt, ist nichts Eindeutiges bekannt. Die ersten Millionen Jahre liegen jedenfalls völlig im Dunkeln. Es gibt nicht die geringsten Fossilfunde. Über diesen Weg zu uns existieren zwei einander widersprechende Theorien.

mehrerer Jahrmillionen zum Gorilla auf der einen und zum Schimpansen auf der anderen Seite entwickelte. Letztere sind unsere nächsten Verwandten im Reiche der

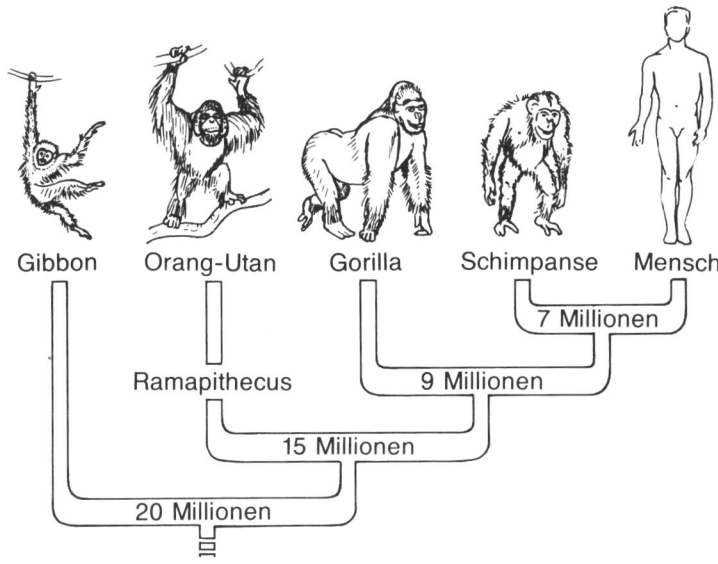

Abb. 46

Die Savannen-Theorie

Sie nimmt an, dass die Menschenaffen (Schimpansen) noch während sie sich hauptsächlich im tropischen Regenwald aufhielten, auf den Bäumen eine vertikale Haltung einnahmen. Schwingend an einem Arm benützten sie den anderen, um Früchte und Blätter für ihre Nahrung zu pflücken, während sie sich auf ihren Beinen abstützten. Langsam lernten sie auch aufrecht auf beiden Beinen zu gehen, ohne ihre Arme zur Unterstützung zu benützen (Abb. 47). Die aufrechte Körperhaltung ermöglichte es unseren Vorfahren, weite Gebiete zur Nahrungssuche zu durchstreifen und dabei ihre Kinder, gewisse Werkzeuge und auch Nahrungsmittel mit sich zu nehmen. Außerdem ergab die aufrechte Haltung einen besseren Überblick und damit einen besseren Schutz vor Feinden.

Menschwerdung im Wasser?

Nun unterscheidet uns von den Schimpansen aber nicht nur der aufrechte Gang, dessen Entstehung man schließlich auf das Leben in der Savanne, das schon erwähnte „Kopfhoch", zurückführen könnte, sondern es gibt da noch eine ganze Reihe von Unterschieden, die durch die Savannen-Theorie nicht recht erklärt sind, etwa die Haarlosigkeit. Man hat die Ansicht geäußert, dass unsere Vorfahren in der Grassteppe sehr viel laufen und schwitzen mussten, was zur Vermehrung der Schweißdrüsen und zum Verlust des Haarkleides geführt habe[13,14]. Aber auch Gazellen, Giraffen, Löwen und andere Tiere müssen in tropischen Gegenden laufen, können schwitzen und haben ihr Haarkleid nicht verloren. Wenn wir also nackt geworden sind, dann muss das wohl andere Gründe gehabt haben.

Eine sehr elegante Erklärung dafür gibt die Theorie der Aquatic Genesis von M. Westenhofer[32], Alister Hardy[15] und von E. Morgan[26,27]. Auch bei anderen Warmblütern, die vom Land ins Wasser gezogen sind, z.B. bei Walen und Delphinen oder bei Elefanten und Schweinen, die längere Zeit im Sumpf gelebt haben und dann wieder auf's trockene Land gezogen sind, ist

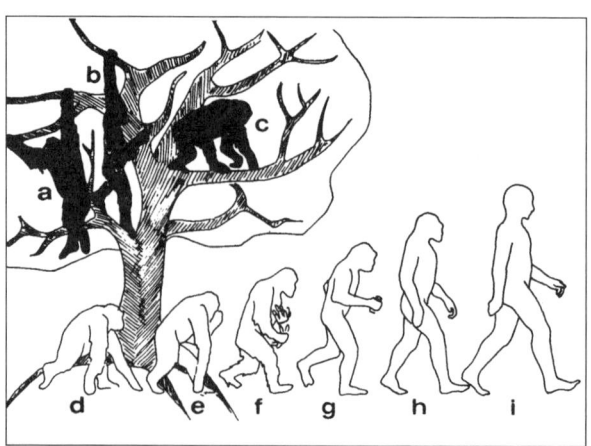

Abb. 47: Modell der Evolution des aufrechten Ganges. a = arboreal-bimanuell („brachiatorisch"); b = arboreal-bimanuell-biped; c = arboreal-quadruped; d = terrestrisch-quadruped; e = terrestrisch-triped; f bis i = terrestrisch-biped, halb- bis vollaufgerichtet.

das Haarkleid verschwunden. Es verliert sich eben im Wasser, ausgenommen dort, wo Tiere in sehr kalter Umgebung auch an Land existieren müssen, wie die Robben. Die aquatic genesis erklärt weiter die menschliche Nase, die das Eindringen von Wasser in die Atemwege beim Tauchen erschwert, den Speck unter der Haut, den die Affen nicht haben, der den Körper im Wasser vor Auskühlung schützt und sich nur bei Wassertieren findet, bei Delphinen, Walen und beim Schwein. Der Mensch könnte aus seiner Zeit im Wasser auch den Koitus von vorne haben, wie alle Meeressäuger, während das Affenmännchen ja noch immer von rückwärts auf das Weibchen aufreitet. Wir sollten uns auch daran erinnern, dass die Wasser-Säugetiere, vor allem die Delphine, unter allen Säugern das größte und ein ausgesprochen „menschliches" Gehirn haben mit einer relativ hohen Intelligenz und mit Musikalität. Es ist also durchaus denkbar, dass ein Stück Evolution im Wasser dem Menschen auch den Anstoß zur Entwicklung der Intelligenz, der Musikalität und der Sprache gegeben hat.

Afar – Danakil – Rift Valley

Man hat bisher zwar noch keine Fossilien einer aquatischen Vorstufe gefunden, man weiß aber ziemlich genau, wo sie zu suchen wären (Abb. 48). Die geologischen Untersuchungen der letzten Jahrzehnte haben bekanntlich die Richtigkeit der Wegenerschen Kontinentalverschiebungs-Theorie bestätigt und gezeigt, dass die Erdkruste aus Platten besteht, die sich gegeneinander bewegen. So war in der Gegend von Aden und im unteren Teil des roten

Meeres eine tektonische Platte durch Meeresarme vollständig von den umliegenden Kontinenten isoliert, womit die dort lebenden Schimpansen-ähnlichen Primaten von ihren Verwandten in Afrika getrennt und zu einem Leben am Wasser oder im Wasser gezwungen waren.

Diese Periode könnte einige Millionen Jahre umfasst haben und jedenfalls ausreichend gewesen sein, alle die Unterschiede herauszuarbeiten, die heute zwischen Affen und Menschen bestehen. Sicher ist es kein Zufall, dass alle fossilen Funde bis vier Millionen Jahre vor der Zeitrechnung zurück aus dem so genannten Rift Valley (Abb. 48) stammen, aus einer ebenfalls tekto-

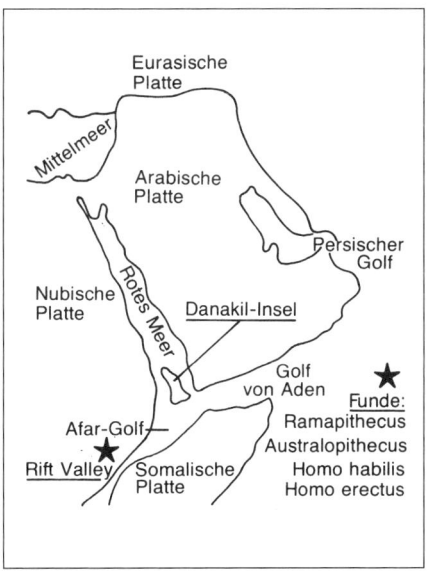

Abb. 48: Die Gegend von Afar. Dort hatten unsere den Schimpansen nahe verwandten Vorfahren Gelegenheit, sich an das Leben am und im Wasser anzupassen und gewisse Eigenschaften von im Wasser lebenden Säugetieren (Haarlosigkeit, Speck unter der Haut etc.) anzunehmen. Später wanderten sie von Afar aus im African Rift Valley nach Süden.

nisch bedingten vulkanischen (Feuer!) Einbruchsrinne, die der Gegend von Danakil – Afar direkt benachbart ist und sich durch ganz Ostafrika bis zum Süden dieses Kontinents erstreckt, wo die ersten Fossilien der verschiedenen Australopithecinen gefunden wurden. Vielleicht ist es auch kein Zufall, dass bei etwa vier Millionen Jahren vor der Zeitrechnung die Fossilienfunde abbrechen. Die Zeit von dort bis zurück zu der Trennung des Vormenschen von dem Menschenaffen liegt völlig im Dunkeln. Kommt das vielleicht daher, dass diese Entwicklung eben an einer isolierten Stelle und im Wasser stattgefunden hat? Von Danakil aus könnte jedenfalls der nun nackte Vormensch nach Rückzug des Meeres direkt ins Rift Valley gelangt sein und dort seinen Aufstieg zum Menschen angetreten haben.

Dieser Teil Afrikas spielt in der Menschheitsgeschichte jedenfalls eine entscheidende Rolle. Große Teile Ostafrikas waren zur Zeit der Trennung unserer Vorfahren von den Menschenaffen vom indischen Ozean überflutet, so dass die aquatic genesis auch ohne Afar durchaus denkbar ist. Ich kann mir kaum vorstellen, welche andere Umweltänderung gleichzeitig die Speckschicht unter unserer Haut, den Verlust des Fellkleides, den aufrechten Gang und die Kohabitation von vorne her, wie bei Wasser-Säugetieren üblich, hätte in Gang setzen können als der längere Aufenthalt unserer frühen Vorfahren im Wasser oder doch am Wasser mit der Nahrungssuche im feuchten Element. Dies wird auch nicht durch die Theorie von Yves Coppens[38)] erklärt, der annimmt, die gebirgigen Aufwerfungen am Rift Valley (Abb. 48) hätten die östlich davon gelegenen Gebiete savannisiert und von den westlichen Regenwäldern getrennt, so dass im Westen die Schimpansen blieben, was sie waren, während sie sich im Osten ohne Urwald neu einrichten und damit weg vom Vegetarier entwickeln mussten („East Side Story"). Das erklärt nämlich immer noch nicht die noch bei uns so deutlich vorhandenen Charakteristika des Wassersäugers.

In Äthiopien, bei Afar und Hadar, fand man vor kurzem reichlich Fossilien eines etwa 1 m großen Vormenschen (Spitzname „Lucy"), der 25 bis 50 kg gewogen haben mag und eigenartigerweise auch große Längenunterschiede zwischen beiden Geschlechtern zeigt. Die männlichen Mitglieder dieser Gemeinschaft waren wahrscheinlich 50 bis 100 % größer als die weiblichen, das Gebiss schon ziemlich menschenähnlich; Werkzeuggebrauch und Feuer sind nicht sicher belegt. In derselben Zeitspanne gingen in Tansania Vormenschen aufrecht nebeneinander. Ihre Fußabdrücke im Schlamm wurden, von Vulkanasche zugedeckt und konserviert, von Mary Leakey entdeckt. Da der aufrechte Gang aller Wahrscheinlichkeit nach im Wasser entstanden ist, dürfte der Vormensch zu dieser Zeit bereits nackt gewesen sein. Steinwerkzeuge und Spuren von Feuer hat man auch hier bisher nicht gefunden.

Der lange Weg zum Fleisch und Fett

Für die Zeitspanne des Australopithecus (4 bis 1,8 Millionen Jahre vor der Zeitrechnung; Abb. 49) kann man, nach dem Gebiss zu urteilen, sicherlich noch keine einheitliche karnivore Ernährung annehmen. Sehr stark entwickelte Kaumuskula-

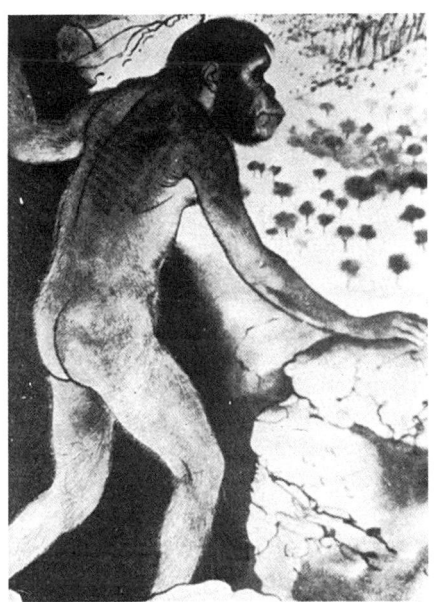

Abb. 49: Rekonstruktion des Prähomininen Plesianthropus nach Oakley.

tur und dicker Schmelz auf den Zähnen deuten darauf hin, dass hier das Gleichgewicht zwischen dem Jäger und Sammler wenigstens bei bestimmten Arten der Vormenschen noch ziemlich weit zum Pflanzenfresser hin verschoben war, dass pflanzliche Nahrung mit Hilfe primitiver Werkzeuge (Grabstöcken etc.) in Form von Knollen und Wurzeln geerntet wurde[29].

Andererseits fand man Hinweise dafür, dass sich diese Australopithecinen über die Reste von Beutetieren der Löwen und ähnlicher Raubtiere hergemacht haben, indem Knochenmark und Gehirn durch grobe Steinwerkzeuge bloßgelegt und der Ernährung zugänglich gemacht wurden. Kratzspuren an fossilierten Tierknochen deuten darauf hin. Demnach hätten wir in unserer Vergangenheit eine lange Periode mit viel

tierischen Fetten in der Nahrung, was mit der sehr guten Verträglichkeit tierischen Fettes auch heute noch übereinstimmen würde[30,31].

Wann die Fleischfresserei im Laufe der Evolution begonnen hat, wird also noch diskutiert[29–31]. Es wurde beobachtet, dass Savannen-Schimpansen Eier und kleinere Tiere sammeln, die sie dann in einem eigentümlichen Ritual außerhalb der Hack-Ordnung verteilen. Sicher gab es auch im Wasser nicht nur pflanzliche, sondern auch tierische Nahrung. Die Frage, was Australopithecinen wohl gegessen haben, habe ich, unabhängig voneinander, zwei Experten auf diesem Gebiet vorgelegt, nämlich Frau Prof. Wrba vom Paläoanthropologischen Museum in Pretoria und Herrn Dr. Kitching aus der Abteilung von Prof. Dart in Johannesburg. Beide haben schließlich gemeint, es wäre doch wohl hauptsächlich tierische Nahrung gewesen.

Übereinstimmung besteht, dass, beginnend mit dem Homo erectus, etwa 1,8 Millionen Jahre vor der Zeitrechnung, das Jagen das Sammeln weit überwogen hat und dass schließlich immer mehr tierische Nahrung verzehrt wurde, bis während der Eiszeiten praktisch nicht anderes mehr zur Verfügung stand. Natürlich ist die Verankerung der karnivoren Lebensweise umso nachhaltiger und dauerhafter, je länger diese Art der Nahrungszufuhr vorgehalten hat, aber allein die letzte Eiszeit mit etwa 70 000 Jahren bei den dort herrschenden extrem harten Auslesebedingungen müsste gereicht haben, den menschlichen Stoffwechsel nachhaltig im Sinne des Fleischgenusses und zugunsten der tierischen Fette zu verändern.

Den Homo erectus kann man wohl mit Recht als ersten Menschen bezeichnen.

Von ihm kennt man Feuerspuren und primitive Steinwerkzeuge. Er hat sich, nachdem der Weg durch das Verschwinden bzw. Austrocknen der Tethys freigegeben war, nach Asien (und Europa) hin ausgebreitet, wurde auf Sumatra als Solo-Mensch und in der Nähe von Peking als Peking-Mensch gefunden. Von jetzt ab finden sich am Wege zum Menschen immer mehr Relikte tierischer Nahrung (Tierknochen etc.), bis schließlich die Eiszeiten den dann lebenden Frühmenschen, den Neandertaler und den Cro-Magnon, zu einer ausschließlich karnivoren Ernährung zwangen.

Mit dem aufrechten Gang, dem Freiwerden der Hand und mit der Jagd begann eine Entwicklung, die den Menschen sprunghaft auf den Höhepunkt seiner geistigen Potenz führte. Sicher war seine Nahrung nicht immer rein animalisch, sondern enthielt auch noch Pflanzen, besonders während der Warmzeiten. Wenn aber in den Lagerstätten prähistorischer Menschen fast nur Tierknochen als Nahrungsreste zu finden sind, so sicher nicht deshalb, weil sie besser fossilieren als pflanzliche Überbleibsel; auch Samenkörner und zellulosehaltige Pflanzenteile können, wie die jüngsten Funde in Nordvietnam erkennen lassen, unter günstigen Umständen erhalten bleiben[17-25].

Das Hirn-Tier

Als der aufrechte Gang die Hand zur Benützung von Werkzeugen frei gemacht hatte, erhielt die Entwicklung des Gehirns eine besondere Bedeutung, kamen doch der Hand die Handlungen zu, die mit Werkzeugen vollbracht wurden. Die geistige Leistungsfähigkeit ist zwar nicht allein eine Funktion der Größe, sondern auch der inneren Organisation des Gehirns, aber unter sonst gleichen Bedingungen ist das größere Gehirn natürlich das bessere. (Nicht umsonst sortieren die Hutgeschäfte die teureren Modelle in größeren Nummern.) Auch die menschliche Stammesgeschichte zeigt es deutlich. Bei 800 g Hirngewicht gab es zunächst ganz primitive Werkzeuge, von denen man nicht sagen kann, ob sie nur Zufallsprodukte waren. Später wurden Faustkeile aus Feuerstein durch Abschläge mit einem anderen Stein gewonnen; hier

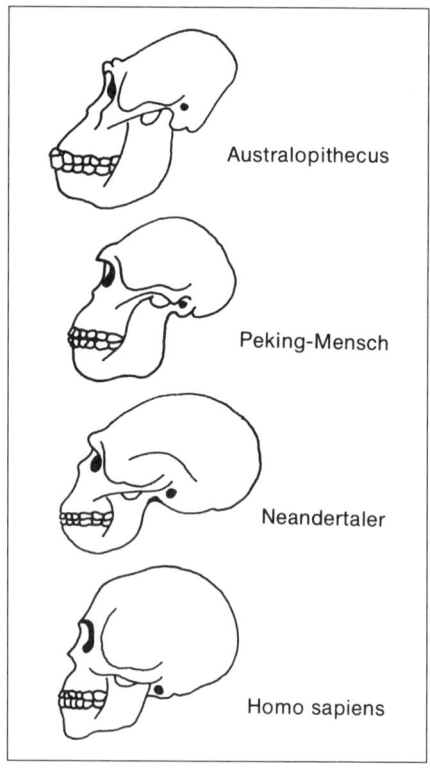

Australopithecus

Peking-Mensch

Neandertaler

Homo sapiens

Abb. 50: Entwicklung des Gehirns auf Kosten von Gesichtsschädel und Gebiss vom äffischen „Ancestor" bis zum Homo sapiens.

können wir mit Sicherheit vom Menschen als Träger einer Steinzeitkultur sprechen. Nach allgemeiner Übereinkunft sind weder aufrechter Gang, Benützung der Hand noch Hirngewicht, sondern nur geistige und künstlerische Tätigkeit, Gebrauch von Feuer und Herstellung von Werkzeugen die Zeichen des Menschen[21].

Das größere Gehirn, das sich jetzt vorwiegend in die Schläfe und in die Stirne hinein entwickelte (Abb. 50), gab uns also größere geistige Potenz und die Fähigkeit zu abstraktem Denken. Wir konnten nun vorausplanen, auf Grund eigener und überlieferter Erfahrungen den voraussichtlichen Ablauf eines Ereignisses berechnen, es in unserem Sinne beeinflussen. Mit neu geschaffenen Waffen, zunächst mit Faustkeilen aus Stein, später mit Steinspitzen, die mit Lederriemen (Sehnen) an hölzerne Schäfte gebunden sind, und mit steinernen Äxten tritt der Mensch zur planvollen Jagd an. Doch noch liegt eine halbe Million Jahre zwischen damals und heute.

Feuer

Schon vor zwei bis drei Millionen Jahren hatte der Mensch offenbar gelernt, Feuer zu machen, wie chemische Analysen verkohlter Lehmklümpchen aus den Feuerstellen des Frühmenschen in Ostafrika zeigten. Im Rift Valley gab es ja intensiven Vulkanismus; im Tiefland von Afar besteht die Landschaft aus Vulkan-Asche, Lageröll und Erosionsrinnen; es ist eine Sand- und Salzwüste. Dampf und heiße Gase steigen aus Spalten und Schlamm-Geysiren hoch. Salz und Schwefel bilden bizarre Kristallblumen. Dort hat der Urmensch wohl jedenfalls das Feuer kennen gelernt.

Sichere Spuren von bewusst gehütetem und zweckmäßig angewendetem Feuer finden sich etwa 350 000 Jahre vor unserer Zeitrechnung, zusammen mit den Spuren des Peking-Menschen[22-25]. Seine Gebeine, in den Höhlen von Chou Kou Tien in der Nähe von Peking kurz vor Beginn des Zweiten Weltkrieges geborgen, gingen zwar in den Wirren der Feldzüge in China verloren, doch wurden Abgüsse und Fotos von allen wesentlichen Funden gerettet. Darunter war ein kleines Hirschhorn, offensichtlich mit Steinwerkzeugen von Urmenschen bearbeitet und dann durch Feuer gehärtet, und es gab sonstige Anzeichen dafür, dass der Peking-Mensch, dessen Gehirn immer noch auf einer verhältnismäßig tiefen Entwicklungsstufe stand und nur ein Volumen von 0,8 Litern hatte, das Feuer zur Zubereitung seiner Nahrung, zur Waffenherstellung und als Quelle von Licht und Wärme verwandte.

Die Behandlung der Nahrung durch Feuer ist nicht nur von medizinischer Sicht aus bedeutsam. Sie verkürzt die Mahlzeiten, denn gebratenes Fleisch kann in einem Bruchteil der Zeit gegessen (nicht verdaut!) werden wie rohes. Knochen werden im Feuer brüchig, so dass man das Mark leichter gewinnen kann. – Mehr Zeit für die Jagd, mehr Wild! Die erste Fessel der Bevölkerungsentwicklung war abgestreift.

Der Übergang vom Baumbewohner zum Erdaffen benötigte zehn bis zwanzig Millionen Jahre, zum Werkzeugfabrikanten und zum Feuer weitere zwei Millionen, zum Ackerbau, dem nächstgrößeren Schritt nach vorwärts, weitere 300 000 Jahre. Hätte man für die Zeit seither nicht die Zeitlupe geschichtlicher Betrachtungsweise, würde man glauben, eine Explosion zu erleben.

Der Neandertaler

Feuer und Kleidung erlaubten es dem Menschen, die nun folgenden Jahrhunderttausende der Eiszeiten mit ihren enormen klimatischen Belastungen unter Ausnutzung des Wildreichtums zu überstehen und sich dabei über die ganze alte Welt bis an die Grenzen des Gletschereises auszubreiten. 150 000 bis 60 000 Jahre vor Christus bevölkerte der Neandertaler die Erde, ein breitwüchsiger derber Typ mit äffischen Zügen, weit vorspringenden Augenbrauen und Stirnwülsten, aber einem dem unseren entsprechenden Hirngewicht von 1,5 kg, in jeder Hinsicht doch ein Mensch. Überall finden sich Steinwerkzeuge als Zeichen seiner handwerklichen Fähigkeiten; von seinem Glauben an überirdische Wesen zeugen die verschiedensten Grabriten und die Grabbeigaben. Die Toten wurden oft in Hockstellung mit Ocker überstreut und gefesselt begraben, offenbar um ihre Geister daran zu hindern, zurückzukehren und den Lebenden Schwierigkeiten zu bereiten; wir finden hier also erstmals metaphysische Vorstellungen.

Der Cro-Magnon-Mensch

Aus Gründen, die noch nicht recht klar sind, verschwand der Neandertaler mit Beginn der vierten Eiszeit, etwa 60 000 Jahre vor Christus, von der Bildfläche, und es kam im Homo sapiens ein Menschentyp auf, der dem heutigen weitgehend oder völlig gleicht; ein schlanker Mensch mit hoher Stirn, mit künstlerischen und technischen Fähigkeiten, wie seine Jagderfolge, seine Waffen und Werkzeuge sowie die Höhlenbilder und Felsenzeichnungen in aller Welt erkennen lassen. Die naturalistischen Wanddekorationen und prächtigen Darstellungen der Jagdtiere zeigen die Bedeutung, die dem Wild für die Ernährung und den Unterhalt der damaligen Menschen zukam. Es wurde nicht nur das Fleisch verzehrt und das Fell zu Kleidern verarbeitet, sondern man hatte auch gelernt, aus Knochen feine Werkzeuge, Nadeln, Pfeil- und Speerspitzen, Sägen und anderen Hausrat zu formen. Mit dem Ende der letzten Eiszeit in Europa, etwa 10.000 Jahre vor Christus, war der Süden des Kontinents von einem intelligenten und technisch begabten Menschengeschlecht besiedelt, das bereitstand, dem schmelzenden Eis nachzufolgen und das freiwerdende Land in Besitz zu nehmen.

Ackerbau

Wer die erste Ähre erntete, wird nie festzustellen sein. Jedenfalls kannte der Mensch um das Jahr 10 000 v.Chr. im vorderen Orient (vorher vielleicht schon in Ostasien) die Zusammenhänge zwischen Säen und Ernten. Er hatte durch künstliche Auslese aus Gräsern einige brauchbare Getreidearten gezüchtet und gelernt, Haustiere zu halten. Damit befreite er sich von den Nahrungssorgen des Jägers und Sammlers, er hatte Zeit zum Bau von Siedlungen für eine in Stände gegliederte Bevölkerung.

Die Berufe spezialisierten sich, Gesetze, organisierte Metaphysik, Kunst, Naturwissenschaft und Politik folgten. Ackerbau und Viehzucht, die Ergebnisse der so genannten neolithischen Revolution, führten ihn im Laufe von wenigen tausend Jahren auf einen Gipfel sozialer Evolution, wofür der Emanzipierte aber mit Gesundheit bezahlen musste.

Wir sind damit zum eigentlichen Problem vorgedrungen. Das Leben hat sich mehrmals auf andere Nahrung umstellen müssen. Zu Beginn, im so genannten abiotisch-biotischen Übergangsfeld (Heberer), etwa eine Milliarde Jahre lang, bestand sie aus Kohlenhydraten, später lebten Tiere von Pflanzen und von anderen Tieren. Die Urprimaten waren Insektenfresser, nährten sich also hauptsächlich von tierischem Substrat mit pflanzlichen Beigaben. Die darauf folgenden Affen lebten in den Bäumen vorwiegend vegetarisch, d.h. von Blättern, Trieben und Früchten, aber gar nicht oder nicht überwiegend von Stärke. Dann, vor fünf bis sieben Millionen Jahren, kam die Abzweigung der Hominiden-Linie und der Übergang zum Fleischfresser, zum Jäger. Fleisch und Fett waren von da an die Nahrung des Menschen bis vor wenigen tausend Jahren.

Wie bereits aufgeführt, unterscheiden sich pflanzliche Kohlenhydrate nach ihrem Gehalt an Traubenzucker (Dextrose). Weichteile (Blatt, Stängel, Blüte, süße Früchte) enthalten relativ viel Fruchtzucker, der im Stoffwechsel anders behandelt wird und bis zu einem gewissen Grad vielleicht weniger Insulin benötigt als Dextrose. Stärke in Samenkörnern und Knollen ist nur aus Dextrose aufgebaut und könnte somit das Inselorgan bei gleichem Kohlenhydratgehalt stärker belasten. Zweifellos liegt diesen Unterschieden ein biologischer Sinn zugrunde. Fruchtzucker gibt es das ganze Jahr über, so lange eben grüne Pflanzenteile vorkommen; er ist sozusagen das tägliche Brot und wird ohne Umschweife der Energiegewinnung zugeführt. Stärke in Samen gibt es nur vor Einbruch des Win-

ters, auch in tropischen Gegenden nur in Abhängigkeit von Regenzeiten usw.; daher wird sie über Insulin als Körperfett für magere Monate zurückgelegt.

Der Fluch der Kohlenhydrate

Wenn der Mensch nun im Neolithikum lernte, statt von der Jagd zu leben, größere Stärkemengen aus dem Getreidebau auf Lager zu halten und das ganze Jahr zu verzehren, musste sein Stoffwechsel vor einer ungewohnten Aufgabe stehen. Gab es zuvor auch etwas Stärke zu bestimmten Jahreszeiten, so gab es doch nie Stärke ohne Ende. Es ist verständlich, dass das ständige Angebot von Dextrose aus Stärke durch übermäßige Reizung des Inselorgans (wie ich glaube, an fetten Jugendlichen gezeigt zu haben) den menschlichen Stoffwechsel korrumpiert und damit eine Reihe von Zivilisationskrankheiten verursacht.

Am schönsten ergibt sich dies aus den Statuetten fettleibiger Frauen, die sich aus dieser Epoche erhalten haben (Abb. 51).

Als in der Jungsteinzeit, etwa 6 500 bis 4 500 v.Chr., der Ackerbau nach Europa kam und die Menschen damit mehr Kohlenhydrate zu essen hatten, mussten zwangsläufig einzelne hierzu besonders disponierte Individuen fett werden. Noch heute gibt es derartige in England zu sehen, wo bekanntlich die Kohlenhydrate erst später Eingang gefunden haben. Julius Caesar sah noch, wie die Gallier die Briten in die Geheimnisse des Ackerbaues einweihten.

Die Abbildungen zeigen solche Statuetten aus dem Neolithikum, die eine aus Willendorf (Österreich), die andere aus Malta. Die Menschen empfanden eine sol-

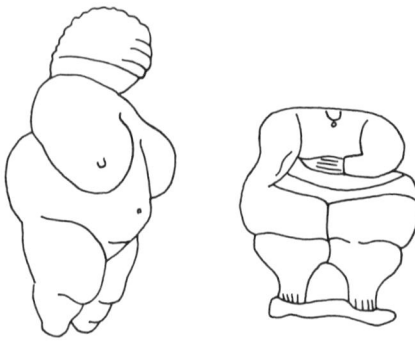

Abb. 51: Venus von Willendorf und steinerne Statue aus Malta (Neolithikum). Solche prähistorischen Statuetten fettleibiger Frauen fand man über die ganze Welt verstreut; man deutete sie als Idole der Fruchtbarkeit. Es muss aber doch damals schon fette Menschen gegeben haben, sonst hätten die prähistorischen Künstler sie nicht so treffend darstellen können. Ganz ohne Kohlenhydrate können solche Körperformen kaum entstanden sein.

che fette Figur als derart ungewöhnlich, dass sie sie mit göttlichen Attributen auszeichneten und zu Fruchtbarkeitsidolen machten. In Wirklichkeit waren es vielleicht die ersten Kohlenhydratkranken der Menschheit.

Die durch die Errungenschaften der neolithischen Revolution, vorzugsweise durch den Ackerbau ermöglichte Vermehrung des Menschen brachte weitere Nachteile. Natürlich gab es seit jeher auch unter den Menschen die verschiedenartigsten Krankheiten, besonders solche durch Bakterien und Viren, aber die räumliche Entfernung der kleinen Jägerhorden voneinander stand einer Ausbreitung von Infektionskrankheiten doch sehr im Wege. Die Zunahme der Erdbevölkerung im Neolithikum und die städtische Zusam-

menballung von Menschen in Mesopotamien, im Nil- und Industal muss Epidemien zur Folge gehabt haben, denn die Gründer dieser Siedlungen hatten wohl wenig Immunität und angeborene Infektabwehr gegen alle diese Krankheiten, die sich nun unbehindert ausbreiten konnten. Es muss unseren Vorfahren so ergangen sein, wie den Eskimos mit Masern und Tuberkulose, oder wie uns im Mittelalter mit der Lues, die uns die Spanier aus Amerika einschleppten, oder wie mit der Pest. Es musste der größte Teil der Bevölkerung, nämlich derjenige, der für diese Infektionen anfällig war, aussterben. Die wenigen Überlebenden mit der besseren Infektabwehr konnten dann die Stammeltern für die kommenden Generationen abgeben.

Kain und Abel

Eine Unzahl neuer Krankheiten muss sich also im Neolithikum eingestellt und der Menschheit den Eindruck vermittelt haben, von allen ihren Göttern verlassen zu sein. Die Zeitspanne, in der sich dieser gesundheitliche Umsturz abspielte, war jedoch gewaltig. Dinge, die über so lange Intervalle ablaufen, quasi im Zeitlupentempo, verlieren natürlich an Übersichtlichkeit. Hinzu kommt, dass die Kohlenhydrate, wie wir ja schon gesehen haben, die Erregbarkeit des Gehirns erhöhen und auf diese Weise vielleicht eine positive Rolle beim Aufbau der städtischen Organisationen bzw. bei den geistigen Fortschritten des neolithischen Menschen gespielt haben.

Alles das verhinderte, neben den großen ökonomischen und sozialen Vorteilen des Ackerbaues und der Massensiedlungen, eine Rückkehr zu den hygienischeren, aber primitiveren Verhältnissen der Vorzeit. Die Unterlegenheit der pflanzlichen Nahrung gegenüber der tierischen scheint sich aber doch in der Ur-Erinnerung der Menschheit erhalten zu haben. Es heißt z.B. in der Bibel (1. Moses, 4, Vers 1–5) von Abel und Kain, den Söhnen von Adam und Eva: „Abel ward ein Schafhirte, Kain ein Akkersmann. Nach geraumer Zeit geschah es nun, dass Kain von den Früchten des Akkers dem Herrn ein Opfer darbrachte. Auch Abel opferte von den Erstlingen seiner Herde, und zwar von ihren Fettstükken. Und der Herr achtete auf Abel und sein Opfer, aber auf Kain und sein Opfer achtete er nicht.“

Weiter heißt es bei der Vertreibung von Adam und Eva aus dem Paradies, dass Gott Eva verfluchte: Sie müsse in Zukunft ihre Kinder unter Schmerzen gebären. Heißt das, die menschliche Urerinnerung wusste, dass mit dem Ackerbau die Geburten schmerzhafter wurden? Ich habe einen Fall in Erinnerung: eine völlig schmerzlose Erstgeburt bei einer Diätpatientin. Man müsste dieser Frage nachgehen. Wenn man sieht, wie Tiere, z.B. Kühe, die noch normal ernährt sind, die Sache erledigen, könnte man schon glauben, die Schreie der Gebärenden in unseren „Kreisch“-Sälen seien auf den Verlust elastischer Fasern und damit auf unsere neolithische Diät zurückzuführen. Vergleiche dazu Stefanssons Bericht über die Eskimos auf Seite 7 und den Bericht von Herodot auf Seite 3.

Gewöhnung an Kohlenhydrate?

Mit der Erschließung neuer Möglichkeiten, die Ackerbau und Massensiedlungen boten, begaben wir uns also im Neolithikum auf den steinigen Weg der Entwicklung einer neuen Art, denn viele tausend Schritte der Evolution (Mutation, Kombination durch Paarung und nachfolgende Selektion) wären nötig gewesen, um aus Fleischfressern Kohlenhydratesser zu formen. Wir haben schon erörtert, dass dies der Natur bis heute nicht gelungen ist, dass wir auf unserem Wege schon nach den ersten Abschnitten stecken geblieben sind, und wir wollen im Folgenden überlegen, warum wir unser Ziel mit den Methoden, die sich in der Natur bisher immer bewährt haben, nicht erreicht haben und auch kaum je erreichen werden.

Vergegenwärtigen wir uns die riesigen Zeitspannen, die die Entwicklung vom Ur-Primaten vor etwa 70 Millionen Jahren über die 40 Millionen Jahre der Hominoidenzeit und die etwa fünf Millionen Jahre vom Schimpansen bis zum heutigen Menschen durchschreiten musste. Hat Stärke schon bei den Affen keine große Rolle als Nahrungsmittel gespielt, so sind nach dem Übergang auf die Jagd pflanzliche Produkte noch mehr zurückgetreten, bis in den Eiszeiten und in der Vor-Eiszeit der Mensch sich auf rein animalische Ernährung spezialisierte. Allein die harten Auslesebedingungen während der Glazialperioden müssen dazu geführt haben, dass sich unsere Natur völlig auf den Verzehr tierischer Produkte eingestellt hat. Im Vergleich zu diesen 2 bis 4 Millionen Jahren der Jagd und zu den vielen Zehntausenden von Jahren der Eiszeiten sind die 5 000 (in Europa 2 000) Jahre seit der Entdeckung des Ackerbaues viel zu kurz, um unsere eigene Natur an die neuen Ernährungsverhältnisse anzupassen. Für die Entstehung einer neuen Art rechnet man nach Heberer

200 000 bis 500 000 Jahre (eine so durchgreifende Änderung des Stoffwechsels, wie sie die Anpassung an eine völlig geänderte Ernährung bedeutet, kommt der Entstehung einer neuen Art gleich); nicht zu schaffen in 2 000 bis 5 000 Jahren!

Der zweite Grund hierfür liegt, wie gesagt, im Evolutionsmechanismus. Der Jäger lebte in ganz kleinen Horden, wo rasche erbliche Veränderungen an der Gesamtpopulation eher möglich sind. Um dies zu verstehen, müssen wir uns vergegenwärtigen, dass jedem Erbmerkmal, das von einem Elternteil stammt, ein Gegenstück vom anderen entspricht, und dass die meisten Merkmale rezessiv sind, d. h. nicht in Erscheinung treten, solange sie von einem anderen normalen Merkmal überdeckt werden. Erst wenn beide Eltern dasselbe (neue) Merkmal vererben, wird es sichtbar. Dieselbe Eigenschaft bei beiden Eltern findet sich aber fast nur bei Verwandten-Ehen, also dann, wenn – wie in kleinen Populationen – untereinander geheiratet wird. Man weiß seit altersher, dass dabei unerwünschte Erbmerkmale in Form von Erbkrankheiten häufiger auftreten; man erinnere sich nur an das Nebeneinander von Erbkrankheiten und hochwertigen Eigenschaften in Adelshäusern (weshalb Inzucht verpönt oder verboten ist). Die Erbregeln gelten aber für alle, auch für normale und positive Merkmale, die eine Art verbessern würden; sie kommen bei kleinen Populationen, also bei Inzucht, schneller zur Ausprägung und können sich rascher der Selektion stellen. In den kleinen sozialen Gruppen, in denen der Urmensch lebte, verlief die Evolution daher beschleunigt.

Der Getreidebau im Neolithikum ermöglichte, wie wir gehört haben, größere Populationen. Wenn die kleinen vorher die Evolution beschleunigt hatten, dann war es in den größeren umgekehrt. Neue Erbmerkmale kamen nicht mehr zum Vorschein, weil die Wahrscheinlichkeit, dass sie sich hinter alten versteckten, mit der Größe der Populationen und mit dem „Hinaus-Heiraten" aus der Sippe wuchs. Damit wurden Selektion und Evolution, die natürliche Anpassung des Menschen an die neue Ernährungsart, behindert. Die neolithische Revolution arretierte sozusagen die Evolution und verewigte damit die gesundheitlichen Nachteile des Getreidebaues. Da wir die grausamen Methoden der Natur, die Ausmerzung alles Untauglichen, ebenso wenig wieder einführen können wie die kleinen Populationen oder die Inzucht, da wir also kaum hoffen können, die Evolution zum Kohlenhydratesser nachholen zu können, wird uns nichts anderes übrig bleiben als die Rückkehr zu tierischer Nahrung, wenigstens der Verzicht auf ein Übermaß an Kohlenhydraten.

Anpassung an Kohlenhydrate

„Der Mensch stammt vom Affen ab" ist zwar ein Reizwort für alle Gegner von Darwinismus und Evolution, aber grosso modo sagt es aus, dass wir einmal, vor fünf bis sieben Millionen Jahren, vorwiegend Vegetarier waren.

Wir haben im vergangenen Kapitel gelesen, dass „wir" uns langsam vom Vegetarismus losgesagt und in Fleischesser verwandelt haben, eine Periode, die mehrere Millionen Jahre gedauert und im modernen Homo sapiens, „unserem Menschen" in der letzten, der Würm-Eiszeit, geendet hat. Dort mussten wir uns in etwa 100 000

Jahren völlig an fast rein tierische Nahrung angepasst haben.

Seit dieses Buch 1967 erstmals erschien und ich diese Evolutionstheorie vorstellte, hat sich auf dem Gebiet der Vorgeschichtskunde einiges ereignet, und manches ist heute klarer erkennbar als damals, aber meine Grundidee ist unverändert bestätigt worden: Wir hatten vom Vegetarier etwa drei Millionen Jahre Zeit bis zum Australopithecus, der vermutlich gemischte Nahrung zu sich nahm, aber in seinen späteren Formen wahrscheinlich Wildbeuter war, d.h. sich von dem ernährte, was Löwen schlugen, Hyänen und Geier zurückließen, also von Gehirn und Knochenmark der Beutetiere, weil „wir" die Hände frei hatten, um mit Steinen etc. diese fettreichen Organe (tierische Fette!) uns zugänglich zu machen. Von dort waren es wiederum wenigstens 2 000 000 Jahre des Homo erectus, der richtig jagte und uns schon sehr ähnlich war, bis zum Urwildjäger der Eiszeiten. Die genannten Zeitspannen haben jedenfalls ausgereicht, die entsprechenden Änderungen unserer Erbmasse durchzuziehen.

Vor 10 000 bis 12 000 Jahren zogen sich die Gletscher zurück und gaben das Land frei für Ackerbau und Viehzucht, also für eine Ernährung, die wir heute noch pflegen. War diese Zeitspanne ausreichend für eine Umstellung unseres Stoffwechsels auf die Verwertung von immer mehr Kohlenhydraten, war das, was unsere Natur in zwei bis drei Millionen Jahren fertig brachte, in 12 000 Jahren zu schaffen, in weniger als einem Prozent der Zeit?

Diese meine Adaptationstheorie, erstmals veröffentlicht 1989[33)], zeigt, dass die Ausbreitung des Ackerbaues, wie sie aus linguistischen[34)], archäologischen[35)] und genetischen[36)] Studien ersichtlich ist (siehe Abb. 28, 29, Seite 127), durch die Verbreitung unserer Zivilisationskrankheiten nachgezeichnet wird. Dort, wo die Kohlenhydrate zuletzt hinkamen, nach dem Nordwesten von Europa, zu den britischen Inseln, nach Schottland, Irland, Skandinavien und Sibirien, dort sind die typisch „westlichen" Zivilisationskrankheiten wie Herzinfarkte, multiple Sklerose, Diabetes I und Krebs viel häufiger als im nahen Osten und in Nord-Afrika, wo die Kohlenhydrate schon länger zu Hause sind (siehe die Abb. 30 bis 33, Seite 128 bis 129). Dort gab es diese Krankheiten viel früher, als der Ackerbau sich ausbreitete, als die Kohlenhydrate noch neu waren; man studiere die Berichte über die Krankheiten der alten Ägypter, die selbst die Pharaonen nicht verschonten. Heute haben diese Völker im Osten und Süden von Europa ihre Kohlenhydratadaptation im Wesentlichen hinter sich; sie haben gute Zähne trotz reichlich Kohlenhydraten in ihrer Nahrung, haben viel weniger an „westlichen" Krankheiten zu leiden als wir, die wir die Adaptation noch nicht ausreichend geschafft haben. Natürlich haben „wir" unsere mangelhafte Kohlenhydratadaptation in die Neue Welt exportiert, nach Amerika, Australien und Neuseeland, wo dieselben Krankheiten grassieren wie in „Old Europe".

Die Archäologen haben nicht nur festgestellt, dass es Zahnkaries nur dort gibt, wo Kohlenhydrate gegessen werden; sie haben auch gefunden, dass in der Türkei und in Griechenland die Skelette mit dem Einzug des Ackerbaues um einen Kopf kleiner wurden[37)]. Die Vorstellung, dass es die Kohlenhydrate sind und nicht die tierischen Fette, die uns schaden, ist noch nicht bis zu den Archäologen vorgedrungen;

trotzdem bringt jede neue Ausgrabung die Bestätigung für die Richtigkeit der Adaptationstheorie. Man kann sogar die Eroberung Südenglands durch die Römer und den Einfall der Kurgan-Völker, östlicher Reiterstämme in Mitteleuropa (Abb. 28, Seite 127), in der Krankheitshäufigkeit nachvollziehen. Wo die Römer in England waren, gibt es weniger „westliche" Krankheiten, weil die Römer die Kohlenhydrate schon früher hatten als die Anglosachsen und daher eine Kohlenhydratadaptation mitbrachten. Die Kurgan-Reitervölker (genannt nach ihren Hügelgräbern) waren mehr Hirten als Ackerbauer im Gegensatz zu den überfallenen Mitteleuropäern, weshalb sie deren Kohlenhydratadaptation störten. Wir haben deshalb in Polen, in der Tschechei und in Österreich mehr Herzinfarkte als in sonst vergleichbaren europäischen Regionen. Über das „French Paradoxon", die Differenz in der Herzinfarkthäufigkeit zwischen Frankreich und Finnland (Abb. 27, Seite 121) wurde ja schon gesprochen.

Wir können nun in die Zukunft und in die Vergangenheit extrapolieren. Ausgehend von den Erhebungen des Monica-Projekts der WHO bezüglich Herzinfarkten wird man sagen können, dass es etwa 10 000 Jahre an Kohlenhydratadaptation gebraucht hat, um die Herzinfarktrate im nahen Osten auf den heutigen Stand zu reduzieren. 10 000 Jahre sind 500 Generationen; vielleicht brauchen wir für eine ideale Adaptation noch einmal so viele. Es werden aber sicher die am Beginn dieses Kapitels genannten Zeiträume zur Evolution des Vegetariers über den Vor- und Frühmenschen bis zu uns für eine totale Anpassung an die jeweils geänderten Ernährungsverhältnisse mehr als ausgereicht ha-

ben. Zu einem erheblichen Grad sind wir Nord- und Mitteleuropäer daher heute noch Eiszeitjäger und müssen darauf in unserer Ernährung Rücksicht nehmen. Weder Medikamente noch genetische Tricks werden – unsere Generation wenigstens – davon befreien.

Auf der anderen Seite wissen wir es jetzt sozusagen amtlich, dass es die Kohlenhydrate sind, die uns krank machen; denn wären es die tierischen Fette, dann müssten die Franzosen mehr Herzinfarkte haben als die Finnen. Sie essen Butter und verachten Margarine, und unsere Krankheiten könnten nicht die Ausbreitung des Ackerbaues nachzeichnen.

Literatur:

1) Kühnau, J.: Arbeitstagg. Dtsch. Ges. f. Ern., Bonn (25-28. Oktober 1960).
2) Kühnau, J.: Kongr. Dtsch. Ges. Inn. Med., Wiesbaden (April 1961).
3) Leakey, L. S. B.: The stone age races of Kenya. Oxford University Press, London 1935.
4) Gaudry, A.: Le Dryopithéque. Mém. de la Soc. géolog. de France, Paléontologie Nr. 1, Paris 1890.
5) Vallois, H. V.: La paléontologie et l'origine de l'homme. Colloques internationaux du CNRS, Paléontologie Paris 1950.
6) Heberer, G.: Das Tier-Mensch-Übergangsfeld. In: Stud. Gen. (1958) 11.
7) Sarich, V. M., A. C. Wilson: Science 158 (1967) 1200.
8) Sarich, V. M., A. C. Wilson: Science 179 (1973) 1144.
9) Read, D. W., P. E. Sestrel: Science 168 (1970) 578.
10) Bennet, G. van, P. Cuatrecasas: Science 176 (1972) 803.
11) Hürzeler, J.: Triangel IV, Nr. 5 (1960) 163.
12) Hürzeler, J.: Oreopithecus bambolii, A preliminary report. In: Verh. Schweiz. Naturforsch. Ges. 69 (1958).

13) Montagu, A.: J. Amer. Med. Ass. (1964) 356.

14) Morris, D.: Der nackte Affe. Droemersche Verlagsbuchhandlung Th. Knaur Nachf. München/Zürich 1968.

15) Hardy, A. C.: New Scientist 7 (1960) 642.

16) Robinson, I. T.: Am. J. Physiol. & Anthrop. 12 (1954)181.

17) Heberer, G.: Fortschritte in d. Erforsch. d. Phylogenie d. Hominoideae. Ergebnisse der Anatomie und Entwicklungsgeschichte (1952) 32.

18) Heberer, G.: Das Tier-Mensch-Übergangsfeld. In: Stud. Gen. (1958) 11.

19) Heberer, G.: Das Praesapiens-Problem. In: Moderne Biologie, Festschrift zum 60. Geburtstag von H. Nachtsheim, 1950.

20) Heberer, G. (Hrsg.): Die Evolution d. Organismen. 1959.

21) Breuil, H.: Bull. of the Geol. Soc. of China, Bd. XI, Nr.2 (1931).

22) Koenigswald, R. v.: Meeting prehistoric man. Thomas & Hudson, London 1956.

23) Weidenreich, F.: Apes, Giants and Man. Chicago 1946.

24) Weidenreich, F.: Giant early man from Java and South China. Anthrop. Papers of the Am. Mus. of Nat. Hist. Bd. XI, Nr. 1, 1945.

25) Koenigswald, R. v.: Hundert Jahre Neandertaler, 1856-1956. (1958).

26) Morgan, E.: The Descent of Woman. Stein and Day, New York 1972.

27) Morgan, E.: The Aquatic Ape. Souvenir Press Ltd. London, 1982.

28) Sibley, C. G., J. E. Ahlquist: J. Mol. Evol. 20, 2 (1984).

29) Ziehlmann, A., N. Tanner: Female Hierarchies. Beresford Book Service, Chicago 1978.

30) Shipman,P.: Science, March-April 1985, 43.

31) Clarck, D., I. Glynn, R. Potts, H. Bauer, D. Gifford: Science Vol. 224, (1984) 861; Science Vol. 213 (1981)123.

32) Westenhöfer, M.: Der Eigenweg des Menschen: Die Medizinische Welt, W. Mannstaedt & Co., Berlin SW 11.

33) Lutz, W.: Arteriosklerose und Krebs – Fette oder Kohlenhydrate? Wien. Med. Wschr. 101 (1989), 429.

34) Renfrew, C.: The Origin of Indo-European Languages. Sci. Am. (Oct. 1989) 82.

35) Gimbutas, M.: The Civilization of the Goddess: The World of Old Europe, San Francisco, Harper, 1991.

36) Cavalli-Sforza, L.L., P. Menozzi, A. Piazza: Demic Expansion and Human Evolution. Science, 259 (Januar 1993) 639.

37) Angel, L.S.: Paleodemography and Health. In: Polgar, S. ed. Population Ecology and Evolution. Den Haag: Mouton (1975) 167-190.

38) Coppens, Y.: East Side Story, The Origin of Humankind. Sci.Am. (May 1994) 62.

Wie wirkt eine kohlenhydratarme Diät?

Ein Gegner meinte:

Der moderne Mensch leistet vorwiegend geistige Arbeit. Das Zentralorgan der geistigen Arbeit, das Gehirn, kann aber nur Glukose – also Kohlenhydrat – als Quelle der von ihm benötigten Energie verwenden. Da Fett nicht in Glukose umgewandelt werden kann, ist der Mensch von heute auf Kohlenhydratzufuhr angewiesen, wenn er in der Industriegesellschaft seinen auf geistige Leistung ausgerichteten Platz ausfüllen soll.

Wenn er – wie Lutz empfiehlt – kein Kohlenhydrat zu sich nimmt, muss er, um den Bedarf seines Gehirns zu decken, wertvolles Eiweiß seiner Nahrung oder seines Körpers in Zucker verwandeln. Das ist unökonomisch und teuer, und es entzieht dem Körper (auch dem Zentralnervensystem) wertvollstes Baumaterial seiner Zellen. Aus diesem Grunde muss die Konzeption des „Lebens ohne Brot" als theoretisch nicht hinreichend fundiert und den Ernährungsbedürfnissen des modernen Menschen nicht adäquat betrachtet werden, was natürlich nicht ausschließt, dass der Kohlenhydratkonsum des Menschen von heute sich innerhalb vertretbarer, dem Bedarf an Nicht-Fett-Kalorien entsprechenden Grenzen halten sollte[1].

Die Keto-Utilisation

Ich habe in meiner Entgegnung[2] darauf hingewiesen, dass das menschliche Gehirn nicht nur Zucker, sondern auch Ketokörper, die aus Fetten stammen, verbrauchen kann, und dass Zucker aus Fetten (aus Glyzerin, vielleicht auch aus Fettsäuren), vor allem aber aus Eiweiß erzeugt werden kann. Letzteres würde keine Schwierigkeiten machen, weil derjenige, der ohne Kohlenhydrate lebt, reichlich tierisches Eiweiß aus seiner Nahrung hierfür zur Verfügung hätte. Schließlich habe ich diese ganze Argumentation als zwecklos bezeichnet, weil nach langjähriger Erfahrung an mir und meinen Patienten selbst bei extremer Kohlenhydratbeschränkung das Gehirn nicht leidet. Es muss daher irgendwie in der Lage sein, seinen Nahrungsbedarf zu decken.

Fett verbrennt in Kohlenhydraten

Wegen seiner Bedeutung wollen wir das Problem nochmals im Zusammenhang erörtern. Wie bemerkt, hatten George F. Cahill jr. und seine Mitarbeiter sich in Boston für den Stoffwechsel an Hungernden interessiert, nachdem sich gezeigt hatte, dass man sehr stark übergewichtige Patienten oft nur durch totales Fasten abmagern kann.

Solche Patienten unter „Null-Diät" hat man genauen Stoffwechseluntersuchungen unterworfen und dabei festgestellt, dass das Gehirn tatsächlich, wie ich es behauptet hatte, nicht nur von Zucker, sondern auch von so genannten Ketokörpern leben kann[3]. Dieses Problem wurde bei der Erörterung der Fettsucht bereits ausführlich besprochen. Das Gehirn beginnt – wie inzwischen auch von anderer Seite bestätigt wurde[4)] – sich in einigen Tagen auf die Verwertung von Azeton, Betaoxybuttersäure und Azetessigsäure umzustellen, sämtlich Zwischenprodukte der Fettverbrennung. Wenn diese Umstellung in einigen Wochen beendet ist, verbrennt das Gehirn zwar immer noch etwas Zucker, zum größten Teil lebt es aber von Ketokörpern, d.h. von Fett.

Ich habe schon vor 50 Jahren auf der Hochschule gelernt, dass die „Fette im Feuer der Kohlenhydrate verbrennen", mit anderen Worten, dass die Fettsäuren, die hauptsächlichsten Energieträger des Fettes, nur dann vollständig abgebaut und zu Kohlensäure und Wasser verbrannt werden, wenn gleichzeitig Kohlenhydrate zur Verbrennung vorhanden sind. Man dachte, dass die Kohlenhydrate irgendwie die Energie zur totalen Fettverbrennung liefern, etwa wie man schweres Heizöl nur verbrennen kann, wenn man es vorheizt, oder wie man eine Wasserstoffbombe nur durch eine gewöhnliche Atombombe zünden kann. Man wusste aber nicht, wie die Kohlenhydrat- und die Fettverbrennung aneinander gekoppelt sind.

Und das weiß man wohl auch heute noch nicht genau. Aber es ist jetzt klar, wozu diese Koppelung dient: So lange der Organismus über reichlich Zucker verfügt, wie das für den Kohlenhydratesser zutrifft, lebt das Hirn von Zucker; die Fette können zur Energiegewinnung völlig abgegeben werden. Kommen aber aus der Nahrung keine Kohlenhydrate, dann wird die Fettverbrennung auf der Stufe der Ketokörper unterbrochen, damit für das Gehirn und andere anspruchsvollere Organe leicht brennbare Energiestoffe zur Verfügung ste-

hen. Dies ist nicht nur im Hunger, sondern auch im Kohlenhydrathunger, d.h. bei kohlenhydratarmer Diät, der Fall[5-6)].

Leben vom Zucker

Wie verläuft dieser Umstellungsprozess? Gehen wir einmal vom Normalverbraucher aus. Der Kohlenhydratesser verbrennt pro Tag durchschnittlich 150 g Glukose (Traubenzucker) für das Gehirn und 75 g für sonstige Organe, nämlich für Skelettmuskel, Herzmuskel, für weiße und rote Blutkörperchen. Insgesamt werden somit pro 24 Stunden etwa 225 g Traubenzucker verbraucht, was pro Stunde 9,4 g (etwa zwei Teelöffeln) entspricht. Beginnt eine Versuchsperson zu hungern oder, was dasselbe bedeutet, keine Kohlenhydrate mehr zu essen, dann wird zunächst durch einige Tage der alte auf Zuckerverbrennung aufgebaute Stoffwechsel beibehalten und der nötige Zucker aus Körpereiweiß erzeugt (Glukoneogenese). Für diese 225 g müssen 389 g Eiweiß verzuckert werden, was dem Fünffachen an Muskelfleisch oder Bindegewebe, also etwa 1,9 kg Körpersubstanz entspricht. Es ist klar, dass das nur einige Tage lang gehen kann, während der Hungertod erfahrungsgemäß erst nach ein bis zwei Monaten eintritt. Im Stoffwechsel des Hungernden muss sich daher etwas ändern.

Diese Änderung liegt im Übergang von Zucker- zu Fettverwertung. Kommt kein Zucker aus dem Darm, dann wird die Insulinproduktion, wie wir ja schon wissen, praktisch eingestellt und damit sowie durch eine erhöhte Absonderung von Wachstumshormon (STH) die Verwertung von Fett angekurbelt. Gleichzeitig werden die anspruchsvolleren Organe, die mit den Fettsäuren nichts anfangen können, auf die Verwertung von Ketokörpern umgestellt, indem die Fettsäurenverbrennung wenigstens zum Teil auf der Ketokörperstufe unterbrochen wird.

Der nächtliche Eiweiß-Zoll

Diese Stoffwechsel-Umstellung gelingt uns nur langsam, jedenfalls nicht innerhalb weniger Stunden und nicht etwa während der Nahrungspausen und während der Nacht.

Was macht nun das Gehirn des Kohlenhydratessers, wenn keine Kohlenhydrate aus dem Darm mehr angeliefert werden? Wir wissen, dass eine Verdauungsperiode, wenigstens was die Kohlenhydrate betrifft, nur etwa drei Stunden dauert. Mit unserem Frühstück kommen wir kaum bis zum Mittagessen und von dort kaum bis zum Abendessen. Mit dem Abendessen kommen wir jedenfalls nicht bis zum Frühstück, und Kohlenhydrate lassen sich bekanntlich nicht speichern. Sicher, Muskeln und Leber enthalten das Kohlenhydrat Glykogen, aber man weiß, dass es eher als Notreserve gedacht ist und nur ungern zur Deckung des Zuckerbedarfs zwischen den Mahlzeiten und nachts herangezogen wird.

Cahill[3] hat denn auch nachweisen können, dass bei gesunden Studenten, die um 22 Uhr ihr Abendessen einnahmen, schon um 1 Uhr nachts Alanin im Blut erscheint als Ausdruck dafür, dass Zucker für das Gehirn aus den Eiweißbeständen des Organismus erzeugt werden muss und dass die Glukoneogenese bis zum Frühstück immer mehr zunimmt. Sechs bis sieben Stunden lang lebt unser Hirn und leben unsere Blutzellen, z.T. auch die Muskeln, von der Verzuckerung unserer Eiweißbestände.

Cortisol als Mittler

Hier befinden wir uns auf einem uns bereits bekannten Gebiet. Wir wissen schon, dass der Kohlenhydratesser zur Abwehr von Unterzuckerungen Eiweiß auflösen muss und dass er dazu das Nebennierenrindenhormon Cortisol benötigt. Auch die nächtliche Glukoneogenese ist natürlich auf Cortisol als Mittler und damit auf eine erhöhte Tätigkeit des Hypophysenvorderlappens, eine erhöhte Produktion von ACTH angewiesen, denn Cortisol kommt nur auf Befehl von ACTH. An sich besteht beim Kohlenhydratesser, besonders wenn er übergewichtig ist, schon eine Tendenz zur Mehrproduktion von ACTH und Cortisol (daher die Striae, auch die Striae der Schwangeren). Natürlich kommt diese Überfunktion der Achse Hypophyse-Nebennierenrinde auch daher, dass der Kohlenhydratesser Nacht für Nacht auf seine Eiweißreserven zurückgreifen muss. Die Situation verschärft sich, weil zwischen Insulin und Wachstumshormon (STH) ein reziprokes Verhältnis besteht; je mehr Insulin, desto weniger STH. Kohlenhydratesser haben daher zu wenig Wachstumshormon, was wiederum auf einen verstärkten Gewebsabbau und auf eine Schwächung der Körpersubstanz hinwirkt.

Wie wirken Kohlenhydrate?

Wir können jetzt die negativen Wirkungen der Kohlenhydrate näher beschreiben:

Der viele Zucker im Darm verursacht Verdauungsstörungen im Sinne des Pankreasgang-Syndroms, weil er neben Insulin auch dessen Schwesterhormone aktiviert. Die verschiedenen Magen-Darm-Krankheiten, die Gastritis, Enteritis, Kolitis, die Colitis ulcerosa, die Durchfälle und die Verstopfung sowie die beschriebenen Störungen des Eisen- und Kalkstoffwechsels sind die Folge.

Zur Resorption des Zuckers durch die Darmwand und zur Bildung von Fett wird das Eiweißhormon Insulin benötigt. Man könnte nun denken, der Organismus erzeugt genau so viel Insulin, wie er jeweils braucht; diese Proportionalität zwischen Zucker und Insulin gilt aber nur für einen bestimmten Bereich. Wird zu viel Kohlenhydrat gegessen, dann wird wegen der insulinotropen Polypeptidhormone bei bestimmter erblicher Veranlagung mehr Insulin erzeugt als nötig und länger als nötig. Die Folge sind die flachen Blutzuckerkurven der übergewichtigen Jugendlichen und die Unterzuckerungen, die so genannten „Hypos". Andererseits resultiert daraus ein übermäßiges Wachstum des Fettkörpers, der schließlich in seiner Funktion Eigenständigkeit erlangt und von sich aus in den Zuckerstoffwechsel eingreift.

Es ist leicht verständlich, dass das Übermaß an Insulin, das im Organismus des Kohlenhydratessers kreist, Fett nicht nur im Fettgewebe, sondern auch anderswo aufbaut. Nach dieser Vorstellung entstehen unter dem Einfluss von Insulin aus Kohlenhydraten, die im Darm resorbiert werden, Fettstoffe bzw. ihre Verbindungen mit Eiweißkörpern, die Lipoproteide, die für die Entstehung der Arteriosklerose und vielleicht auch für die der Alzheimer'schen Krankheit eine wesentliche Rolle spielen.

In diesem Zusammenhang ist es von wesentlicher Bedeutung, dass Insulin nicht nur den Aufbau von Fetten katalysiert, sondern dass es gleichzeitig den Abbau der Fette, die Lipolyse behindert. Wer in seinem Stoffwechsel über sehr viel Insulin verfügt, wird daher nicht nur sehr viele Fette erzeugen und in seinen Arterien und in seinem Fettgewebe lagern, sondern er wird Fette auch nicht mobilisieren können. Schließlich wehrt sich die Zelle mit Hilfe der Rezeptoren in der Zellmembran gegen zu viel anflutende Nährstoffe (Zucker, Fette), womit deren Blutspiegel ansteigt.

Die Bekämpfung der erwähnten Unterzuckerungen und die Belieferung des Stoffwechsels mit Kohlenhydraten in den Nahrungspausen und nachts, wo die früher beschriebene Umstellung des Stoffwechsels auf die Verwertung von Fettsäuren kurzfristig nicht gelingt, erfolgt durch das Nebennierenrindenhormon Cortisol bzw. das übergeordnete Eiweißhormon ACTH. Der Hypercortisolismus, das Zuviel an Cortisol, spielt daher beim Kohlenhydratesser und seinen Krankheiten eine hervorragende Rolle. Seine Handschrift ist sozusagen permanent sichtbar, etwa in den Striae des übergewichtigen Jugendlichen oder der Schwangeren. Die Ähnlichkeit dieser Zustände mit der Cortisolkrankheit im engeren Sinne, dem Morbus Cushing, springt in die Augen.

Da die Aufgabe des Cortisols in erster Linie im Eiweißabbau zur Lieferung von Zucker liegt, ist es verständlich, dass sich ein dauernder Überschuss, wie er beim Kohlenhydratesser vorliegt, in einer Schwächung der aus Eiweiß bestehenden Gewebe manifestieren muss. Tatsächlich handelt es sich bei den Striae ja um streifige Stellen der Haut, in denen Eiweiß zur

Glukoneogenese herausgelöst wurde. Dieser Prozess ist freilich nicht auf die Haut beschränkt; er bietet sich dort nur dem beobachtenden Auge besonders deutlich an.

Alle Gewebe sind an dem Eiweiß-Zoll beteiligt: Eine Unmenge von Krankheiten, von der Rachitis bis zur Osteoporose des alten Menschen, von der Bindegewebsschwäche und den Bandscheiben bis zur Zahnkaries, wohl auch die Arteriosklerose, sind auf ein Übermaß an Cortisol, einen korrespondierenden Mangel an Wachstumshormon und die dadurch bedingte Katabolie zurückzuführen. Diese spielt eine sicher nicht unwesentliche Rolle beim Herzversagen und bei vielen anderen Prozessen, die etwa am Darm die Kohlenhydratkrankheit charakterisieren.

Cortisol hat schließlich einen erheblichen Einfluss auf die Erregbarkeit des Zentralnervensystems. Die Nervosität des zivilisierten Menschen ist eine Folge des Kohlenhydratgenusses und des dadurch erhöhten Cortisolspiegels. Krankheiten wie die Epilepsie dürften hierin wenigstens eine ihrer Wurzeln haben.

So wirkt die Diät

Wenn man die Kohlenhydrate nun auf das für uns Menschen natürliche Maß beschränkt, dann wird weniger Insulin über kürzere Zeiträume erzeugt; die Unterzuckerungen bleiben aus, und die Magen-Darm-Krankheiten heilen ab, weil die Insulin-Schwestern (Gastrin, V.I.P., Sekretin) sich nicht mehr veranlasst fühlen mitzumachen.

Nicht nur, weil im Darm weniger Substrat (Zucker) resorbiert wird, sondern weil Insulin, der Katalysator der Fettsynthese,

nur mehr in normaler Menge vorhanden ist, bleibt ein Übermaß an Fettbildung aus. Gleichzeitig wird die Blockierung der Lipolyse aufgehoben, und so kommt es, wenigstens beim Jugendlichen, zu einem Abbau des übermäßig angewachsenen Fettkörpers und damit zu einer normalen Figur. Es wurde ausführlich erörtert, warum beim fettsüchtigen Erwachsenen ein Erfolg manchmal ausbleibt.

Der Abfall des Insulinspiegels führt auch zu einer Normalisierung der Blutfettwerte, der Triglyzeride und des Cholesterins, damit wohl auch zu einer Verminderung des Arteriosklerose-Risikos.

Von besonderer Bedeutung ist die Anabolie, die Tendenz zum Aufbau von Körpersubstanz, die unter einer kohlenhydratarmen Diät einsetzt. Sie ist bedingt durch Abbau des Wirkungs-Zwillings, der durch zu viel Cortisol und zu wenig Wachstumshormon charakterisiert ist. Gewebeunfreundliche (katabole) Prozesse an der Haut, am Zentralnervensystem, an der Muskulatur – auch an der Herzmuskulatur beim Herzversagen – und am Knochen werden gestoppt, dadurch bedingte Krankheiten heilen. Da Altern sicherlich auch eine wesentliche katabole Ursache hat, bin ich überzeugt davon, dass wir mit weniger Kohlenhydraten länger leben könnten.

Derjenige, der auf eine kohlenhydratarme Ernährung übergeht, findet die damit eintretende psychische Beruhigung besonders angenehm. Sie ist bedingt durch das Absinken des Cortisolspiegels und durch Beruhigung der Schilddrüse. Es ist verständlich, dass Epileptiker häufig anfallsfrei werden und auf ihre Tabletten verzichten können.

Ich glaube auch, dass vieles in der Gesellschaft ruhiger verlaufen und dass es weniger kriminelle Taten, weniger Streit und Aufregungen, dafür aber mehr Glück geben würde, wenn es gelänge, die Menschen so zu ernähren, wie ihre Ur-Väter vor der neolithischen Revolution.

Die Hay'sche Trennkost

Der Antagonismus zwischen Insulin und Wachstumshormon erklärt auch die Wirkung der so genannten Hayschen Trennkost[11,12]. Hay hat beobachtet, dass sich seine Patienten besser fühlten, wenn er sie Eiweißkörper und Kohlenhydrate nicht gemeinsam, sondern nur getrennt verzehren ließ.

Er glaubte, dass „die Verwendung von zu viel Eiweiß und Kohlenhydraten der chemischen Zusammensetzung des Körpers widerspricht". Die Nahrung müsste 80% Basenbildner und nur 20% Säurebildner enthalten, und „der Magen kann nicht zugleich die Verdauung basen- und säurebildend betreiben". Eiweiß und Kohlenhydrate dürfen deshalb in einer Mahlzeit nicht zusammen gegessen werden.

Prof. Hans Glatzel schreibt: „Die Vorstellungen Hays vom Ablauf der Verdauungsvorgänge widersprechen den bekannten gesicherten Tatsachen der Verdauungsphysiologie. . ."[13]. Der Meinung bin ich auch.

Ich glaube aber nicht, dass Hay ein schlechter Beobachter war. Wenn man Eiweiß und Kohlenhydrate getrennt isst, bedeutet das doch, dass wenigstens eine Mahlzeit am Tage kohlenhydratfrei sein muss, etwa das Frühstück oder (meistens) das Abendessen. Dann verlängert sich aber die kohlenhydratfreie Periode, die sowieso

die Nachtzeit umgreift, um etwa sechs Stunden, d.h. sie reicht vom Mittagessen bis zum Frühstück oder aber vom Abendessen bis zum Mittagessen. Damit verlängert sich auch die Periode, in der keine Kohlenhydrate vom Darm dem Stoffwechsel angeboten werden, in der nur wenig Insulin und damit mehr Wachstumshormon produziert wird.

Die anabolen Kräfte werden damit durch die Haysche Trennkost bevorzugt und die katabolen zurückgedrängt, was nur im Interesse der Gesundheit sein kann. Es ist deshalb durchaus verständlich, dass sich solche Patienten wohler fühlen als andere, die alles durcheinander essen. Das Optimum wird allerdings wohl nur durch eine konsequente Beschränkung der Kohlenhydrate bei allen Mahlzeiten erzielt werden können.

Wie viel Broteinheiten?

Wir haben früher gesehen, dass der Stoffwechsel des Kohlenhydratessers 9,4 g Zucker pro Stunde benötigt. Rechnen wir, wie bereits einmal geschehen, mit drei Mahlzeiten zu je drei Stunden für die Verdauung, während welcher der Zuckerbedarf direkt aus dem Darm gedeckt wird, dann ergeben sich dafür 9 mal 9,4 = 84,6 g Kohlenhydrat. Dies entspricht ziemlich genau und sicherlich nicht rein zufällig 7 BE oder jener Grenze, ab der erfahrungsgemäß Kohlenhydrate schädlich sind. Ich verweise auf die Wiener Schule, welche in der Vor-Insulin-Ära ganz klare Vorstellungen darüber hatte, dass Diabetiker nicht mehr als 6 BE zu sich nehmen dürfen, wenn sie einigermaßen im Gleichgewicht bleiben wollen. Das heißt doch wohl, dass wir nur so viele Kohlenhydrate essen dürfen, wie unsere kohlenhydratverbrauchenden Organe noch während der Verdauungsperioden verwerten können, und dass wir es wegen der daraus resultierenden Folgen vermeiden müssen, ein Mehr an Kohlenhydraten mittels Insulin in Fett zu verwandeln.

Eigene Tests, die dies bewiesen, liefen wie folgt[7]: Fette Jugendliche haben, wie wir hörten, meist flache Glukosetoleranztests, die sich normalisieren, wenn man die Kohlenhydrate drastisch einschränkt. Dann wurde die Kohlenhydratration wieder schrittweise erhöht, und es wurde darauf geachtet, wann sich die Tests verflachen würden. Wie Abbildung 52 zeigt, tritt dies bei 6 bis 7 BE ein.

Man kann daraus schließen, dass jetzt wieder Insulin in nennenswerter Menge zum Aufbau von Fett aus Kohlenhydrat gebildet wird, d.h. dass unsere obige Rechnung und die ihr zugrundeliegende Annahme im Großen und Ganzen stimmen muss.

„Im Großen und Ganzen", d.h. es könnte sein, dass die Glykogenreserven weniger oder mehr herangezogen und dafür mehr oder weniger Eiweiß verzuckert bzw. dass während der Verdauungsperioden mehr oder weniger Fett aus Kohlenhydraten aufgebaut werden muss. Im Großen und Ganzen werden wir mit unserer Annahme von 6 bis 7 BE als obere Grenze des Zuträglichen aber richtig liegen.

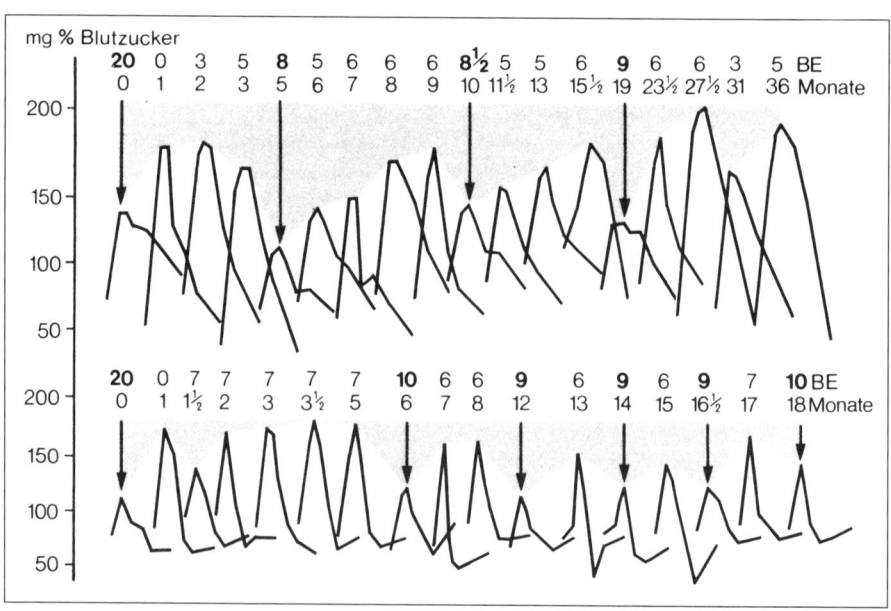

Abb. 52: Je eine Serie von Glukosetoleranztests (50 g Glukose oral) bei zwei fettsüchtigen Jugendlichen. Man erkennt die Abhängigkeit der Höhe des Blutzuckergipfels von der Kohlenhydratration: Je mehr Kohlenhydrate, desto flacher werden die Blutzuckerkurven, als Ausdruck dafür, dass die Kohlenhydrate den Insulinausstoß erhöhen (Hyperinsulinismus). Als Grenze der (wenigstens bei solchen Patienten) noch tolerierten Kohlenhydrate ergeben sich 7 BE.

„Nibbler" und „Meal Eater"

Man hat im Experiment gefunden, dass Tiere weniger Fett ansetzen, wenn man sie „nibbeln" lässt, d.h. wenn man die Nahrung (und damit die Kohlenhydrate) auf viele kleinere Mahlzeiten verteilt, anstatt sie auf wenige zusammenzudrängen. Hier liegt vermutlich eine Ursache dafür vor, dass der primitive Mensch, der von der Hand in den Mund lebt, trotz reichlich Kohlenhydraten in seiner Nahrung weniger leicht fett wird. Weitere Ursachen sind natürlich das Fehlen von Überfluss und der höhere Aktivitätsgrad der Muskulatur mit Mehrproduktion des Insulin-Antagonisten STH (Wachstumshormon)[8–10] und mit höherem Kalorienverbrauch. Eine dritte Ursache könnte – wie schon angedeutet – die Regression zum Affen und zu seinem auf Kohlenhydrate ausgerichteten Stoffwechsel sein. Alle diese Faktoren bewirken jedenfalls eine schwächere Tendenz zum Fettaufbau, eine geringere Behinderung des Fettabbaus und so weniger Arteriosklerose.

Wir kommen damit zu einer viel komplexeren Vorstellung von unseren Zivilisationskrankheiten. Die Abkehr von den ursprünglichen Lebensgewohnheiten des Menschen erfolgte zwar in erster Linie über die Zunahme des Kohlenhydratverzehrs, aber selbst eine so große „Sünde" gegen unsere Natur, wie reichlicher Verzehr von Getreide und Zucker, konnte fast noch ungestraft hingehen, solange wir von der Hand in den Mund lebten und für jede Kalorie laufen oder arbeiten mussten. Erst die totale Abkehr von unseren angestammten Lebensgewohnheiten, der übermäßige Genuss von Kalorien, reichlich Kohlenhydrate und reichlich Fett (die gute Hausmannskost), das Zusammendrängen der Nahrungsaufnahme in wenige große Mahlzeiten (der gedeckte Tisch) und unsere sitzende Lebensweise konnten das vollbringen, was wir heute als Fluch der Zivilisation zu tragen haben.

Gewebsabbau („Katabolie")

Ein Ding hat meistens zwei Seiten, so auch die Rolle des Cortisols der Nebennierenrinde im Stoffwechsel. Bisher haben wir uns damit befasst, dass der Kohlenhydratesser viel Cortisol benötigt, um routinemäßig Zucker aus Eiweiß herbeizuschaffen. Routinemäßig, weil eben ständig eher zu viel Insulin da ist und den Blutzuckerspiegel nach unten treibt, und weil außerhalb der Verdauungsperioden Zucker für das Gehirn beschafft werden muss. Cortisol macht diesen Zucker aus Eiweiß, aber nicht umsonst. Nicht ungestraft wird ständig Eiweiß in Zucker verwandelt. Es ist, wie wenn sich jemand nicht nur mal notfalls, sondern ständig Geld borgen muss; zuletzt fressen ihn die Zinsen.

Der Fluch des Borgens

Theoretisch ist natürlich alles in Ordnung, so lange man seine Zinsen bezahlt und das geliehene Geld wieder zurückgibt. So lange die Eiweiß-Depots bei der nächsten Mahlzeit wieder aufgefüllt werden können, bleiben wir im Eiweißgleichgewicht und können in der nächsten Nacht wieder Eiweiß in Zucker verwandeln.

Aber so einfach ist das offenbar nicht! Eiweiß ist kostbarer Körperbaustein und liegt nicht in Flaschen und Fässern bereit, damit die nächste Nacht etwas zu verzuckern habe. Es findet sich in Form von Muskelzellen oder Bindegewebsfasern, die eigentlich länger leben sollten. Ich habe keine Beweise dafür, dass es uns schadet, wenn wir unser Körpereiweiß so schlecht behandeln, aber ich halte es für sehr wahrscheinlich. Wir sahen schon bei den Striae der fettsüchtigen Jugendlichen und der Schwangeren, dass offenbar das ständige Herauslösen von Eiweiß mit dem Fortbestand normaler Gewebsqualität nicht vereinbar ist. Eine Frau, die in einer Schwangerschaft sehr ausgeprägte Striae entwickelt hat, ist nachher nicht mehr so schön wie vorher; die Haut über ihrem Bauch, an der Brust, am Gesäß ist runzelig und bleibt es für alle Zeiten.

Natürlich können wir es im Inneren des Körpers nicht so deutlich sehen wie außen, wir dürfen deshalb aber nicht glauben, dass Muskeln, Zähne, Knochen, Bandscheiben, Blutgefäße und alles, was aus Eiweiß besteht, ungeschoren davonkommen. Ich bin ziemlich sicher, dass viele Krankheiten, die wir uns nicht erklären können, auf diese ständigen Eiweißverluste zurückgehen.

Stellen Sie sich einmal vor, es würde Ihnen jede Nacht jemand ein Stück aus Ihrer Hausmauer herausreißen und tagsüber das Loch wieder zumachen; die Zahl der Mauerziegeln würde zwar gleich bleiben, aber nach ein paar Jahren würden Sie es dem Haus anmerken, dass jemand ständig am Werke war. Unseren Körpergeweben muss man es mit der Zeit anmerken, was ihnen Nacht für Nacht angetan wird.

Der Knochen wird weich

Ich sagte schon, dass ich in sechs Monaten einer kohlenhydratarmen Ernährung

meine Kreuzschmerzen, die mich jeden Morgen beim Erwachen geplagt hatten, verloren habe. Dabei war auf den Röntgenbildern weder an den Bandscheiben noch am Knochen etwas zu sehen. Wahrscheinlich war der Knochen zu schwach und schmerzte, wenn er bei längerem einseitigem Liegen auch einseitig belastet wurde.

Ich habe einige Patientinnen mit kohlenhydratarmer Diät behandelt, weil sie an so genannter Osteoporose, an Knochenschwund litten, der meist im Alter nach dem Klimakterium auftritt. Hier kann man beim Röntgen in der Regel schon eindeutig sehen, dass der Knochen zu wenig Kalk enthält, und das tritt ja nur auf, wenn auch zu wenig Eiweiß da ist. Die Störung liegt also nicht im Kalk-, sondern im Eiweiß-Stoffwechsel, weshalb man auch mit Kalkpräparaten und mit Vitaminen, die den Kalkeinbau fördern, nichts erreichen kann. Die neuere Behandlung mit Natriumfluorid muss sich erst auf lange Sicht bewähren und zeigen, dass sie ungefährlich ist. Mit kohlenhydratarmer Diät geht es aber in einigen Monaten meist aufwärts. Gerade alte Leute pflegen sich ja häufig nur von Kaffee und Kuchen – damit hauptsächlich von Kohlenhydraten – zu ernähren und empfinden eine Umstellung als ganz besonders wohltuend. Auf alle Fälle lehne ich die Idee ab, es sei das Klimakterium der Frau ein krankhafter Vorgang, die Zeit nachher sozusagen nur mehr ihrem Niedergang gewidmet. Das ist blanker Unsinn. Die Zeit nach dem Klimakterium ist ein genauso lebenswerter Abschnitt wie diejenige vorher, und sie muss nicht erfüllt sein von Krankheiten und Beschwerden. Ich glaube daher auch nicht daran, dass Osteoporose durch Hormonmangel bedingt ist, denn wenn die Natur die Fortpflanzungstätigkeit bei der Frau mit 50 Jahren einstellt, dann wird sie es schon richtig machen.

Bereits beim Jugendlichen gibt es eine ganze Zahl von Knochenerkrankungen, für die man bestimmte Mangelzustände verantwortlich macht, etwa die Rachitis. Man glaubt von ihr, sie beruhe ausschließlich auf einem Mangel an Vitamin D. Tatsächlich kann man der Rachitis des Säuglings durch rechtzeitige Verabreichung von Vitamin D oder so genanntem Kalzinosefaktor vorbeugen, und man kann eine floride Rachitis damit heilen. Das sagt aber noch längst nichts darüber aus, ob es sich wirklich nur um eine Avitaminose handelt. Es gibt wissenschaftliche Arbeiten, die darauf hinweisen, dass eine Überfütterung der Säuglinge mit Kohlenhydraten mitspielt.

Bei der Scheuermannschen Erkrankung der Wirbelsäule kommt es zu Einbrüchen an den Deckplatten der Wirbelkörper, bedingt durch den Druck der Bandscheiben. Diese sind prall-elastische Einlagen, die zwischen den Wirbelkörpern angeordnet sind und den Druck aufnehmen, der entlang der Wirbelsäule auftritt, wenn wir aufrecht gehen, besonders wenn wir Lasten tragen, wenn wir springen, skilaufen, Rad fahren usw.

Wenn der Prozess fortschreitet, dann verformen sich die Wirbelkörper; es entsteht sozusagen ein Loch neben dem anderen, und schließlich werden die Wirbel keilförmig. Der Betroffene bekommt einen Buckel, und keine noch so intensive Ermahnung eines Vorgesetzten ist in der Lage, aus ihm einen aufrechten Kadetten zu machen.

Derselbe Prozess, der die Wirbelsäule nach vorne beugt, kann sie auch seitlich verkrümmen. Aus einem geraden Bambus entsteht dann ein S; der Brustkorb wird von oben nach unten und schließlich auch seitlich zusammengedrückt; der Platz, der für Lungen und Herz bleibt, reicht oft nicht mehr aus. Solche Patienten sind in ihrer Lebensführung außerordentlich behindert.

Bisher hat niemand auch nur eine Idee geäußert, wie es hier zur Abnahme der Knochenfestigkeit kommen kann. Ich glaube, es ist immer derselbe Prozess: Er macht die Säuglinge rachitisch, die Jugendlichen skoliotisch oder kyphotisch (er versieht sie mit einem Rundrücken), und er macht unsere Alten osteoporotisch – es ist der Abbau an Körpersubstanz unter zu starker Kohlenhydratzufuhr zu bestimmten kritischen Zeiten, wie sie beim Jugendlichen das beschleunigte Längenwachstum und beim alten Menschen die in diesem Zeitabschnitt sowieso vorhandene Rückbildungstendenz bedeuten.

Rheuma – degenerativ. . .

Ich bin überzeugt davon, dass auch Arthrosen, Spondylosen und Bandscheibenerkrankungen, die als „Rheuma" eine so große volkswirtschaftliche Bedeutung haben und die Ärzte beanspruchen, auf diesen Prozess zurückgehen. Auch hier wird die Substanz verzuckert; der Knochen, das Bindegewebe und der Knorpel werden geschädigt, ihrer Widerstandskraft beraubt und unterliegen dann der mechanischen Zerstörung, weil sie die Last nicht tragen können, die ihnen aufgebürdet ist (zumal, wenn der Patient noch dazu fett ist), weil der Knorpel dem Abrieb nicht standhalten kann bei der ständigen Bewegung im Gelenk usw. Wie wäre es sonst möglich, dass eine Hüftgelenksarthrose wie meine (vergleiche Abb. 2) sich innerhalb weniger Monate so dramatisch bessert? Und Ähnliches habe ich bei meinen Patienten immer wieder gesehen.

. . . und entzündlich

Nun gibt es aber nicht nur degenerative (durch Abbau bedingte) Knochen- und Gelenkerkrankungen, wie die soeben besprochenen, sondern es gibt auch solche entzündlicher Natur. Man sollte eigentlich zwischen diesen beiden Formen sehr streng unterscheiden, denn die Aussichten einer Diätbehandlung sind bei beiden Gruppen recht unterschiedlich. Alles, was rein degenerativ ist, spricht sofort an, alles, was entzündlich bedingt ist, weniger oder überhaupt nicht. Leider handelt es sich in vielen Fällen um Mischformen, um degenerativ-entzündliche oder entzündlich-degenerative Krankheitsbilder, so dass man mit Diät nur die degenerativen Anteile günstig beeinflussen kann und damit rechnen muss, dass die entzündlichen sich verschlechtern.

Ich habe eine einschlägige Beobachtung an mir selbst. Ich litt, wie berichtet, etwa seit meinem 42. Lebensjahr an einer Hüftarthrose, die sich auf Kohlenhydratbeschränkung ganz wesentlich besserte. Fünfzehn Jahre lang war ich praktisch beschwerdefrei, obwohl die Gelenkkörper ziemlich deutliche Verformungen aufwiesen. Nun erlitt ich im Jahre 1972 bei einem Sturz eine Verletzung an der linken Schulter. Ich musste zweimal operiert werden, wobei der Knochen sich mehrere Bohrlöcher und auch sonst einiges gefallen lassen

musste, so dass mein Schlüsselbein mit einer deutlichen Knochenhautentzündung reagierte. Es dauerte nicht lange, und mein linkes Hüftgelenk begann sich zu melden, obwohl ihm doch gar nichts passiert war. Gelenk- und Knochenmaterial war durch den Unfall und die Operationen in den Blutkreislauf eingebracht worden und hatte Immunreaktionen aktiviert, die sich sofort dem altbekannten Kampfplatz am Hüftgelenk zuwandten.

Man wird unter diesen Umständen verstehen, dass rein entzündliche Gelenkerkrankungen auf eine Kohlenhydratbeschränkung nicht oder wenigstens zunächst nicht günstig ansprechen, vor allem deshalb, weil eine solche Ernährung die Cortisolproduktion reduziert und den Körper damit der stärksten Waffe gegen überbordende Entzündungen beraubt. Das gilt besonders für typische Immunkrankheiten, etwa die primär chronische Polyarthritis, bei der man – wie beim Bronchialasthma – mit diätetischen Maßnahmen sehr vorsichtig sein muss. Ich sage nicht, dass man bei diesen Patienten jeden Versuch unterlassen soll, denn letzten Endes kann meiner Meinung nach ein Schwerkranker nicht gesünder werden, wenn man nicht eine Wurzel der Erkrankung, nämlich die Fehlernährung, beseitigt. Aber die Umstellung muss doch vorsichtig und begleitet von entsprechenden ärztlichen Maßnahmen erfolgen.

Literatur:

1) Kühnau, J.: Leben ohne Brot? Dtsch. med. Wschr. 93 (1968) 2089.
2) Lutz, W.: Dtsch. med. Wschr. 94 (1969) 338.
3) Cahill, G. F. jun., E. B. Marliss, T. T. Aoki, in: Adipose Tissue, Regulation a. metabol.

Function. Hrsg.: B. Jeaneraud and D. Hepp. Georg Thieme-Verlag Stuttgart 1970, 181.

4) Gottstein, U., W. Müller, W. Berghoff, H. Gärtner, K. Held: Klin. Wschr. 49 (1971) 406.

5) Bloom, W. L., G. L. Azar: Arch. intern. Med. 112 (1963) 333.

6) Laube, H., K. Köhle, H. Ditschuneit, E. F. Pfeiffer: Dtsch. med. Wschr. 97 (1972) 830.

7) Lutz, W.: Leben ohne Brot. 2. Aufl. Selecta-Verlag, Planegg 1969.

8) Schole, J.: Tagg. d. Ges. f. Ernährungsphysiologie d. Haustiere, München 1972.

9) Fonseka, C. C., W. M. Hunter, R. Passmore: J. Physiol. 177 (1965)10.

10) Schalch, D. S.: J. Lab. Clin. Med. 69 (1967) 256.

11) Walp, L., J. Walp: Die Haysche Trennkost. Haug-Verlag, Heidelberg 1956.

12) Hauswirth, O.: Rationelle Begründung der Hayschen Trennkost. Erfahrungsheilkunde 9 (1981) 687.

13) Glatzel, H.: Wege und Irrwege moderner Ernährung. Hippokrates Verlag, Stuttgart 1982.

Für und Wider

Wenn ich jetzt, nachdem mein Beobachtungsmaterial dargelegt wurde, versuche, nochmals alles das zusammenzustellen, wovon ich glaube, dass es für meine These spricht, dann weniger, um einen Gegner zu überzeugen, als um die Neutralen auf dem Gebiete im Zusammenhang zu informieren. Denn jemandem, der sich mit Ernährungsfragen wenig befasst hat, muss vieles, was er bisher hier gelesen hat, neu und verwirrend sein.

Ich habe mir, als die erste Auflage dieses Buches erschien, viel mehr und viel heftigeren Widerspruch erwartet. Er kam auch kaum von den Universitäten und Instituten, sondern fast ausschließlich von Stellen, die sich weniger wissenschaftlich als praktisch mit Ernährungsfragen befassten und denen man daher auch ein Interesse daran zuschreiben muss, dass an den bisherigen Vorstellungen und damit an ihrem Behandlungssystem nicht gerüttelt wird. Das soll aber nicht heißen, dass ich Schweigen als Zustimmung betrachte; eher vielleicht als Anerkennung dafür, dass ich versucht habe, meine Thesen durch die gegenständliche Literatur und durch eigene Beobachtungen und Versuche wissenschaftlich zu untermauern.

Der nackte Affe

An meiner ersten These, ich möchte sagen, an den Grundfesten meines „Dogmas" – wie einer meiner Freunde meine Theorie nannte – wurde eigentümlicher-weise nicht gerüttelt. Das ist natürlich nicht darauf zurückzuführen, dass es allen meinen Kollegen so plausibel wäre, sondern darauf, dass es in der Zwischenzeit modern geworden ist, sich mit der menschlichen Stammesgeschichte zu befassen. Es hieße, gegen den Strom zu schwimmen, wollte man leugnen, dass der Mensch „vom Affen abstammt", d.h., dass die Menschen-Affen und der Mensch einen gemeinsamen Ahnen haben, der etwa zehn bis fünfzehn Millionen Jahre vor unserer Zeit als verhältnismäßig undifferenziertes Wesen gelebt haben dürfte und noch die Potenz zur weiteren Entwicklung in der einen oder anderen Richtung in sich trug: Die eine Richtung war der tropische Urwald und die Entwicklung zum „Hangler", die andere der Weg hinaus in die Steppe oder ins Wasser und die Entwicklung zum Menschen.

Details kann man vorläufig nur ahnen. Man vermutet, dass die Gegend von Afar, wo das Skelett von „Lucy" gefunden wurde (Abb. 48, Seite 187) eine Rolle in der Menschheitsentwicklung gespielt haben, dass organisierte Jagd in Gruppen, der feste Wohnsitz, die Monogamie und als Grundlage von alldem – die Fleischesserei sich dort entwickelt haben. Zu weit sind Bücher wie „Adam kam aus Afrika" von Robert Ardrey[1] oder „Der nackte Affe" von Desmond Morris[2] verbreitet, als dass jemand heute noch wagen würde, ernsthaft Einwände zu bringen wie die, der Mensch sei seinem Darm oder seinem Gebiss nach Allesfresser usw.

Anscheinend zweifelt auch niemand mehr ernsthaft daran, dass er in seiner bisherigen Entwicklung bis zum Neolithikum vorwiegend Fleisch gegessen habe. Angesichts der Aufgeschlossenheit der öffentlichen Meinung gegenüber den paläoanthropologischen Feststellungen, gegenüber den eindrucksvollen Funden in den vormenschlichen Wohnstätten und gegenüber dem offenbar ubiquitären Kannibalismus – angesichts der schon fest konsolidierten Vorstellungen von der Nahrung des Ur-Menschen wagt niemand mehr das Bild eines Vorfahren zu zeichnen, der tierliebend und freundlich zu allen ihn umgebenden Lebewesen den Urwald oder Busch durchstreifte und sich von Wurzeln, Blättern und Früchten ernährte. Alle die schwierigen Umstellungen, die der Mensch durchmachen musste, um sich als Raubtier unter seinesgleichen in der offenen Steppe durchzusetzen, die Entwicklung zur Monogamie, zur Sprache, zur Organisation in der Gruppe und damit die Entwicklung des Gehirns und des Intellektes wären umsonst gewesen, wenn wir mit all dem nichts anderes gemacht hätten als unsere Vorfahren, die Affen, nämlich uns auf vegetarische Art zu ernähren.

1:1000

Es wundert mich also nicht, dass man darauf verzichtet hat, zu diesem Fundament meiner These, nämlich zur Frage der menschlichen Stammesgeschichte, Stellung zu nehmen. Denn man erspart sich damit auch die Auseinandersetzung mit meiner zweiten These, die da sagt, dass die Trägheit der Erbmasse eines höherentwickelten Säugetieres sprunghafte Anpassungen an geänderte Umweltbedingungen nicht zulässt. Ich meine damit, dass der Mensch, der sich mühsam in fünf oder gar in sieben Millionen Jahren vom behaarten Urwaldbewohner zum nackten Raubaffen mit großem Hirn, hervorstechender Intelligenz und einem Stoffwechsel, der auf den Genuss tierischer Nahrung eingerichtet war, emporentwickelt hatte, sich nicht in 1‰ dieser Zeit, in acht-, fünf- oder gar zweitausend Jahren wieder auf Kohlenhydratnahrung umstellen konnte. Wären wir nämlich in der Lage gewesen, uns so rasch zu ändern, warum haben wir dann nicht von dieser Möglichkeit etwa während der Klimaschwankungen in den Glazialperioden des Pleistozäns Gebrauch gemacht? Es wäre doch praktisch gewesen, in den Eiszeiten den Pelz anzulegen, den wir im Wasser zurückgelassen hatten, und ihn in den Warmzeiten wieder in den stammesgeschichtlichen Schrank zu hängen. Stattdessen mussten wir unsere Zeit mit der Anfertigung von Pelzkleidern vergeuden.

Bei allen unseren Überlegungen über die dem Menschen angemessene Ernährung müssen wir uns vor Augen halten, dass wesentliche Änderungen unserer Erbmasse seit der Steinzeit nicht erfolgt sind, weil sie selbst bei einem Leben in kleinen Horden mit entsprechender Inzucht und selbst bei rascher Generationenfolge viel mehr Zeit gebraucht hätten. Nach Heberer[3] sind 250 000 Jahre das Mindeste, das für die Ausbildung einer neuen Art nötig ist, wesentlich mehr als der Mensch seit der Erfindung des Getreidebaus zur Verfügung hatte. Wir müssen es daher akzeptieren:

Wenn einer von uns heute zur Welt kommt, dann besitzt er die erbliche Ausstattung derjenigen unserer Vorfahren, welche vor 20 000 Jahren die Höhlenbilder malten und ihren Lebensunterhalt fast ausschließlich durch die Jagd bestritten. Wir sind dieselben Fleischfresser (fast möchte ich sagen: dieselben Kannibalen) geblieben, und es ist wohl kein Zufall, dass wir auch in unserem Verhalten die Eigenschaften zeigen, die den Vormenschen zugeschrieben werden[1,2].

Man wird einwenden, diese schöne Theorie stehe und falle damit, dass nicht neue vormenschliche Funde neue Tatsachen zu Tage fördern. Sicher, es könnte sein, dass man in einer Schicht, die – sagen wir – 250 000 Jahre alt ist, einen Vormenschen findet mit einem Gebiss, das die Abnützungserscheinungen, und mit einem Schädel, der die Logen für die dicken Kaumuskeln des Pflanzenfressers zeigt.

Ich glaube aber nicht, dass mich dies angesichts meiner Beobachtungen an mir selbst und an meinen Patienten zur Änderung meines Dogmas bringen könnte. Ich würde daraus nur folgern, dass dieser Typ nicht unser Ahne war. Ich glaube aber, dass wir diesen Vormenschen nicht finden werden.

Weil man einerseits zugeben muss, dass unsere Vorfahren bis zum Neolithikum Fleischfresser waren, und andererseits nicht zugeben will, dass die Kohlenhydrate unnatürliche Nahrungsbestandteile sind, sondern glaubt, dieses Attribut den Fetten vorbehalten zu müssen, sucht man nach Ausreden. Anders kann ich es nicht bezeichnen, wenn immer wieder behauptet wird[4,5], wir hätten als Eiszeitjäger viel laufen und auch sonst schwer arbeiten müssen, so dass eine fettreiche Ernährung zweckmäßig gewesen wäre; heute aber – im Zeitalter der Maschinen und der Roboter – könnten wir das viele Fett in der Nahrung nicht mehr brauchen. Reichlich Kohlenhydrate benötigten wir schon deshalb, weil unser Gehirn nur Glukose verwerten könne. Glukose könne zwar aus Eiweiß erzeugt werden, Eiweiß wäre aber viel zu schade zur Energiegewinnung; es müsse zum Aufbau und zur Erhaltung der Körpersubstanz reserviert bleiben. Darauf wurde ja schon entgegnet.

Wir haben nicht nur in den zoologischen Gärten, sondern auch auf jedem Bauernhof Gelegenheit festzustellen, dass die Tiere deshalb, weil sie nicht mehr laufen und herumspringen können, kein anderes Futter brauchen. Weder der Löwe wird krank (und braucht etwa Kohlenhydrate), weil er im Käfig sitzt, noch die Kuh braucht etwas anderes als Gras und Heu, weil sie im Stall steht. Es vermindert sich zwar die benötigte Kalorienmenge, aber es ändert sich nicht die Nahrungsqualität, wenn man „sitzt".

Hat man umgekehrt je davon gehört, dass die wenigen Menschen, die heute noch in der westlichen Zivilisation schwer arbeiten, wie Sportler, Möbelpacker, Holzknechte usw., nicht an unseren Zivilisationskrankheiten litten? Zumindest für sie müsste nach dieser Theorie doch das viele Fett, das wir (neben den vielen Kohlenhydraten) verzehren, völlig unschädlich sein.

Das Gegenteil ist richtig. Unsere bäuerliche Bevölkerung, die bis zum Einsetzen des Landmaschinen-Booms von früh bis abends wirklich schwer arbeiten musste, hatte die größten gesundheitlichen Schäden, Übergewicht, häufig Krampfadern und eine sehr schlechte Lebenserwartung durch Arteriosklerose. Körperliche Tätigkeit allein ist also kein Schutz gegen Krankheit.

Zu einseitig?

Es ist mir vorgeworfen worden, ich steckte für meine kohlenhydratarme Diät ein viel zu breites Indikationsgebiet ab. Diesen Eindruck habe ich selbst oft gehabt. Ich bin mir manchmal etwas komisch vorgekommen, wenn ich innerhalb einer einzigen Familie der Tochter, die zu dick war, dieselbe kohlenhydratarme Diät verordnete wie dem Vater, der einen hohen Blutdruck hatte, oder der Mutter mit Durchfällen. Aber diese „Superindikation" liegt eben in der Natur der Sache: Sie liegt in der Vorstellung, dass die Kohlenhydrate ganz allgemein krank machen, dass sie mehr oder weniger alle unsere Zivilisationskrankheiten verursachen und dass man immer damit beginnen muss, diese grundlegende Störung auszuschalten. Dass man daneben auch noch andere ärztliche Maßnahmen einleiten muss, dass bei bestimmten Zuständen gerade der Entzug von Kohlenhydraten Schwierigkeiten verursachen kann, das sollte ja in diesem Buch besonders hervorgehoben werden.

Geht es auch anders?

Die Tatsache, dass es verschiedene Populationen auf der Erde gibt, welche relativ alt werden und manche unserer Zivilisationskrankheiten nicht haben, obwohl sie vorwiegend von Kohlenhydraten leben, hat seit je die Phantasie der Ernährungsforscher entzündet. In der Regel wird die Vorstellung geäußert, dass alle Nahrungsmittel, auch die Kohlenhydrate, dem Menschen zuträglich sind, wenn sie nur in ihrer ursprünglichen Form, undenaturiert genossen werden und nicht mit An-

tibiotika, mit Hormonen oder Insektiziden in Berührung kommen. Die gängigste Auffassung verteufelt den Zucker und das Weißmehl, während Kohlenhydrate in Form von Vollkorn, von frischem Obst usw. als harmlos betrachtet werden. Wir wollen uns dies jetzt einmal näher ansehen.

In einem früheren Kapitel haben wir gehört, dass es sowohl unter den Fleisch- und Fettessern als auch unter den Völkern mit sehr hohem Kohlenhydratanteil langlebige Stämme gibt. Der älteste Mensch überhaupt hat nur von Hühnersuppe, Käse und Yoghurt gelebt, aber auch in den Anden in Vilcabamba, bei reichlich Kohlenhydraten, finden sich viele langlebige Personen.

Recht gut bekannt ist das kleine Volk der Hunsa mit einigen tausend Seelen, das sich in einem abgelegenen Hochtal Kaschmirs bis zur Grenze seiner Lebensfähigkeit ausgedehnt hat und von etwas Gerste, Kartoffeln und Aprikosen, von wenig Milch und von ganz wenig Fleisch lebt. Die Hunsa sind typisch für das, was man als Ausnutzung einer ökologischen Nische bezeichnet: Ein tierischer Stamm gelangt in eine bis dahin nicht besiedelte, begrenzte Umgebung und vermehrt sich so lange, bis diese Nische durch seine Angehörigen völlig ausgefüllt ist und damit der Nährboden knapp wird. Nun besteht ein Gleichgewicht zwischen dem Nahrungsangebot und der Zahl der Stammesgenossen, die sich davon ernähren müssen. In Hungerjahren sterben einige weniger kräftige Individuen ab, und die Zahl der Nachkommen geht zurück. In fetten Jahren wächst wieder etwas nach. Niemals aber gibt es nennenswerten Überfluss.

Typisch dafür ist der Bericht eines englischen Augenarztes, der bei einem älteren Hunsa eine Staroperation durchführte.

Der König ließ den Arzt zu sich kommen und machte ihm heftige Vorwürfe, dass er auf diese Weise das Leben eines alten Menschen verlängert habe, wo doch für viele junge nicht genug zu essen da sei.

Die Berichte vom Kriegsschauplatz in Ostasien haben uns ebenfalls gezeigt, dass die dortigen Menschen, die von einer Schüssel Reis pro Tag leben müssen, relativ gesund sind und ausgezeichnete Zähne haben. Untersuchungen amerikanischer Militärärzte haben ergeben, dass gefallene Jugendliche kaum Anzeichen beginnender Arteriosklerose zeigen im Gegensatz zu gleichaltrigen US-Amerikanern. Bekannt ist auch, dass kubanische Zuckerrohr-Ernter, die von früh bis abends süßes Zuckerrohr kauen und damit sehr viel Kohlenhydrate zu sich nehmen, gute Zähne haben. Wie kann man das erklären?

Die Regel der 20 Jahre

Cleave und Campbell[6] beobachteten Inder, die nach Natal umgesiedelt wurden und in europäisch geleitete Fabriken bzw. Plantagen kamen, und Zulus, die aus dem Stammesverband herausgelöst wurden und dadurch in den Sog westlicher Zivilisation gelangten. In beiden Fällen traten nach etwa 20 Jahren die typischen Zivilisationskrankheiten auf, nämlich Übergewichtigkeit, Diabetes, Krampfadern, hoher Blutdruck, thrombotische Erkrankungen und Koli-Infekte.

Die beiden Autoren, die in den Kohlenhydraten an sich keine schädlichen Nahrungsmittel erblicken, führen die gesundheitlichen Schwierigkeiten bei den so Entwurzelten auf den Genuss von Raffinadezucker und Weißmehl, d.h. letzten Endes

darauf zurück, dass die Kohlenhydrate ohne die natürlichen Beigaben, die Hülle, den Keimling usw. gegessen werden. Das kann natürlich eine Rolle spielen. Wer viele Kohlenhydrate isst, benötigt mehr Vitamine des B-Komplexes, und diese finden sich hauptsächlich im Keimling. Die Beriberi, eine Nerven- und Herzmuskelentzündung, die durch den Mangel an Vitamin B1 bedingt ist, kommt typischerweise nur dort vor, wo geschälter Reis gegessen wird.

Die Quantität der aufgenommenen Nahrung spielt aber sicherlich auch eine erhebliche Rolle. Im Kapitel über Arteriosklerose wurde diese Vorstellung ausführlich begründet. So lange ein Inder oder ein Zulu im Stammesverband unter ganz primitiven Verhältnissen lebt, besser gesagt hungert, hat sein Körper keine Möglichkeit, überschüssiges Fett anzusetzen, und auch keine Möglichkeit, übermäßig Insulin zu bilden, weil jede Kohlenhydratkalorie sofort in die Muskeln wandert und dort verwertet wird. Zum Aufbau von Fett kann es dabei gar nicht kommen.

Gelangen diese Menschen in den Sog der westlichen Zivilisation, d.h. vom Hunger in den Überfluss, dann ändert sich das Bild. Die Muskeln verbrauchen nicht mehr alles, was der Darm liefert. Die vielen Kohlenhydrate in der Nahrung wirken sich nun aus; sie stimulieren die Insulinproduktion, Insulin erzeugt Fett, und damit beginnt der Kreislauf, den wir schon kennen.

Ich glaube aber, dass hier noch etwas anderes mit im Spiele ist. Im Kapitel über Krebs wurde dargestellt, wie unsere Natur zu Vorstadien zurückgreifen kann, die Millionen von Jahren vor uns lebten, wie wir sozusagen nichts wirklich vergessen, was wir einmal auf dem Wege zu unserer heutigen Gestalt durchlaufen haben.

Zurück zu den Affen

Wir haben mit den Affen bzw. den Menschenaffen einen gemeinsamen Stammvater, dessen Fossilien wir noch nicht gefunden haben, der aber vor sieben bis zehn Millionen Jahren gelebt haben muss. Seither haben wir uns von unseren Vettern, den Menschenaffen, langsam entfernt; immerhin stimmen wir mit ihnen aber noch in 99% unserer Erbmasse überein. Wir sind also noch zu 99% unserer „Software" Affen, und darin steckt unsere Fähigkeit, vegetarisch zu leben, denn die Affen bzw. die Menschenaffen waren reine Vegetarier (Vegans), wenn man auch beobachtet hat, dass sie gelegentlich ein Beutetier fangen und verzehren (Jane Goodall). Wie bereits im Kapitel über Krebs ausgeführt, erinnert sich unsere Natur mehr oder weniger genau an alle Schritte der Evolution, die letztlich zu uns Menschen geführt haben. Von den Affen her war es nur ein kleiner Schritt.

Untersuchungen der Krebsforscher im Deutschen Krebsforschungszentrum[16] fanden dementsprechend auch, dass echte Vegetarier, also Vegans, anscheinend wesentlich gesünder sind als Normalbürger, die „von allem etwas" essen. Sie sind weitgehend frei von „Risikofaktoren", die für Herzinfarkte verantwortlich gemacht werden; sie neigen nicht zu Fettsucht und haben demnach auch eine höhere Lebenserwartung.

Es gibt allerdings einige Schwachpunkte der vegetarischen Diät: In Israel haben die Kinderärzte festgestellt, dass die Säuglinge eingewanderter vegetarischer Juden eine ungewöhnlich hohe Sterblichkeit aufweisen, und dieser Ansicht haben sich, wie ich sehe, nun auch die Pädiater in Europa an-

geschlossen. Vegetarier, sofern sie es mit der Diät ernst nehmen, neigen zu niedrigen Eisenwerten (im Blut) sowie zu Blutarmut. Wir wissen es schon (siehe Hyposiderose). Das Eisen in pflanzlichen Nahrungsmitteln ist viel schwerer aus der Nahrung zu gewinnen als das Eisen im Fleisch. Die Affen konnten es noch; wir aber haben es inzwischen verlernt. Es steckt wohl in dem einen Prozent unserer Erbmasse, die wir seit der Affenzeit erworben haben. Sicher spielt auch das für die Blutbildung (und nicht nur dafür) sehr wichtige Vitamin B_{12} eine Rolle, denn es findet sich vorwiegend im Fleisch.

Eisen und Vitamin B 12 kann man ersetzen (künstlich zuführen); ich habe auch erfahren, dass vegetarisch eingestellte Ärzte ihre Patienten damit versorgen. Es könnte aber sein, dass noch andere, bisher verborgene Nachteile mit der vegetarischen Diät verbunden sind. Dies könnte man nur feststellen, wenn man Vergleiche der Lebenserwartung von Menschen verschiedener Ernährungssysteme anstellen könnte. Menschen sind aber langlebig; ein solcher Versuch würde mehrere Generationen von Forschern erfordern.

Wir kommen damit zu den „unreinen" Vegetariern. Die Ovo-Lakto-Vegetarier essen zusätzlich zur Pflanzenkost Eier und trinken Milch; beide Nahrungsmittel enthalten Eisen und Vitamin B 12, allerdings verglichen mit Fleisch in sehr kleinen Mengen. Immerhin werden gewisse, in Pflanzen kaum vorhandene Aminosäuren (zum Eiweißaufbau) damit zugeführt. Inwieweit sie wirklich nötig sind, ist fraglich, denn sonst könnten Vegans ja nicht lange überleben.

Der Großteil der Vegetarier hält sich aber gar nicht an die Affenkost; er isst nicht nur rohes Gemüse und rohes Obst, sondern er „fettet" diese Kost auf durch reichlich Kohlenhydrate, Zucker, Teigwaren, Mehlspeisen; er isst Kartoffeln und vieles andere, das nicht in der Nahrung der Affen enthalten war. Er salzt sein Gemüse und brät es in Fett. Für viele Vegetarier, tatsächlich für die meisten, reduziert sich damit das Vegetarische zum „kein Fleisch". Das ist zwar verständlich, weil das Töten von Tieren zum eigenen Genuss für feinfühlige Menschen immer ein Problem bleiben wird; es ist aber kein wissenschaftliches Argument, wenn man bedenkt, dass wir zum Menschen geworden sind in Jahrmillionen des Wildbeuters und des Jägers und – schließlich – in hunderttausend Jahren des Eiszeitjägers, der kaum etwas anderes zu essen hatte als Jagdbeute.

Ich hatte kürzlich eine solche Patientin, die ihr Gemüse durch viel Pasta und andere Kohlenhydrate aufbesserte. Sie war übergewichtig und hatte eine deutliche Arthrose der Fingergelenke, die ihr zusehends Beschwerden verursachte. Unter meiner „Fuchtel" ist sie zwar weiterhin Vegetarier, aber sie ersetzt das Übermaß an Kohlenhydraten jetzt durch Ei und Käse; sie verlor einige Kilos, verbesserte damit ihre Figur und verlor die Probleme mit ihren Fingern völlig.

So gesehen steht „meine" Diät mit reduziertem Gehalt an Kohlenhydraten auf so genannte sechs Broteinheiten (ca. 70 g) ungefähr auf derselben Ebene wie eine durch Eisen und Vitamin B 12 „aufgefettete" vegetarische Diät mit ebenfalls beschränkten Kohlenhydraten, wobei aber die Fettzufuhr eine gewisse Rolle spielen könnte.

„Meine" kohlenhydratarme Diät enthält ziemlich viel Fett, die Diät der Affen

kaum nennenswerte Mengen davon. Eine Mischkost aus tierischen und pflanzlichen Produkten gab es möglicherweise beim Übergang vom Menschenaffen zur aquatic genesis bzw. zum Wildbeuter. Es könnte sein, dass eine erhöhte Zufuhr von Kalorien in Form von Fett die Empfindlichkeit gegenüber Kohlenhydraten (Insulin!) erhöht. Eine Entscheidung in dieser Frage wird ohne planmäßige Untersuchungen (der Lebenserwartung etwa) kaum zu erzielen sein. Immer aber wird der entscheidende Faktor (abgesehen vom Salz) die Menge an Kohlenhydraten und damit die Menge an Insulin sein, die zu deren Verdauung aufgewendet werden muss. Was wir essen, ist sozusagen gleichgültig, wenn wir nur unsere Insulinproduktion niedrig und damit unseren Hormonhaushalt in Ordnung halten.

Auch noch salzlos?

An sich besteht dafür kein Anlass. Eine kohlenhydratarme Diät wirkt unabhängig vom Kochsalzgenuß. Man muss sich nur darüber klar sein, dass das Salz in unserer Nahrung ebenso wie die Kohlenhydrate im Neolithikum eingeführt wurde, dass der Steinzeitjäger, besonders dort, wo er fern vom Meer mitten in Afrika oder tief im heutigen Russland lebte, kein Salz hatte. Allerdings erkennen wir langsam, wie stark auch die Jägerpopulationen untereinander durch weiträumigen Handel verbunden waren (Kauri-Muscheln und Bernstein wurden als Schmuckstücke über weite Strecken hin gehandelt), so dass man nicht wissen kann, ob nicht auch Salz diesen Weg nahm. Zweifellos gab es damals nicht den heutigen Salzmißbrauch und es gab daher sicher auch keine auf Salz beruhende Krankheiten.

Als solche wurden schon Bluthochdruck und Krebs angesprochen. Salz ist aber sicher auch sonst gesundheitsschädlich. Man weiß, dass es Kalk aus dem Knochen herauslöst und in der Niere zur Ausscheidung bringt; angesichts unserer Bemühungen, ältere Leute vor Knochenschwund (Osteoporose) zu schützen, kann man Kochsalz nicht als harmlos bezeichnen. Außerdem kann sich der aus dem Knochen gelöste Kalk in der Niere als kalkhaltiger Nierenstein niederschlagen – ein Grund mehr, dem Kochsalz möglichst aus dem Wege zu gehen, wenigstens zu Hause beim Kochen und nicht noch gedankenlos den Salzstreuer zu verwenden.

Kohlenhydrate und Fruchtbarkeit

Was bei einem solchen Programmierungswechsel vor sich geht, haben wir ganz zufällig bei dem Fütterungsversuch an unseren Hühnern zur Frage „Ernährung und Arteriosklerose" beobachtet[8]. Es fiel uns bald auf, dass die kohlenhydratarm ernährten Tiere viel weniger Eier legen als die mit Körnern gefütterten (30 gegenüber 200 pro Jahr). Die Tiere beginnen auch später mit der Eiablage, ihre Eier sind kleiner und heller (wenigstens bei pigmentierten Hühnerrassen). Offenbar regen die Kohlenhydrate entsprechend unserer Theorie über die Hypophyse die Eierstöcke der Hühner übermäßig an, denn auch das „Klimakterium" der kohlenhydratreich ernährten Tiere tritt verspätet ein. Am Ende des dritten Lebensjahres konnten wir regelmäßig feststellen, dass die körnergefütterten Tiere

noch aktive Eierstöcke mit reichlich Eiern aufwiesen, während bei den Fleisch-Hühnern nichts dergleichen zu erkennen war; ihre Eierstöcke waren bereits völlig zurückgebildet. Dass sich die Pigmentierung ändert, spricht ebenfalls für die Hypophyse. Das von ihr produzierte Melanophorenhormon beeinflusst nämlich die Farbstoffbildung. Eine Erklärung dieses Phänomens wurde bereits versucht.

Auch menschliche Populationen steigern ihre Fruchtbarkeit, wenn sie mehr auf Kohlenhydratnahrung übergehen. Bei den Kung[7] wurde beobachtet, dass die Frauen nicht nur früher Kinder bekommen, sondern dass auch die Abstände zwischen den Geburten abnehmen. Die Parallele zu unseren Hühnern ist auffallend. Vielleicht könnte man zur Lösung unseres Bevölkerungsproblems auch von der Ernährung her beitragen.

Lamarck würde sich freuen

Lässt man nun die Eier der kohlenhydratarm ernährten Hühner ausbrüten und ernährt man die geschlüpften Küken völlig normal, also kohlenhydratreich, dann sollte man erwarten, dass die Tiere die Lege-Eigenschaften normal ernährter Hühner und keinesfalls die ihrer kohlenhydratarm gefütterten Mütter zeigen. Dies ist jedoch nicht der Fall; auch die Töchter beginnen später zu legen als die vergleichbaren Artgenossen, die Eier sind kleiner, und die Legetätigkeit ist, was die Zahl der Eier betrifft, deutlich gebremst. Die (erworbenen) Eigenschaften der Eltern-Generation schlagen sozusagen auf die Töchter durch.

Richtig müsste man es so ausdrücken: Das Huhn legt in der Natur, also bei kohlenhydratarmer Ernährung, im Jahre ein- bis zweimal ein Nest voller Eier, was ja auch ganz zweckmäßig ist, weil es nur eine begrenzte Anzahl von Nachkommen durchbringen kann. Es beginnt mit seiner Legetätigkeit auch relativ spät und beendet die Fruchtbarkeitsperiode frühzeitig. Der Mensch hat das Haushuhn aus einem „wilden" Tier im Laufe von einigen tausend Jahren hochgezüchtet und dabei vor allem festgestellt, dass nur durch Zufütterung von Kohlenhydraten, durch Reizung der Hypophyse, wie wir wissen, die erwünschte hohe Eiproduktion zu erreichen ist.

Man befrage eine Bäuerin, warum sie den Hühnern Körner füttert, obwohl auf Hof und Feld reichlich tierische Nahrung zu finden wäre. Sie wird sofort sagen: Sie legen sonst keine Eier. Auf diese Art hat das Haushuhn – sagen wir – 2 000 oder 3 000 Generationen mit Kohlenhydraten hinter sich gebracht, in denen es seine Erbmasse an die unphysiologische Zusammensetzung des Futters angepasst haben könnte, zumal wir ja gleichzeitig eine intensive züchterische Auslese nach der Eilegetätigkeit hin haben wirksam werden lassen.

Anscheinend ist dies aber nicht eingetreten, denn unser Auslaßversuch zeigt, dass die Tiere ohne Kohlenhydrate sofort wieder in den Ur-Zustand zurückfallen, dass an diesem mit einer Art Trägheit festgehalten wird, bis nach einigen Generationen unter Kohlenhydraten wieder jene Umstellung des Hormonapparates eintritt, die wir als Norm empfinden.

Magenkrebs in Japan

Auch am Menschen liegen Beobachtungen vor, welche darauf hinweisen, dass wir für die Umstellung von der einen auf die andere Programmierung – um bei der Computersprache zu bleiben – länger als eine Generation benötigen. In Japan gibt es viel Magenkrebs. Wenn die Japaner nach Hawaii bzw. nach Kalifornien auswandern und dort die amerikanischen Ernährungsgewohnheiten annehmen, dann verliert sich die Neigung zum Magenkrebs nicht sofort, sondern erst nach zwei Generationen. Die erste und zweite Generation liegt noch zwischen der Magenkrebshäufigkeit in Amerika und in Japan; erst die dritte hat sich der amerikanischen Erkrankungshäufigkeit angeglichen.

Der Diabetes der Grönländer

Darüber wurde schon gesprochen. Die Grönländer werden im Augenblick über mehrere Generationen hin zum Diabetiker erzogen. Bis zum Aufkommen einer regelmäßigen Schifffahrt lebten sie aus dem Land bzw. aus dem Meer; sie hatten nur Fleisch und Fisch. Obwohl inzwischen ein oder zwei Generationen sich schon nach westlichen Maßstäben „gemischt", d.h. mit reichlich Kohlenhydraten, ernährten, gibt es noch immer keinen Diabetes[9,10]. Man hat versucht, das auf rassische Unterschiede zurückzuführen, aber auch die aus Dänemark stammenden Grönländer machen hier keine Ausnahme[11]

Süße Lockungen

Jetzt verstehen wir vielleicht auch leichter, dass der Mensch ausgesprochenes Wohlgefallen an Süßigkeiten hat, und dass dies vor allem bei den Kindern zum Ausdruck kommt. Es stammt aus der Primatenzeit, wo es bei dem Reichtum der Nahrung an süßen Früchten wohl auch begründet war.

Cleave und Campbell[6] haben darauf hingewiesen, es sei nicht recht verständlich, dass der Stoffwechsel sich von den Kohlenhydraten und vom Zucker weg zum Fleisch und zum Fett entwickelt hätte, der Geschmackssinn aber zurückgeblieben wäre. Da er die Nahrungsaufnahme steuere, müsse man fordern, dass Geschmack und Stoffwechsel sich gleichmäßig verändert hätten. Die beiden Autoren schließen daraus, dass Zucker und andere Kohlenhydrate für uns weiterhin physiologisch seien.

Ich bin ja nun auch der Meinung, dass süße Früchte natürliche Nahrungsmittel darstellen. Das ist die eine Programmierung der Affen; die andere ist die später erworbene Programmierung des Menschen, der seit jeher von Fleisch und Fett gelebt hat. Was nicht gut ist, ist die Mischung dieser beiden Kostformen, weil wir dafür keine Verwertungsmöglichkeiten im Stoffwechsel besitzen. Wir haben aber für beide Programmierungen die Geschmacksempfindungen: für süß von den Affen und für Fleisch von den Jägern.

Der Geschmack, der sowohl die Kohlenhydrate als auch Fleisch und Fett für gut befindet, weiß sozusagen nicht, dass sie zusammen für unseren Stoffwechsel schädlich sind.

Natürlich resultiert dieses menschliche „Zwittertum" daraus, dass wir uns nur sekundär zu einem Raubtier und zum Fleischfresser entwickelt haben, und dass – in den Maßstäben der Evolution gedacht – relativ wenig Zeit dazu zur Verfügung stand. Wir wurden sozusagen zum Fleischfressen gezwungen ohne Rücksicht auf unsere geschmacklichen Wünsche, und es war für den Evolutionsvorgang völlig gleichgültig, ob wir gerne Früchte und andere Süßigkeiten gehabt hätten oder nicht: Wir hatten keine.

Bei den Raubtieren im engeren Sinne liegen die Dinge ganz anders. Sie stammen aus einer reinen Fleischfresserlinie und kommen daher gar nicht in Verlegenheit, sich von etwas anderem zu ernähren als von Fleisch. Auch die Kuh denkt nur an Gras und Heu. Unserer enormen Vielseitigkeit entspricht eine ebenso große Unsicherheit; darin liegt unsere Stärke ebenso wie unsere Schwäche. Wir können von allem essen, und alles schmeckt uns, doch anders ausgedrückt: Unser Geschmack ist beweglich, er ist korrumpierbar und somit nicht mehr der Wächter über die gewünschte Zusammensetzung unserer Nahrung wie bei den anderen, in ihrer Lebensweise schon etwas fester konsolidierten Tieren.

Ist Zucker besonders schädlich?

Ich möchte hier noch etwas zur Frage Brot oder Zucker sagen. Wie schon erwähnt, gibt es auf dem Ernährungssektor Leute, die, ohne dass jemals der Beweis dafür erbracht worden wäre, den Standpunkt vertreten, dass alle Nahrungsmittel gesund und dem Menschen zuträglich wären, wenn wir sie nur in natürlicher Form genießen würden, d.h. unerhitzt, ungereinigt, auf natürlichem Boden und ohne Kunstdünger gezogen, ohne Antibiotika usw. Nun will ich gar nicht sagen, dass diese Idee völlig abwegig ist, dass es gar nichts ausmachen würde, wenn man das Getreide- oder Reiskorn von seinem Keimling befreit, wenn man Obst spritzt, Tiere mit Tetrazyklinen füttert usw., aber die Frage, inwieweit alle diese Maßnahmen gesundheitsschädlich sind, kann nicht durch Behauptungen und Ideen, sondern muss durch wissenschaftliche Beweise entschieden werden, und diese stehen wohl vorläufig noch aus.

Ich habe an meinen vielen Magen-Darm-Kranken, die mit kohlenhydratarmer Diät gesund oder doch gesünder wurden, immer wieder gesehen, dass Brot viel schlechter ist als Zucker. Hat man einen solchen Patienten durch Kohlenhydratbeschränkung einmal so weit, dass er seine Beschwerden zum Großteil verloren hat, und legt man ihm dieselbe Kohlenhydratmenge einmal in Form von Zucker, das andere Mal in Form von Brot (auch von Vollkornbrot) zu, dann wird er sofort merken, dass ihm zwar auch der Zucker nicht gut tut, dass er Brot aber am wenigsten verträgt.

Bezüglich des Zucker- und Fettstoffwechsels liegen die Dinge aber sicher anders. Zucker in der Nahrung wird wesentlich schneller resorbiert als Stärke, die erst in Zucker zerlegt werden muss; die gleiche Kohlenhydratmenge als Zucker erfordert daher ein wesentlich schnelleres Anspringen der Betazellen und damit eine schnellere Bereitstellung von Insulin. Offensichtlich wird dabei auch mehr Insulin produziert als beim Genuss gleichgroßer Stärkemengen, was auf vermehrte Sekretion von Glukagon zurückgeführt wird[15]. Prof. John Yudkin aus London weist seit Jahren darauf hin, dass Zucker viel gefährlicher ist als Stärke wegen seines Gehaltes an Fruchtzucker (Fruktose), der in besonderem Maße den Blutfettspiegel ansteigen lässt[13,14],

Die vielen Crohn-Studien haben allerdings gezeigt, dass der Verzicht auf Zucker allein nicht ausreicht, dass alle Kohlenhydrate bezüglich „Crohn" gleich bedeutsam sind.

Man kann Zucker natürlich durch Saccharin oder andere Zuckeraustauschstoffe ersetzen. Ganz „natürlich" ist die Verwendung dieser Substanzen aber nicht, obwohl sich der Verdacht, dass sie Krebs erregen würden, nicht bestätigen ließ. Wenn man nach meinen Vorstellungen die gesamten Kohlenhydrate auf 6 BE = 72 g beschränkt und wenn man diese nicht nur in Form von Zucker zu sich nimmt, dann kommt es automatisch zu einer Beschränkung auch des Zuckers, so dass man seine Speisen ruhig auch mit Zucker, dem natürlichen Süßstoff, zubereiten kann.

Literatur:
1) Ardrey, R.: Adam kam aus Afrika. Fritz Molden, Wien 1967.
2) Morris, D.: Der nackte Affe. Droemersche Verlagsbuchhandlung, Th. Knaur Nachf., München/Zürich l968.
3) Heberer, G. (Hrsg.): Die Evolution der Organismen. Ergebnisse und Probleme der Abstammungslehre. Bd. I und II, 1959.
4) Kühnau, J.: Dtsch. med. Wschr. 93 (1968) 2089.
5) Mehnert, H.: Nach einem Gespräch mit dem Spiegel, Februar 1969.
6) Cleave, T. L., G. D. Campbell: Diabetes, Coronary Thrombosis and the Saccharine Disease. John Wright & Sons, Bristol 1966.
7) Kung, Hunters, Gatherers; Feminism, Diet and Birth Control, Editorial, Science 185 (1974) 932.
8) Lutz, W., G. Andresen, E.Buddecke: Z. f. Ernährungswissensch. 9 (1969) 222.
9) Bertelsen, A.: Med. Gronl. 117, Nr.3, København 1940.

10) Scott, E. M., I. V. Griffith: Metabolism. 6 (1957) 32.

11) Sagild, U., J. Littauer, C. S. Jespersen, S. Andersen: Acta Med. Scand. 179 (1966) 29.

12) Morgan, Elaine: The Descent of Woman. Stein & Day, New York 1972.

13) Yudkin, J.: Sugar and Disease. Nature 239 (1972) 197.

14) Yudkin, J.: Süß, aber gefährlich. Hoffmann & Campe, Hamburg 1974.

15) Laube, R.: Kohlenhydrate in der Ernährung. Urban & Schwarzenberg, München – Berlin - Wien 1976.

16) Technical Report, Vegetarier-Studie (1991). Deutsches Krebsforschungszentrum, Heidelberg.

Praxis der Kohlenhydratbeschränkung

Möglichst bald beginnen

Wir sollten mit dem Verzicht auf Kohlenhydrate möglichst frühzeitig anfangen. Schwangere sollten sich unbedingt kohlenhydratarm ernähren, da die Kohlenhydratkrankheit wahrscheinlich schon auf das ungeborene Kind übertragen wird, soweit nicht, wie bereits erörtert, sogar frühere Generationen mitwirken. So kann man zwar selbst bei Beginn mit einer kohlenhydratarmen Ernährung am Anfang einer Schwangerschaft nicht mehr alle Gefahren für das Kind und die Mutter beseitigen, weil gewisse hormonale Störungen eben schon fixiert sind, z.B. die Tendenz zur Überfunktion des Hypophysenvorderlappens und – in Abhängigkeit davon – der Nebennierenrinde, die Neigung zu Striae. Ich weiß aber aus langjähriger Erfahrung, dass Schwangerschaften unter kohlenhydratarmer Ernährung besonders gut verlaufen, dass die Frauen nur wenig an Gewicht zunehmen, dass die Feten kleiner sind und vor allem, dass sich nicht nur ein Verlust an Figur, sondern auch meistens das Auftreten der Striae und der so genannten Schwangerschaftstoxikosen verhindern lässt.

Humanmilch

Die Menschenmilch enthält 1 bis 2% Eiweiß, 4% Fett und 7% Kohlenhydrat, die Kuhmilch 3,3% Eiweiß, 4,0% Fett und 5,0% Kohlenhydrat. Wenn ein Kind also schon keine Brustmilch bekommen kann, dann sollte man doch versuchen, die Kuhmilch durch entsprechende Manipulationen möglichst weitgehend der Humanmilch anzupassen, wenigstens was die Grundstoffe Proteine, Kohlenhydrate und Fette betrifft. Daher die alteingeführten Rezepte über nachgezuckerte Milchverdünnungen. Unerklärlicherweise bleibt man aber dabei auf halbem Wege stehen. Wenn man nämlich die Milch durch Verdünnen mit Wasser und Nachzuckern auf den richtigen Eiweiß- und Kohlenhydratgehalt gebracht hat, dann ist ihr Fettgehalt auf die Hälfte oder darunter abgesunken. Diese Mischung ist unterkalorisch und kann die Kinder daher nicht „stillen". Statt nun noch den Fettgehalt anzuheben, erhöht man die Kohlenhydrate über die Norm, und weil die Säuglinge das süße Zeug nicht mögen, ist man schon recht bald dazu übergegangen, statt Zucker Stärke beizumengen, z.B. in Form von Reiswasser, Grieß und so genanntem Kindermehl.

Dabei kann doch gar kein Zweifel darüber bestehen, dass diese Maßnahmen unnatürlich sind, denn wenn Reis, Grieß und Kindermehl natürlich wären, dann hätte es die Natur wohl im Laufe der vielen Jahrmillionen fertig gebracht, sie in die Brustmilch einzubauen. Die Erhöhung des Kohlenhydratgehaltes über 7% führt uns genau dorthin, wohin wir unter keinen Umständen gelangen wollen, nämlich in eine Kohlenhydratüberfütterung und in die Kette aller jener Stationen, die schließlich zur Kohlenhydratkrankheit führen.

Im Vertrauen auf die Richtigkeit dieser Überlegungen habe ich meine drei Kinder von dem Moment an, wo sie – etwa im dritten Monat – nicht mehr an der Brust gehalten werden konnten, mit folgender Kuhmilch-Verdünnung ernährt:

200 g handelsübliche Milch,
200 g Wasser,
18 g (= 4 gestrichene Teelöffel) Kristallzucker,
30 ml (= 3 Esslöffel) Sahne mit einem ungefähren Fettgehalt von 30%.

Das Ganze wird sicherheitshalber aufgekocht; es reicht für zwei Mahlzeiten. Natürlich kann man an Stelle des Kristallzuckers Milchzucker nehmen. Er ist aber teurer, und ich habe nicht den Eindruck, dass es viel ausmacht.

Mit dieser Mischung kommt man gut durch das erste Lebensjahr. Die Kinder schreien nicht so viel wie die Flaschenkinder, weil sie satt werden und keine Bauchschmerzen haben, und sie entwickeln sich gut, obwohl der Proteingehalt dieses Gemisches vielleicht noch etwas zu hoch liegt (die Angaben über den Eiweißgehalt der Humanmilch schwanken stark). Natürlich wachsen sie nicht so rasch wie mit manchen Kindernährmitteln, die durch ihren erhöhten Kohlenhydratgehalt „Prachtbabys" erzeugen. Dafür sind sie aber nicht fett und gesünder.

Obst und Vitamine

Außer dieser Milch brauchen die Kinder nichts; Obst und Gemüse (auch in Form von Säften) sind unnötig, sie machen nur Blähungen. Ein gelegentlicher Tropfen Zitronensaft reicht aus, um den Vitamin-C-Bedarf (der Vitamin-C-Gehalt hat

durch das notwendige Erhitzen der genannten Milchverdünnung gelitten) zu decken. Wahrscheinlich ist auch eine Vitamin-D-Prophylaxe nicht nötig, wenn der Kohlenhydratgehalt der Säuglingsnahrung sich in normalen Grenzen bewegt und wenn die Kinder gelegentlich an die Luft kommen, so dass sie sich ein Minimum an Vitamin D unter Ultravioletteinwirkung selbst bilden können. Gerade in der letzten Zeit hat man wieder hören können, dass allzu viel an Vitamin D gesundheitliche Schäden bringt. Meine Kinder haben jedenfalls kein Vitamin D und trotzdem keine Rachitis bekommen.

Nach dem zwölften Monat kann man versuchen, den Anteil der Milch auf Kosten des Wassers etwas zu erhöhen. Für Kinder jenseits des dritten Lebenshalbjahres gelten die allgemeinen Prinzipien über kohlenhydratarme Ernährung; sie sollen also – von der Milch abgesehen – nur wenig Kohlenhydrate bekommen, was bedeutet, dass man auch mit dem Obst sparen muss.

Dass sehr viele Schwierigkeiten, die die Mütter mit ihren Säuglingen haben, auf fehlerhafte Fütterung zurückgehen, ist offensichtlich. Stärke in jeder Form, also auch als Reisabsud, Kindermehl, Kindergrieß usw. ist für Säuglinge und Kleinkinder völlig unnatürlich und macht die erwähnten Bauchschmerzen. Da die Kinder stundenlang brüllen, ist nicht nur die Nachtruhe gestört, sondern auch das familiäre Gleichgewicht tagsüber. Meine Kinder haben nur ganz ausnahmsweise Bauchschmerzen gehabt und nur bei einem Infekt. Eines musste im Alter von zehn Wochen wegen eines Leistenbruches ins Krankenhaus. Es erhielt dort eine fabrikmäßige Kindermilch mit 10% (!) Kohlenhydraten, und wir bekamen es nach einer Woche total verstopft und mit einem blühenden Säuglingsekzem zurück. Man muss natürlich die Kuhmilch in der angegebenen Weise nicht selbst verdünnen, sondern man kann auf die viel bequemeren Handelspräparate zurückgreifen, die sich z.T. sehr genau an die Zusammensetzung der Muttermilch halten (so genannte adaptierte Milch), und in denen auch statt Rohr-Milchzucker (Laktose) verwendet wird.

Auf der anderen Seite enthalten diese Präparate statt Milchfett meist Pflanzenfette, was keineswegs als natürlich anzusehen ist. Die Kinder trinken die verdünnte Naturmilch lieber, und die Eltern haben viel weniger Auslagen damit.

Selbstverständlich wissen Firmen, die Säuglingsnährmittel erzeugen, dass sie sich an das Rezept der Muttermilch mit 7% Kohlenhydraten in der fertigen Verdünnung halten sollten, um wenigstens in den Grundnahrungsmitteln die natürlichen Verhältnisse beizubehalten. Aber solche Präparate haben keinen Markt, weil die Mütter nur Säuglingsnahrung kaufen, mit denen der Säugling „gedeiht", d.h. fett wird. Das fördert die Neigung zum Hyperinsulinismus, der schon im Mutterleib beginnt und schließlich durch den hohen Kohlenhydratgehalt der Erwachsenen-Nahrung und die Geschmacksrichtung unserer Hausmannskost fixiert wird.

Kinder und Erwachsene

Wir müssen gegen diesen Trend konsequent ankämpfen. In die Schule gebe man den Kindern harte Eier, Wurst oder Käse an Stelle von Semmeln und Brot mit. Da der Grundstein für die Kohlenhydrat-krankheit, für Fettsucht, Diabetes, innersekretorische Störungen und damit wahrscheinlich auch für die Arteriosklerose schon im Mutterleib oder doch früh in der Kindheit gelegt wird, ist es vielleicht weniger schädlich, wenn man es im späteren Leben einmal mit den Kohlenhydraten nicht so genau nimmt, als wenn die Ausbildung des Hormonmusters in der Jugend durch unzweckmäßige Ernährung verdorben wird.

Wir haben schon am Anfang dieser Abhandlung gelesen, dass der Kohlenhydratgehalt der vormenschlichen Nahrung extrem niedrig war. Immerhin gab es in Warmzeiten Kohlenhydrate. Unsere Bauchspeicheldrüse enthält Diastase, ein Ferment zur Stärkespaltung, und wir haben eindeutige Geschmacksempfindungen für süß. Deshalb können wir sicher sein, dass unsere Natur gewisse Kohlenhydratmengen sozusagen erwartet. Darüber aber, was uns an Kohlenhydraten zuträglich ist, müssen wir noch Überlegungen anstellen.

Sechs Broteinheiten (BE)

Erinnern wir uns an die Zusammensetzung der Muttermilch mit 7% Kohlenhydraten in Form von Laktose, 1 bis 2% Eiweiß und 4 % Fett. Ihr Kohlenhydratgehalt macht also etwa 40% der Gesamtkalorien aus. Dabei darf man aber Laktose (Milchzucker) nicht mit Dextrose (Traubenzucker, wie er auch aus Stärke entsteht) und das Kind nicht mit einem Erwachsenen verwechseln. Würde ein Erwachsener 2500 Kalorien pro 24 Stunden verbrauchen und sich nur von Muttermilch ernähren, dann nähme er damit 1100 Kalorien aus 270 g Kohlenhydraten zu sich. Die

Muttermilch dient aber zur Ernährung der Säuglinge und gibt keine bestimmte Aussage für die Nahrung des erwachsenen Säugers. Ihre Zusammensetzung entspricht den energetischen Erfordernissen (dem hohen Heizbedarf) des Säuglings mit seiner ungünstigen Oberflächen-Gewichts-Relation und außerdem eher den Erfordernissen der Zeit, in der das Säugen begann – so wie die Körpertemperatur jener Epoche entspricht, in der das Leben die Warmblütigkeit entwickelte. Dass die Hirten in Kenia durch das Trinken von Kamelmilch gegen Arteriosklerose gefeit sind, weist aber darauf hin, dass wenigstens der Kohlenhydratgehalt der Tiermilch ein für uns natürliches Ausmaß anscheinend nicht überschreitet; er ist wesentlich niedriger als der der Muttermilch.

Die in der Vor-Insulin-Ära empirisch ermittelte Kohlenhydratmenge betrug 72 g reines Kohlenhydrat pro Tag; eine Menge, auf die unkomplizierte Fälle von Diabetes günstig ansprechen. Es zeigte sich, dass eine weitere Beschränkung der Kohlenhydrate bei Diabetikern keine Vorteile bringt; wahrscheinlich braucht der Körper diese Menge an Zucker und muss ihn aus Eiweiß über Glukoneogenese erzeugen, wenn er ihn nicht in der Nahrung vorfindet.

Diese Vorstellung ist offensichtlich richtig, denn auch aus den Berechnungen über den Kohlenhydratbedarf des Gehirns und gewisser anspruchsvollerer Organe kamen wir auf 9,4 g pro Stunde, was ungefähr 72 g für denjenigen Zeitraum bedeutet, der der Verdauungsperiode von drei Mahlzeiten entspricht (acht Stunden). Wir sollen sozusagen nur soviele Kohlenhydrate essen, wie wir unmittelbar während der Verdauung auch wieder verbrauchen können. Alles Mehr ist von Nachteil; es muss nämlich

mittels Insulin in Fett verwandelt werden und führt damit zum Hyperinsulinismus, den wir als Hauptquelle unserer Zivilisationskrankheiten bereits besprochen haben.

Diese 70 bis 80 g an Kohlenhydraten sind eine „prudent diet" im wahrsten Sinne des Wortes, eine vernünftige Diät, ein Kompromiss zwischen Normalkost und völligem Verzicht auf Kohlenhydrate, bei dem kein Hunger und keine Streßreaktion auftritt und wo nicht übermäßig viel Fette zugelegt werden müssen, um den Kalorienbedarf zu decken. Warum diese Vorsicht, wenn eine kohlenhydratarme Ernährung eine Rückkehr zu natürlichen Verhältnissen bedeutet?

Nil nocere

Wer sich als Arzt mit kohlenhydratarmer Ernährung befassen will und wer als Patient kohlenhydratarm zu leben gedenkt, muss im Auge behalten, dass die Vorperiode bis dahin mit kohlenhydratreicher Ernährung nicht ungeschehen gemacht werden kann. Es ist ein Unterschied, ob ich einen Menschen von Jugend auf kohlenhydratarm ernähre oder ob ich die Umstellung bei einem 40-, 60- oder 80jährigen durchführe.

Nehmen Sie an, Sie wollen einen Baum verpflanzen. Bei einem kleinen Bäumchen, das man mit einem großen Erdballen versetzt, wird nicht sehr viel passieren, einer ausgewachsenen großen Eiche aber wird man beim herausnehmen fast alle Wurzeln abhacken müssen, und sie wird in der neuen Umgebung einige Zeit die Blätter hängen lassen, wenn sie überhaupt durchkommt.

Ähnlich liegen die Verhältnisse bei Umstellung eines Erwachsenen oder gar eines alten Menschen auf eine kohlenhydratarme Ernährung. Sein Stoffwechsel ist auf die vielen Kohlenhydrate eingerichtet, er hat sich sozusagen mit dieser an sich fehlerhaften Ernährung abgefunden und gewisse Regulationen (beispielsweise gegen übermäßig viel Insulin) entwickelt; der Darm hat sich an Zucker und Stärke gewöhnt.

Mit einer Ernährung ganz ohne Kohlenhydrate steht ein solcher Organismus unvermittelt vor einer völlig neuen Situation. Mit allem, was er bisher zur Verarbeitung der Kohlenhydrate gebraucht hat, kann er nichts mehr anfangen, und zur Verdauung von mehr Fett und mehr Eiweiß muss er sich erst einrichten. Bei der Ratte braucht es einige Tage (und beim Menschen wahrscheinlich einige Wochen), bis das Hirn lernt, zur Verwertung der Ketokörper, besonders der Betaoxybuttersäure, genügende Mengen von Enzymen (Hydroxybutyrat-Dehydrogenase) bereitzuhalten. Das Hirn ist aber nur ein Beispiel; in allen anderen Organen dürfte sich Ähnliches abspielen.

Im Laufe der vielen Jahre, die ich mich mit kohlenhydratarmer Ernährung befasse, habe ich dazu reichlich Erfahrungen sammeln können, auf die ich etwas näher eingehen möchte.

Patienten, denen man abrupt alle Kohlenhydrate streicht, fühlen sich zwar meist recht wohl, sind aber oft müde und müssen früher zu Bett gehen (wie ich das tun musste). Sie sind bei aller gesteigerten Leistungsfähigkeit irgendwie aus dem Geleise gekommen. Die positiven Effekte überwiegen gegenüber den negativen; diese sind aber oft nicht ganz zu übersehen.

Sex

Zu ihnen gehört bei Männern ein gewisser Verlust an Erregbarkeit, der zwar das „Managen" erleichtert, sich aber auf sexuellem Gebiet nachteilig bemerkbar machen kann. In früheren Kapiteln wurde schon darüber gesprochen, dass Harnsäure und Cortisol im Blut absinken, was zu verminderter Erregbarkeit des Gehirns, zum Ausbleiben von epileptischen Anfällen, aber auch manchmal zu verminderter Agilität führt.

Der Verlust an sexueller Appetenz könnte aber auch andere Ursachen haben, etwa könnte das Gehirn vorübergehend unter Zuckermangel leiden, wenn Kohlenhydrate aus dem Darm nur in verringerter Menge angeboten werden und der Ersatz durch Ketokörper nicht prompt genug einsetzt (Sex entsteht im Gehirn), oder es könnte der Ausfall von Sexualsteroiden aus der Nebenniere eine Rolle spielen, wenn die Gonadotropine der Hypophyse einige Zeit brauchen, sich nach dem Wegfall von Insulin zu erholen.

Darauf wurde im Kapitel „Das endokrine Szenario nach der Pubertät" (S. 45) bereits ausführlich eingegangen. Nach einigen Monaten verschwinden diese Probleme erfahrungsgemäß jedoch von selbst; sie sollten auf jeden Fall nicht zur Aufgabe der Diät führen.

Bekanntlich sind Potenzstörungen bei Männern im reiferen Alter häufig die Ursache von Depressionen und Minderwertigkeitskomplexen, so dass man als Arzt dieser Sache unbedingt die notwendige Aufmerksamkeit zuwenden muss. Die Vorstellung, die Potenz sei eine ausschließlich psychische Angelegenheit, halte ich für blanken Unsinn.

Ekel vor Fleisch

Übergewichtige Patienten haben meist keine Schwierigkeiten; sie sind fast immer bei gutem Appetit und freuen sich, dass sie jetzt trotzdem an Gewicht abnehmen. Untergewichtige Personen nehmen zwar anfangs auch ab, doch kaum mehr als 1 bis 2 Kilogramm; sie gleichen diesen Gewichtsverlust in einigen Monaten im Allgemeinen auch wieder aus. Bei ihnen ist aber doch sehr oft zu beobachten, dass nach einiger Zeit der Appetit nachlässt und dass sich ein gewisser Ekel vor dem Essen ganz allgemein und vor dem Fleisch im Besonderen einstellt. Man muss dann alle seine Überredungskünste aufbieten, um sie bei der Stange zu halten.

Bei ihnen besteht an sich aus der Kohlenhydratzeit kein vermehrter (wie beim Übergewichtigen), sondern ein verminderter Appetit, und der Abbau des Hyperinsulinismus unter einer kohlenhydratarmen Ernährung beseitigt eine der Ursachen, warum diese Patienten sozusagen überhaupt noch etwas gegessen haben, nämlich die Unterzuckerungen. Am besten ist es wohl, diese untergewichtigen Patienten von vornherein auf die vielleicht zu erwartenden Schwierigkeiten aufmerksam zu machen, damit sie nachher nicht glauben, sie wären die falschen Fälle für eine kohlenhydratarme Ernährung. Das Gegenteil ist nämlich richtig. Gerade sie profitieren am allermeisten davon. Nach ein bis zwei Jahren beginnt, wie bereits erörtert, das Gewicht anzusteigen, und ich habe aus mageren „Kleiderständern" einige sehr glückliche, normalgewichtige und kräftige Gestalten entstehen sehen (Abb. 3, S. 20).

Es wurde schon erwähnt, dass man sich davor hüten muss, allzu radikal vorzugehen. An sich wäre ja eine Beschränkung der Kohlenhydrate auf 4 bis 6 BE = 48 bis 60 g reines Kohlenhydrat das Optimum. Damit würden sich Magen-Darm-Beschwerden (z.B. Durchfälle bei Kolitis) am schnellsten beseitigen und die Patienten begreiflicherweise am ehesten zur Mitarbeit bringen lassen, weil sie sehen, dass ihre Probleme beherrschbar sind. Hier ist aber gerade bei älteren Patienten (nach dem 45. Lebensjahr) Vorsicht am Platze.

Gerinnsel

Tierische Fette mit reichlich gesättigten Fettsäuren (so genannte harte Fette) üben gewisse Einflüsse auf das Gerinnungssystem aus. Es scheint dies den Verbrauch an Heparin, einem die Blutgerinnung bremsenden Eiweißkörper, auf der einen und die Bildung von Gerinnungsfermenten auf der anderen Seite zu betreffen. Dass man gelegentlich Thrombosen bei allzu rascher Diätumstellung sieht, kann auch daran liegen, dass sie für den Organismus einen Hungerzustand bedeutet, weil er ja Nahrungsmittel (Kohlenhydrate) erwartet, die er nicht bekommt, und weil er an deren Stelle Fette und Proteine erhält, auf die er nicht oder in diesem Maße nicht eingerichtet ist. Und wer hätte nicht schon oft beobachtet, dass in Streß-Situationen eben Thrombosen auftreten? Ich erinnere an die Thromboseneigung nach Operationen, nach Geburten und nach starken körperlichen Anstrengungen.

Man hat bekanntlich Dr. Robert Atkins vorgeworfen, mit „seiner" Diät Herzinfarkte provoziert zu haben, und man hat ihn deshalb sogar zu einem Hearing vor den US-Senat geladen. Dr. Atkins Diät war im Prinzip dieselbe wie meine (kohlenhydratarm); sein Vorgehen unterschied sich allerdings ganz wesentlich von dem meinen an Radikalität, da er anfangs alle Kohlenhydrate streicht und anschließend die Beschränkung lockert, während ich aus Vorsicht nie unter die so genannten sechs Broteinheiten (72 g Kohlenhydrat) ging und anfangs eher die Zügel locker lasse. Ich möchte nicht wissen, wie viele Herzinfarkte durch die Mode der Null-Diät, die vor einigen Jahren grassierte, verursacht wurden. Jede plötzliche Umweltveränderung erhöht die Gerinnungsneigung des Blutes und kann daher an einer bereits vorgeschädigten Stelle des Gefäßsystems ein Gerinnsel und damit eine Katastrophe auslösen.

Man muss aber noch etwas anderes erwägen. Ich habe schon davon berichtet, dass es nach Umstellung auf kohlenhydratarme Diät nicht selten zu Schwellungen am Zahnfleisch kommt, die ich auf überschießendes Wachstum gewisser Gewebe unter einem erhöhten Spiegel an Wachstumshormon zurückführe.

Zu diesen Geweben gehört auch das Gefäßendothel (Innenhaut der Blutgefäße), das für besonders plastische Eigenschaften bekannt ist. Es wird also nach Diätumstellung auch mit einer Reaktion des Endothels der Blutgefäße (hier vor allem derjenigen im Herzen) zu rechnen sein, und dies kann an einer bereits verengten Stelle der Kranzarterien, die das Herz mit Blut versorgen, zu einer weiteren Verengung und damit ebenfalls zur beschriebenen Katastrophe führen.

Man kann Patienten im Infarktalter (Männer ab 40, Frauen ab 65 Jahren) grundsätzlich von einer Diätbehandlung (auch von Fastenkuren) ausschließen, aber man wird ihnen damit nichts Gutes tun,

weil man sie so auch von einer grundsätzlichen Heilung ihres Leidens ausschließt. Nur eine kohlenhydratarme Diät ist nämlich im Stande, das Fortschreiten von Arteriosklerose und damit den späteren Herzinfarkt aufzuhalten.

Man soll sich bei diesen Patienten (mit Übergewicht, sitzender Lebensweise, Diabetes oder hohem Blutdruck, besonders wenn auch noch Herzbeschwerden bestehen) in die Kohlenhydratbeschränkung einschleichen (etwa mit neun Broteinheiten beginnen) und die erwünschten sechs Einheiten erst innerhalb einiger Monate anstreben; man soll, wenn trotz dieser Vorsichtsmaßnahmen Schwellungen am Zahnfleisch auftreten, die Kohlenhydratbeschränkung vorübergehend lockern; man soll außerdem für etwa ein halbes Jahr 250 mg (1/2 Tablette) Aspirin täglich und vielleicht einen der neuen Cholesterinsenker verabreichen, deren Wirksamkeit anscheinend über die Cholesterinsenkung hinausgeht.

Manche dieser Patienten befinden sich schon am „point of no return", d.h. macht man nichts, erleiden sie ihren Infarkt; macht man etwas, kann der Infarkt durch die Nebenerscheinungen der Behandlung ausgelöst werden.

Für den Fall, dass ein Patient einen Herzinfarkt erleiden sollte, gebe ich den Angehörigen Heparin zur intravenösen Injektion mit Spritze und Nadel und eine Anleitung zur Verabreichung von 5 000 internationalen Einheiten in die Vene, weil die rasche Verabreichung entscheidend und ein Arzt oder eine Krankenpflegeperson oft nicht schnell erreichbar ist. Ich habe es noch nie erlebt, dass damit ein Herzinfarkt nicht sofort zum Stillstand kam, wenigstens bis zur Einlieferung in eine

Herzstation, andererseits ist diese Maßnahme völlig gefahrlos.

Verstopfung

Gewisse Schwierigkeiten sind auch vom Dickdarm zu erwarten. Ganz typisch ist das Auftreten einer Verstopfung bei Patienten, die vorher schon damit laborierten (weniger bei solchen, die einen normalen Stuhl hatten), was darauf zurückzuführen ist, dass die kohlenhydratreiche Normalkost zwar zu einer Schädigung des Dickdarms, hier vor allem seiner Beweglichkeit, führte, andererseits aber reichlich Ballast-Stoffe anbot, welche nicht nur durch ihren Gehalt an Zellulose, sondern auch durch Förderung des Bakterienwachstums einen Entleerungsreiz ausübte. Solche Patienten waren nur deshalb nicht noch hartnäckiger verstopft, weil sie mit ihren Kohlenhydraten sozusagen ständig unter der Wirkung eines Abführmittels standen. Dieses Abführmittel sind die pankreatischen Polypeptidhormone, die die Darmpassage beschleunigen. Entzieht man ihnen die Kohlenhydrate, dann ist das erste der Abbau des Entleerungsreizes, und damit verschlechtert sich die Verstopfung. Im entsprechenden Kapitel wurde bereits darauf eingegangen. Das Wesentliche ist die kompromisslose Aufrechterhaltung der Diät, wobei man alle dem Arzt zur Verfügung stehenden Register zieht, um den Darm trotzdem noch zur Entleerung zu bringen. Das Natürlichste ist ein täglicher Reinigungseinlauf mit eineinhalb Litern gewöhnlichen warmen Wassers, den der Patient bald lernt, sich selbst zu geben und den er bis zum Auftreten eines Stuhldranges halten soll.

Wenn das zu schwierig ist, kann man Entkrampfungsmittel (Buscopan etc. als Zäpfchen) verwenden; schließlich enden diese Versuche aber in der Regel bei einem der üblichen Abführmittel, die den Vorteil haben, dass der Patient ihre Wirkung bereits kennt. Früher oder später gewinnt der träge Darm aber seine normale Fortbewegungs-Kapazität wieder zurück, wenn sich seine Muskulatur erholt hat und das Gleichgewicht der hormonalen Bewegungsregulation im Darm wieder hergestellt ist.

Auch hier ist es wichtig, den Patienten aufzuklären und ihm von vornherein in Aussicht zu stellen, dass seine Verstopfung einige Monate lang noch schlechter werden kann, bis die sicher zu erwartende Besserung einsetzt. Ich erinnere mich aus meinem sehr großen Dickdarm-Patientenkreis nur an ganz wenige Fälle, wo selbst nach einem Jahr noch keine Erleichterung festzustellen war.

Immunreaktionen

Eine große Rolle für Schwierigkeiten bei der Umstellung spielt, wie bereits mehrfach erwähnt, die Anregung autoaggressiver Kräfte. Wenn man sieht, wie sich die Qualität aller Körpergewebe bessert, wie Untergewichtige zunehmen, wie die Haut dicker wird und wie die Muskulatur, wenigstens bei schwächlichen Personen, wächst, dann versteht man ohne weiteres, dass auch die immunkompetenten Zellen profitieren. In diesen Zellen entstehen die so genannten Immunkörper, die zur Abwehr von Infektionen oder sonstigen Eindringlingen in das geschützte Gehege des Körpers dienen, und von denen auch –

wie wir schon hörten – die so genannten Autoaggressionskrankheiten ausgehen. Man versteht darunter Zustände, welche dadurch bedingt sind, dass der Körper seine eigenen Organe für Feinde hält und gegen sie das Messer wetzt.

Solche Autoaggressions- oder Autoimmunkrankheiten gibt es gegen fast alle Organe, vorzugsweise gegen Haut, Schilddrüse, Magen-Darm-Schleimhaut (Colitis ulcerosa z.B.), gegen Leber (so genannte aggressive Hepatitis), gegen Lunge und Herz. Als ich meine Behandlung des Herzversagens beschrieb, bin ich ausdrücklich darauf eingegangen.

Der unbewältigte Infekt

Bevor ich mit der kohlenhydratarmen Diät begonnen hatte, war ich sozusagen ununterbrochen krank; eine „Grippe" löste die andere ab, oft schon, bevor die Fieberblasen (Herpes) der ersten abgeheilt waren. Mit der Diät hat sich alles grundlegend geändert: Ich habe jetzt überhaupt keine Infekte mehr. Ich merke wohl, dass etwas abläuft, fühle mich aber nicht krank.

Ich fühle mich aber manchmal auch nicht völlig gesund. Es hat anfangs oft einige Wochen gedauert, bis ich ein eigentümliches Gefühl los wurde, in meinem Inneren wäre etwas nicht in Ordnung. Oft hustet man ohne erkennbare Ursache, man fröstelt, ohne Fieber zu haben und dergleichen mehr. Es hat nicht lange gedauert, bis ich in meiner Praxis ähnliche Fälle, mit oder ohne kohlenhydratarme Diät, und die zugehörige Therapie entdeckte: etwas Cortison. Tausende Patienten laufen nach einer Grippe-Epidemie herum und „werden damit nicht fertig"; und die Verteufelung

von Cortison führt dazu, dass weiter Tausende herumlaufen müssen, denen nicht geholfen wird. Ich habe auch noch keinen getroffen, der darüber Bescheid wusste oder einen Artikel darüber gelesen hatte.

Die Ursache für das „Syndrom des unbewältigten Infektes", wie ich es in meiner Kurzfibel „Der Internistische Alltag" für Ärzte nannte, ist darin zu sehen, dass das Immunsystem beim Normalernährten zu lange braucht, um des Infektes Herr zu werden, so dass es zu einer Gewebsschädigung kommt. Jetzt stürzt sich das erregte Immunsystem auf das (von ihm) geschädigte Gewebe und schädigt es weiter: Die Rettungsaktion muss gerettet werden. Ein paar Cortison-Tabletten schaffen es in der Regel in einigen Tagen; meist genügen 12 mg täglich vier bis fünf Tage. Cortison bremst das Immunsystem, und wenn es nach Aussetzen der Behandlung aufwacht, hat sich das Gewebe erholt und bietet keinen Anreiz mehr zum Angriff.

Beim von Jugend auf kohlenhydratarm Ernährten (z.B. bei meinen drei Kindern) entsteht keine Gewebsschädigung; daher kann sich auch das Syndrom des unbewältigten Infektes nicht entwickeln.

Beim Spätbekehrten ist das Gegenteil der Fall. Sein Immunsystem ist aus der Zeit vor der Diät auf die verschiedensten Infekte programmiert, und es ist durch die kohlenhydratarme Diät zu heftigen Reaktionen befähigt. Es erledigt daher einen Infekt elegant, klammert sich dann aber an die doch nicht ganz vermeidbare Gewebeschädigung mit besonderer Intensität. Ich brauche deshalb nach fast jedem Infekt ein paar Tage lang Cortison, und ich habe dadurch einer Reihe von Patienten lang andauernde Probleme nach den Infekten erspart.

Autoaggression

Das Immunsystem besitzt aus der Zeit vor der Diät Daten von Gewebsschäden, die damals aufgetreten waren, weil es zu schwach war, sich gegen den Infekt durchzusetzen; es zieht diese immer wieder hervor, wenn es aktiviert wird. Es erinnert sich sozusagen daran, dass ihm seinerzeit Bindegewebe, Betazellen, Knorpel etc. aufgefallen waren und von ihm bekämpft wurden, und es glaubt, sie jetzt wieder bekämpfen zu müssen.

Ich denke ernsthaft daran, dass die Wurzel der üblichen Autoaggressionskrankheiten in einem solchen unbewältigten Infekt zu suchen sein könnten und dass es nicht abnorme Gene sind, die dabei eine Rolle spielen. Bei der multiplen Sklerose ist es wohl ziemlich sicher, aber es könnte durchaus auch für Bronchialasthma, Colitis ulcerosa, Polyarthritis, Lupus erythematodes und andere Immunerkrankungen zutreffen.

Es genügen ein – oft ganz unauffälliger – Infekt und ein zu schwaches Immunsystem, um die Sache ins Rollen zu bringen. Nach dem Start läuft der Prozess von selbst weiter: Das Immunsystem ist auf ein bestimmtes Gewebe (das Bindegewebe z.B.) eingeschossen. Es erzeugt dort eine chronische Entzündung; diese alarmiert wieder das Immunsystem usf., bis die Immunkrankheit etabliert ist.

Der therapeutische Weg ist klar vorgegeben: Zuerst das Immunsystem durch Cortison kräftig unterdrücken, damit das immungeschädigte Gewebe eine Atempause erhält, gleichzeitig das Immunsystem durch kohlenhydratarme Diät normalisieren, dann notfalls wieder Cortison usf. bis zum Erfolg.

Asthma

Das geschilderte Vorgehen gilt auch und ganz besonders für Patienten mit Bronchialasthma. Wir müssen dabei zwischen spastischer Bronchitis und echtem Bronchialasthma unterscheiden. Erstere ist rein degenerativ – eine Atemnot, ausgelöst durch Verlust von Lungengewebe, der durch Verengung der kleinen Bronchialäste kompensiert wird. Da hilft die Diät, indem sie den weiteren Abbau von Lungengewebe stoppt und die Funktion des noch vorhandenen Lungengewebes verbessert.

Beim echten Asthma ist dagegen Vorsicht geboten. Eine Aktivierung des Immunsystems durch kohlenhydratarme Diät mit ihrer Erhöhung des Wachstumshormonspiegels kann zu rascher Zunahme von Atemnot und zu Kreislaufproblemen führen. Daher hier wiederum: zuerst Cortison, dann Diät, eventuell wieder Cortison. Dieses Therapie-Schema gilt auch für andere Autoaggressions-Krankheiten, z.B. die (echte) chronische Polyarthritis, während Arthrosen nicht so stark vom Cortison abhängig sind.

Herz- und Leberkranke

Ähnliches habe ich bei Herzkranken gesehen. Vorhofflimmern ist bekanntlich das erste Zeichen einer ernsten Herzmuskelerkrankung. Ich habe es in drei Fällen erlebt, dass es einige Monate nach Beginn einer kohlenhydratarmen Ernährung überhaupt erstmals auftrat. Einmal betraf der Autoaggressionssturm dabei auch die Herzkammermuskulatur. Wir müssen annehmen, dass bei vielen, wenn nicht bei allen derartigen Patienten solche Autoaggressionstendenzen erwachen, dass sie aber durch die positive Wirkung der Diät mehr als kompensiert werden.

Auch die Leber ist durch Immunreaktionen gefährdet. Sie ist ein besonders großes Organ und enthält zwischen den Leberläppchen größere Mengen von weißen Blutzellen, die bekanntlich für das Ingangsetzen von Immunreaktionen verantwortlich sind. Man wird daher auch hier Schwierigkeiten unter kohlenhydratarmer Diät erwarten müssen. Sie treten allerdings nur in besonders gelagerten und schweren Fällen in Erscheinung und lassen sich durch Überwachung der Gammaglobuline mit Elektrophorese rechtzeitig erkennen. Bei den meisten Patienten mit chronischer Hepatitis ist, wie schon früher ausgeführt, unter kohlenhydratarmer Diät eine Besserung zu beobachten, wie sie mit den üblichen Maßnahmen nicht zu erzielen ist.

Rheuma

Am häufigsten sieht man rheumatische Beschwerden, die den kohlenhydratarm Ernährten einige Zeit plagen. Die Schübe treten in der Regel während oder nach Virusinfekten in Erscheinung, weil durch sie die Immunkörperproduktion an sich angehoben wird. In der Regel genügt etwas Cortison über mehrere Tage, um den Spuk zum Verschwinden zu bringen. Besonders bewährt hat sich die länger dauernde Verabreichung kleiner Dosen von ACTH. Hierzu gibt es jetzt ausgezeichnete synthetische Präparate. Meist genügen ein- bis zweimal wöchentlich 0,2 bis 0,3 ml, um übermäßige Autoimmunreaktionen zurückzudrängen, und es genügt meist eine

derartige Injektion alle zwei bis drei Wochen, um die Wirkung aufrechtzuerhalten.

Wer sich als Arzt mit kohlenhydratarmer Ernährung befassen will, wird also den Immunreaktionen erhöhte Beachtung schenken und die geeigneten Mittel zu ihrer Bekämpfung bereithalten müssen. Ich kenne nun viele Patienten, welche sehr kohlenhydratarm leben und auch die entsprechenden Vorteile daraus gezogen haben, bei denen aber immer noch eine gelegentliche Bremsung der Immunreaktionen notwendig ist, häufiger vielleicht als bei der Normalbevölkerung, erfreulicherweise aber auch ungestraft, denn kohlenhydratarm lebende Menschen vertragen die Corticoide mangels eigener Produktion wesentlich besser.

Impfungen

Impfungen sind die Vorwegnahme von Infekten, meistens solcher viraler Genese, denn gegen Bakterien haben wir ja jetzt die Antibiotika (Ausnahme Typhus, gegen den immer noch geimpft wird). Wir müssen uns klar darüber sein, dass der heutige Gesundheitszustand der Menschheit ohne Impfungen nicht bestünde bzw. nicht aufrechterhalten werden könnte. Eine Großtat ist zweifellos die Ausrottung der Pocken, die ohne Durchimpfung der Weltbevölkerung nicht möglich gewesen wäre. Andere Krankheiten werden folgen, und es werden ähnliche Fortschritte erreichbar sein (Malaria).

Dem einzelnen Individuum kann eine Impfung allerdings schaden. Eine Impfung erregt das Immunsystem anders als die entsprechende Krankheit – abgesehen davon, dass der auf Hühnereiern gezüchtete Impfstoff noch eine Hühnerei-Allergie auslösen kann. Eine Grippeimpfung ist nicht dasselbe wie eine Grippe. Dazu kommt, dass der kohlenhydratarm Ernährte ein viel aktiveres Immunsystem besitzt als der normal Ernährte; es macht aus der Impfung eine Superimpfung, es reagiert viel heftiger darauf als beim Normalbürger, es reagiert häufig mit einem „unbewältigten Infekt" (Seite 232). Man muss das wissen und gegebenenfalls früher mit Cortison eingreifen.

Ich habe bei meinen vielen Patienten mit Colitis ulcerosa so oft trotz Diät ein Rezidiv nach Zeckenimpfung gesehen, dass ich mir kausale Zusammenhänge nicht mehr ausreden lasse. Ich empfehle daher allen Patienten mit Immunkrankheiten, auf Impfungen lieber zu verzichten (und lieber eine Grippe durchzuleiden) als sich der Gefahr einer abnormen Immunreaktion auszusetzen. Das bedeutet freilich oft den Verzicht auf eine Reise oder auf Pilzsuche in zeckenverseuchten Wäldern, aber es bedeutet ebenso oft die Verhütung eines Rückfalls bei einer Immunopathie.

Point of no return

Meine Erfahrungen an mehr als 10 000 kohlenhydratarm ernährten Patienten haben mich zu der Überzeugung gebracht, dass die Immunreaktionen nicht nur bei kohlenhydratarmer Ernährung, sondern überhaupt eine viel größere Bedeutung besitzen als ihnen in der menschlichen Krankheitslehre üblicherweise zugebilligt wird. Es hängt nicht nur von der Entwicklung eines Krankheitsbildes an sich, sondern vor allem auch von den Immunreaktionen ab, ob der Träger dieser Erkrankung sie als solche empfindet oder nicht. Beim

Kohlenhydratesser wird es wegen der schlechteren Gewebsqualität (auch des Immunsystems) und wegen der vermehrten Bildung von Nebennierenrindenhormonen erst später zu merklichen Immunreaktionen kommen. Hat sich das Immunsystem aber auf ein Organ einmal eingeschossen, dann wird ein Übergang zu einer kohlenhydratarmen Ernährung zwar die Widerstandskraft dieses Organs gegen Immunangriffe erhöhen; es wird aber das bessere Immunsystem die Immunreaktionen verstärken. Irgendwo gibt es daher einen Punkt in der Entwicklung einer Krankheit, der eine Besserung ausschließt, weil beide Gegner dieselbe Waffenhilfe erhalten und das Patt somit bestehen bleibt. Das gilt natürlich ganz besonders für die so genannten Immunkrankheiten im engeren Sinne.

Die Irreversibilität eines Krankheitsbildes kann aber auch anders bedingt sein. Ein hoher Blutdruck fixiert sich häufig im Laufe der Jahre, was man damit erklärt, dass bei längerer Krankheit Veränderungen an den Blutgefäßen entstehen, die ihrerseits über Durchblutungsstörungen an inneren Organen, vorzugsweise an den Nieren, einen hohen arteriellen Druck erfordern oder herbeiführen (so genannter Goldblatt-Mechanismus). Ich glaube aber nicht, dass dies die einzige und entscheidende Ursache darstellt. Man kann ähnliches nämlich auch auf anderen Gebieten feststellen.

Die Fettsucht ist vor der Pubertät gut zugänglich. Je älter der Patient wird, umso eher gibt es Versager. Manche erwachsene Fettsüchtige, vor allem Frauen, nehmen unter Kohlenhydratbeschränkung überhaupt nicht mehr ab. Diabetiker sind im Frühstadium fast immer besserungsfähig; je älter sie werden und je länger ihre Zuckerkrankheit besteht, umso weniger kann man mit einem Erfolg rechnen. Ähnliches sieht man bei erhöhten Cholesterin- und Harnsäurespiegeln.

Wahrscheinlich sind es gut gemeinte Regulationsmechanismen, die der Körper gegen eine sich einstellende Krankheit anwendet. Nehmen wir das uns schon bekannte Beispiel des Fettsüchtigen. Die Ursache sind die Kohlenhydrate; die Folge ist, dass zu viel Insulin erzeugt wird, wogegen die Nebenniere vermehrt Zuckerhormone ausschütten muss. Wird die Ursache frühzeitig beseitigt, d.h. werden die Kohlenhydrate entsprechend beschränkt, dann lassen sich auch die Folgezustände wieder rückgängig machen.

Besteht die Kohlenhydratzufuhr aber weiter, dann wird die erhöhte Produktion von Insulin und von Zuckerhormon fixiert, über die Sexualreife oder über eine Schwangerschaft weiter erhöht, so dass der Organismus sich etwas Neues einfallen lassen muss: die Insulinresistenz. Er macht die Zelle schwerhörig gegen Insulin und verursacht damit unter Umständen einen Diabetes, aber es bleibt anscheinend keine andere Wahl. Ähnlich dürften die Dinge auch sonst liegen. Mit dem Begriff des „point of no return" müssen wir uns vertraut machen, wenn wir nicht in den Fehler verfallen wollen anzunehmen, die Kohlenhydrate wären schuldlos an all dem nur deshalb, weil ihre nachträgliche Beschränkung in älteren Fällen manchmal keine Wirkung mehr zeitigt.

Vitamine?

Alle diese Schwierigkeiten nach Umstellung auf eine kohlenhydratarme Kost finden sich erstaunlicherweise nicht in den Äußerungen derjenigen Ernährungsfachleute, die in den letzten Jahren gegen eine kohlenhydratarme (etwa gegen die Punkt-Diät) Stellung bezogen. Sie haben mit dieser Diät nämlich keine eigenen Erfahrungen. Stattdessen begründen sie die angebliche Gefährlichkeit dieser Kost mit Mangel an Vitaminen und Fehlen von Glukose zur Ernährung des Gehirns.

Würde man eine kohlenhydratarme Diät wirklich ganz genau nehmen, d.h. würde man sich nur von tierischen Nahrungsmitteln ernähren, dann bestünde – wenigstens theoretisch – die Möglichkeit, dass gewisse Vitamine den täglichen Bedarf unterschreiten. Dies kommt aber praktisch kaum in Frage, denn es besteht nicht der geringste Anlass, in mittleren Breiten ausschließlich von tierischen Produkten zu leben wie der Eskimo, der weder Gemüse, Obst, noch Kartoffeln kennt. Aber selbst er, der an pflanzlichen Nahrungsmitteln nur etwas Moos aus den Mägen frisch erlegter Rentiere zu sich nahm, bot keine Erscheinungen von Vitaminmangel, und weder an den vielen Punktdiätlern noch an meinen vielen kohlenhydratarm ernährten Patienten sind Avitaminosen aufgetreten.

Auch der Einwand mit dem Glukosebedarf gewisser Organe, vor allem des Gehirns, geht daneben. Ich lebe nun schon 40 Jahre lang kohlenhydratarm, und ich habe diese Ernährung bei sehr zahlreichen Patienten über viele Jahre praktiziert. Was nützt es, immer wieder davon zu reden, das Gehirn brauche Glukose (und dabei vorauszusetzen, dass diese aus der Nahrung stammen muss), wenn die praktische Erfahrung erweist, dass das Gehirn auch ohne Glukose einwandfrei funktioniert?

Mit Maß und Ziel

Das Ziel, 5 bis 6 BE an Kohlenhydraten, kann bei gesunden Personen unter 45 Jahren direkt angesteuert werden. Es entspricht dies einer Diät, die nur ganz gelegentlich etwas Zucker zur Herstellung eines Nachtisches, etwas Brösel zum Panieren von Fleisch, wenig Milchzucker (in süßer Milch) und geringe Mengen von Kohlenhydraten in Gemüse, Obst und Kartoffeln, sonst aber nur tierische Nahrungsmittel enthält. Bei älteren Leuten und bei Patienten des Personenkreises, die als thrombose- oder immungefährdet bezeichnet wurden, sollte man anfangs nicht unter 9 BE gehen und genau darauf achten, dass diese Grenze nicht unterschritten wird.

Der Kohlenhydratgehalt von Obst und Obstsäften wird im Allgemeinen unterschätzt. Ein Glas Orangensaft (200 ml) enthält 20 bis 30 g Zucker und entspricht etwa 2 BE. Viel Obst und Gemüse, auch in Form von Säften, ist weder gesund noch zuträglich. Man braucht dies nur bei einem Darmkranken, der sich bei längerer kohlenhydratarmer Ernährung erholt hat, zu versuchen. Täglich große Mengen Säfte zu sich zu nehmen, und jede Art von Vitamin-Fron sind abwegig. Obstbäume gibt es erst seit einigen tausend Jahren, und Saftpressen sind noch viel jünger. Die Vorstellung, rohe Frucht- und Gemüsesäfte seien ein besonderer Born der Gesundheit, entspringt der Vitaminforschung vor einigen Jahrzehnten, ist aber inzwischen überholt.

Alkohol

Sein Abbau im Stoffwechsel über Azetaldehyd zu Essigsäure ähnelt eher dem der Fettsäuren; es müsste daher durch entsprechende Untersuchungen entschieden werden, inwieweit Alkohol auf die Kohlenhydratration anzurechnen ist. Ich würde glauben, wir sollten uns das Leben nicht unnötig schwer machen. Wer es mit Zukker und Stärke genau hält, darf hier ruhig etwas sündigen. Ein bis zwei Flaschen Bier oder ein Viertel Wein täglich werden kaum schaden. Ich verweise im Übrigen hier auf das, was im Kapitel „Leberkrankheiten" darüber gesagt wurde.

Zubereitung der Speisen

Man soll in der Praxis möglichst wenig Verbote aussprechen, dort aber unerbittlich sein, wo man Zusammenhänge erkennen und Wirkungen erwarten kann. Braten und Kochen von Fleisch sind sicherlich nicht gleichwertig; man kann es sofort am Fett erkennen. Gekochtes Fett bleibt weiß, gebratenes Fett wird durchsichtig. Es geht dies auf die Veränderungen der Fettsäuren beim Erhitzen unter Luftzutritt zurück. Obwohl hier also Unterschiede offenkundig sind, möchte ich vorläufig davon Abstand nehmen, vom Braten abzuraten und das Kochen zu empfehlen. Der Kochtopf ist eine viel jüngere Erfindung des Menschen als der Bratspieß, und wir können uns ziemlich darauf verlassen, dass der Mensch in den Jahrtausenden, die er das Fleisch am Spieß erhitzt hat, mit negativen Effekten dieser Zubereitungsart fertig geworden ist. Wir können – mit anderen Worten – annehmen, dass wir uns evolutiv an diese kulturellen Effekte bereits angepasst haben. Sicherlich ist aber ab und zu etwas Rohes (ein Beefsteak-Tatar, ein rohes Ei) nur zu begrüßen. Unsere Vorfahren brieten ihr Fleisch in großen Stücken und oft in einer Lehmhülle, so dass das Innere weniger stark der Erhitzung ausgesetzt war, was nicht nur geschmackliche, sondern vielleicht auch hygienische Vorteile hatte.

Fett

Eine kohlenhydratarme Diät ist nur durchzuhalten und erfolgreich zu gestalten, wenn an Stelle der Kohlenhydrate Fett zugelegt wird. Von Proteinen allein kann der Mensch nicht leben. Die Fütterung mit magerem Fleisch war in gewissen mittelamerikanischen Staaten eine elegante Methode, mit politischen Gegnern fertig zu werden, ohne selbst an sie Hand anzulegen. Nach einigen Monaten kommt es zu Durchfällen, und das Opfer geht ein. Stefansson beschreibt Ähnliches von den kanadischen Eskimos, wenn sie längere Zeit nur mageres Karibufleisch bekamen und keine Fische fangen konnten. Dass Kohlenhydrate und Fette zwar nicht gleichwertig sind, aber bis zu einem gewissen Grade gegeneinander ausgetauscht werden können, ist nicht nur theoretisch verständlich, weil ja der Organismus aus Kohlenhydrat zunächst Fette aufbaut und dann diese Fette verwertet, sondern es ist auch eine Erfahrung der Diabetologen, dass man Kohlenhydrate zulegen muss, wenn man die Fette (aus Angst vor Gefäßschäden und im Rahmen der heute immer noch anerkannten Fett-Theorie) beschränken will.

Man sollte also glauben, es sei eine Binsenweisheit, dass der Mensch irgendwie für Kohlenhydrate, die man ihm verbietet, Ersatz schaffen und dass er daher mehr Fett essen muss; in der Praxis erlebt man aber dabei die erstaunlichsten Dinge. Die Angst

vor dem Fett, aufgrund missverstandener Beobachtungen Generationen lang genährt und durch die Laienpresse dem Bewusstsein der Bevölkerung eingehämmert, führt häufig dazu, dass die Patienten zwar die angeordnete Kohlenhydratbeschränkung befolgen, gleichzeitig aber versuchen, ihren Hunger durch mehr pflanzliches und tierisches Eiweiß zu stillen, statt auf Fett auszuweichen. Wenn man bei einem Magen-Darm-Patienten trotz exakt durchgeführter Kohlenhydratbeschränkung nichts erreicht, dann sollte man an diese Möglichkeit denken. Ohne Fett heilt eine Gastritis nicht aus.

In der Praxis gehe ich so vor, dass ich zunächst die Kohlenhydrate beschränke und die Patienten darauf hinweise, dass sie ruhig etwas mehr Fett als bisher essen können. Wenn sich die Kohlenhydratbeschränkung in einigen Tagen auswirkt, können sie – meist zu ihrer allergrößten Überraschung – wieder mehr Fett vertragen. Manche muss man dazu richtig überreden, weil sie mit dem Fett lange Zeit (zusammen mit reichlich Kohlenhydraten) schlechte Erfahrungen gemacht haben.

Das Prinzip

Man erläutere einem Patienten zunächst das Prinzip einer kohlenhydratarmen Ernährung; man sage ihm, dass er tierische Nahrungsmittel mit Ausnahme größerer Mengen von süßer Milch, also Eier, Käse, Quark, Sauermilch, Fleisch und Fisch sowie tierische Fette unbeschränkt zu sich nehmen kann, dass er aber auch, wenn er daran gewöhnt ist oder es aus sonstigen Gründen vorziehen muss, Pflanzenöle an Stelle von tierischen Fetten verwenden kann; ferner, dass man von allen pflanzlichen Nahrungsmitteln die Pflanze selbst, also Wurzel, Stängel, Blatt und wässerige Früchte wie Gurken und Tomaten nach Belieben essen kann. Nur gewisse Knollengemüse (Sellerie, Kohlrabi, Rettich) müssen in ihrem Kohlenhydratgehalt berücksichtigt werden. Auch alle übrigen pflanzlichen Nahrungsmittel werden entsprechend ihrem Kohlenhydratgehalt eingestuft. Dabei sind Zucker mit 12 g und Mehl, Reis, Gries, Haferflocken, Mais etc. mit 15 g pro Einheit besonders ergiebig und daher besonders zu meiden. Hülsenfrüchte haben etwa 30 g pro Einheit, ungezuckerter Kakao 40 g, Kartoffeln, Nüsse und Bananen 60 g, süßes Obst 80 g pro Einheit. Frische grüne Erbsen, saures Obst, Beerenobst sind in geringen Mengen frei.

Magenpatienten und andere

Ich mache einen Unterschied zwischen Patienten mit Magen-Darm-Krankheiten und anderen Patienten. Bei letzteren werden alle stärke- und zuckerhaltigen Nahrungsmittel nur entsprechend ihrem Kohlenhydratgehalt behandelt. Sie dürfen also auch Brot, Mehl, Grieß, Haferflocken im Rahmen der erlaubten Kohlenhydratmengen verzehren, was besonders dann eine erhebliche Erleichterung bedeutet, wenn man gewohnt ist, ein kaltes Nachtmahl zu sich zu nehmen. Man kann dann dünngeschnittenes Brot oder Knäckebrot als gewohnte Unterlage für Wurst, Schinken, Braten oder Käse verwenden. Man kommt damit allerdings rasch auf seine 5 oder 6 BE, die keinesfalls überschritten werden dürfen, weshalb man sich möglichst früh daran gewöhnen soll, Käse, Wurst, Schin-

ken etc. ohne Brot mit Messer und Gabel zu essen.

Bei Magen-Darm-Patienten sollte man kleberhaltige Getreideprodukte, also alles, was aus Weizen, Roggen, Gerste oder Hafer besteht, wenigstens so lange vermeiden, bis der Zustand sich wesentlich gebessert hat. Stattdessen kann natürlich ein Brot aus Leinsamen gegessen werden, oder man kann auf Mais, Kartoffeln und Reis ausweichen.

Erfahrungsgemäß ist es aber einfacher, auch auf das Leinsamenbrot zu verzichten, weil die Dinge hier ähnlich liegen wie bei den Zigaretten: Erlaubt man eine, dann sind es nach einigen Tagen zwei und nach einigen Monaten wieder zwanzig. Wer sich vom Brot nicht trennen kann, wird erfahrungsgemäß leichter rückfällig als jemand, der von vornherein darauf verzichtet.

Ein gutes Frühstück

Das Frühstück spielt eine außerordentliche Rolle. Viele essen sich am Abend (nach getaner Arbeit) so voll, dass sie schlecht schlafen und auch zum Frühstück noch nichts vertragen können. Hier muss man unbedingt Wandel schaffen. Die Patienten müssen schon ein konsistentes Frühstück zu sich nehmen, Käse mit Butter oder einige Eier, Schinken mit Ei oder Speck mit Ei. Und selbst, wenn sie es anfangs nicht fertig bringen, muss man ständig auf dieses Ziel lossteuern. Auch bei den übrigen Mahlzeiten muss man darauf hinarbeiten, dass zunächst das Gewünschte, also das Eiweiß und das Fett gegessen wird, weil der Patient sich dann wesentlich leichter tut mit dem Verzicht auf das Unerwünschte, auf die Süßigkeiten und auf sonstigen verlockenden Nachtisch. Wer sich daran hält, wer schon zum Frühstück ordentlich isst, wird im Laufe des Tages gar nicht so leicht in Versuchung geraten wie jemand, der mit leerem Magen startet. Schon vormittags wird dieser oft Verlangen nach Obst, nach einem süßen Getränk und nach einem Sandwich haben, und auch tagsüber wird er den Versuchungen viel schwerer widerstehen können.

Rezepte

Die meisten Patienten, denen man diese Richtlinien übermittelt, verlangen nach Rezepten. Sie können sich gar nicht vorstellen, wie man ohne Brot frühstücken kann und ohne Kartoffeln, Reis oder Knödel Mittag essen kann.

Ich erinnere mich noch, wie komisch es mir selbst vorkam, als ich zum ersten Male Butter oder Wurst auf eine Käseschnitte aufbrachte.

Schließlich bin ich aber davon abgekommen, die Patienten an detaillierte Fahrpläne zu binden. Die Unterschiede in der Lebensweise sind so groß, dass man kaum in der Lage ist, für jeden eine entsprechende Rezeptsammlung bereit zu halten. Der eine bevorzugt, wie erwähnt, ein kaltes Abendessen, der andere will sich warm verköstigen. Die Schwierigkeiten des einen liegen darin, dass er Brot kaum lassen kann, ein anderer „sündigt" hauptsächlich mit Obst und Fruchtsäften; wieder andere haben ein kaum stillbares Verlangen nach Süßigkeiten. Man lässt einen Neuling am besten mit dem Prinzip eine Woche allein und bespricht bzw. korrigiert dann die unterlaufenen Fehler. Bei keinem Patien-

ten ist es mir gelungen, einen Erfolg lediglich durch Überreichung eines Merkblattes zu erzielen und ohne dass ich mich bemüht hätte, den individuellen Schwierigkeiten nachzugehen.

Hält man sich an das Prinzip, dann braucht man im Übrigen nicht besonders kleinlich zu sein. Süße Milch enthält zwar etwa 3 BE pro Liter, Muskelfleisch geringe Kohlenhydratmengen in Form von Glykogen, auch für Austern und andere Muscheln, für Leber und Niere, für Käse und Sauermilch findet man in den Tabellen etwas Kohlenhydrate verzeichnet, aber selbst wenn man sich ausschließlich von diesen Dingen ernähren würde, könnte man unter normalen Umständen die erlaubte Tagesdosis kaum überschreiten.

Wie man aus den später abgedruckten Kohlenhydrattabellen ersehen kann, gibt es pflanzliche Nahrungsmittel, die sehr wenig Kohlenhydrate enthalten, beispielsweise Blatt- und Stengelgemüse, Tomaten, Gurken und Pilze. Aber auch Wurzelgemüse in natürlich vernünftiger Menge ist unbedenklich.

Immer befrage man seine Patienten ausdrücklich nach Obst, Fruchtsäften und anderen süßen Getränken, weil viele Menschen erfahrungsgemäß dazu neigen, deren Zuckergehalt zu unterschätzen bzw. Obst und Obstsäfte wegen ihres angeblichen Gesundheitswertes von allen Beschränkungen auszunehmen.

„Das gute Obst"

Ich erinnere mich an einen Patienten, der von einem Kollegen nach dem Erscheinen des Vorabdruckes dieses Buches wegen Übergewichtigkeit und Nebennierenrinden-Überfunktion nach meinen Grundsätzen behandelt wurde und der mich nach einigen Monaten aufsuchte, weil sich bis dahin kein Erfolg eingestellt hatte. Die Ernährungsanamnese verlief zunächst völlig harmlos. Anscheinend waren die Diätvorschriften tatsächlich befolgt worden. Schließlich aber ergab sich, dass der Kohlenhydratgehalt von Obst (ein Kilogramm täglich!) bei der Berechnung nicht berücksichtigt worden war, weil „Obst ja so gesund" sei.

Ein halbes Leben ohne Kohlenhydrate

Bericht über einen Selbstversuch

Wenn ich jetzt an den Beginn meiner Wanderung mit wenigen Kohlenhydraten zurückdenke, so könnte ich einerseits über das Ergebnis enttäuscht sein, denn ich hätte damals sicher nicht gedacht, dass ich nicht um einen Schlaganfall und einen Herzinfarkt herumkomme. Ich weiß auch nicht, was mir noch bevorsteht, aber ich bin schließlich über 90 Jahre in gutem Allgemeinzustand geworden und habe mir manches erspart.

Wenn ich es wiederholen könnte, würde ich es vermeiden, meine jugendlichen Gelenke und Bandscheiben (und Arterien) heftigen Belastungen auszusetzen und gleichzeitig so viel an Kohlenhydraten zu essen, wie ich es damals tat; ich wüsste heute, dass sich das Schicksal eines Menschen in der Kindheit und Jugend entscheidet und dass die Jahre im Internat bei kohlenhydratreicher Nahrung Gift für meine körperliche Entwicklung waren, was erst viel später herauskam. Ich wüsste auch, dass wir mit dem, was wir für unsere Gesundheit tun könnten, immer unserem Kalender nachhinken (wir sollten unsere Krankheiten von vorneherein verhindern). Wenn wir etwas für die nächste Generation tun wollen, muss es vor der Geburt (in der Schwangerschaft der Mutter), in der Frühkindheit und vor allem vor der Pubertät geschehen. Dann werden wir sehen, was von heutigen Kohlenhydratschäden noch überbleibt. Es wird sich eine neue Pathologie entwickeln, und ich glaube auch, dass eine solche Generation ein höheres Alter ohne Geriatrika und ohne viel Medizin erreichen wird. Der gebürtige Isländer und spätere Amerikaner Vilhjalmur Stefansson hat es nach 15 Jahren bei den kanadischen Eskimos am Eismeer vorhergesehen und in seinen Büchern beschrieben.

Der Entschluss, auf eine kohlenhydratfreie Ernährung überzugehen, war langsam gereift, im März 1957 aber plötzlich gefasst worden. Die Initialzündung bestand im Auftreten einer Arthritis im Endphalangealgelenk meines rechten Zeigefingers, welche mir in schmerzhafter Weise vor Augen führte, wie stark sich mein Gesundheitszustand bereits vom Idealbild entfernt hatte, dem zu entsprechen man als älterer Mensch immer noch wähnt.

Ich hatte nach den Tagen meiner medizinischen Jugend die Überzeugung gewonnen, dass wir unserer Natur nach befähigt sein müssten, in Gesundheit ein hohes Alter zu erreichen, und dass die vielen Krankheiten, die uns plagen, daher kämen, dass wir uns von den Lebensbedingungen, für welche wir geschaffen wurden, zu weit entfernt haben. Hier habe ich vor allem an mangelhaften Ausgleich zwischen körperlicher und geistiger Betätigung und die verschiedenen Einflüsse der Zivilisation besonders auf dem Ernährungssektor in Form erhitzter oder anderweitig denaturierter Nahrungsmittel, Kochsalz, Genussgiften und auch übermäßiger Kalorienzufuhr gedacht.

Wenn ich auch heute noch der Mei-

242

nung bin, dass die erwähnten Faktoren von Bedeutung sind, so hat sich doch der Schwerpunkt meiner Vorstellungen etwas verlagert, seit ich durch einen Besuch prähistorischer Höhlen in Südfrankreich und das dazugehörige Literaturstudium mit der Tatsache bekannt wurde, dass unsere steinzeitlichen Vorfahren vorwiegend oder ausschließlich von der Jagd gelebt haben. Die prachtvollen Höhlenbilder des Cromagnon-Menschen und seine um die Jagd gruppierten kultischen Vorstellungen sprechen eine sehr deutliche Sprache. Darüber hinaus haben die anthropologischen Forschungen ergeben, dass die menschliche Natur zwar die Ausstattung zum Allesfresser (Gebiss, Fermente, Verdauungstrakt) von ihren sicherlich omnivoren Vorfahren ererbt hat, dass jedoch seit dem so genannten „Tier-Mensch-Übergangsfeld" (Heberer) vor etwa zehn Millionen Jahren unsere Vorfahren ihre Nahrung sich durch Jagd und Sammeln erworben haben und dass als Kalorienträger tierisches Eiweiß und Fett seither weitaus im Vordergrund standen.

Pflanzliche Nahrungsmittel in Form von Wurzeln, Blättern, Trieben und Früchten wurden in den Warmzeiten sicherlich auch gegessen, keinesfalls jedoch pflanzliche Stärke, Rohr- und Rübenzucker in Mengen, denn die Erzeugung dieser Nahrungsmittel war der ersten zivilisatorischen Revolution des Menschgeschlechtes, nämlich der Entdeckung des Getreide- und Feldfrüchteanbaues, vorbehalten. Die entscheidende Anregung kam mir jedoch über Thorpe[1], dessen Referat über die Behandlung der Fettleibigkeit durch kohlenhydratarme Diätformen mich mit den Vorstellungen und wissenschaftlichen Arbeiten eines angloamerikanischen Forscherkreises bekannt machte. Der Erste, der eine

kohlenhydratfreie Ernährungsform überhaupt anwandte, war nicht ein Arzt oder Mediziner, sondern der sehr korpulente englische Leichenbestatter William Banting[2], der nicht nur bei sich selbst einen spektakulären Erfolg erzielte, sondern in einer Schrift diese Diät auch anderen Fettleibigen empfahl.

Dass der Mensch von tierischem Eiweiß und Fett allein, ohne jegliche pflanzliche Nahrungsmittel (also auch ohne Gemüse und Obst) leben und gesund sein kann, hat dann später V. Stefansson[3] mit seinem Kameraden Andersson in einem zwölfmonatigen Aufenthalt im Bellevue Hospital in New York unter Dubois gezeigt, nachdem die beiden vorher Jahre bei Eskimos in Kanada zugebracht und von deren rein animalischer Diät gelebt hatten. Schon damals war ihnen aufgefallen, dass Eskimos nicht nur an keiner der bei uns bekannten Zivilisationskrankheiten litten, sondern auch besonders leistungsfähig waren. Stefansson hat dann in vielen Schriften und Büchern seiner Überzeugung Ausdruck gegeben, dass diese kohlenhydratarme Nahrung viel gesünder sei als unsere Zivilisationskost; er hat sich jedoch, obwohl er mit seinen Vorstellungen berechtigtes Aufsehen erregte, gegen den allgemeinen Trend in der Ernährungslehre, welche in dem erhöhten Fettkonsum den hauptsächlichen Schädling erblickte, nicht durchsetzen können. Man vergleiche hierzu die verschiedenen Vorworte zu Stefanssons Buch „The Fat of the Land", insbesondere das von P. T. Wight. Stefansson war aber so überzeugt von der Richtigkeit seiner Vorstellungen, dass er noch im Alter von 79 Jahren unter dem Eindruck des Herzinfarktes Präsident Eisenhowers auf die Kost seiner Jahre bei den Eskimos zurückging, und seine Frau hat mir berichtet, dass er seither seelisch viel ausgeglichener war und dass sich seine Arthrosebeschwerden weitgehend verloren hätten.

Im Allgemeinen wurde aber bisher eine kohlenhydratfreie Ernährung ausschließlich zur Behandlung von Fettleibigkeit benützt (Newburgh[4], Pennington[5], Donaldson[6]), denn es war offensichtlich, dass man auf diese Art ohne Hungergefühl Gewicht verliert (Thorpe[1], Mackarness[7], Kemp[8], Atkins[12]). Mit dem Mechanismus dieser Gewichtsabnahme haben sich Keckwick und Pawan[9] befasst. Es fand sich im Harn von Menschen und Tieren, welche entweder hungerten oder kohlenhydratfrei

Nützliche Atavismen

Der Leser wird sich über meine atavistische Einstellung zu verschiedenen Fragen wundern, aber diese hat mir schon oft geholfen, sonst unerklärliche Zusammenhänge zu deuten; ob richtig oder falsch, muss ich der Zukunft überlassen.

Dazu noch eine Erfahrung. Nach meinem Schlaganfall und der damit verbundenen Enttäuschung habe ich mich entschlossen, mit meinem Blutdruck ein ernstes Wort zu reden. Für mich war eine atavistische Lösung naheliegend.

Als der Coelacanthus (Quastenflosser) den Ozean verlassen wollte, um die Amphibien zu gründen, musste er sich zunächst mit den Süßwasser-führenden Flüssen anfreunden, denn er musste sich möglichst viele tiefgründige Änderungen seiner Natur ersparen; vor allem wollte er die Zusammensetzung seines Blutes und damit die Gefrierpunkterniedrigung (als Maß des Salzgehaltes) von -0,51 Grad (Irrtum möglich 70 Jahre nach der Hochschule) in das Süßwasser mitnehmen. Damit war die Notwendigkeit verbunden, das wenige Kochsalz, das es außerhalb des Meeres und der Salzbergwerke des modernen Menschen gab, peinlich genau zurückzuhalten.

Der Mediziner wird schon wissen, worauf ich hinaus will: auf die hormonale RAA-(Renin, Angiotensin, Aldosteron)-Kette, die uns zwingt, jedes mg Kochsalz bei unserer Niere anzumelden, um es nicht verloren gehen zu lassen. Die Nebenwirkungen dieser Hormonkette könnten verantwortlich sein für unseren Bluthochdruck. Ich hoffte, dass ich mit Rückkehr zum Coelacanthus im Süßwasser (durch totalen Verzicht auf Kochsalz), meinen Hochdruck ohne Medikamente erfolgreich unter Kontrolle bringen könnte.

Ich überblicke jetzt bald vier Jahre unter salzloser Diät. Mein Blutdruck hat darauf sofort angesprochen, indem er von etwa 200 systolisch auf 150 bis 130 fiel; aber ich fühle mich wohl dabei, während ich unter verschiedenen Medikamenten (trotz fachmännischer Betreuung) Schwierigkeiten mit der Aufrechterhaltung eines gleichmäßigen Niveaus hatte.

Das größte Problem hat man mit der Einhaltung eines salzlosen Speiseplans. Es gehört dazu eine gute und einfallsreiche Köchin und ein verständnisvoller Freundeskreis sowie ein Charakter, der sich zu Entbehrungen eignet (ich habe mir dreimal das Rauchen abgewöhnt und bin heute noch immer Nichtraucher). Wer sich nicht zutraut, diese Bedingungen zu erfüllen, soll von vornherein die Finger davon lassen: Niemals mehr Schinken, Wurst, Räucherlachs, fertige Sandwiches, überhaupt Fertiggerichte, mit jedem Restaurantchef zweimal streiten, zuerst bei der Bestellung, dann beim Zurückweisen von salzlosem, aber z.B. mariniertem Fleisch. Ein einziges normal gesalzenes Menü zerstört nämlich das salzlose Milieu im Körper für wenigstens 48 Stunden. Ich nehme ernährt wurden, ein Stoff, der von den Autoren als „fat mobilizing hormon" bezeichnet wurde. Er war in seiner biochemischen Struktur dem ACTH ähnlich und fehlte bei hypophysektomierten Patienten.

Mir schien nun folgender Schluss zwingend: Wenn es möglich ist, eine unserer Zivilisationskrankheiten (die Fettsucht) durch eine Kost zu heilen, die im Wesentlichen der Ernährungsweise unserer Vorfahren vor Erfindung des Ackerbaues entspricht, dann hat der Mensch sich offensichtlich noch nicht genug an den Genuss von Kohlenhydraten (die ja vorwiegend aus dem Ackerbau stammen) anpassen können, und es ist zu erwarten, dass noch

---

dann prophylaktisch eine doppelte Dosis (4 mg Gopten/Knoll), womit ich nach 24 Stunden meist im Gleichgewicht bin.

Ich hoffe, mir mit diesen Zeilen nicht eine lebenslange Feindschaft der Pharmaindustrie eingehandelt zu haben. Nach über 40 Jahren in der Praxis weiß ich, dass man eine derartige salzlose Kost nur von wenigen, sehr standhaften Patienten erwarten kann; für die breite Masse wird man nicht ohne Medikamente auskommen und daher auf die Pharmaindustrie angewiesen sein – wie etwa bei der Bekämpfung von Hyperinsulinismus (der Interessierte lese das Ende des Kapitels über Hormone in diesem Buch auf Seite 75).

Ich möchte das Kapitel aber nicht abschließen, ohne darauf einzugehen, warum ich es überhaupt angeschnitten habe: Nach ein paar Monaten absolut salzloser Diät, die ich ohne Schwierigkeiten vertrug, war zu merken, dass meine Körperbehaarung davon auch profitiert; vor allem an den Unterarmen und den Oberschenkeln wurden die Haare deutlich länger. Ich kann leider aus ästhetischen Gründen Nacktfotos von mir nicht bringen. Von früher hätte ich keines mehr und ein solches von jetzt nach vier Jahren salzloser Diät eines über 90jährigen kann ich niemandem zumuten. Nur eines möchte ich gleich sagen: Meine Glatze hat sich nicht daran gehalten; hier sind schon vor der salzlosen Diät einige Haarsprossen sichtbar geworden.

Was ich für mich aus dieser „salzlosen Haargeschichte" entnehme, ist eine Stärkung meiner atavistischen Überzeugung, spricht doch der Haarwuchs auf salzloser Basis dafür, dass sich unser Genom noch an den Urwald erinnert, in dem wir, wenn auch noch Affen, absolut salzlos leben mussten, bis wir am indischen Ozean den Wechsel vom Vegetarier (mit Ausnahmen, wie ich weiß) zum Fleisch(Fisch)esser begannen. Dann waren die Haare, die uns im Wald wärmten, (im Wasser) eher nachteilig, zum Mindesten die Affenhaare, die für einen Damenpelz passen, und die wir dem Jäger und Sammler in der Savanne opfern mussten. Ich hoffe, dass wir hier nicht darum kämpfen müssen, dass die Haare von Wasser-Säugern anderer Art sind als die der Affen und als meine.

Der eine und andere Leser wird mich vielleicht fragen, ob ich jetzt, wo ich die Körperhaare nicht mehr brauche (weil die modernen Damen sich an anderen männlichen Sexualstigmen orientieren und die Bekleidungsindustrie viel schönere und praktischere Methoden der Wärmekonservierung offeriert) die salzlose Diät aufgebe. Jetzt bin ich ziemlich sicher, dass wir mit einer salzlosen und kohlenhydratarmen Diät einem noch viel gefährlicheren Feind entgehen, der (atavistischen) Rückkehr zum Ur-Meer und seinen dem Ur-Leben entsprechenden Bedingungen, unter denen wir meiner – noch unbewiesenen – Hypothese zufolge mit viel Kohlenhydraten, viel Salz und viel harten elektromagnetischen Strahlen Krebs erzeugen können.

andere Zivilisationskrankheiten, deren Ursache wir bisher nicht ausfindig machen konnten, auf ein Zuviel an Kohlenhydraten in unserer Nahrung zurückgehen. Ich begann daher, mich selbst und einzelne meiner Patienten auf eine Ernährung umzustellen, die keine oder nur sehr wenige Kohlenhydrate enthielt. Hier möchte ich aber nur auf meine Erlebnisse im Selbstversuch zu sprechen kommen.

Zuhause ging es noch ganz gut, weil ich mir verlockende Gerichte fern halten konnte, aber einigen Versuchungen war ich ausgesetzt, als ich kurz darauf eine Reise auf einem Passagierdampfer antrat, auf dem eine Reihe ganz ausgezeichneter Triestiner Köche (Wiener Mehlspeisen!) beschäftigt war. Von hier ab entwöhnte ich mich aber mehr und mehr der Kostform, mit der ich aufgewachsen war, und jetzt verbinde ich mit solchen Nahrungsmitteln kaum mehr den Begriff des Essbaren. Zucker- und Süßigkeiten besitzen allerdings noch einen Nahrungsreiz, den ich – aus theoretischen Überlegungen – mit Obst befriedige.

Mein Speisezettel besteht heute aus einem doppelten Espresso mit flüssigem Schlagobers (Sahne) zum Frühstück, aus 300-400 g nicht zu magerem Fleisch zum Mittagessen, kombiniert mit etwas Salat oder Gemüse, und einem Nachtisch aus Quark (Topfen), Eiscreme, Fruchtsalat oder Kompott. Abends esse ich von einer kalten Platte* bzw. wieder ein Fleischgericht. Dazu muss ich noch Alkohol im Ausmaß von 50 bis 70 g (umgerechnet auf absoluten Alkohol) einbekennen.

---

*Die kalte Platte habe ich mit meinem Schlaganfall 1999 wieder aufgegeben, weil ich seither absolut salzlos lebe (mit der kalten Platte nicht vereinbar).

Ich kann erst heute beurteilen, wie schlecht es mir damals ging, als ich mit dieser Diät begonnen habe. Wie schon erwähnt, hatte sich eine Arthritis am Endglied eines Zeigefingers entwickelt, aber schon acht Jahre zuvor hatte eine Hüftgelenksarthrose begonnen, die sich fortlaufend verschlechterte und mich nicht nur beim Sport, sondern auch beruflich behinderte, weil das Sitzen an einem normalen Schreibtisch kaum mehr möglich war.

Außerdem war meine körperliche und seelische Leistungsfähigkeit stark reduziert. Seit Jugend war ich hypoton gewesen, auch muskulär. Ich konnte z.B. niemals eine Ausstellung in einem Zug erledigen, weil ich mich schon nach kurzer Zeit Hilfe suchend nach einer Sitzgelegenheit umsehen musste. Ich hatte auch eine sehr schlechte Haltung, und noch heute höre ich die vielen diesbezüglichen Ermahnungen meiner Vorgesetzten. Auch sportlich war ich demnach wenig leistungsfähig. Später habe ich bemerken müssen, dass mir auch in meinem Beruf Grenzen gesetzt waren. Nach vier Stunden Ordination begann meine Kraft zu erlahmen, und die Arbeit ging mir nicht mehr richtig von der Hand.

Schon kleine Zwischenfälle führten zu Äußerungen von Unmut, und nach der Arbeit lag ich oft längere Zeit in dem Gefühl extremster Erschöpfung und einer sehr eigentümlichen Müdigkeit, welche mit innerer Erregung verbunden war, die mich nicht zur Ruhe kommen ließ und eine Erholung verhinderte. Dabei war mir schon aufgefallen, dass diese Störung durch große Kohlenhydratmengen akzentuiert bzw. provoziert wurde. Sie passte gut zu dem von L. Weißbecker aufgestellten Begriff der sekundären Nebennierenrindeninsuffizienz, weil die Nebennierenrindenteste normal ausfielen und die Störung einer Cortison-Medikation zugänglich war. Schließlich habe ich fast täglich 2 x 5 mg Cortone – Merck gebraucht, um meine Arbeit bewältigen zu können, und sehr oft musste ich nachts Schlafmittel benützen.

Besonders geplagt seit meiner Jugend war ich von Migräne. Schon wenn ich als Gymnasiast über einen von Sonne beschienenen Platz ging, musste ich mit einem Anfall rechnen. Gerade in den letzten Jahren vor der Kostumstellung hatte sich der Zustand wesentlich verschlechtert, so dass ich vorübergehend sogar meine Praxis nicht ausüben konnte. Dabei war ich ziemlich anfällig gegen Infekte, im Sommer gegen Enteritiden und im Winter gegen Erkältungen, so dass oft durch Wochen eine fieberhafte Periode den von der vorhergehenden stammenden Herpes labialis (Fieberbläschen) ablöste. Schließlich befand ich mich, gemessen an heutigen Maßstäben, in einem ständigen seelischen Erregungszustand und Ungleichgewicht, was allerdings nach außen vielleicht nicht so sehr in Erscheinung trat. Ich war immer irgendwie geplagt von Komplexen, hatte vor irgendetwas Angst, erwartete eine unangenehme Nachricht und hatte das Gefühl, ständig angetrieben zu sein.

Ich habe mir zunächst von dem neuen Ernährungsregime, das ich – wie gesagt – im März 1957 begann, keine dramatischen Effekte erwartet; ich wurde aber schon nach einigen Wochen angenehm enttäuscht. Es stellte sich nämlich heraus, dass ich in der Praxis wesentlich leistungsfähiger war. Ich konnte jetzt nicht nur länger als vorher arbeiten, sondern es ging mir auch alles viel leichter von der Hand, so dass ich mit meiner Arbeit schneller fertig wurde und sie bei besserer Laune bewältig-

te. Überhaupt war meine Stimmung viel ausgeglichener, und ich konnte mein Leben nun mehr als früher genießen; das Gefühl der inneren Erregung war verschwunden. Jetzt erst merkte ich, dass ich in gefährlichen Situationen, z. B. im Straßenverkehr, kein Herzklopfen mehr bekam und dass ich nicht mehr so leicht schwitzte. Ich konnte mich viel schneller entschließen als vorher, was sich besonders in einer Verkürzung der Durchleuchtungs- und Diktatzeiten äußerte. Plötzlich hatte ich wieder Zeit für meine alten Hobbies, die ich vorher eines nach dem anderen aufgegeben hatte, weil ich hierfür keine Energien mehr erübrigen konnte.

Ich habe anfangs 1,5 kg abgenommen, weil unter dem kohlenhydratarmen Regime eine Mobilisierung der Fettreserven eintrat und mehr Wasser ausgeschieden wurde. Dies kam nach einigen Monaten zum Stillstand, und dann begann eine stetige Gewichtszunahme einzusetzen, die bis zur Beendigung des dritten kohlenhydratarmen Jahres andauerte und schließlich 10 kg ausmachte. Ich wog bei 176 cm 75 kg. Es ist offensichtlich, dass die Gewichtszunahme auch auf Muskulatur und Knochenkalk zurückging, denn mein Fettpolster hat sich nicht in diesem Maße verändert. Ich war nun körperlich wesentlich leistungsfähiger und hatte wieder begonnen, Ski zu laufen, was ich vorher mangels Interesse an körperlicher Betätigung und wegen ständiger Müdigkeit eingestellt hatte. Dabei hatte ich jetzt in kurzer Zeit eine Form erreicht, welche ich selbst als Medizinstudent nicht besaß, obwohl ich damals wesentlich mehr hatte trainieren können. Voraussetzung für die Wiederaufnahme der sportlichen Betätigung war eine Besserung meiner Hüftarthrose, die etwa sechs

Monate nach der Kostumstellung merklich wurde. An der Form der (ziemlich stark deformierten) Gelenkkörper hat sich natürlich nicht viel verändert, und die Hüftgelenke schmerzen auch heute noch bei extremen Gelenkstellungen; die Schmerzen beim Gehen sind aber verschwunden.

Ich nehme an, dass all dem eine anabole Wirkung der kohlenhydratarmen Diät zugrunde liegt, was auch nicht ohne Effekt auf den Bandscheibenapparat und das Gebiss sein kann. Die Archäologen wissen, dass ein kariesfreies Gebiss, das sie an fossilen Kiefern finden, dafür spricht, dass deren Träger keinen Ackerbau betrieben haben. Jäger und Sammler hatten keine Karies, auch keine Zahnbürsten und Zahnpasten. Was soll man von Aushängen in Ordinationen halten, die „bürsten, bürsten und noch einmal bürsten" als Kariesprophylaxe empfehlen? Auch, dass früher in halbjährigen Abständen jedes Mal eine Karies zu reparieren war, hängt offenbar mit der geänderten Ernährung zusammen. Ich habe jetzt kaum mehr etwas mit Karies zu tun gehabt. Dies dürfte auf eine Besserung des Zahnschmelzes im Sinne einer Resistenzsteigerung und nicht auf einer besonderen Bösartigkeit der Kohlenhydrate in der Mundhöhle zurückgehen. – Auffallend war auch eine Änderung im Hautfett, das unmittelbar nach der Kostumstellung fast völlig verschwand.

Ich bin inzwischen 90 Jahre alt geworden, und der Leser erwartet sich von mir einen ungeschminkten Bericht, wie es nach dem geschilderten ersten Diätjahr weiterging.

1. Ich hatte schon lange keinen Migräneanfall mehr.

2. Mein linkes Hüftgelenk wurde 1978 prothetisch ersetzt, weil ich nicht mehr als 50 bis 100 m gehen konnte, ohne stehen bleiben zu müssen. Die Jahre vorher war ich recht zufrieden; ich konnte wieder Tennis spielen und sogar Ski laufen, aber ich hatte wieder geheiratet, und die neue Frau hat es mit den Kohlenhydraten nicht so ernst genommen. Oder es war das höhere Alter, das mit anatomischen Veränderungen an den Gelenkkörpern, die ja schon vorhanden waren, nicht mehr fertig werden konnte. Jedenfalls verdanke ich der kohlenhydratarmen Diät mehr als ein Jahrzehnt an schmerzfreier Beweglichkeit.

3. Zwischendurch musste ich mir eine substernale Struma operieren lassen, die ich darauf zurückführte, dass ich als Anhänger der kochsalzarmen Diät im Krieg fern der Heimat nicht durch die in Österreich mit dem Kochsalz laufende Jodprophylaxe erreicht wurde.

4. Dass sich an den Geweben vorteilhafte Veränderungen abspielen, war vor allem an meiner Haut nicht zu übersehen. Ich hatte plötzlich keine Akne mehr, und in wenigen Wochen verschwanden Hühneraugen (corns), die meine kleinen Zehen seit Jahren schmückten.

5. Auffallend war auch eine deutliche Erhöhung der Infektresistenz, parallel zum Verschwinden eines Herpes labialis (Fieberblasen), der mich seit Jugend nach jeder noch so harmlosen Grippe heimsuchte. Ich konnte es gar nicht fassen, dass es jetzt mit ein paar Tagen Halsschmerzen und leichter Subfebrilität getan war. Allein dieser verkürzende Effekt auf die so häufigen Viruserkrankungen würde durch allgemeine Einführung einer kohlenhydratarmen Kost zu einer wesentlichen Verkürzung der Krankenstände mit entsprechender Einsparung der Medikamentenkosten führen.

Es ging mir so gut, dass ich wohlmeinende Fragen meiner Familienangehörigen und Freunde weit von mir wies: „Hast du nicht Angst, dich mit einer Diät einzulassen, die in krassem Gegensatz zu Ansichten der Universitäten steht und auch von dir nur kursorisch überprüft werden konnte?" Ich wusste, dass man mit solchen Zweifeln im Kopf weder Amerika entdecken noch Charles Darwin werden konnte. Tatsächlich sah ich in meiner familiären Belastung von der Mutter her (mit hohem Blutdruck, Herzinfarkten und Schlaganfällen) eine erhebliche Gefahr; es kam auch von der medizinischen Presse, die ständig in den Passatwinden der Fetttheorie segelte, keine Erleichterung. Umso dankbarer bin ich Frau Dr. Erdmuthe Idris, damals Redakteurin bei „Selecta", die die Ideen eines ihr unbekannten österreichischen Internisten zur Herausgabe eines Buches „Leben ohne Brot" und dessen Vorabdruck in Selecta willig annahm. Es wird die Zeit kommen, wo es noch etwas anderes als die Antifettpropaganda gibt, wo es als Verdienst von Frau Erdmuthe Idris und ihres Gatten Dr. Ildar Idris anerkannt werden wird, seinerzeit etwas für die Verbreitung der kohlenhydratarmen Diät getan zu haben.

Physiologie aus der Urzeit

Ich war damals der wissenschaftlich kaum zu begründenden Ansicht, dass unsere Natur ein gut zusammenspielendes Ganzes darstellt und dass sie daher in all ihren Sparten auf eine schädliche Ernährung reagieren müsste: Es könne nicht sein – so meine Überzeugung – dass Karies, Migräne, Hühneraugen, Infektresistenz (auch gegen das Herpes-simplex-Virus) und Blutlipide anders reagieren als unsere

Arterien mit ihren Krankheiten. Einer solchen Aufspaltung der Zusammenhänge widersprachen mein Hochschulwissen und meine naturwissenschaftliche Überzeugung.

Der Leser wird mich fragen: „Sahen Sie kein Menetekel für „Krebs"?" Ich sah natürlich, aber ich sehe das Problem jetzt mit „atavistischen" Augen. Schon in meinen klinischen Jahren hatte ich Beobachtungen gemacht, die Krebs als Folge einer Rückkehr zu urtümlichen Formen des Lebens erscheinen ließen. Dass es so etwas gibt, zeigt sich z. B. an der urämischen Perikarditis. Wenn unsere heutige Niere versagt, holen wir uns die seinerzeitige Vorniere hervor, die die alte Leibeshöhle, das Zölom, als Zwischenlagerplatz für ausscheidungspflichtige Substanzen (auch Samenfäden und Eier) benützte. Aus dem Zölom entwickelten sich die Bauchhöhle und der Herzbeutel, wo beim Urämiker eben nach alter Sitte Harnstoff und andere harnpflichtige Substanzen abgelagert werden, die im heutigen Herzbeutel nichts zu suchen haben.

Wieder bei Herzkranken kann eine eigentümliche Form der Atemnot auftreten, die ebenfalls aus unserer Vorgeschichte stammt. Wir waren einmal Fische im Ur-Ozean, dessen Wasser seinen Sauerstoff aus der Luft über dem Meer bezog. Wenn der Sauerstoff in der Tiefe knapp wurde, musste der Fisch nach oben schwimmen. Bei der Atmung müssen Fische das sauerstoffhaltige Wasser schlucken und durch die Kiemen wieder nach außen lassen. Der Herzkranke mit Asthma cardiale geht zur Oberfläche (zum Fenster) und ringt nach Atem; er macht es wie der Fisch, schwimmt gegen die Luft und öffnet seinen Mund weit, um die Luft zu schlucken wie der Fisch es mit seinem Atemmedium, dem Wasser, tat.

Bei der Atmung sind atavistische Züge besonders deutlich, weil wir zur Luftatmung nach Verlassen des Wassers eine eigene Atemregulation entwickeln mussten, die auf die Kohlensäure eingestellt ist, deren Abatmung die Atmungsfunktion besonders stark beansprucht. In großer Höhe spielt der Sauerstoff wieder die Hauptrolle, weswegen wir zur Atemregulation des Fisches zurückkehren (Glomus caroticum? Hyperpnein?).

Gärung und Krebs

Wir haben also offensichtlich noch heute alle Regulationen parat, die wir während der Evolution unter entsprechenden Umständen entwickelten, und wir können, wenn wir sie brauchen, auf sie zurückgreifen. Wenn unsere heutige Niere versagt, holen wir die Vorniere heraus, obwohl der von ihr produzierte Harn keinen Abfluss mehr hat; wenn das Herz nicht mehr genügend Sauerstoff an die Zellen bringt, versuchen wir es mit der Fischatmung. Wenn unseren Zellen mit viel Kohlenhydraten ein Gärungsstoffwechsel nahe gelegt wird (wie er von Hefezellen benutzt wird), wie er heute und jedenfalls im Urmeer vor Milliarden von Jahren herrschte, als das Leben in einzelliger Form entstand, dann versuchen gewisse Zellen, die sich in unserem Körper noch der Selbständigkeit erfreuen, zu Urmeer-Bedingungen zurückzukehren. Sie machen sich frei von Kontrollen, die unser komplizierter vielzelliger Organismus einführen musste, um sich zu entwickeln; sie verändern sich zu Krebszellen.

Das Urzellen-Szenario taucht neuerlich auf, wenn man davon liest, dass Kinder von Arbeitern in Atomkraftwerken (Sellafield) eine Häufung von Leukämie zeigen oder dass in der Umgebung von Chernobyl noch heute, jahrelang nach der Explosion des dortigen Atommeilers, die Häufigkeit von Schilddrüsenkarzinomen den Standard der übrigen Ukraine bei weitem übertrifft. Ich wundere mich seit Jahren, dass dieselbe Umweltsituation, erhöhte harte Strahlung, die zur Behandlung unserer Karzinome verwendet wird, bei Jugendlichen dieselben Krankheiten auslösen soll.

Liest man Berichte über die vermutete Situation in der Frühzeit unseres Planeten zu einer Zeit, als das Leben seine ersten Schritte machte, dann erfährt man von einer sehr intensiven Ultraviolettstrahlung, die das heutige Leben vernichten würde. Harte Strahlung, gleich ob Licht oder Röntgen oder Radium, gehört offenbar zu den Eigenheiten der Zeit der Entstehung des Lebens, wie der Mangel an Sauerstoff, der das Leben zwang, seine Energie aus Gärung statt aus Verbrennung zu gewinnen. So sei es gestattet, harte elektromagnetische Strahlung zu dem Szenario zu zählen, in dem das Urleben entstand, und zu den Einflüssen, die unsere Zellen zu dem Entschluss veranlassen, den Weg zurück, zum Urmeer, zum Krebs einzuschlagen.

Ich war meiner Sache schon ziemlich sicher, da kamen die Versuche von Otto Warburg Berlin[14, 11, 16], der in seiner Stoffwechselapparatur zeigte, dass Krebszellen in einer Gewebekultur viel weniger atmen (mit Sauerstoff) und mehr Energie aus Gärung gewinnen als normale nichtkrebsige Zellen. Atmung war im Urmeer natürlich nicht möglich, weil es damals noch keinen Sauerstoff in der Atmosphäre gab;

er wurde erst später durch das Leben erzeugt.

Schließlich brachte mir ein Freund, der meine Ideen kannte, ein Vorwort von Albert Schweitzer, das dieser zu einem Buch über Krebs aus dem Pasteur-Institut in Paris geschrieben hatte. Schweitzer erzählt darin, dass die Ureinwohner von Lambarene, als er dort hinkam und zu operieren anfing, keinen Krebs kannten. Als er Jahrzehnte später Lambarene verließ, litten sie dagegen häufig an Krebs. Er führte dies darauf zurück, dass sie vorher kein Salz hatten, das sie im Laufe der Zeit in Konserven aus Amerika und auch als Substanz aus Europa bekamen und reichlich verwendeten. Natürlich enthielt das Urmeer, als das Leben dort entstand, schon Salz. Ich hatte jetzt das Gefühl, dass der letzte Stein an meinem Gedankengebäude eingesetzt war:

Krebs ist die atavistische Rückkehr ins Urmeer; wir müssen Urmeer-Bedingungen vermeiden, um unsere krebsbereiten Zellen daran zu hindern, zu Urmeer-Bedingungen (Salz und Kohlenhydrate) zurückzukehren und sich als Einzelkämpfer zu betätigen (Stefanssons Eskimos hatten weder Kohlenhydrate noch Salz). Ich selbst lebe kohlenhydratarm und salzarm seit über 50 Jahren sowie extrem salzarm („salzlos") seit 1999. Ich dürfte also keinen Krebs bekommen – wenn meine Theorie stimmt.

Gesundheit im hohen Alter

Bis zum Ende der 70iger Jahre konnte ich also mit meiner Gesundheit zufrieden sein. Ich hatte zwar keine Migräne mehr, keine Zahnkaries, keine Hühneraugen,

und ich konnte arbeiten wie ein Wilder, aber meine Gelenke und Bandscheiben waren nicht zufrieden. Auf dem Weg nach USA, wo ich mit Dr. Atkins reden wollte wegen der Herzinfarkte, die ihm zur Last gelegt wurden, ereilte mich eine heftige Ischias, deretwegen ich nach Rückkehr in die Heimat operiert werden musste (Bandscheibe zwischen L4 und L5). Im Herbst 2002 zerbröselte die Bandscheibe zwischen L5 und dem Kreuzbein: Ich hatte heftige Schmerzen im gesamten Beckenbereich, womit sich auch das bis dahin ruhige (aber röntgenologisch schon veränderte) rechte Hüftgelenk gemeldet hat. Ich war damals 89 Jahre alt, immerhin.

Im Laufe der Jahre vor Diät hatte ich langsam an Kopfhaaren verloren, so dass ich mich schon als Vollglatzenträger sah; die Diät hat diesen Prozess zum Stillstand gebracht, sicher nicht durch weniger Testosteron, weil dieses in Analogie zum weiblichen Keimdrüsenhormon zur Zeit des Wechsels eher zunimmt. Das Gehirn muss zur Bekämpfung der Einseitigkeit im energetischen Stoffwechsel (Schole) die Keimdrüsen zu Hilfe rufen[18]. Diese Zusammenhänge sind in dem Kapitel „Kohlenhydrate und Hormone" auf S.68 ausführlich besprochen. Die Besserung des Haarwuchses dürfte auf ein Hormon (Somatostatin) zurückgehen, das unter kohlenhydratarmer Kost ausfällt und damit das Wachstumshormon wieder freigibt, welches unter anderem auch für das Wachstum der Knochen (Osteoporose) und des Kopfhaares verantwortlich ist[17].

Meine Hüftgelenke schmerzen mich auch heute noch bei extremen Gelenkstellungen, ich kann aber wenigstens längere Zeit sitzen oder in der Ordination arbeiten; da die Bandscheiben aus ähnlichem

Gewebe wie die Gelenke aufgebaut sind, ist es verständlich, dass mich die morgendlichen Kreuzschmerzen (an denen so viele leiden) verließen.

Was mich seit meiner Zeit der Kriegsgefangenschaft besonders belästigte, war eine Schwierigkeit beim Geradeausgehen und überhaupt bei der Aufrechterhaltung des aufrechten Standes ("Schwindel"), der mich im täglichen Leben ebenso belästigte wie z. B. beim Skilaufen. Ich hatte gehofft, dass dieser "Schwindel" ebenso wie die Migräne auf die Diät verschwinden würde; darin wurde ich aber enttäuscht. Eine genaue Untersuchung meines Gehirns und seiner Blutversorgung nach dem bereits erwähnten Schlaganfall hat ergeben, dass wahrscheinlich die bei dem Schlaganfall (vorübergehend) verschlossene Arterie auch für den jahrelang vorher bestehenden Schwindel verantwortlich gewesen war, etwa durch vorübergehende Einschränkung der Blutversorgung der rechten Gehirnhälfte.

Das verbessert meine Zukunftsaussichten nicht gerade, denn mit einem totalen Verschluss dieses Gefäßes würde wahrscheinlich der "Schwindel" aufhören, aber damit wäre ein weiterer Verlust an Gehirnsubstanz verbunden. Es bleibt mir die Hoffnung, dass die Gefäßchirurgie sich mit der Zeit erfolgreich mit den intrakraniellen Gefäßen befassen wird.

Ende 1999 wurde es aber ernster: Ich hatte den erwähnten kleinen Schlaganfall, der glücklicherweise keine größeren Ausfälle hinterließ (weshalb er vom Krankenhaus als TIA gedeutet wurde), und einen ebenso kleinen Herzinfarkt, der sich hinter einem Schwindelanfall nach einem Achtel Wein versteckte und von dem ich allerdings sonst nichts bemerkte, als die Veränderungen im EKG, das mir die Kollegen unter die Nase hielten.

Da ich nach dem Schlaganfall ähnliche Anfälle erlebte, glaube ich heute immer noch nicht an diesen Herzinfarkt. Wir wollen daher diese Frage offen lassen und hoffen, dass mein Herz sich auch in Zukunft brav verhält.

Man macht sich natürlich Gedanken darüber wie es weitergehen sollte; ich stamme mütterlicherseits aus einer Familie, in der hoher Blutdruck verbreitet war und damit früher Herztod und Schlaganfall. Auch mein Urgroßvater väterlicherseits war (allerdings im hohen Alter) an einem Schlaganfall gestorben. Ich hatte durchaus Aussicht, ein ähnliches Schicksal zu erleiden; allerdings waren meine Blutlipide in der Zeit, von der ich berichtete (1950-1960) unauffällig.

Nach drei Jahren war noch immer ein Gesamtcholesterin von 251 mg/% vorhanden, das sich dann nach 45 Jahren kohlenhydratarmer und fettreicher Diät bis auf 164 mg/% erniedrigte. Die Medizin im Allgemeinen ist ja nach der so genannten Fett-Theorie der Meinung, dass sich unter einer kohlenhydratarmen Diät wegen des Mehrgenusses an tierischen Fetten die Lipide im Blut erhöhen, was aber offensichtlich nicht der Fall ist. Ich habe heute nach über 50 Jahren Diät sehr niedrige Werte für das (böse) LDL-Cholesterin, und ich weiß von sehr vielen Patienten, dass der Prozess der Verbesserung der Blutfettwerte noch jahrelang fortgeht.

Wir kommen damit zu einem Problem von Ernährungsversuchen an Menschen, welche es wegen ihrer Langlebigkeit nicht gestatten, aus kurzfristigen Veränderungen Schlüsse auf die voraussichtliche Gesundheit in späteren Jahren zu ziehen. Ich bin daher zu der Meinung gekommen, dass ich zur Entscheidung der Frage, was ich bei meiner familiären Belastung mit Herz-Kreislaufkrankheiten essen sollte, Tierversuche heranziehen müsste.

Das habe ich getan: In einem Institut in Tübingen hatte man bereits festgestellt (Weitzel und Buddecke[11]), dass Hühner sich für die Arteriosklerose-Forschung besonders eignen, weil sie

1. aus einem Gebiet stammen, wo sie hauptsächlich tierische Nahrung finden,

2. jetzt von uns mit reichlich Kohlenhydraten gefüttert werden (wie wir selbst),

3. eine dem Menschen sehr ähnliche Arteriosklerose der großen Gefäße entwickeln.

Prof. Weitzel hat mir seine Erfahrungen und seine Mitarbeiter zur Verfügung gestellt und mir geholfen, einen Langzeitversuch mit Hühnern bei kohlenhydratarmer Ernährung gegenüber der üblichen Getreidenahrung durchzuführen. Ein Teil der Hühner wurde normal, d.h. mit reichlich Kohlenhydraten gefüttert, um einen Vergleich zu haben; „meine Hühner" erhielten aber fast keine Kohlenhydrate, nur Fleischabfälle aus einer großen Schlachterei, getrocknete Garnelen usw. Nach drei Jahren wurden die Hühner geschlachtet und von einem Mitarbeiter des Tübinger Institutes aufgearbeitet, wobei sich ergab, dass „meine Hühner" nur ein Fünftel der Arteriosklerose hatten, wie die mit Kohlenhydraten gefütterten[19]. Dieses Resultat zeigte, dass ich mit der kohlenhydratarmen Diät nicht völlig auf Sand gebaut hatte.

Natürlich war ich nicht so einfältig, das Ergebnis dieser Hühnerversuche als Garantie zu betrachten, dass ich meiner familiären Belastung mit Arteriosklerose etc. entfliehen könnte. Tatsächlich hatte ich

1999 im Alter von 86 Jahren den erwähnten Schlaganfall, der zwar vorläufig nur kleinere Teile meines Gehirns beschädigte, aber immerhin. Da die dazugehörige Arterie nicht ganz einwandfrei ist, erhebt sich der Verdacht, dass meine jahrelang zu beobachtenden Gehstörungen (und der „Schwindel") schon durch eine Durchblutungsstörung derselben Gehirnpartien ausgelöst wurden, die jetzt durch den Schlaganfall betroffen waren, und zwar schon vor Übergang zu kohlenhydratarmer Diät.

Da die Untersuchung meiner Arterien nach dem Schlaganfall eine Einengung der zum Hirn führenden linken A. carotis interna gezeigt hatte, wurde diese Arterie 2001 chirurgisch revidiert und mit einem Venenpatch saniert.

Nach diesen Erfahrungen um die Jahrhundertwende musste ich mich von der Vorstellung verabschieden, dass mich die kohlenhydratarme Kost vor den in meiner Familie üblichen Alterskrankheiten schützt, und ich musste darüber nachdenken, was außer den Kohlenhydraten noch für meine Arteriosklerose anzuschuldigen wäre.

Etwas verdächtig dabei ist mir mein hoher Harnsäurespiegel im Blut. Es gibt Kollegen, die zu der Meinung, dass auch Hyperurikämie als Ursache von Arteriosklerose in Frage käme, nur mit den Schultern zucken (weil diese ehrenwerte Aufgabe bekanntlich den Blutfetten zukäme), aber ich frage mich, wieso sich Harnsäurekristalle in erkrankten Gelenken niederlassen und dabei einen Gichtanfall herbeiführen können und nicht in den erkrankten Arterien, wo man entzündliche Veränderungen in der Gefäßinnenhaut (Intima) als Ursache arteriosklerotischer Verhältnisse neuerdings offen diskutiert und vom Cholesterin als selbstverständlich annimmt, dass es sich dabei in der Intima absetzt. Ich bin daher dazu übergegangen, auf erhöhte Harnsäurewerte bei meinen Patienten zu achten und vor allem sie bei mir selbst durch Allopurinol niedrig zu halten. So habe ich wenigstens die Hoffnung, dass ich weiteren Folgen von Arteriosklerose in Zukunft aus dem Wege gehen könnte.

Bezüglich der Zermürbung meiner Bandscheiben und meiner Arthrose der Hüftgelenke bin ich mir ja sicher, dass sie auf schwere Stürze in meiner Hochschulzeit in Innsbruck zurückgehen, als die Skier noch keine Kanten hatten und die Pisten eisig waren. Ich glaube, dass ich die Probleme heute nicht hätte, wenn ich damals kohlenhydratarm hätte leben können, aber als Student hatte ich nicht viel Geld, und ich liebte Zucker und Süßspeisen sehr. Vor allem wusste ich damals nicht, welche Effekte die Kohlenhydrate auf das Bindegewebe haben. Was nützt mir heute, dass die Leute mir mein Alter nicht glauben, weil ich viel jünger aussehe? Die gute Gewebsqualität hätte ich als Hochschüler gebraucht.

Heute bin ich mir darüber klar, dass uns allen in zivilisierten Ländern eine totale Adaptation an die Kohlenhydrate fehlt und dass die einzig wirklich sinnvolle Maßnahme eine Rückkehr zur Diät des paläolithischen Jägers wäre. Aber davon sind wir ja noch weit entfernt; noch immer leben wir unter dem Einfluss der Fett-Theorie, für die tierische Fette schädlich und Kohlenhydrate unschädlich sind. Ich weiß, ehrlich gesagt, nicht, was alles noch an gesundheitlichen Maßnahmen außer einer Reduktion der Kohlenhydrat-Aufnahme notwendig wäre (Sport oder körperliche Arbeit, weniger Kalorien, Vitamine, Mineralien, Spu-

renelemente, hoch-ungesättigte Fettsäuren etc.). Ich kämpfe nur gegen ein Übermaß an Kohlenhydraten, weil ich davon überzeugt bin, dass durch eine Korrektur an dieser Stelle eine wesentliche Verminderung unserer Krankheiten möglich wäre. Auf alle Fälle esse ich fast täglich grüne Pflanzenteile als Salat und trinke etwas rohen Gemüsesaft.

Dass es die Kohlenhydrate sind, sieht man an der Abhängigkeit unserer Zivilisationskrankheiten von der Zeit, die unsere unmittelbaren Vorfahren zur Adaptation an die Kohlenhydrate hatten[20]. Je früher die Kohlenhydrate in ein bestimmtes Siedlungsgebiet kamen, umso länger die Zeit bis heute für Adaptation und umso gesünder die Bevölkerung. Die Kohlenhydrate wurden um das Schwarze Meer herum als Nahrungsmittel entdeckt und rasch zu einer Volksnahrung ausgebaut. Die Sintflut ist ein Zeitsignal für die Ausbreitung des Ackerbaues; sie geschah am schnellsten auf dem Seeweg durch die Phönizier und ihre Vorgänger, die das Zedernholz des Libanon für den Schiffsbau ausnützten. So kam das Getreide und die Kenntnis für seinen Anbau über Nordafrika (Karthago), Spanien, Italien und Griechenland zu allen am Mittelmeer lebenden Völkern, vom Schwarzen Meer aus über dort mündende große Flüsse und die daran aufblühenden Siedlungen nach Zentraleuropa und Russland bis zur Ostsee, von dort weiter über die Wikinger überallhin; im Übrigen hauptsächlich durch die Römer, die ihre Legionäre ja mit Getreide ernährten (jede Hundertschaft hatte eine Getreidemühle). Vom Römerreich haben wohl die südlichen Germanenstämme und der Süden der Britischen Inseln die ersten Kohlenhydrate bekommen.

Die Römer staunten über das gute Aussehen der germanischen Kriegsgefangenen und der dabei verschleppten Germaninnen; sie hatten aber keine Idee davon, dass dies von der germanischen (kohlenhydratarmen) Fleisch-Fett-Diät und nicht von deren zuchtvollem Lebenswandel käme, denn sie selbst waren völlig im agrikulturellen Umfeld versunken. Ihren Bevölkerungsüberschuss (unsere Bäuerinnen wissen, dass sie ihren Hühnern Kohlenhydrate zufüttern müssen, um sie zur erhöhten Eiablage zu bringen) brachten die Römer im heutigen Frankreich unter (Provence = Provinz), weshalb auch die heutigen Franzosen sich einer niedrigen Herzinfarktrate erfreuen können[20] und nicht wegen des Rotweins („French Paradox"). Eben haben Epidemiologen der Londoner Universität[21] nachgewiesen, dass noch heute in Südengland (wo die Römer waren und ihre an Kohlenhydrate adaptierten Gene hinterließen) die Herzinfarktinzidenz wesentlich niedriger liegt als im übrigen Vereinigten Königreich – nicht zu reden von Finnland, wohin der Ackerbau noch später kam als nach England, um den Fischfang und die Jagd zu verdrängen. Kein Wunder, dass neue Medikamente gegen Herzinfarkt (Statine) gewöhnlich aus Finnland kommen. Damit bekommt aber auch die berühmte Sieben-Länder-Studie, die an der Wiege der Fett-Theorie steht, eine neue Deutung, nämlich die, dass es natürlich nicht die vielen Fette sein müssen, wo die Herzinfarkte häufig sind, sondern dass dort „zufällig" auch die Kohlenhydrate später hinkamen und die Adaptation daran heute niedriger ist. (siehe Abb. 27 auf S.121)

Das Kernstück meiner Theorie ist jedenfalls die Vorstellung, dass sich die menschliche Natur (das menschliche Genom) seit der Einführung des Ackerbaus und der Kohlenhydrate in die menschliche Ernährung zu wenig geändert hat, um eine völlige Anpassung an Stärke und Zucker zu gewährleisten. Dies wäre aber nötig, wenn der Organismus mit grundsätzlich geänderten Ernährungsverhältnissen fertig werden soll.

Dass ich trotz einer Diät, die sicherlich den Kohlenhydratanteil der paläolithischen Kost nicht überstieg, mit den geschilderten Problemen des Kohlenhydratessers konfrontiert war, hängt damit zusammen, dass meinem „halben Leben ohne Kohlenhydrate" ein „halbes Leben mit Kohlenhydraten" vorausging, dass ich bis zu meinem 49. Lebensjahr eben reichlich (auch zu reichlich) Kohlenhydrate zu mir genommen hatte in einem Lebensabschnitt, der aus klaren Gründen von der Natur mit besonderer Anpassungsfähigkeit ausgestattet ist. Der junge Mensch passt sich eben nicht nur durch seine Lernfähigkeit an die Umwelt an, die er mit seiner Geburt betritt, sondern in jeder Hinsicht. Wir gehen zur Schule, um unser Gehirn mit Wissen auszustatten, das wir im Leben brauchen werden, gleichzeitig passt sich unser Stoffwechsel an unsere Nahrung in dieser Zeit an. Wir können sozusagen die Veränderungen, die wir uns in der Jugend aufzwingen, nicht mehr völlig ablegen.

Wir haben eine entsprechende Beobachtung bei unseren Hühnern gemacht: Wir wollten eines Tages die Zahl unserer kohlenhydratarm ernährten Hühner erhöhen, mein Wärter war sich aber nicht im Klaren darüber, dass er diese Ersatzhühner vom Schlüpfen, also von frühester Jugend, an, kohlenhydratarm aufziehen müsste (was schwierig ist). Als sie nach drei Jahren obduziert wurden, hat mich die Assistentin aus Tübingen „schonend" darauf vorbereiten wollen, dass diesmal die kohlenhydratarmen Tiere nicht so schön arteriosklerosearm waren wie diejenigen aus dem Hauptversuch. Ich habe schnell herausgefunden, was die Ursache dafür war: dass diese Hühner eben eine kohlenhydratreiche Kindheit hatten. Man kann die Adaptation an die Umwelt, die sofort mit Beginn des Lebens einsetzt, später nicht mehr ungeschehen machen; ich nicht die schlechte Qualität meines Bindegewebes (Bandscheiben, Hüftgelenke) und auch meiner Arterien, ein anderer die Tendenz zum Diabetes und zur Fettleibigkeit, wieder ein anderer eine Nahrungsmittelunverträglichkeit (Gluten). Was wir uns in der Jugend anerziehen, bleibt uns sozusagen bis zum Alter erhalten, wenigstens im Prinzip. So habe ich mir mit erblicher Anlage und reichlich Kohlenhydraten im ersten halben Leben eine Tendenz zur Arteriosklerose angezüchtet, die ich im zweiten halben Leben nicht mehr völlig tilgen konnte.

Bei dieser Gelegenheit frage ich mich, ob der Paläolithiker auch hyperurikämisch war oder ob die Neigung zur Hyperurikämie erst im späteren Leben entsteht, denn ich kann mir eine paläolithische Gesellschaft mit vielen Gicht-befallenen Männern im mittleren Lebensalter nicht vorstellen.

Die Anpassung an den Ackerbau und an seine Kohlenhydrate kann nur erfolgen durch Mutation und Selektion, wenigstens nach den heute gültigen Prinzipien. Während aber der Mensch früher in kleineren Gruppen mit ausgeprägter Inzucht gelebt hat, so dass Mutationen durch homozygotes Auftreten sehr rasch phänotypisch und somit ausrottbar oder positiv selektierbar wurden, ist die heutige Menschheit zumindest innerhalb einer bestimmten Rasse eine

millionengroße Familie geworden, in welcher ein Großteil neu auftretender Mutationen verschwindet.

Ferner handelt es sich bei den Zivilisationskrankheiten zum großen Teil um solche, welche erst im höheren Alter auftreten, wenn die Würfel über die Anlagen der Kinder bereits gefallen sind, so dass sie die Qualität und Quantität der Nachkommenschaft wenig beeinflussen können. Dies zusammen mit der Behinderung der Auslese durch Zivilisation und soziale Maßnahmen lässt wohl vermuten, dass der Mensch von heute in seinen Erbanlagen im Wesentlichen noch demjenigen gleicht, der zur Zeit der Entdeckung der Kohlenhydrate gelebt hat und dass somit seine Natur nach wie vor der des Jägers und Sammlers entspricht. Dies soll nicht heißen, dass nicht bereits eine Anpassung unseres Erbgutes an die Kohlenhydrate unterwegs sein könnte.

Sollten sich diese Vorstellungen als richtig erweisen, dann werden wir uns entschließen müssen, sofort geeignete Maßnahmen zu ergreifen, anstatt zu warten, bis die Weltbevölkerung sich durch Mutation und Auslese in den nächsten hunderttausend Jahren eine ausreichende Kohlenhydratfestigkeit erwirbt oder die pharmazeutische Industrie und Genetik etwas erfindet.

Ich fasse zusammen:

Eine kohlenhydratfreie oder sehr kohlenhydratarme Ernährung durch bisher 46 Jahre führte im Selbstversuch nicht nur zu keiner Gesundheitsstörung, sondern zu beachtlicher Hebung des Allgemeinbefindens und der Stimmungslage, zum Rückgang arthrotischer Beschwerden, Behebung von Untergewichtigkeit und Hypotonie, und zu einem Verschwinden von Migräne und Zahnkaries. Es ergab sich eine eindrucksvolle Steigerung körperlicher und geistiger Leistungsfähigkeit.

Es wird die Vorstellung entwickelt, dass der Mensch, der einschließlich seiner engeren Vorfahren mehrere Millionen Jahre lang fast ausschließlich von der Jagd und damit von tierischen Proteinen und Fetten gelebt hat, sich an die mit der neolithischen Revolution (Ackerbau) eingeführten Kohlenhydrate noch nicht genügend anpassen konnte und dass manche seiner („Zivilisations"-) Krankheiten durch übermäßigen Kohlenhydratgenuss bedingt sind.

References

1) Thorpe, G. L.: JAMA 157, 1361-1365

1a) Savarin, A. B.: Physiologie de Gout, Bruckmann Querschnitte, #1152, E. Bruckmann KG München 1962, zit nach 2)

2) Banting, W.: Letters of Corpulence. Harrison 1864, London 2)

3) Stefansson, V.: The Fat of the Land; The McMillan Co., New York 1957; Cancer, Disease of Civilisation, Hill and Wang, New York 1960.

4) Newburgh, L.H.: Arch. Intern. Med. 70, 1942, 1035-1036

5) Pennington, A.W.: New England J. Med. 248 (1953), 959-964

6) Donaldssson, cit. nach 3-7

7) McKarness, R.: Eat fat and grow slim, Doubleday & Co. Inc., New York 1959

8) Kemp, R.: Nobody needs to be fat; William Heinemanns med. Books Ltd. London 1959

9) Keckwick, A., Pawan, G.L.: Lancet 271 (1956) 155-1612; Arch. Of the Middlessex Hosp. Vol. 3 #381953) Proc. Nutr. Soc. XXXV, 17 (1958)

10) Lutz, W.. Iselstöger, H.: Münch. Med. Wschr. 102, # 41, 1960

11) Weitzel, G., Buddecke, E.: Klin. Wschr. 34, 1172 (1956)

12) Atkins, R.: Dr. Atkins Diet Revolution, David Mc Kee Co, NY 1972

13) Lutz, W, Andresen, G., Buddecke, E.: Ern. Wiss. 9 (1969) 222

14) Warburg, O.: Bioch. Z. 142 (1932) 317

15) Warburg, O.: Über den Stoffwechsel der Tumoren. Springer Verlag, Berlin, 1926

16) Warburg,O.: Vortrag 100. Tagung Ges. dtsch. Naturf. und Ärzte, Wiesbaden 1958

17) Lutz,W.: Kohlenhydrate und Hormone, in Vorbereitung

18) Lutz, W., Andresen, G., und Buddecke, E.: Untersuchungen über den Einfluss einer kohlenhydratarmen Langzeitdiät auf die Arteriosklerose des Huhnes. Zeitschr. f. Ernährungswiss. Bd. 9 (1969) 222

19) Lutz,W.: The Colonisation of Europe and our Civilisatory Diseases. Medical Hypotheses 1995; 45: 115-120

20) WHO Monica Project: World Health Star. Quart. S. 40, 1987

21) Keys, A.: Circulation, 41 (1970) Supl.1, 211

Schlusswort

Im Kapitel „Für und Wider" habe ich mich bemüht, Argumente gegen Argumente zu stellen und meinen Standpunkt damit möglichst klar zu definieren. Ich bin der Meinung, dass wir mit weniger Kohlenhydraten gesünder wären und länger leben würden. Länger leben heißt aber, dass weniger Menschen sterben und mehr gefüttert werden müssen. Mit weniger Kohlenhydraten bedeutet, dass wir wesentlich weniger Menschen auf derselben Ackerfläche ernähren können.

Dabei stehen wir augenblicklich in einer unerhörten Bevölkerungsexplosion. Vor 2 000 Jahren, zu Beginn unserer Zeitrechnung, trug die Erde etwa 20 Millionen Menschen, heute sind es 5 Milliarden! Früher verdoppelte sich die Menschheit in einem Zeitraum von mehreren Jahrtausenden, gegenwärtig macht sie es in einigen Jahrzehnten.

In Indien lebten im Jahre 1920 ca. 250 Millionen Menschen; sie verdoppelten sich aber in 46 Jahren, und Indien wird bei der heutigen Zuwachsrate von 2,5% pro Jahr in 50 Jahren eine Milliarde Menschen beherbergen. Die 80er Jahre brachten die lange vorausgesagten Hungersnöte in den so genannten Entwicklungsländern, in denen wir durch hygienische Maßnahmen und durch „Entwicklungshilfe" dem Tode in den Arm fielen und wie bei den Heuschrecken und bei den Kaninchen das natürliche Gleichgewicht zwischen Werden und Sterben gestört haben.

Es mutet nun wie ein Anachronismus an, wenn ich davon rede, dass der Mensch sich nur von tierischen Nahrungsmitteln ernähren soll, um gesund zu bleiben. Meine Vorstellungen kommen zur Unzeit, und sie verschärfen ein Problem, das an sich schon kaum lösbar erscheint. Soll man sie deshalb nicht äußern? Ich bin zwar Mediziner und nicht Politiker oder Bevölkerungspolitiker. Mein Anliegen ist die Gesundheit des Patienten, der zu mir kommt und mich fragt, was er tun soll, um seine Krankheit los zu werden. Das macht mich aber nicht blind für die Probleme, die die ganze Menschheit angehen. Ich glaube, wir müssen auf alle Fälle außerordentliche Maßnahmen anwenden, um der Bevölkerungsexplosion zu wehren, ganz gleich, ob wir uns mit Fleisch oder Getreide ernähren sollen, und wir werden bis dahin die Nahrungsquellen dieses Planeten möglichst weitgehend ausschöpfen müssen. Gelingt es uns, die Zahl der Menschen auf Erden den Möglichkeiten der Ernährung mit Kohlenhydraten anzupassen, dann wird es uns auch gelingen, ein Niveau anzusteuern, bei dem wir uns ohne sie ernähren, d.h. bei dem wir gesund bleiben können. Unser Ziel muss es doch sein, diesen Planeten mit gesunden Menschen zu bevölkern, statt mit kranken zu überfüllen.

Ich zweifle nicht daran, dass sich dabei rechtzeitig wissenschaftliche Erkenntnisse einstellen und verwerten lassen werden.

1. Es wird sich herausstellen, dass Kohlenhydrate bis zu einer gewissen Menge für die meisten Menschen ungefährlich sind, besonders, wenn eine Kohlenhydratadaptation bereits vorliegt (Dritte Welt).

2. Eines Tages wird es uns gelingen, die Grundstörung der Kohlenhydratkrankheit, die überschießende Tätigkeit des Inselorgans, durch Medikamente zu unterdrücken. Sie müssten die Ausschüttung von Insulin aus dem Pankreas erschweren, damit sozusagen einen vorsorglichen Diabetes erzeugen, so dass das Inselorgan geschont wird und nicht hypertrophiert, eher zu wenig als zu viel Insulin erzeugt. Der Blutzucker würde nach Kohlenhydratgenuss stark ansteigen, so dass viel früher als sonst Sättigungsgefühl eintritt. Damit würden natürlich die hormonale Gegenregulation und der Mechanismus der Zuckerbildung aus Glykogen und Eiweiß unterdrückt werden. Ein solches Medikament, wie Salz oder Gewürz den Speisen zugesetzt, könnte Fettsucht, Diabetes und alle anderen Formen der Kohlenhydratkrankheit verhindern, die Kohlenhydrattoleranz erhöhen und mit Diabetes und Fettsucht erblich Belastete besonders schützen.

Ein solches Medikament gibt es bereits in Form des Diazoxid® (Schering, USA). Es kam nach der ersten Auflage dieses Buches auf den Markt, ist aber leider noch zu toxisch, um allgemein Verwendung zu finden (man benützt es zur Unterdrückung der Insulinausschüttung beim Hyperinsulinismus bzw. beim Inseladenom). Ich zweifle nicht daran, dass es uns noch gelingen wird, dem Präparat seine negativen Seiten abzuzüchten.

3. Wir müssen tierische Fette durch pflanzliche (Margarine, Öle) und tierisches Eiweiß teilweise durch pflanzliches ersetzen, um die Produktivität unserer landwirtschaftlichen Fläche besser auszunützen, die für Ölfrüchte und für Getreide etwa gleich groß ist.

4. Es gibt im Meer noch ungenützte Quellen für tierische Nahrungsmittel, und auch das Festland hat Reserven an Anbaufläche. Natürlich wäre alles das ein Tropfen auf einen heißen Stein, wenn man die Bevölkerungsexplosion nicht abbremsen könnte.

5. Es gibt aber einen Ausweg aus dem Dilemma, wenigstens solange, bis die Pille überall Einzug gehalten hat und damit das Wachstum der Erdbevölkerung zum Stillstand gekommen ist: Wir können zur Hälfte als Vegetarier und zur Hälfte als Jäger leben, d.h., wir können unseren Anteil an tierischer Nahrung zu Gunsten von vegetarischer erniedrigen. Ich sage nicht, zu Gunsten von pflanzlicher Nahrung, weil das heißen würde, dass wir unbeschränkt Kohlenhydrate essen können. Wir wissen es ja schon: Die Kohlenhydratbeschränkung muss aufrecht bleiben, aber wir können statt Fleisch und tierischem Fett mehr Gemüse verzehren.

Damit werden zwei Fliegen auf einen Schlag getroffen: Wir gewinnen Ackerfläche für unsere eigene Ernährung statt der Fütterung von Vieh. Und wir haben trotzdem eine kohlenhydratarme Ernährung, an die wir vom Affen und dann vom Wildbeuter und Jäger her angepasst sind. Und wir vermeiden die Nachteile der extrem vegetarischen Ernährung (Mangel an Eisen, Vitamin B 12, essentiellen Fettsäuren, Kindersterblichkeit), wie sie im Kapitel „Zurück zu den Affen" (S. 209) dargestellt sind.

Es lässt sich auch das Verhältnis tierischer zu pflanzlicher Nahrung je nach Geschmack, Geldbeutel und Bevölkerungswachstum verschieben, ohne dass damit dem Einzelnen zu viel an Freiheit verloren geht.

6. Den Weg, den die Natur in vielen Hunderttausenden von Jahren ohne unser Zutun einschlagen würde, den der Züchtung einer neuen, den Kohlenhydraten angepassten Menschenrasse unter Ausrottung aller gegen Kohlenhydrate empfindlichen Individuen, können wir nicht mehr ins Auge fassen, denn die soziale Entwicklung, die wir erreicht haben, lässt weder Kannibalismus noch Völker- und Menschenmord noch eine aktive Auslese zu. Wozu auch? Nur, um mit Kohlenhydraten ungestraft noch mehr Menschen auf der Erde unterzubringen?

Wenn ich am Schluss dieses Buches diese Probleme teils bevölkerungspolitischer, teils medizinischer Natur erörtere, dann nicht deshalb, weil ich etwa der Meinung wäre, sie würden auch nur einen geringen Einfluss auf die Entscheidung jedes einzelnen von uns oder auf unsere ärztliche Handlungsweise besitzen. Noch lebt ein Großteil der Erdbevölkerung im Analphabetentum und damit in totaler Unwissenheit. Ein noch größerer lebt im Hunger. Er hat gar nicht Zeit, daran zu denken, was er besser essen sollte, um gesund zu bleiben, sondern sein ganzes Sinnen und Trachten geht darauf aus, den Hunger zu stillen, der ihn peinigt. Der Rest, die nicht hungernde Welt, lebt im Glauben an die Schädlichkeit der Fette, der ihm seit 20 Jahren durch die Wissenschaft über die Massenmedien vermittelt wird. Allein, wenn hier sich die Vorstellungen ändern, wird ein Sturm auf uns zukommen. Es wird sich zeigen, dass der Drang, gesund zu sein und länger zu leben, alle Hemmungen beseitigt und stärker

ist als humanistische Ideale. Schon wissen die Menschen, dass Süßigkeiten, Kartoffeln und Brot dick machen und dass sie den Kindern nicht zu viel Zucker geben dürfen, wenn die Zähne gesund bleiben sollen. Auch die jüngere Ärztegeneration weiß es. Bei einem meiner Kongreß-Kurse sagte mir ein junger österreichischer Arzt, der in Norddeutschland an einer Klinik arbeitete, mein Buch „Leben ohne Brot" sei unter den jüngeren Ärzten der Klinik sehr gut bekannt. Etwa die Hälfte von ihnen lebt „nach Lutz", aber natürlich wagen sie nicht, das ihrem Chef zu bekennen.

Trotzdem kann ich mit diesen meinen Ausführungen nur jene überzeugen, die die schulmedizinischen Vorstellungen von der nachteiligen Rolle des Fettes nicht mehr glauben und nur darauf warten, eine andere Theorie zu hören, so wie das Christentum nur dort seine Anhänger finden konnte, wo der alte heidnische Glaube bereits entwurzelt war. Sonst stellt das Vorliegende nur die erste Bekanntschaft mit einer These dar, die als Alternative zu den eingebürgerten Ansichten anerkannt werden möchte.

Ich selbst habe aber die bangen Zweifel der ersten Jahre, ob ich wohl auf dem richtigen Wege sei, längst hinter mir, denn jeder Tag bringt mir neue Erfolge an Patienten, denen vorher niemand helfen konnte: Erlebnisse, wie sie für einen Arzt nicht schöner sein können und wie ich sie meinen Kollegen aufrichtig wünsche. Dies wenigstens in Einzelfällen vermittelt zu haben, würde allein schon dieses Buch rechtfertigen.

Leserbriefe

Ich möchte Ihnen meine Krankheitsgeschichte gerne näher erläutern. Ich bin 29 Jahre alt und leide seit etwa zwölf Jahren unter Allergien. Mit Asthma fing es an; ein Heuschnupfen kam wenig später hinzu sowie eine Nickel- und Sonnenallergie und noch einiges mehr. Eine empfindliche Haut (ich kann mich nur selten duschen und waschen) habe ich schon so lange ich mich zurückerinnern kann. Auch Juckreiz am ganzen Körper ist mir nur zu gut bekannt.

Mein ganzes Leben seit der Pubertät war ein ständiges Auf und Ab, oft begleitet von Depressionen und Gewichtsschwankungen zwischen 55 und etwa 70 kg. Verdauungsprobleme traten immer wieder auf.

Wir haben dann eine Weile später entdeckt, dass sich mein Jucken und meine Quaddel- und Pickelbildung im Gesicht nach der Zufuhr gewisser Lebensmittel vermehrt oder verringert hat. Nun fingen wir an, das auszuprobieren, was aber sehr schwierig war. Zitronen und Orangen waren eine Katastrophe; Milch- und Getreideprodukte vertrug ich auch nicht. Alles wuchs uns über den Kopf. Jucken, depressive Verstimmungen waren an der Tagesordnung, und ich wusste nicht mehr, was ich noch essen sollte.

Bis zu der Zeit war ich bei keinem Arzt gewesen, aber jetzt wollte ich austesten lassen, wogegen ich nun wirklich allergisch war. In einem Institut für Umweltkrankheiten hat man sehr viele Lebensmittel getestet. Ich reagierte auf sämtliche Getreidearten sehr kräftig, aber auch auf Tomaten, Zitronen, Orangen, Milch, Rindfleisch und noch vieles andere. Nachdem ich diese Lebensmittel weggelassen hatte und morgens mit Fleischbrühe statt des Brotes begann, zeigten sich erste Besserungen an der Haut und im Allgemeinbefinden.

Seit einigen Monaten leben wir nun mit 6 BE, aber schon vorher habe ich angefangen die Kohlenhydrate zu beschränken – denn bis zu unserer „6-BE-Zeit" hatte ich viele Kartoffeln und Reis gegessen. Mein Mann und ich fühlen uns seit dieser Zeit wohler. Viele gesundheitliche Probleme haben sich gebessert; bei meinem Mann z.B. Rückenschmerzen, ständiges Verschnupftsein, spastische Bronchitis.

Bei mir haben sich die häufigen Stimmungsschwankungen und Angstzustände sehr gebessert; Entzündungen an Fingernägeln und Zahnfleisch treten nicht mehr auf; Kreislaufprobleme, z.B. zu niedriger Blutdruck, sind verschwunden. Ich habe 15 kg abgenommen und wiege heute 55 kg. Ich bin leistungsfähiger geworden, und meine Asthma- und Heuschnupfenanfälle sind stark zurückgegangen.

Es hat sich so viel zum Guten verändert, dass wir bei unserer „6-BE-Lutz-Diät" ein Leben lang bleiben werden. Wir danken Ihnen für Ihr Buch und für Ihren Mut, da wir selber sehen, welchem Widerstand man ständig ausgesetzt ist, wenn man über diese Erfahrungen zu reden beginnt. Warum sollte auch ein Einzelner Recht haben und all die anderen Ärzte Unrecht?! Für uns ist Ihr Buch zur „Bibel" geworden!

Familie S. in D.

Unser zweiter Sohn Udo, 20 Jahre alt, leidet seit anderthalb Jahren an Morbus Crohn. Dieser wurde erst recht spät als solcher erkannt. Im letzten Sommer wurde Udo im Urlaub in Italien „am Blinddarm" operiert. In den Herbstferien musste dann ein Abszess mit Fistel im Enddarm entfernt werden. Die Operationswunde ist bis heute noch nicht verheilt. Außerdem war Udo dieses Jahr nach bestandenem Abitur (1,6) in einer psychosomatischen Klinik in Bad Kreuznach. Ergebnis: Null.

Unser ältester Sohn hat ihm Ihr Buch mitgebracht. Wir waren alle erstaunt über den Inhalt. Seit drei Wochen lebt Udo nach Lutz. Erfolg: keine Bauchschmerzen mehr; statt sechs- bis siebenmal Stuhlgang am Tag nur noch zwei- bis dreimal.

Udo ist natürlich wie ausgewechselt. Er hat inzwischen ein Maschinenbaustudium aufgenommen.

Frau U. K. in S.

Vor Jahren kam mir zufällig Ihr Buch in die Hände; ich nahm mir vor, es „bei Gelegenheit" zu lesen. Daheim lag es dann herum, doch als es mir wieder einmal schlecht ging, nahm ich das Buch zur Hand und habe es von der ersten Seite bis zum Schluss mit großem Interesse gelesen. Als ausgesprochener Laiin leuchten mir alle Ihre Gedanken, Forschungen und Behandlungen ein.

Ich selbst habe Arthrose, Bindegewebsschwäche und Verdauungsbeschwerden, eine leicht eingeschränkte Atemfunktion und Krampfadern. Ich habe den Eindruck, dass Ihre Diät mir hilft. Mit 70 Jahren bin ich zwar nicht ganz konsequent mit der Kost, doch bei starken Schmerzen wurde mir unter Beschränkung der Kohlenhydrate immer recht schnell wieder geholfen. Ich höre auf meinen Körper, jedoch nicht ängstlich. Da ich allein lebe, kann ich essen, was ich will, ohne dass mir jemand dreinredet. – An den Krampfadern hat sich allerdings nichts geändert, aber das ist wohl kaum zu erwarten.

Frau I.N. in T.

Ich bin Pharmareferent, kenne Ihr Buch seit 14 Jahren, lebe auch „in etwa" danach und habe sicher schon 100 Exemplare davon an Ärzte abgegeben.

Ich möchte Ihnen einfach einmal danken für das, was Sie veröffentlicht haben, und vor allem, wie Sie es haben!

Mit dem „wie" meine ich, medizinische Zusammenhänge sehr gut verständlich und in einer geradezu ästhetischen Sprache darzustellen (ich besitze auch ein altes Exemplar Ihrer "inneren Medizin für praktische Ärzte" = „Internistischer Alltag"). Prinzipien Ihrer Denkart, die Ergebnisse und Folgerungen daraus sind ein Stück von mir geworden, so dass ich hier Bereicherungen erfahren habe, nicht nur für die eigene Gesundheit, sondern auch für viele schöne Gespräche, natürlich auch mit Ärzten. (Diese wenden es natürlich meist nicht an, weil die Patienten das nicht verstehen.) Je mehr man andere Ernährungsbücher liest – man wird immer wieder auf Ihr Buch zurückkommen, weil, wie Sie sagen, Sie kein Missionar, kein Überzeugungstäter sind, sondern immer den wissenschaftlichen Nachweis jeder Aussage anfordern.

Herr R.-D. J. in D.

Adressen von
Dr. Wolfgang Lutz

Merangasse 19/16
8010 Graz
Austria
Tel. 0043 316 3233650

12, Bramerton Court 213-214, Willesden Lane
London NW6 7YT
U.K.
Tel. 0044 208 4510472

Rezeptteil

Kohlenhydrat-Tabellen

Die nachfolgende Zusammenstellung entstammt den bekannten wissenschaftlichen Tabellen der „Documenta Geigy" (mit Zustimmung des Herausgebers). Bei Vergleichen mit anderen Quellen muss man berücksichtigen, dass es sich bei allen Nahrungsmittel-Analysen immer nur um Mittelwerte handeln kann; die Natur hält sich an keine Normen, und gerade der Kohlenhydratgehalt der Nahrungsmittel ist großen Schwankungen unterworfen.

Die Tabellen haben zwei Spalten. Die linke sagt, wie viel Prozent verwertbares Kohlenhydrat ein Nahrungsmittel enthält. Unverwertbare Kohlenhydrate wie Faserstoffe sind nicht berücksichtigt. Die rechte Spalte gibt an, wie viel Gramm dieses Nahrungsmittels auf eine Einheit (BE) gehen. Nehmen wir gleich die erste Position der Tabelle links oben: Ananas. Die linke Zahl sagt aus, dass in 100 g Ananas 12,2 g Kohlenhydrate vorkommen, Ananas daher 12,2% Kohlenhydrate enthalten. Die rechte Zahl gibt an, dass man für eine Einheit (BE) 98 g Ananas essen darf. Man wird im Allgemeinen mit der rechten Zahl arbeiten und bei einem bisher unbekannten Nahrungsmittel die Tabelle befragen, wie viel man sich davon für eine Einheit leisten kann.

(– = Wert nicht bekannt)
(0 = kein Kohlenhydratgehalt)

	% verwertbares Kh	g/Einheit
Früchte und Fruchtsäfte		
Ananas	12,2	98
in Büchsen, gesüßt	19,4	62
Saft in Büchsen	13,5	89
Äpfel (süß)	15,0	80
Handelsware	12,3	98
getrocknet	73,6	16
Apfelmus, gesüßt	23,8	50
Apfelsaft, frisch	13,0	92
Aprikosen	12,8	94
in Büchsen, gesüßt	22,0	55
getrocknet	66,5	18
Avocado	6,0	200
Bananen	22,2	54
Birnen	15,5	77
in Büchsen, gesüßt	19,6	61
Brombeeren	12,9	93
gefroren, gesüßt	24,4	45
Datteln, getrocknet	72,9	16
Erdbeeren	8,4	143
gefroren, gesüßt	23,5	51
Feigen	16,1	74
getrocknet	69,1	17
Fruchtcocktail, in Büchsen	19,7	61

	% verwertbares Kh	g/Einheit
Grapefruit	9,8	122
in Büchsen, gesüßt	17,8	67
Grapefruitsaft, frisch	9,8	122
Heidelbeeren	15,3	78
gefroren, gesüßt	26,5	45
Himbeeren	13,6	88
gefroren, gesüßt	24,6	51
Himbeersaft, frisch	11,0	109
Holunderbeeren, schwarz	15,9	75
Johannisbeeren,		
rot und weiß	12,1	99
schwarze	16,1	75
Johannisbeersaft,		
schwarz	7,0	171
rot	6,0	200
Kakipflaume	19,7	66
Kirschen	14,6	82
Kirschsaft	12,0	100
Mandarinen	11,6	103
Melonen	7,5	160
Oliven, grün, mariniert	1,3	923
Orangen	12,2	98
Orangensaft, frisch	12,9	93

	% verwertbares Kh	g/Einheit
Pfirsiche	11,8	102
in Büchsen, gesüßt	20,1	60
getrocknet	68,3	18
Pflaumen	12,3	98
in Büchsen	21,6	56
getrocknet	67,4	18
Preiselbeeren	11,6	103
Quitten	14,9	80
Rosinen	77,4	16
Stachelbeeren	9,7	124
Trauben	17,3	70
Traubensaft	16,6	72
Wassermelonen	6,4	187
Zitronen	8,2	146
Zitronensaft, frisch	18,0	150

Gemüse

	% verwertbares Kh	g/Einheit
Artischocken	10,6	113
Blumenkohl	5,2	231
Bohnen, grün	7,1	169
in Büchsen, ohne Flüssigkeit	5,2	231
weiße (Samen)	61,6	19
Lima-Bohnen	22,1	54
Broccoli (Federkohl)	5,9	203
Eierfrucht (Aubergine)	5,6	214
Endivien	4,1	293
Erbsen, grün	17,0	71
grün, gefroren	12,8	94
grün, in Büchsen	12,7	95
getrocknet	62,7	19
Schoten (Zucker-erbsen)	10,5	114
Fenchel	6,4	188
Gurken	3,0	400
Karotten (Möhren)	9,1	132
in Büchsen, ohne Flüssigkeit	6,7	179
Karottensaft, frisch	6,7	179
Kartoffeln	17,7	68
getrocknet	80,4	15
Chips	50,0	24
Knoblauch	29,3	41
Kohl		
Grünkohl	6,0	200
Rotkohl	5,9	203
Weißkohl	5,7	211
Wirsing	5,6	214
Kohlrabi	6,6	182

	% verwertbares Kh	g/Einheit
Kresse (Garten-)	5,5	218
Kürbis	3,5	343
Lauch (Porree)	9,5	126
Linsen, getrocknet	60,1	20
Mais, süß	22,1	54
süß, in Büchsen, ohne Flüssigkeit	19,8	61
Mangold	5,6	214
Meerrettich (Kren)	18,1	66
Petersilie	8,5	141
Pfefferschote (Paprika), grün	5,3	226
Radieschen	3,6	333
Rhabarber	3,8	315
Rosenkohl	8,7	138
rote Rüben	9,9	121
Salat		
Kopfsalat	2,5	480
Feldsalat	3,2	375
Sauerkraut	4,0	300
Schnittlauch	5,8	206
Schwarzwurzel	16,4	73
Sellerie (Knollen)	8,5	141
Sojabohnen, trocken	33,5	36
Spargel	4,1	292
in Büchsen, ohne Flüssigkeit	3,4	353
Spinat	4,3	279
gefroren, ungetaut	4,2	286
Tomaten	4,7	255
in Büchsen	4,3	279
-Ketchup	25,4	47
-Mark	9,5	126
-Saft in Büchsen	4,3	279
Zichorien	3,7	324
Zucchetti	3,6	333
Zwiebeln	8,7	138

Pilze

	% verwertbares Kh	g/Einheit
Champignon	3,7	324
Pfifferling	3,8	315
Steinpilz	5,9	203
getrocknet	52,0	23
Hefe (Preßhefe)	11,0	109

Nüsse

	% verwertbares Kh	g/Einheit
Erdnüsse	20,6	58
Erdnussbutter	17,2	70

	% verwertbares Kh	g/Einheit
Haselnüsse, trocken	18,0	67
Kastanien	45,6	26
getrocknet	78,8	15
Kokosnüsse	12,8	94
getrocknet	23,0	52
Kokosmilch	4,7	255
Mandeln	19,5	62
Paranüsse	10,9	110
Walnüsse	15,8	76

Getreide und Mehle

	% verwertbares Kh	g/Einheit
Buchweizenmehl	70,0	17
Gerste	76,5	16
Haferflocken	67,6	18
Mais (Mehl, Gries)	78,0	15
Stärkemehl (Mondamin,		
Maizena etc.)	87,9	14
Cornflakes	85,3	14
Popcorn	76,7	16
Reis	77,4	16
glasiert, gekocht	24,2	56
Roggen (Mehl)	71,8	17
Soja		
vollfett	30,2	40
halb entfettet	36,6	33
Weizen (Feinmehl)	76,1	16
Grieß	76,0	16
Weizenkeime	46,7	26

Brote und Teigwaren

	% verwertbares Kh	g/Einheit
Brötchen (Semmeln)	58,0	21
Grahambrot	49,3	24
Knäckebrot	79,0	15
Pumpernickel	53,0	23
Roggenbrot	52,7	23
Weißbrot	51,0	24
Zwieback	76,0	16
Eierteigwaren	73,0	16
Spaghetti	75,2	16

Zucker und Süßigkeiten

	% verwertbares Kh	g/Einheit
Karamell	76,6	16
Honig	82,3	15
Kakao	43,6	28
Marmelade	70,0	17
Marzipan	64,0	19
Schokolade		
Milch-Schokolade	56,9	21
milchfrei, süß	57,9	21

	% verwertbares Kh	g/Einheit
Traubenzucker	99,5	12
Zucker (raffiniert)	99,5	12

Getränke

	% verwertbares Kh	g/Einheit
Kaffee, ungezuckert	0,8	1500
Tee, ungezuckert	0,4	3000
Bier, hell	4,8	250
Bier, dunkel	5,5	218
Branntwein	–	
Cola-Typus	10	120
Limonaden	etwa 12	100
Most (Obstwein)	1,0	1200
Portwein	14,0	86
Rum	–	–
Wein, durchschnittlich	4,0	300
Whisky	–	–

Fette und Öle

	% verwertbares Kh	g/Einheit
Kokosfett	0,01	120000
Butter	0,7	1700
Lebertran	0	–
Margarine	0,4	3000
Mayonnaise	3,0	400
Öle		
Baumwollsamen-	0	–
Erdnuss-	0	–
Färberdistel-	0	–
Mais-	0	–
Oliven-	0	–
Palmen-	0	–
Sojabohnen-	0	–
Sonnenblumen-	0	–
Schweineschmalz	0	–
Senf	5,3	226

Eier

	% verwertbares Kh	g/Einheit
Hühnereier	0,7	1700
Eidotter	0,6	2000
Eiweiß	0,8	1500
1 Ei (48 g)	0,4	
1 Eidotter (17 g)	0,1	
1 Eiweiß (31 g)	0,3	
Eipulver	4,1	293

Milch, Milchprodukte

	% verwertbares Kh	g/Einheit
Milch		
Kuhmilch, frisch	4,6	261

	% verwertbares Kh	g/Einheit
Muttermilch	6,9	174
Schafmilch	4,4	272
Ziegenmilch	4,8	250
Buttermilch	4,0	300
Kondensmilch,		
gesüßt	54,3	22
ungesüßt	9,7	124
Magermilch	4,8	250
Milchpulver		
aus Vollmilch	38,2	31,5
aus Magermilch	52,0	23
Milchprodukte		
Käse		
Camembert	1,8	667
Edamer	3,5	343
Emmentaler	3,4	353
Parmesan	2,9	414
Rahm-	1,9	632
Roquefort	1,8	667
Schmelz- (45% Fett)	6,1	197
Molke	4,7	255
Quark, fett	4,0	300
Quark, mager	1,8	667
Schlagrahm 30%ig	2,9	414
Joghurt	4,5	267

Fleisch

	% verwertbares Kh	g/Einheit
Ente	0	–
Gans	0	–
Gänseleber	5,5	218
Hase	0,2	6000
Huhn	–	–
Hühnerleber	2,9	414
Kalb, Schlegel	0	–
-Kotelett	0	–
-Herz	0,8	1500
-Hirn	0,8	1500
-Leber	4,1	293
-Niere	0,8	1500
-Thymus (Bries)	0	–
-Zunge	0,9	1333
Kaninchen	0	–
Lamm (Hammel)		
-Schlegel, Kotelett	0	–
-Leber	2,9	414
-Nieren	0,9	1333
Pferd	0,9	1333
Reh	0	–

	% verwertbares Kh	g/Einheit
Rind		
-Filet, Lende, Schlegel	–	–
-Cornedbeef	–	–
-Euter	–	–
-Herz	0,6	2000
-Hirn	0,8	1500
-Kutteln	–	–
-Leber	5,9	203
-Lunge, Milz	Spuren	
-Niere	0,9	1333
-Zunge	0,4	3000
Schwein		
-Filet, Kotelett,		
Schlegel	–	–
-Schinken, gesalzen	0	–
-geräuchert, roh	0,3	4000
-geräuchert in Büchsen	1,5	800
-Speck	Spuren	–
-Herz	0,4	3000
-Hirn	Spuren	–
-Leber	2,6	462
-Niere	0,8	1500
-Zunge	0,5	2400
Truthahn	0,4	3000
Wal	1,0	1200
Ziege, Muskelfleisch	0	

Wurstwaren

	% verwertbares Kh	g/Einheit
Frankfurter	1,8	667
Mortadella, Salami,		
Weißwurst	–	–
Gelatine, trocken	0	–

Fleisch von Kaltblütern

	% verwertbares Kh	g/Einheit
Aal, frisch	0	–
geräuchert	0,8	1500
Austern	4,8	250
Garnelen	0	–
in Büchsen	0,7	1714
Hummer	0,5	2400
Kamm-Muschel	3,3	364
Kaviar	3,3	364
Krabben in Büchsen	1,1	1091
Miesmuscheln	2,2	545
Sardinen in Büchsen	0,6	2000
Schnecken	2,0	600
Steckmuscheln	3,1	387

% verwertbares Kh		g/Einheit		% verwertbares Kh	g/Einheit
Zander	0,45	2667	1 gehäufter Esslöffel von gekochtem		
Fische, alle anderen	0	–	Reis		1
			1 gehäufter Esslöffel von gekochten		
Annäherungswerte für fertig gekochte			Teigwaren (Nudeln, Fleckerl,		
Speisen (Einheiten à 12 g Kh):			Nockerl, Spätzle, Makkaroni)		11/2
			1 gehäufter Esslöffel von Kartoffel-		
1 Semmelknödel mittlerer Größe		2	schmarren		2

Diese Nahrungsmittel-Tabelle ist mehr zur Befriedigung des Interesses als für praktische Zwecke brauchbar. Man ersetzt sie am besten durch die nachfolgende Tabelle, welche ich in meiner Praxis verwende.

Kohlenhydratarme Diät

Grundsatz:	Beschränkung von Zucker und Stärke
Erlaubt:	Fisch, Fleisch jeder Art, auch in Form von Konserven, geräuchert, als Wurst, Aufschnitt, Leberkäse; Eier, Quark, Käse, Rahm, saure Milch (Joghurt), Buttermilch; jegliche Art tierischer und pflanzlicher Fette und Öle, auch Schweinefett, Butter und Butterschmalz (pflanzliche Fette wie Öle und Margarinen sind sicher nicht gesünder als tierische); Salate und Gemüse aus Blatt und Stängel (Spargel, Blumenkohl, Rosenkohl, Kopfsalat, Kraut, Kohl), Gurken und Tomaten in vernünftiger Menge.
	Erlaubt sind ferner ungesüßte Getränke und Alkoholika, Kochsalz und Nikotin, wenn nicht ausdrücklich verboten.
	Die hier genannten Nahrungsmittel können nach Belieben zubereitet (gekocht, gebraten, gebacken, geröstet, gedünstet) oder auch roh genossen werden. Brösel zum Panieren und Mehl zum Stauben von Gemüse oder zum Einbrennen sind, wenn sparsam verwendet, frei, größere Mengen müssen eingerechnet werden. Zum Süßen nimmt man entweder Zucker und rechnet ihn mit 12 g pro Einheit ein, oder man nimmt Saccharin, Candiset, Sucrina etc., man gewöhnt sich aber bald an ungesüßte Gerichte und Getränke.
Beschränkt	erlaubt sind alle kohlenhydrat- (stärke- und zucker-)haltigen Nahrungsmittel, wie sie in der nachfolgenden Äquivalenttabelle aufgezählt sind. Diese Nahrungsmittel dürfen nur im Ausmaß von 6 Weißbroteinheiten (WBE) pro Tag genossen werden.
Beispiel	eines kohlenhydratarmen Speisezettels mit 6 WBE:

Frühstück:	1 Tasse Kaffee oder Tee ohne Zucker, 2 weiche Eier, 1/2 Semmel	
	oder 25 g Brot	= 1 BE
Vormittags:	Käse mit Butter	= 0 BE
Mittags:	Fleisch oder Fisch mit Gemüse, grünem Salat, Spinat, Spargel etc.,	
	120 g Kartoffeln oder 30 g Reis (oder Nudeln, beides trocken gewogen)	
Jause:	oder eine kleine Mehlspeise bzw. Torte aus höchstens 15 g Mehl und	
	12 g Zucker, oder 250 g Obst	= 2 BE
	Kaffee oder Tee ohne Zucker	= 0 BE
Abends:	Aufschnitt, Käseplatte, Eier, kalter Braten etc., mit 50 g Schwarzbrot	
	oder 1 Semmel, 1/4 Liter Wein oder Bier	= 3 BE
		6 BE

Äquivalenttabelle

Für eine BE (Weißbroteinheit, entsprach früher einer halben Semmel) dürfen Sie essen:

12 g Zucker oder Stärke (Maizena, Mondamin)
14 g Honig
15 g Mehl, Grieß, Reis, Haferflocken, Mais, Kartoffelmehl, Puddingpulver, Sago, Grütze, Teigwaren, Brösel, Graupen, Suppen- oder Saucenpulver, Zwieback, Knäckebrot
20 g Weißbrot, Schokolade
25 g Schwarzbrot
30 g Grahambrot, Schrotbrot, Pumpernickel, Erbsen, Linsen, Bohnen (trocken gewogen)
40 g Kakao
60 g Kartoffeln, Bananen, Schwarzwurzeln, Nüsse
80 g süßes Obst (Birnen, Trauben, süße Äpfel)
90 g frische grüne Erbsen
100 g Orangen- oder Apfelsaft
120 g saures Obst (Orangen, saure Äpfel etc.) und Beeren
120 g Zitronensaft
200 g Wurzelgemüse, Schnittbohnen etc.
250 g (1/4 Liter) Bier, Wein, etc.
330 g süße (Voll- oder Mager-) Milch

Ein 14-Tage-Plan

Die Menschen, und damit natürlich auch die Patienten, sind außerordentlich verschieden. Die einen sind großzügig (oft zu großzügig), was leicht dazu führt, dass sie die Schranken, die ihnen die Diät setzt, gerne überschreiten, ohne dass sie sich dessen bewusst sind; die anderen wollen es ganz genau wissen. Für die Ersteren haben wir ein Diät-Merkblatt aufgenommen, wie ich es in meiner Praxis verwende. Wird es beachtet, können kaum größere Fehler entstehen. Für die anderen haben wir die Kohlenhydrattabelle aus früheren Auflagen aus den „Documenta Geigy" beibehalten.

Auch diesmal bringen wir einen 14tägigen Speisenplan und eine große Zahl von Rezepten, die es ermöglichen sollen, ein kohlenhydratarmes Diätregime ohne wesentliche Entbehrungen durchzuziehen. Hierzu sind natürlich in erster Linie Speisen nötig, welche süß schmecken, ohne allzu viel Kohlenhydrate zu enthalten.

Da man meistens an einem bestimmten Frühstück festhält, haben wir drei solche Frühstücke (I bis III) vorgesehen. Wer tagsüber schon immer an der Grenze der 6 BE laboriert, soll sich an das Frühstück I halten, welches kohlenhydratfrei ist; wer sich leichter tut, etwa weil er kein Bier trinkt und auch Wein oder zuckerhaltige Getränke nicht benötigt, kann sich das Frühstück II (1 BE) oder III (1,5 BE) leisten.

Das Ganze soll ja kein Kochbuch sein, sondern nur Hinweise für die Herstellung einer kohlenhydratarmen Nahrung geben. Es wird daher darauf verzichtet, Banalitäten zu erörtern, etwa wie man Rühreier oder Spiegeleier macht, wie man ein Schnitzel brät und dergleichen mehr. Dort, wo man spezielle Kochkenntnisse nicht voraussetzen kann, sind aber die nötigen Hinweise gegeben.

Speisen, für die es im speziellen Teil ein Rezept gibt, sind im 14-Tage-Plan mit einem Sternchen angezeichnet. Auf einen Unterschied in der Angabe der Nahrungsmittelmengen sei ausdrücklich hingewiesen: Die Mengen im 14tägigen Fahrplan gelten für eine Person. Da man aber selten für eine einzelne Person kochen wird, gelten die Mengenangaben in den Kochrezepten für 4 Personen. Bei den Desserts, etwa bei Kuchen und Torten, ist angegeben, in wie viel Stücke sie zerlegt werden sollen und wie viel Kohlenhydrate eine Portion enthält.

Den einzelnen Tagesfahrplänen ist eine 24-Stundenmenge von 5 bis 6 Einheiten à 12 g Kohlenhydraten zugrundegelegt. Dies entspricht einer Diät für gesunde Erwachsene mit sitzender Lebensweise. Wer damit nicht auskommt, weil er körperlich viel arbeiten muss oder Sport betreibt, muss mehr an tierischen Nahrungsmitteln, Eiweiß und Fett essen, jedenfalls nicht an Kohlenhydraten. Letzteres darf nur sein, wenn vom Arzt im Sinne einer Übergangsperiode etwas mehr an Kohlenhydraten verordnet wird.

Frühstück I   0 BE
2 Tassen Tee, Rührei von 2 Eiern mit 2 Scheiben gekochtem Schinken

Frühstück II   1 BE
1 Becher Sauermilch, 1 Scheibe Schwarzbrot (à 25 g), Gervais mit Schnittlauch, Radieschen

Frühstück III   1,5 BE
2 Tassen Kaffee mit Milch oder Sahne, 1/2 Semmel oder 1 dünne Scheibe Schwarzbrot (25 g), 1 Kaffeelöffel Marmelade oder Honig, Butter, 1 weiches Ei

		Menge	BE
Mo.			
F (Frühstück)	III		1,5
M (Mittag)	*Klare Gemüsesuppe*		
	Bouillon	200 g	–
	verschiedene Gemüse	100 g	0,5
	*Frikadellen (Fleischkrapferl)		
	gemischtes Faschiertes	150 g	–
	Kräuter, Gewürze		–
	1/2 Ei		–
	Fett zum Braten		–
	Kartoffelpüree		
	(1 mittelgroße Kartoffel)		
	1 El Butter		–
	3 El Milch		–
	Blattspinat		
	Spinat	100 g	
	2 EL Öl, Knoblauch		
	Bier	1/4 l	1
A (Abend)	*Gebackener Camembert*		
	Camembert	150 g	–
	2 El Brösel		1
	Fett zum Ausbacken		–
	Kopfsalat		
	mit beliebigem Dressing		–
	*Topfenknödel	3 Stck.	1
	Zwetschgenkompott	2 El	0,5
			5,5
Di.			
F	I		–
M	**Eiersuppe*		
	Bouillon	200 g	–
	1/2 Ei		
	3 El Sahne		
	Gedünsteter Rindsbraten		
	Rindfleisch	200 g	–
	2 Scheiben Speck		
	1 Zwiebel, Gewürze		
	Gurkengemüse		
	1 Gurke	200 g	
	1 El Senf		0,5
	2 El Sauerrahm		
	Obstsalat		
	Apfel	50 g	
	Orange	50 g	2,5
	Banane	50 g	
	1 El Zucker	10 g	
	Zitronensaft		
	Wein	3/10 l	1

			Menge	BE
A	*Hirn mit Ei*			
	2 Eier			
	Hirn		150 g	
	1 El gehackte Petersilie			
	1 El gehackte Zwiebel			
	2 El Butter			
	1 mittelgroße Kartoffel gekocht			1
	Grüner Salat mit Sauerrahm			
	Bier		1/4 l	1
				6

Mi.				
F	III			1,5
M	*Gefüllte Tomate*			
	1 Tomate			
	Fülle (Wurst, Mayonnaise, Essiggurke)			–
	Gebratene Kalbsleber			
	Kalbsleber		150 g	–
	Salbei			
	1 El Butter			
	Gemüse in Butter			
	Grüne Erbsen (tiefgefroren)		100 g	
	Blumenkohl (Karfiol)		100 g	1,5
	Karotten		50 g	
	2 El Butter			
	Petersilie			
A	*Matjeshering**			
	Matjeshering		200 g	
	Sauerrahm		125 g	
	1 Apfel			1
	1/2 Zwiebel			
	1 mittelgroße Salzkartoffel			1
	Bier		1/4 l	1
	Erdbeeren und Schlagsahne		70 g	0,5
	oder 1 Orange			
				6,5

Do.				
F	I			–
M	**Käsenockerlsuppe*			
	1 El Reibkäse			
	1/2 El Mehl			0,5
	1/2 Ei			
	Bouillon		200 g	
	Schweinskotelette gebraten			
	1 Kotelett		180 g	–
	1 El Schmalz			

		Menge	BE
	Kartoffelpüree		
	1 Kartoffel		
	3 El Milch		1,5
	1 El Butter		
	Gurkensalat		
	1/2 Gurke		
	1 kleiner Becher Yoghurt		–
A	* *Blumenkohlauflauf mit Schinken*		
	Blumenkohl (Karfiol)	250 g	1
	Schinken	100 g	
	1 Ei		
	Sauerrahm	125 g	
	2 El Reibkäse		
	2 El Butter		
	* *Gratinierter Pfirsich*		
	1 Pfirsich, 3 Makronen		
	1 Kaffeelöffel Zucker, Zitronensaft		2
	1 Kaffeelöffel Butter		
	Bier	1/4 l	1
			6,0

		Menge	BE
Fr.			
F	I		–
M	*Fridattensuppe*		
	1/4 Ei		
	1 El Milch		0,5
	1 Kaffeelöffel Mehl		
	Bouillon	200 g	
	Fischfilet gebacken		
	beliebiges Fischfilet	200 g	
	1 El Brösel		0,75
	1 Eiklar		
	Kartoffelsalat mit Mayonnaise		
	1 mittelgroße Kartoffel	90 g	1,5
	4 El Öl		
	1 Eidotter		
	1 Paket Kresse		
	Salz, Pfeffer, Senf, Essig		
A	*Spinatomeletts*		
	1 Ei		
	2 EL Mehl		
	4 El Milch		2
	Fett		
	Fülle		
	2 Scheiben Schinken		
	Blattspinat	ca. 150 g	
	Gervais	ca. 75 g	
	Gervais mit Preiselbeeren		0,5
	Wein	3/10 l	1
			6,25

			Menge	BE
Sa.				
F		III		1,5
M		*Niere gebraten*		
		Kalbsniere	150 g	
		1 Tomate		
		2 gehäufte El gekochter Reis		2
		kleiner Salatteller		
		Zabaione		
		1 Ei		
		1 El Zucker		1
		2 El Marsala		
		Zitronensaft		
		Bier	1/4 l	1
A		*Rindsrouladen mit Kohl*		
		Rindsschnitzel	150 g	
		1 Scheibe Schinken		
		1/2 Zwiebel		
		3 El Sahne		
		Kohl (Wirsing)	200 g	1
		Fett, Salz, Pfeffer		
				6,5
So.				
F		I		–
M		* *Lebernockerlsuppe*		
		Rindsleber	50 g	
		1/4 Ei		
		1 El Brösel		0,5
		Lungenbraten		
		Rindsfilet	200 g	
		Speck	50 g	
		3 El Sauerrahm		
		2 gehäufte El Eiernudeln		1
		Wein	3/10 l	1
		Blattspinat		
		mit Käse gratiniert		
		Gervaistorte	1/12	1
A		*Beefsteak tartar*		
		Rindfleisch	200 g	
		1 El Gewürze		
		1 Scheibe Toast		1
		Butter		
		Birne mit Käse		
		1/2 weiche, reife Birne		0,5
		frischer Parmesan	50 g	
				5,0

			Menge	BE
Mo.				
F	III			1,5
M	*Tomatensuppe*			
	Tomatenmark		50 g	
	Zucker		1/2 El	0,5
	Butter			
	1/4 El Mehl			
	Wasser			
	Filetspitien „Stroganoff"			
	Filetspitzen		150 g	
	Champignons		50 g	
	1/4 Salatgurke		ca. 150 g	
	1 kleiner Becher Sauerrahm			
	1 gehäufter El gekochten Reis			1
	*Gervaiscreme**			
	Gervais		100 g	
	1 Kaffeelöffel Zucker			
	1 El Beeren			1
	Zitronensaft, Milch			
A	*Hühnerleberomelette*			
	3 Eier			
	3 El Rahm			
	1 El Mehl			1
	Butter			
	Hühnerleber		150 g	
	Feldsalat			
	mit beliebigem Dressing			
	Bier		1/4 l	1
				6,0
Di.				
F	II			1
M	*Pilzsuppe*			
	Pilze		50 g	
	1 El Butter			0,5
	1 Kaffeelöffel Mehl			
	Bouillon		200 g	
	Petersilie, Salz, Pfeffer			
	Schweinsbratwürstl			
	beliebig			
	Sauerkraut			
	Schmalz		1 El	
	Sauerkraut		100 g	
	Gervaistorte		1/12	1

		Menge	BE
A	*Geräucherter Fisch*		
	beliebig		
	Sahnemeerrettich		
	Schlagsahne	2 El	
	Kren (Meerrettich)	1 Kaffeelöffel	
	Salz, Essig, 1 Prise Zucker		
	Schwarzbrot	1 Scheibe	1
	Butter, beliebig		
	1/2 *rosa Grapefruit*		1
	Bier	1/4 l	1
			5,5

Mi.			
F	III		1,5
M	*Szegediner Gulasch**		
	Schweineschulter oder Bauch	200 g	
	Sauerkraut		
	Sauerrahm	2 El	
	Paprika, Zwiebel		
	Schmalz	1 El	
	gekochter *Reis*	1 gehäufter El	1
	Bier	1/4 l	1
A	*Kalte Platte*		
	Salami/Schinken	100 g	
	Käse	50 g	
	1 hartes Ei		
	1/2 Tomate		
	1 Essiggurke		
	Butter		
	2 1/2 Scheiben Knäckebrot	15 g	1
	*Schokoladensouffle		
	bittere Schokolade	25 g ⎫	
	Eiklar	⎬	
	1/2 El Zucker	⎭	1,5
	2 EL Sauerkirschen		
			6,0

Do.			
F	III		1,5
M	*Gekochtes Rindfleisch*	200 g	
	Fenchel gedünstet	1 Knolle	0,5
	Butter	1 El	
	Bier	1/4 l	1
	Orangenfilets		
	Cointreau	1 El	
	1 Orange		1

			Menge	BE
A	*Rahmsuppe**			
	Sauerrahm			
	Mehl		1 Kaffeelöffel	0,5
	Butter			
	Kresse		1/2 Paket	
	pochierte Eier		beliebig	
	*Omelette Confiture**			
	2 Eier			
	Mehl		1/2 El	
	Butter			1
	Marmelade		1 El	
	3/10 l Wein			1
				6,5

Fr.				
F	III			1,5
M	*Fischfilet* gedämpft			
	beliebiger Fisch		250 g	
	Kräutersauce			
	gemischte Kräuter		5 El	
	eventuell tiefgefroren			
	1 Schalotte			
	Rahm		5 El	
	1 Ei			
	Zitrone, Pfeffer			
	Salzkartoffel			
	1 mittelgroße Kartoffel			1
	Gebackene Apfelspalten			
	1/2 säuerlicher Apfel			
	Mehl			1
	Milch			
	1/2 Ei			
A	*Käseauflauf**			
	Mehl		1 El	1
	Butter			
	Milch			
	Käse		125 g	
	2 Eier			
	Blattspinat		200 g	
	Butter		2 El	
	Bier		1/4 l	1
				5,5

			Menge	BE
Sa.				
F		I		–
M		*Wurzelfleisch**		
		Schweinefleisch halbfett	200 g	
		Sellerie, Karotten		
		Kartoffel	150 g	2
		Kren (Meerrettich)		
		Bier	1/4 l	1
		Haselnusstorte	1/12	1
A		Schinkenomelette		
		3 Eier		
		3 El Rahm		
		3 Scheiben gekochten Schinken		
		Fett		
		Grüner Salat		
		mit Rahm-Zitronen-Dressing		
		Bratapfel		
		wie gratinierter Pfirsich		1
		nur mit 1 in Butter gedünstetem Apfel		
		Wein	3/10 l	1
				6

			Menge	BE
So.				
F		III		1,5
M		*Bouillon mit Mark*		
		Bouillon	200 g	
		Rinderknochenmark		
		Backhuhn		
		1/2 Huhn		
		1 El Brösel		0,5
		1 Ei		
		Fett		
		Gemischter Salat		
		1/2 gekochte Kartoffel		0,5
		1/2 Paket Kresse		
		Feldsalat		
		Wein	3/10 l	1
A		*Rindfleischsalat**		
		gekochtes Rindfleisch	150 g	
		1 grüner Paprika		
		1/2 Zwiebel		
		Pfeffer, Essig		
		1 Scheibe Schwarzbrot	25 g	1
		Butter		
		Bier	1/4 l	1
				5,5

Kochrezepte
(Mengen für je 4 Personen)

Suppen

1. Eiersuppe
   2 Eier und 4 Esslöffel Milch werden versprudelt, in 0,8 Liter Rindsuppe eingerührt und unter ständigem Quirlen kurz aufgekocht. Mit etwas gehackter Petersilie bestreuen.

2. Käsenockerlsuppe
   Nussgroß Butter schaumig rühren, 1 Ei, 2 Esslöffel griffiges Mehl und 40 g Reibkäse dazu mischen, eine halbe Stunde stehen lassen; dann mit nassem Esslöffel Nockerl abstechen und in Rindsuppe 10 Minuten lang schwach kochen lassen (ergibt etwa 8 bis 10 Nockerl).

3. Fridattensuppe
   1 Ei, 3 Esslöffel Milch, 1 Prise Salz versprudeln, daraus in etwas Fett ein flaches Omelett backen, rollen und in feine Streifen (Fridattennudeln) schneiden. Diese Nudeln auf die Suppenteller verteilen und mit heißer Rindsuppe übergießen.

4. Lebernockerlsuppe
   200 g Rindsleber (billiger als andere Leber und hier ausreichend) faschieren, mit 1 Ei, Salz, Pfeffer und etwas Muskat vermengen, mit nassem Löffel Nockerl abstechen und diese in schwach kochender Rindsuppe etwa 10 Minuten lang gar ziehen lassen.

5. Tomatensuppe
   40 g Butter mit 12 g Mehl hell anschwitzen lassen, mit 3/4 Liter Wasser aufgießen, 200 g Tomatenmark dazu geben, 1/4 Stunde leicht kochen lassen. Mit Zucker, Salz und etwas Essig abschmecken.

6. Rahmsuppe
   1/2 Liter sauren Rahm mit 1/2 Liter Wasser verdünnen, mit Salz, Pfeffer, Kümmel und einem halben Suppenwürfel abschmecken, aufkochen lassen, vom Feuer

ziehen und mit 4 Dottern legieren. Die Suppe darf nicht mehr kochen, da das Dotter sonst gerinnt.

Fleisch-Speisen

1. Frikadellen (Fleischkrapferl)
   3 Scheiben durchwachsenen, feinwürfelig geschnittenen Speck und 1 Esslöffel feingehackte Zwiebel hell anrösten, 600 g gemischtes Faschiertes (Schwein und Rind) mit 2 Eiern, Salz, Pfeffer, gehackter Petersilie und dem angerösteten Speck-Zwiebelgemisch gut verkneten, 2 bis 3 Esslöffel kaltes Wasser oder Bier dazu geben, flache Leibchen gewünschter Größe und Zahl formen und in Fett braten.

2. Filet-Gulasch Stroganoff
   l Esslöffel gehackte Zwiebel mit Fett in einer offenen Kasserolle hell anbraten, dann 600 g kleinwürfelig geschnittene Filetspitzen (die dünnen Enden des Lungenbratens) vom Rind und 200 g feinblätterig geschnittene (gereinigte, aber nicht gewaschene) Champignons zugeben, mischen und insgesamt 6 Minuten bei starker Hitze braten. Dabei den Deckel schließen und mehrmals aufschütteln. Zuletzt mit Pfeffer und Salz abschmecken und mit saurem Rahm übergießen.

3. Wurzelfleisch
   800 g Schweinefleisch, vom Bauch oder von der Schulter, salzen und in kaltem Wasser zustellen. So lange kochen, bis das Fleisch fast weich ist (Dampftopf vorteilhaft). 200 g geschälte Sellerie und 120 g geschälte Karotten, in bleistiftdünne, etwa 5 cm lange Streifen geschnitten, zugeben und alles zusammen bis zur Gare kochen.

Anschließend das Fleisch in Scheiben geschnitten, mit Suppe übergossen und mit dem Gemüse garniert, mit Kren (Meerrettich) servieren. Dazu Salzkartoffeln.

4. Szegediner Gulasch

In einem schweren Topf lässt man 4 Esslöffel Schmalz zergehen und röstet dann blättrig geschnittene Zwiebel und 1 gehackte Knoblauchzehe glasig. 800 g magerer Schweinebauch oder -schulter werden würfelig geschnitten und unter häufigem Wenden mitgeröstet, bis sie Farbe genommen haben. Dann gibt man 2 Esslöffel Paprika edelsüß dazu und 1/2 kg Sauerkraut, das man mit der Gabel aufgelockert hat. Bei geschlossenem Deckel ca. 1 Stunde bei kleiner Hitze dünsten. Eventuell mit etwas Weißwein aufgießen. Zum Schluss salzen und mit Sauerrahm verfeinern.

5. Rindsrouladen mit Kohl

4 Rindsschnitzel dünn klopfen, salzen und pfeffern. 4 Kohlblätter in kochendem Wasser blanchieren und auf die Schnitzel legen. Den restlichen Kohl in feine Streifen schneiden. Ungefähr 1 Handvoll davon mit 2 gekochten Zwiebeln und 4 Scheiben gekochtem Schinken, den man in Streifen geschnitten hat, anbraten und mit ca. 150 g Sahne zu einer Masse mit cremiger Konsistenz verkochen. Mit Salz und Pfeffer würzen, auf die Kohlblätter streichen, die Schnitzel einrollen und mit Rouladennadeln feststecken. Rouladen rundherum anbraten, auf dem restlichen Kohl anrichten, mit etwas Wasser aufgießen und im Rohr ca. 20 Minuten garen.

Fische und Eierspeisen

1. Matjeshering

Man nimmt pro Kopf 2 Heringsfilets und legt sie 3 Tage in Magermilch. Vor der Verwendung nimmt man sie heraus, lässt sie abtropfen und übergießt sie mit dickem saurem Rahm, in den man blättrig geschnittenen Apfel gemengt hat; wenn man will, kann man mit rohen Zwiebelringen garnieren. Dazu reicht man Salzkartoffeln.

2. Seefisch-Filet mit Kräutersauce

Der Fisch (1 kg) wird gewaschen, mit Zitrone beträufelt, gesalzen und 10 Minuten in wenig kochendem Wasser ziehen gelassen.

Vier hart gekochte Eier werden gehackt, mit 4 Esslöffel gehackten Krautern (Petersilie, Kerbel, Dill etc.), Salz, Zitronensaft und ca. 300 g saurem Rahm versetzt. Die kalte Sauce wird getrennt gereicht; dazu gibt es gekochte Kartoffeln.

3. Pochierte Eier in Käsesauce

1/2 Liter saurer Rahm wird mit 1/2 Liter Wasser verdünnt zum Kochen gebracht, dann werden 200 g Parmesan eingerührt und bis zur Auflösung des Käses weitergekocht. Dann den Topf vom Feuer nehmen, mit 4 Dottern legieren und mit Pfeffer, Muskat und Salz abschmecken. Unterdessen bringt man leicht gesalzenes Wasser mit etwa 2 Esslöffeln Essig gesäuert zum Kochen. Die Eier werden einzeln in eine Schöpfkelle geschlagen, dicht über das Wasser gehalten und vorsichtig hineingleiten gelassen. Nach 3 bis 4 Minuten nimmt man sie in derselben Reihenfolge wieder heraus, schreckt sie ab, schneidet die Ränder sauber und serviert sie mit der Käsesauce auf vorgewärmten Tellern.

4. Hühnerleber-Omelette

60 g Mehl mit etwas Milch glatt rühren, die restliche Milch (insgesamt 400 g) mit 12 Eiern verquirlen, das Mehl dazu geben. Aus dieser Masse 2 große oder 4 kleine Omeletten machen, die in nicht zu heißer Butter gebratene Hühnerleber in die Omeletten einschlagen und servieren.

Verschiedenes

1. Blumenkohlauflauf mit Schinken
   2 Rosen Blumenkohl in Salzwasser nicht ganz gar kochen, 400 g gekochten Rollschinken in kleine Scheiben schneiden, in eine gebutterte Auflauf-Form lagenweise den zerpflückten Blumenkohl und den Schinken einfüllen.
   1/2 Liter sauren Rahm mit 4 Eiern und 120 g Reibkäse verquirlen, das Gemisch über den Blumenkohl gießen, mit Butterflöckchen belegen und im heißen Rohr so lange backen, bis die Eier-Rahm-Mischung erstarrt ist (ca. 1/2 bis 3/4 Std.).

2. Gurkengemüse
   3 Scheiben durchwachsenen Speck und 1 Kaffeelöffel gehackte Zwiebeln glasig rösten, 800 g entkernte und würfelig geschnittene Gurken zugeben, salzen, pfeffern und zugedeckt garen lassen (ca. 10 Minuten), dann mit 1/4 Liter saurem Rahm übergießen.

3. Rindfleischsalat
   Ca. 600 g gekochtes Rindfleisch in Scheiben und weiter in Streifen schneiden. 4 grüne Paprikaschoten halbieren, entkernen und ebenfalls in Streifen schneiden. 2 Zwiebeln blättrig schneiden. 5 Eßlöffel Weinessig und 5 Esslöffel Wasser aufkochen und Paprika und Zwiebel darin blanchieren, heiß über das Rindfleisch gießen. Mit grobem Pfeffer würzen, 2 Stunden im Kühlschrank ziehen lassen.

4. Käseauflauf
   4 Esslöffel Mehl in 5 Esslöffel Butter anschwitzen und mit 1 1/2 Tassen Milch aufgießen, mit der Schneerute (Schneebesen) schlagen, bis eine dicke Creme entsteht. Vom Herd nehmen und nach und nach 6 Dotter unterziehen sowie 1/2 kg geriebenen Käse (z. B. Emmentaler; es können aber auch verschiedene Reste sein). Zuletzt wird der steife Schnee von 6

Eiklar untergehoben, mit Salz und Paprikapulver gewürzt. Das Ganze wird in eine gebutterte Auflaufform oder Glasschüssel gefüllt und ca. 40 Minuten im Rohr gebacken.

5. Spinatomeletts
   Aus 8 Esslöffel Mehl, 1 1/4 Tassen Milch, 1 Prise Salz und 4 Eiern 12 kleine Omeletts backen. 600 g Spinat kurz andünsten, abtropfen, fein hacken und mit 8 Scheiben Schinken – fein gehackt – mit ca. 250 g Gervais vermischen. Diese Masse in die Eierkuchen füllen, 1 Kugel Mozzarella (oder auch weitere 100 g Gervais) in Scheiben schneiden, auflegen und unter dem Grill gratinieren.

Süßspeisen

1. Omelette confiture
   Das Klar von 8 Eiern zu Schnee schlagen, 8 Dotter mit 20 g Mehl verquirlen und vorsichtig unter den Schnee ziehen, in heißer Butter 2 Omeletten backen, jedes der beiden mit 30 g heißer Marmelade bestreichen und zusammenklappen. Eine Omelette für 2 Personen.

2. Topfenknödel (Quarkklöße)
   1 kg mageren (möglichst trockenen) Topfen (Quark) – feuchten Topfen einen Tag stehen lassen – mit 4 Eiern und 60 g Grieß sowie einer Prise Salz vermengen und eine Stunde stehen lassen. Mit nassen Händen Knödel formen und in schwach kochendem Salzwasser 1/4 Stunde lang ziehen lassen. Man bekommt aus der angegebenen Menge etwa 12 Knödel mittlerer Größe, die man heiß – in Scheiben geschnitten und mit zerlassener Butter übergossen – mit Kompott serviert.

3. Gervais-Torte
   80 g geriebenen Zwieback mit 40 g Butter und 20 g Zucker vermengen und den Boden einer gebutterten 24-cm-Springform bedecken. Der Inhalt wird

mit einem Esslöffel fest angedrückt und im Rohr bei mittlerer Hitze etwa 10 Minuten lang hellbraun gebacken. Unterdessen wird 1/2 kg Gervais mit 60 g Zucker, 5 Dottern, 1/8 saurem Rahm, 1 Esslöffel Zitronensaft und der abgeriebenen Schale einer halben Zitrone cremig gerührt und mit dem steifgeschlagenen Klar der 5 Eier vermengt.

Die Masse wird auf den vorgebackenen Zwiebackboden gefüllt und bei 150 Grad 1 1/2 Stunden gebacken. Achtung: die Springform erst nach Abkühlen der Torte entfernen.

1/12 dieser Torte enthält 14,1 g Kohlenhydrat oder etwas mehr als eine Einheit.

4. Gervaiscreme
400 g Gervais werden mit 2 Esslöffel Zucker, etwas Milch und dem Saft einer Zitrone zu einer dicken Creme geschlagen, mit 4 Esslöffel beliebigen Beeren (z. B. Erdbeeren, Himbeeren) vermischt, garniert und kaltgestellt.

5. Schokoladensoufflé
100 g bittere Schokolade bei schwacher Hitze schmelzen, 1 Dotter mit 2 Esslöffel Staubzucker schaumig schlagen, mit der weichen Schokolade vermischen und den steifen Schnee von 6 Eiklar unterheben, mit Rum aromatisieren. 4 kleine Auflaufformen mit Butter bestreichen, die Masse einfüllen, mit abgetropften Sauerkirschen (ohne Zucker!) belegen und im Rohr ca. 20 Min. backen. Sofort – eventuell mit kalter Sahne – servieren,

6. Zabaione
4 Dotter mit 2 Esslöffel Zucker und 8 Esslöffel Marsala, 1 Esslöffel Cognac und den Saft einer Zitrone auf Wasserbad dickschlagen. Den Schnee von 2 Eiklar unterziehen, heiß in einem hohen Glas servieren.

7. Gebackene Apfelspalten
2 große, säuerliche Äpfel schälen und in ca. 1 1/2 cm dicke Scheiben schneiden. Mit Zitronensaft und Zimt marinieren. Inzwischen aus 1/8 Liter Weißwein oder Sodawasser, 2 Esslöffel Mehl, 2 Dotter und dem Schnee von 3 Eiklar einen Backteig bereiten, die Apfelscheiben im Teig wenden und in Butterschmalz goldbraun backen. Eventuell mit Zimt bestreuen.

8. Gratinierte Pfirsiche
4 Pfirsiche kurz in kochendes Wasser tauchen, enthäuten, halbieren und den Kern entfernen. In einer Pfanne 2 Esslöffel Butter und 2 Esslöffel Zucker karamellisieren, geriebene Makronen dazugeben und damit die Pfirsichhälften füllen. Die Pfirsiche in eine gebutterte Form geben, mit dem Saft einer Zitrone und etwas Amarolikör besprenkeln und unter dem Grill gratinieren.

9. Haselnusstorte
7 Eidotter und ein ganzes Ei werden mit 8 Esslöffel Zucker sehr schaumig gerührt, mit 140 g gerösteten, geriebenen Haselnüssen, die man mit 4 Esslöffel Rum befeuchtet hat, 2 Rippen weicher Bitterschokolade und dem steifen Schnee von 7 Eiklar vermengt, in gebutterter Springform ca. 40 Minuten gebacken. Nach dem Erkalten durchschneiden und mit geschlagener Sahne füllen. Ergibt 12 Stücke.

Dr. Wolfgang Lutz

Kranker Magen, kranker Darm
Was wirklich hilft

Dr. Lutz erläutert darin, wie unsere Zivilisationsnahrung,
die weitgehend von Produkten des Ackerbaues beherrscht
wird, besonders für die Organe des Verdauungstraktes,
schlecht verträglich ist, wie es zum sauren Aufstoßen,
Sodbrennen, Magen- und Zwölffingerdarmgeschwür kommt,
wie Bauchspeicheldrüse, Dünndarm und Dickdarm leiden und
erkranken (Blähungen, Gase, chronischer Durchfall, Kolitis
und Crohnsche Krankheit) und wie man mit Rückkehr zur
Diät unserer altsteinzeitlichen Vorfahren – mit mehr Fleisch
und tierischen Fetten – seine Probleme in den Griff bekommen
kann, die allen sonstigen Behandlungsmethoden trotzen.
Dr. Lutz bespricht auch genau, wie man Erfolg hat, ohne allzuviel
von seinen Lebensgewohnheiten aufgeben zu müssen.
Im Anhang findet sich eine Sammlung von Kochrezepten.

INFORMED GmbH
Irminfriedstraße 31
D-82166 Gräfelfing
Tel.: 089/854 20 88, Fax: 089/854 27 66
ISBN: 978-3-88760-080-0
Preis: € 15,00

Dr. med. Frauke Hofert

Mein Instrument der Körper
Grundlagenwissen für Fitness und Tanz

Tanz, Gymnastik, Sport und Fitness sind fast zur begrifflichen
Einheit herangewachsen. Nur wer gesund und gut trainiert ist,
kann sich körperlich das abverlangen, was er sich erhofft. Dies
trifft besonders für die Anhänger des Balletts zu. Sie müssen Knochen,
Muskeln, Sehnen und auch das Nervensystem streckenweise
beanspruchen. Nur wer über Bau und Funktion seines Körpers
Bescheid weiß, kann verhüten, daß Streß zu Schäden führt.

Frau Dr. med. Frauke Hofert – sie beherrscht Tanz und Ballett
ebenso gut wie moderne Medizin – bringt mit diesem Buch allen,
die daran interessiert sind, Bau und Funktion des menschlichen
Körpers näher. Knochen, Sehnen und Muskulatur, die funktionellen
Einheiten des Körpers, das Herz-Kreislauf-System kommen in
Wort und Bild zum Zug: Anatomie und Physiologie werden für
den Laien kompakt und doch verständlich abgehandelt.

Der Ernährung ist ein breiter Raum gewidmet. Text und Tabellen
machen deutlich, welche Nährstoffe für den gesunden Körper
unabdingbar sind. Kohlenhydrate, Fette, Eiweiße und Vitamine
werden in ihrem gesundheitlichen Stellenwert beschrieben.

„Grundwissen für Fitness und Tanz" – so der Untertitel des
Buches – bietet etwas, das allen Mitgliedern von Ballett-, Gymnastik-,
Fitness- und Tanz-Studios Nutzen bringen wird.

INFORMED GmbH
Irminfriedstraße 31
D-82166 Gräfelfing
Tel.: 089/854 20 88, Fax: 089/854 27 66
ISBN: 978-3-88760-110-6
Preis: € 15,00